September 2001

in Berlin

Der junge und sympathische Manfred Matuschewski ist, wie schon in den Romanen ›Brennholz für Kartoffelschalen‹ und ›Capri und Kartoffelpuffer‹ Held dieser neuen Abenteuer, die das Leben im Westteil Berlins beschreiben.
Nach dem Abitur beginnt Manfred zunächst eine Lehre bei der Firma Siemens. Auf einer Italienreise eröffnen sich für ihn die Weiten der Welt. Er entschließt sich, zu studieren und schreibt sich im Fach Soziologie ein. Seine Familie nimmt wie immer regen Anteil am Leben des jungen Mannes, so sind ›Kohlenoma‹ und die ›Schmöckwitzer Oma‹ und Tante Trudchen mehr als glücklich, als er die lang umschwärmte Renate erobern kann.
Die Zeitgeschichte, die politische Entwicklung bleibt immer präsent – vom Mauerbau bis zur Studentenrevolte. Der Westteil Berlins war ein aufregendes Pflaster, dort wurden wichtige Teile der deutschen Nachkriegsgeschichte geschrieben. Und unser Held ist mittenmang. Anfang der siebziger Jahre verabschiedet sich Manfred von seiner Heimatstadt, um in Bremen eine Stelle anzutreten. Als er mit dem Flugzeug über Neukölln fliegt, erinnert er sich an seine Kindheit und hört den Bauern auf der Straße ›Brennholz für Kartoffelschalen‹ rufen.

Horst Bosetzky (-ky), Soziologieprofessor in Berlin, wurde mit seinen Kriminalromanen bekannt. Daneben verfaßte er Jugendbücher, Hör- und Fernsehspiele.
Im Argon Verlag erschien: ›Brennholz für Kartoffelschalen‹. Dort ist auch soeben der vierte Roman mit Manfred Matuschewski herausgekommen: ›Quetschkartoffeln und Karriere‹. Der Fischer Taschenbuch Verlag veröffentlichte: ›Capri und Kartoffelpuffer‹ (Bd. 13992) sowie ›Der letzte Askanier‹ (Bd. 13963).

Unsere Adresse im Internet: www.fischer-tb.de

Horst Bosetzky

Champagner und Kartoffelchips

Roman einer Familie
in den 50er und 60er Jahren

Fischer Taschenbuch Verlag

2. Auflage: Januar 2001

Veröffentlicht im Fischer Taschenbuch Verlag GmbH,
Frankfurt am Main, Dezember 2000

Lizenzausgabe mit freundlicher Genehmigung des
Argon Verlags, Berlin

Druck und Bindung: Clausen & Bosse, Leck
Printed in Germany
ISBN 3-596-14885-5

Die Erinnerung ist das einzige Paradies,
aus dem wir nicht vertrieben werden
können.
Jean Paul, *Die unsichtbare Loge*

Lehrjahre sind keine Herrenjahre

Manfred Matuschewski knipste die Nachttischlampe an und sah auf den Wecker. Es war kurz vor halb vier, und eigentlich hätte er noch zwei Stunden schlafen können, doch er konnte eben nicht. Überall juckte es, und er schwitzte wie ein Fieberkranker. Als er sich die Bettdecke vom Körper wegriß, schien der Schweiß, der seine Haut bedeckte, im Nu zu Eis zu erstarren, so daß er mächtig fror und sich schon mit einer Lungenentzündung im Krankenhaus sah. *Lies noch ein bißchen, bis du wieder müde wirst.* Er ließ das Licht also an und versuchte es mit dem *Grundriß der Betriebswirtschaft* von Findeisen/Großmann. Bis zur Seite 19 hatte er sich schon vorgekämpft, nun kam das Kapitel »Die Kräfte des Betriebes«.

»Jeder Betriebsangehörige hat durch seine Arbeitsleistung zum Betriebserfolg beizutragen. Dazu muß er die für den Beruf erforderlichen Anlagen und Fähigkeiten haben.«

Die aber, da war Manfred sich schon nach einer Woche Siemens ziemlich sicher, hatte er nicht.

Manfred Matuschewski, hiermit verurteile ich dich zu drei Jahren Siemens.

Da saß er im Gefängnis, und an Flucht war nicht zu denken.

Er löschte das Licht und warf sich immer wieder herum, von links nach rechts, von rechts nach links, und hoffte, durch diese Anstrengung müde zu werden. Vergebens. Es wurde bestenfalls ein unruhiges Dahindämmern, von Traumfetzen zerrissen.

Als der Wecker dann klingelte, kurz vor halb sechs, war es wie eine Erlösung. Doch als Manfred im Badezimmer stand und sich die Zähne putzte, wurde ihm derart schwindlig, daß er sich am Waschbecken festhalten mußte. Er fühlte sich so zerschlagen und schwach wie nach einer schweren Grippe. Und dabei war es erst sein dritter Tag bei Siemens ... 1092 andere galt es noch zu überstehen. Er glaubte nicht, daß er das schaffen konnte.

Es war, wie der RIAS-Sprecher zu Beginn der Nachrichten verlauten ließ, Mittwoch, der 3. April 1957. Beim Duschen dachte Manfred intensiv an Bibi Johns, und als seine Mutter ihn aus dem Bad kommen sah, freute sie sich, wie fröhlich er seine Lehre als Industriekaufmann doch anging.

»Wenn ich da noch an meine ersten Tage bei Tengelmann denke«, sagte sie. »Als ich abends nach Hause gekommen bin, habe ich in der Küche auf'm Stuhl gesessen und geweint. ›Mutti‹, habe ich gesagt, ›wozu lebe ich überhaupt?‹«

Eine gute Frage, wie Manfred fand. Ohne jeden Appetit schlang er sein Frühstück hinunter, zwei Scheiben Graubrot mit Quark. Egal, was er aß, er bekam eh Magenschmerzen davon. Voller Neid dachte er an seine Klassenkameraden aus der Albert-Schweitzer-Schule, die ein Studium begonnen hatten. Die lagen noch im Bett und schliefen. Auch sein Freund Dirk Kollmannsperger, der als Sitzenbleiber erst jetzt die 13. Klasse und das Abitur in Angriff nehmen durfte, hatte es wesentlich besser als er. So sehr er noch vor wenigen Wochen seine alte Schule, die Penne, verflucht hatte, so sehr sehnte er sich nun nach ihr zurück, nach ihrer Wärme, ihrer Geborgenheit. Wie sagte Dirk Kollmannsperger immer: »Alles ist relativ, nur der Müggelsee ist flach.« Schon wieder hatte er seinen Schlips bekleckert, den »Kulturstrick«, und er mußte ins Badezimmer laufen, um den Quark rauszuwaschen.

Danach blieb er gleich im Flur, um sein Sakko anzuziehen, seine Zwangsjacke. Sie war braun und grau, »gemuschelt«, wie seine Mutter das nannte. Als sie dieses Sakko bei Brummer in der Karl-Marx-Straße gekauft hatten *(Um jedermann gut anzuziehn, ist Brummer fünfmal in Berlin)*, hatte er sich bei seinen Eltern mit einem Kuß auf die Wange bedankt. Sie waren stolz auf ihren Sohn.

Manfred zog den dunkelgrünen Mantel über, griff sich seine dunkelbraune Aktentasche, verabschiedete sich von den Eltern, die kauend in der Küche standen, und verließ die Wohnung. Als er wenig später die Treptower Straße in Richtung Sonnenallee hinunterging, fühlte er sich nicht wie 19, sondern wie 91. Müde, alt und krank, dem Sterben nahe. Und er haßte die Leute, die schon an der Haltestelle standen und drängelnd auf den Fahrdamm quollen, als die 94 kam. Bis zum Kottbusser Tor mußte er die Straßenbahn benutzen, dann fuhr er mit der Hoch- und Untergrundbahn, der grünen B I, bis zur Station Deutsches Opernhaus. Mit Wehmut dachte er an die Tage zurück, wo er leise gejauchzt hatte, wenn die 94 in Gestalt eines Triebwagens der Serie T 33 U herangerollt war, »Stube und Küche« genannt, weil halb Raucher, halb Nichtraucher. Jetzt aber war er ohne jedes Gefühl, innerlich abgestorben, völlig leer. Er lebte nicht mehr, er ließ das Leben nur noch über sich ergehen.

Zwar war er Siemens-Lehrling, doch die ersten beiden Monate seiner dreijährigen Lehrzeit sollte er nicht in einem der vielen Werke in Siemensstadt oder in der Zweigniederlassung, der ZN, in der Schöneberger Straße verbringen, sondern in einem anderen Betrieb, bei Nora nämlich. Nora war bis vor kurzem eine eigenständige Firma gewesen, hatte sich aber mit ihren Radio- und Fernsehgeräten nicht behaupten können und war von Siemens übernommen worden. Die Konkurrenz, so hatte es Manfred am ersten Tag hinter vorgehaltener Hand zu hören bekommen, Grundig und Blaupunkt vor allem, die bei Siemens viele Bauteile kaufte, hatte es nicht gern, wenn ihr Siemens mit eigenen Geräten die Kunden wegnahm. Deshalb hatte man weitere Einkäufe bei Siemens von dem Zugeständnis abhängig gemacht, daß man sich dort langsam vom Fernsehmarkt zurückzog. So war die Münchener Zentrale auf die Idee gekommen, Nora zu kaufen, und Manfred war nun in die Nora-Geschäftsstelle in der Wilmersdorfer Straße abkommandiert worden.

Das war sein Pech, denn in der kleinen Klitsche war es mit Sicherheit viel miefiger als draußen in Siemensstadt.

Schon in der U-Bahn stand einer dieser fürchterlichen Nora-Spießer hinter ihm, Ackermann mit Namen. Er war kaum älter als er, hatte ein teigiges Kinderschändergesicht und sabberte mit wulstigen Lippen vor sich hin. Er fühlte sich Manfred maßlos überlegen, da er längst ausgelernt hatte und als kaufmännischer Angestellter gutes Geld verdiente. Herr Ackermann belehrte ihn dahin gehend, daß Gutschriften, in der Hauptsache Bank- und Postschecks sowie Tz-Verträge, in rote Mappen kämen, Belastungen – also Rechnungen – dagegen in gelbe Mappen. »Was Sie gestern falsch gemacht haben. Ja, ja, die Abiturienten ...«

Eine halbe Stunde später saß Manfred an seinem Arbeitsplatz in der Verkaufsabteilung des Nora-Vertriebs. Vier Schreibtische waren zu einem Block zusammengeschoben. Ihm gegenüber hatte sich Frau Scholz häuslich eingerichtet. Sie war so dick wie die Herrscherin einer polynesischen Insel und schwitzte entsprechend. Auf die Fünfzig ging sie zu, und da ihre beiden Kinder aus dem Haus waren, nutzte sie die Gelegenheit, Manfred ein wenig zu bemuttern. Neben ihr, von Manfred aus gesehen rechts am Fenster, erledigte Fräulein Strich die Korrespondenz der Abteilung. Sie war zierlich und apart und überprüfte mehrmals in der Stunde ihr Makeup. Immer trug sie Pumps und sehr enge Pullover und Röcke, und Manfred hoffte, daß sie Nymphomanin war und ihn irgendwann verführte. Ihr Nachname schien in dieser Hinsicht einiges zu versprechen, ihr Vorname – Elvira – weit weniger. Rechts von ihm, also vis-à-vis von Fräulein Strich, hatte Herr Kucharski, ihr Gruppenleiter, seinen Platz. Sein Drehstuhl war um einiges größer und teurer als ihrer. Da sein Gesäß sehr schmal geraten war und die anthrazitfarbene Sitzfläche bei weitem nicht füllte, bot er Frau Scholz öfter den Stuhltausch an, denn bei ihr quoll seitlich etliches Fleisch aus der Schale heraus. Doch sie lehnte immer wieder dankend ab. Auch wenn Herr Kucharski fehlte, ließ sie die Finger von seinem Stuhl, weil ihr Gefühl für Rang und

Würde diese Inbesitznahme nicht zuließ. Dabei war Herr Kucharski öfter nicht zugegen, weil er eine schwere Kopf- und Hirnverletzung hatte und immer, wenn die Schmerzen unerträglich wurden und die Erinnerung kam, zur Flasche griff. Bei der Landung der Alliierten in der Normandie war es passiert: Vor seinem Schützengraben war plötzlich ein Amerikaner erschienen, und Herr Kucharski hatte geistesgegenwärtig den Karabiner fallen gelassen und die Hände hochgerissen, doch der junge GI hatte die Nerven verloren und den Abzug seiner MP durchgezogen. Herr Kucharski hatte überlebt, aber manchmal war es nicht mehr zum Aushalten. Niemand nahm es sich heraus, über ihn zu lästern.

Manfreds Tätigkeit bestand darin, die Gerätenummern der Fernseh- und der Radioapparate sowie der Musiktruhen, die auf den Lieferscheinen standen, mit denen auf den Rechnungen und den Lagerbestandslisten zu vergleichen. Zudem hatte er den Klammeraffen zu bedienen und Schriftstücke zu lochen und sauber abzulegen.

»Herr Matuschewski«, mahnte Frau Scholz, »erst kommt oe, dann ö, also Roeder immer vor Röder.«

»Ja, Entschuldigung.«

Schon um neun Uhr war er völlig durchgeschwitzt. Das Jackett abzulegen schickte sich nicht. Zumindest nicht, bevor Herr Kucharski dies getan hatte, und der zögerte immer, weil er zu kurze Arme oder aber zu lange Hemden hatte, sich jedenfalls immer Gummibänder um die Oberarme wickeln mußte, was nicht eben elegant aussah. Besonders aber litt Manfred darunter, daß seine Füße in den engen Schuhen zu kochen begannen. Auch kämpfte er mit dem Schlaf. Was ihn wachhielt, war der Gedanke, es mit Fräulein Strich im Fahrstuhl zu treiben. Als Frau Scholz plötzlich aufschrie, weil ihr ein Berg von Ordnern zu entgleiten drohte, und er schnell aufspringen mußte, um ihr zu Hilfe zu eilen, hatte er erhebliche Mühe, seine Erektion zu verbergen.

»Haben Sie etwas an der Schulter? Sie gehen ja so krumm.«

Als er die Monotonie nicht länger ertragen konnte, flüchtete er sich ins Lager, um Gerätenummern zu recherchieren.

Allein in dem Labyrinth aus aufgestapelten Kisten, fiel er auf einen ausrangierten Stuhl und begann, einen Brief an Renate zu schreiben, die ehemalige Klassenkameradin, die nach Westdeutschland gezogen war, aber zur Abiturfeier in die Aula gekommen war, seinetwegen.

O du loses, leidigliebes Mädchen,
Sag mir an, womit hab' ich's verschuldet,
Daß du mich auf diese Folter spannest,
Daß du dein gegeben Wort gebrochen?

Liebe Renate, geliebte Renate,
dies ist das Gedicht »Morgenklagen« von Goethe, und auch ich klage an diesem Morgen bei mir in der Firma: Warum bist Du nicht hier? Hier im Lager wäre ein Lager für uns. Ich denke andauernd an Dich, aber Du hast mich sicher schon vergessen. Das »erste Mal« mit Dir, ich kann es nicht vergessen, und ich habe gedacht, daß es unsere Verlobung war. Für Dich aber war es scheinbar nicht mehr, als wenn wir nach der Schule zusammen ein Eis bei »Giuseppe« gegessen hätten. Ich weiß, ich bin nur Lehrling, aber immerhin Stammhauslehrling bei Siemens und nicht Ladenschwengel in einer kleinen Klitsche. Wenn sie sagen, daß wir den Marschallstab im Tornister haben, dann stimmt das schon. Es gibt also eine Zukunft für mich – aber nur mit Dir. Bitte, bitte, melde Dich. Du kannst Dir denken, wie mir zumute ist, wenn ich daran denke, wie Du im durchsichtigen Nachthemd zum Fenster gehst und …

Weiter kam er nicht, denn die Tür ging auf, und jemand kam herein. Am typischen Zigarrengeruch erkannte er sofort, daß es Herr Gehrke war, der Leiter der Kassenstelle. Schnell ließ er den halbfertigen Brief unter seinen Papieren verschwinden. Gleich am ersten Tag waren er, der Stammhauslehrling mit Abitur, und die beiden gewöhnlichen Lehrlinge von Fräulein Schiller, der Chefsekretärin, durch die Firma geführt und allen vorgestellt worden. An den Kassierer konnte er sich gut erinnern. Einmal der Zigarre wegen und zum anderen, weil er Werner Forßmann, dem Nobelpreisträger für Medizin, ziemlich ähnlich sah. Der hatte sich – alle sprachen davon – im Eigenversuch einen Katheter ins Herz geschoben. Weil Bimbo, Manfreds Schulfreund, in einem Aufsatz geschrieben hatte, Forßmann hätte das mit einem Katheder getan (Randbemerkung von Frau Hünicke: »... dem aus der Aula womöglich ...?«), und die Klasse sich daraufhin halbtot gelacht hatte, war ihm das gut in Erinnerung geblieben.

»Ah, unser neuer Lehrling!« rief Herr Gehrke, und sein breites Bernhardinergesicht glänzte vor Wohlwollen. »Du könntest mir einmal einen kleinen Gefallen tun ...«

Da Herr Gehrkes rechte Hand bei diesen Worten tief in der Hosentasche steckte, um dort wild herumzufummeln, zuckte Manfred zusammen und sah sich verstohlen nach einem Fluchtweg um.

»Ja, aber ...«

»Kein Aber, das ist die Pflicht aller Lehrlinge.« Herr Gehrke kam näher, die Hand noch immer in der Tasche rotierend.

Manfred brach der Schweiß aus allen Poren. Er wich zurück.

»Du holst mir bitte mal eine Kiste Zigarren von draußen ...« Endlich hatte Herr Gehrke den Zwanzigmarkschein in den Tiefen seiner Hosentasche ausfindig gemacht und herausgezogen.

Manfred atmete auf. »Ja, gerne ...«

Als er dann draußen auf der Wilmersdorfer Straße nach dem Zigarrenladen suchte, überkam ihn wieder die Mutlosigkeit. Ein Ausspruch seiner Kohlenoma ging ihm durch den Kopf: *Gestern noch auf hohen Rossen, heute durch die Brust geschossen.* Und er dachte: *Tiefer kann man nicht mehr sinken.* Wenn es wenigstens für den Chef gewesen wäre. Aber nun mußte er sogar für einen kleinen Angestellten private Botengänge erledigen. Und wenn er nein gesagt hätte? Hatte er nicht, ging wohl auch nicht, denn überall war es ja zu hören, so feierlich und schauerlich wie im Chor einer altgriechischen Tragödie: *Lehrjahre sind keine Herrenjahre.*

Eine Straßenbahn rollte vorüber, ein Verbundtriebwagen der Linie 44. Was in aller Welt hinderte ihn, sich in diese Bahn zu setzen und zu flüchten. Aber was dann? Er hatte kein Geld, keine eigene Wohnung, keine Arbeit, er wußte nicht, was er sonst machen oder studieren sollte. Draußen war er verloren, im Knast aber konnte er in einer warmen Zelle überleben. Also holte er die Zigarren, also ging er zu Nora und Siemens zurück.

Im Büro fauchte Fräulein Strich ihn an. »Sie haben das Kohlepapier falsch rum eingelegt, so daß der Text hinten auf dem Original drauf ist und nicht auf dem Durchschlag hier. Mein Gott! Sie setzen sich jetzt an die Maschine und tippen das neu ab. Ich geh' inzwischen essen. Mahlzeit!«

Manfred machte sich an seine Strafarbeit. Gottergeben wie ein Sklave auf den Baumwollfeldern. *Augen zu und durch.*

Stumpf und schwitzend quälte er sich herum, bis auch er zum Mittagessen gehen durfte. Die Kantine befand sich oben unter dem Dachboden, und er stieg die Treppe hinauf, obwohl er das Gefühl hatte, jeden Augenblick einem Schwächeanfall erliegen zu müssen. Sein Herz raste, ein Geschmack von langer Krankheit und Grünspan lag ihm auf der Zunge. Er beneidete die anderen Lehrlinge, die zu dritt oder zu viert in den Berliner Siemenswerken steckten und immer jemanden hatten, mit dem man sich aussprechen konnte ... bei Nora war er mutterseelenallein. Das Selbstmitleid trieb ihm Tränen in die Augen. Gott, warum hatte er seinen Eltern nicht gesagt, es sei sein großer Wunsch, Jura zu studieren! Dann könnte er jetzt zu Hause im Bett liegen und warten, bis das Semester losging.

So aber stand er verloren in der Nora-Kantine und nestelte seine Essensmarke heraus. Königsberger Klopse gab es, mit Quetschkartoffeln. Die Frau des Kantinenwirts fischte den Klops aus der Kapernsoße. Nachdem sie den kleinen Fleischball aufgespießt hatte, klemmte sie ihn mit dem Daumen fest und schnippte ihn auf seinen Teller. Beim zweiten Klops aber mißglückte das Manöver, und das leichengraue Gebilde rutschte weg. Doch ihr Mann hatte aufgepaßt und stieß den

Klops mit seinem dicken Bauch wie eine Billardkugel zur Mitte des Tisches zurück. Das wäre ja noch angegangen, wenn diesen Bauch nicht eine furchtbar schmutzige Kantinenpächterschürze geziert hätte. Seinen Klops aber mußte Manfred essen. Ihn zu verschmähen, durfte er nicht wagen: Am Nebentisch nämlich saß Herr Gosch, der Chef, und der hatte ihn fest ihm Auge.

Nachmittags wurde Manfred mit den beiden anderen Lehrlingen zum Prokuristen gerufen. Die Chefsekretärin, Fräulein Schiller, wies sie an, im Vorzimmer Platz zu nehmen und zu warten. Herr Gosch sei in einer Besprechung. Manfred wurde der Stuhl direkt vor ihrem Schreibtisch zugewiesen. Hinter einer gepolsterten Tür erklangen gedämpfte Stimmen. Er bekam feuchte Hände und fühlte sich zu Däumlingsgröße schrumpfen. Jetzt wußte er, was gemeint war, wenn irgendwo zu lesen stand, der Generaldirektor sei von einer Aura der Macht umgeben. Zugleich überkam ihn eine beträchtliche Erregung, denn Fräulein Schiller war attraktiver als all die Sekretärinnen, die er je im Film gesehen hatte. Mit ihrem engen Rock, den hohen Pumps und Beinen wie aus einer Strumpfreklame brachte sie seinen Hormonhaushalt ordentlich durcheinander.

Endlich wurden sie vorgelassen. Auch Herr Gosch schien nicht echt zu sein, sondern ein Schauspieler aus einem Film mit Theo Lingen, Heinz Erhardt und Peter Frankenfeld. Er wies in der Tat eine gewisse Ähnlichkeit mit Gunther Philipp auf, nur daß er schon grau- bis weißhaarig war.

Es war das größte Zimmer im Haus. Ganz hinten in der Ecke stand der Schreibtisch, ein Gebilde aus dunklem Edelholz und von einer Größe, wie Manfred sie auch nur aus Filmen kannte, breit und lang wie eine Tischtennisplatte. So leer wie er war, hätte er sich auch bestens für ein kleines Spiel geeignet.

Er machte eine tiefe Verbeugung, als er Herrn Gosch die Hand geben durfte. Die Sklaven in *Onkel Toms Hütte* hatten sich ihrem Massa wohl nicht anders genähert: unterwürfig und ängstlich. Ein Wort von ihm, und es war aus mit ihnen.

Ein Wort von Herrn Gosch, und Manfred stand auf der Straße. Dabei wünschte er sich nichts sehnlicher, als auf der Straße zu stehen und wieder frei zu sein ... Dieser Widerspruch war unerträglich. Zum Glück durften sie sich setzen, und Fräulein Schiller stellte eine Büchse mit Keksen auf den Besuchertisch. Herr Gosch verblieb auf seinem Thron, während sie, die drei Lehrlinge, sich in Sesseln niederlassen mußten, die sie noch kleiner machten, als sie ohnehin schon waren. Neben Manfred waren es zwei Siebzehnjährige: ein O-beiniger Fußballer, den die kaufmännische Lehre wenig kümmerte, da er sicher war, bald Karriere bei Hertha BSC oder Tennis Borussia zu machen, und eine geborene Hausfrau und Mutter, die schon den Mann gefunden hatte, der ihr die Erfüllung bringen würde. Beide waren so unbelastet und munter, daß Manfred über das übliche »Hallo, wie geht's?« keinen Draht zu ihnen fand.

Herr Gosch legte seine Zigarre beiseite und setzte zu einer kleinen Rede an.

»Liebe junge Freunde, ich heiße Sie herzlich willkommen in unserer großen Nora-Familie. Lassen Sie mich mit etwas sehr Grundsätzlichem beginnen: Der Wert der menschlichen Arbeitskraft liegt nicht im physischen Aufwand, er liegt einzig und allein im Geistigen, oder besser gesagt: im Moralischen. Dazu gehört, daß Sie all das freudig tun, was Ihnen von Ihren Kolleginnen und Kollegen und vor allem Ihren Vorgesetzten hier bei uns vorgelebt wird. Und denken Sie immer an die großen Worte Goethes und Schillers: ›Immer strebe zum Ganzen / Und kannst du selber kein Ganzes / Werden, als dienendes Glied schließ an ein Ganzes dich an!‹ Und dieses Ganze, in das Sie sich dienend einordnen sollen und müssen, ist unsere Firmengemeinschaft, in der es ein klares Oben und ein klares Unten gibt. Wenn Sie sich bewähren in Leistung und Gefolgschaftstreue, dann klettern Sie langsam, aber sicher auf der Karriereleiter nach oben. Jetzt aber sind Sie ganz am Anfang, und aller Anfang ist ja bekanntlich schwer, und Sie sollten sich immer wieder das eine ins Gedächtnis rufen: daß Lehrjahre keine Herrenjahre sind.«

Manfred ging an seinen Schreibtisch zurück und bemerkte, daß sie am Morgen vergessen hatten, das Blatt vom Kalender zu reißen. Er tat es und las, was auf der Rückseite stand: *Ich weiß, es wird einmal ein Wunder geschehn.* Das Lied aus dem Tonfilm *Die große Liebe.*

Er wußte, nur ein Wunder konnte ihn noch retten.

Manfred stand am Schraubstock und feilte hingebungsvoll an einem Eisenblock herum. Dessen Maße – 5,8 x 5,3 x 1,8 cm – entsprachen etwa denen von anderthalb Zündholzschachteln. Eine Schraubzwinge sollte das werden, wozu aus dem Rechteck ein U zu machen war, man also aus der Mitte ein Riesenstück herauszufeilen hatte. Da hieß es: tüchtig »schrubben«.

An dreißig weiteren Arbeitsplätzen stand der gesamte kaufmännische Siemens-Nachwuchs des Standorts Berlins, das heißt, alle Stammhauslehrlinge des Jahrgangs 1957 mit Ausnahme der beiden Mädchen, die man in dieser Männerwelt nicht akzeptierte.

Kramer, der Meister der Lehrwerkstatt, kam an Manfreds Schraubstock, hieß ihn, das Werkstück herauszunehmen, und prüfte die Arbeit mit Hilfe einer Schieblehre.

»Exakt! Besser kann es keine Maschine machen. Eine glatte Eins.«

Manfred strahlte. Plötzlich war er der Star der Truppe, und das Leid der Nora-Tage war zunächst vergessen. War dies schon das ersehnte Wunder oder nur ein Zwischenhoch?

Nach sechs Wochen kaufmännischer Praxis in Werken und Vertrieb hatte Siemens alle gehobenen Rekruten hier im alten Wernerwerk versammelt, um sie mit dem feinmechanischen Handwerk vertraut zu machen. Ein »Koofmich«, so hatte Herr Frantz, Manfreds Ausbildungsleiter, gleich am Anfang gesagt, müsse wissen, wie die Produkte, die er zu verkaufen habe, werkseitig entstünden.

Rechts neben Manfred mühte sich Bernhard Bleibaum mit seiner Riesenfeile und tat sich so schwer damit wie ein Kleinkind. Er kam aus einer alten jüdischen Oberschichtfamilie und hielt es für unter seiner Würde, hier wie ein Prolet zu schuften. Außer einem holländischen Diamantenschleifer hatten sie nie einen Handwerker in der Familie gehabt, alle waren sie Historiker, Mediziner und Juristen gewesen. Bernhard Bleibaum hatte in einem Amsterdamer Versteck den Holocaust überlebt. Er war maßlos arrogant, und weil er viel mehr wußte als alle anderen und ungleich intelligenter war, hieß er bei den meisten nur »Zwerg Allwissend«. Daß er hier bei Siemens lernte, war ihm von einer Tante, die eine Kosmetikfirma besaß, nahegelegt worden. »Entweder du lernst von der Pike auf – oder ich vererbe alles dem Tierschutzverein!« Nun, wenn schon lernen, hatte er sich gesagt, dann bei der nobelsten Adresse. So stand er also hier am Schraubstock. Daß er handwerklich so unbegabt war, wurmte ihn gewaltig, und so war er Manfred außerordentlich dankbar, daß der für ihn feilte und bohrte, schmiedete und schliff. Meister Kramer bekam nicht mit, daß Bleibaums Werkstücke überwiegend von Manfreds Hand gefertigt waren. Das war der Beginn einer großen Freundschaft, die auch deswegen so eng wurde, weil Manfreds Vorfahren mütterlicherseits ebenfalls dem mosaischen Glauben angehört hatten. So gestand Bernhard Manfred denn auch, sein jüdischer Taufname sei Moshe.

Links von Manfred hatte Wolfgang Schmitt seinen Arbeitsplatz. Der war nun der krasse Gegensatz zu Moshe, einer jener Charaktere, die beim Fußball die Rolle des Manndeckers spielen. Sicher, auch er hatte das Abitur gemacht, doch las er viel lieber BILD als Böll. Handfest und allezeit fröhlich war er und genoß es, Stammhauslehrling bei Siemens zu sein. Er hatte von nichts anderem geträumt, als sein Leben lang am Schreibtisch zu sitzen und Rechnungen zu prüfen, Turbinen zu verkaufen oder ein Lager zu verwalten. Die Natur hatte ihn mit blühender Akne geschlagen, und so war sein Gesicht mit Erhebungen und tiefen Kratern übersät. Es glich einem Golfball mit blauroten Farbtupfern.

Manfred war dabei, mit einem kleinen Stahlstempel den Namen MATUSCHEWSKI in seine Schraubzwinge zu schlagen, was, sollte es sauber und präzise wirken, ungeheuer schwierig war und die vollste Konzentration erforderte. Ein falscher Hammerschlag, zu stark oder zu schräg, und alles war verdorben. Dann mußte man zum Schraubstock zurück, um ein paar weitere Zehntelmillimeter vom Rohling zu feilen und neu zu beginnen. Passierte das öfter, dann blieb so wenig Masse übrig, daß man ganz von vorn anfangen mußte. MATU... Sein langer Name war ein Fluch. Er legte erst mal eine kleine Pause ein und sah auf die S-Bahn hinaus, die hier wie eine Hochbahn auf stählernem Viadukt durch Siemensstadt fuhr. Dann machte er sich an das S.

Da geschah es.

»In Deckung!« schrie Meister Kramer. Und als erster ging er flach zu Boden. Die anderen folgten ihm.

Was war passiert? Benschkowski hatte ein Stück Eisen von der Größe eines Taschenbuchs gefunden und versucht, Löcher hineinzubohren, um seiner Freundin zum Geburtstag einen originellen Bleistiftständer schenken zu können. Es wäre wohl auch alles gutgegangen, wenn ihn nicht sein Freund Heimann mit einer Zote abgelenkt hätte. Prustend vor Lachen hatte Benschkowski den Hebel der Bohrmaschine losgelassen, und nun raste das schwere Eisenstück, fest am Bohrer sitzend, unrund und eiernd im Kreise herum, wurde immer schneller. Es war nur eine Frage von Sekunden, bis der Bohrer abbrechen und Benschkowskis Bleistiftständer wie ein Geschoß durch die Werkstatt fliegen würde. Bekam es einer an der Kopf oder gar ins Auge, konnte ihn das für Wochen ins Krankenhaus bringen.

Jetzt! Das Eisenstück flog fünf Meter weit und schlug krachend auf Günther Gluecks Arbeitstisch ein, wo es eine Apfelsaftflasche und einen Füllfederhalter zerschmetterte.

»Treffer!« schrie Benschkowski.

Darauf kam Meister Kramer mit seinem fetten Bierbauch angerollt, packte Benschkowski am Schlafittchen und schleppte ihn zu Frantz. Alle rechneten damit, daß sie Benschkowski nun feuerten, doch der kam mit einer milden Ermahnung davon. Schließlich waren seine Eltern beide im

Dynamowerk beschäftigt. Manfred merkte schnell, was hier bei Siemens zählte.

Sie gingen in die Kantine, wo Manfred an einem Tisch zu sitzen kam, an dem Hippler und Willich, ihre beiden »älteren Herren«, den Ton angaben. Darüber, wie sie es trotz ihrer geringen Begabung geschafft hatten, zu Elite-Lehrlingen zu werden, wurde viel gemunkelt, und keiner wußte es genau. Hippler hatte eine unheimliche Ähnlichkeit mit Adolf Hitler und ließ es sich, obwohl ganz sicher kein Nazi im engeren Sinne, mit breitem Grinsen gefallen, daß ihn die meisten mit »Heil Hippler!« begrüßten. So auch Moshe Bleibaum, was Manfred nie begreifen sollte.

Hippler war ein Fan von Hertha BSC und freute sich, daß die Elf von der »Plumpe« nach dreizehnjähriger Pause wieder einmal die Berliner Fußballmeisterschaft errungen hatte. Faeder, Schüler, Taube und Schimmöller waren seine Helden.

Willich schwärmte vom Film des Jahres, von *Sissi, die junge Kaiserin*, und wäre zu gerne Karlheinz Böhm gewesen, der Kaiser Franz.

Moshe Bleibaum, klein und bestenfalls Fliegengewicht, knurrte ihn an. »Und schweigst du nicht, Willich, so brauch' ich Gewalt.«

Manfred dachte an Renate und wie es war, mit ihr im Kino zu sitzen und die Hand auf ihren Knien zu haben. Vielleicht kam sie am Wochenende nach Berlin. Aber da gab es auch den Klubkampf in Lichterfelde draußen auf dem Kasernengelände: 7. Amerikanisches Infanterieregiment gegen NSF und den SSC Südwest, und er wollte zum ersten Mal in der Männerklasse über 100 Meter starten. Vielleicht gab es da das große Wunder, er lief 10,3 – und ein Späher der University of California holte ihn zum Studium nach Amerika und rettete ihn. Schluß mit der Sklaverei bei Siemens.

»Auf die Plätze …«

Manfred fühlte sich unendlich schlapp, und pinkeln mußte er auch. Aber das war immer so gewesen, wenn er in den Startlöchern hockte, und gehörte ganz einfach dazu.

Neben ihm kniete Dirk Kollmannsperger, sein alter Freund und Spezi, der damals den Sprung von der 12. in die 13. Klasse nicht geschafft hatte und nun ganz gemächlich das Abitur baute.

»Fertig ...«

Manfred kam hoch und fiel in den Schuß, ohne daß der Starter es merkte, hatte also ideale Voraussetzungen, eine Superzeit zu laufen. Doch seine Muskeln waren zu schwach, seine 77 Kilo richtig abzufangen, und so stürzte er fast. Mühsam kam er in Tritt und suchte Anschluß zu halten. Der farbige Amerikaner auf Bahn 2 war schon enteilt, und auch Dirk Kollmansperger zog ihm davon. Den hatte er bislang immer weit hinter sich gelassen, und gegen seine 11,1 nahmen sich die 11,9 des Freundes auch ausgesprochen mickrig aus. Manfred riß sich zusammen, doch dabei verkrampfte er sich nur und verlor noch mehr an Boden. Klar: das frühe Aufstehen, um nach Siemensstadt zu kommen, die Plackerei bei Nora und in der Lehrwerkstatt, das wenige Training. Im Ziel brach er fast zusammen, ausgebrannt wie nach einem Marathonlauf, und seine Zeit war nicht 10,3, sondern 12,3, exakt dieselbe wie bei seinem ersten Start als Jugendlicher, damals im Katzbachstadion.

Aus der Traum vom großen Sprinter. Er warf seine Spikes in die Ecke. Nichts war es mit dem großen Wunder. Er setzte sich auf die kleine Tribüne und sah den anderen zu, saß da wie ein Opi vor dem Bauernhaus, wenn die Enkel spielten.

Die Wunder ruhn, der Himmel ist verschlossen. Interpretieren Sie diesen Satz der Johanna von Orleans. Deutschunterricht bei Frau Hünicke. Vor drei Jahren erst gewesen und dennoch Ewigkeiten her. Hatte er sie damals immer verflucht, so sehnte er sich jetzt nach seiner alten Schule zurück.

Alles lief falsch, und das Glück wohnte immer am anderen Ufer.

GIs, mit Maschinenpistolen behangen, hasteten vorüber. Wenn sich ein Schuß gelöst und ihn getötet hätte, es wäre ihm sehr recht gewesen.

Als er nach Hause kam, fand er einen Brief von Renate auf

seinem Tisch. Sie schrieb, sie müsse ihn unbedingt wiedersehen. »Um sieben unter der Uhr am Bahnhof Zoo ...«

Da geschah das Wunder doch noch. Sie arbeitete jetzt bei Bayer in Leverkusen und war gewiß gekommen, um ihn zu sich zu holen. Und er wußte schon genau, was sie sagen würde: »Wir heiraten nächsten Monat, und du studierst dann in Köln. Was ich verdiene, reicht dicke für uns beide. Du mußt unbedingt von Siemens weg, das ist dein Tod.«

Lange lag er in der Badewanne und stellte sich vor, wie es mit Renate sein würde.

Als er dann am Hardenbergplatz stand und auf sie wartete, hatte er Angst, daß sie tatsächlich kommen würde. Und alles, was er getan hatte, kam ihm furchtbar schmutzig vor. Bei ihr im Zimmer: wie bei einer Prostituierten. Und ihre Eltern: o Gott. Sie waren in irgendeiner Sekte, und alles war so dumpf. Sein Schwiegervater – kein Arzt, sondern Lagerarbeiter, seine Schwiegermutter – keine Lehrerin, sondern Verkäuferin, und statt der Villa in Dahlem eine kleine miefige Wohnung in der Reuterstraße. Er hatte schon gehofft, daß in seinem Leben alles eine Nummer größer sein würde. Aber ein Mann war nur ein Mann, wenn er es schon einmal getan hatte, und Renate hatte es ihn tun lassen. Schnell, bevor ihre Brüder wieder ins Mehrbettzimmer stürzten, um nach einem Ball zu suchen, und bevor ihre Mutter schrie: »Rena, wo bleibste denn: Kartoffeln schäl'n!«

Da kam sie von der Gedächtniskirche her, und ihr weißes Kleid bauschte sich erst und schmiegte sich dann eng an ihren Körper, als der Wind ein wenig böig wurde. Sofort vergaß er alle Mißstimmigkeiten und hatte nur den einen Gedanken, mit ihr auf einer Wiese zu liegen und ... Eine Göttin war sie und kein Schmuddelkind.

Als sie ihn begrüßte, war es wie ein Schock für ihn. Nicht anders als Fräulein Strich morgens im Büro, so gab sie ihm die Hand. Kein Kuß, keine Umarmung.

»Tag, Manni.«

»Tag, Rena.«

»Du, ich muß gleich wieder los.«

Seine Enttäuschung war so unermeßlich groß, daß er wie gelähmt neben ihr stand, sich klein und unscheinbar vorkam, unfähig war, um sie zu kämpfen. Jetzt hätte er ganz souverän bleiben und so witzig sein müssen wie die Männer im Film. Statt dessen aber stieß er nur ungeschickt hervor, daß er schon wisse, was geschehen sei: »Du hast 'n anderen, was!?«

Renate sah an ihm vorbei zur Uhr hinauf. »Ja ...«

Wie sie das sagte, klang das nach Entschuldigung, enthielt wohl auch die Bitte, jetzt um sie zu kämpfen, doch Manfred verstand diese Feinheiten nicht, war nur in seinem Stolz verletzt. Dann eben nicht, es gibt ja auch noch andere, dachte er trotzig.

»Kann man nichts machen«, sagte er und streckte ihr die Hand hin. »Dann auf Wiedersehen beim Klassentreffen 1976 – fünfundzwanzig Jahre, nachdem wir uns in der Albert-Schweitzer-Schule zum ersten Mal gesehen haben.«

Renate zögerte. »Er ist Zahnarzt und ...« Sie machte ihre korallenrote Handtasche auf, um nach einem Taschentuch zu suchen.

Es geschah nur noch mit Manfred, er gehorchte Impulsen, die unkontrolliert aus seinem Innern kamen. »Ich dachte, wir sind miteinander verlobt ...«

Sie sah ihn an. »Warum denn das?«

»Schließlich haben wir miteinander ...«

»Da wär' ich mit vielen verlobt«, entfuhr es ihr.

»Ach, so ist das ...« Manfred hatte das schon vermutet, aber dennoch war er zutiefst erschüttert, es so direkt von ihr zu hören. Ohne es zu wollen, riß er den Fünfzigmarkschein aus dem Hemd, den er sich für Kino und Essen eingesteckt hatte, und stopfte ihn in ihre Tasche. »Da, für das eine Mal!«

Sie haute ihm kräftig eine runter und verschwand im nahen U-Bahn-Eingang.

»Nennurbdnuseg!« rief der Mann, der in der Tür des S-Bahn-Wagens stand. »Umsteigen zur U-Bahn-Linie D wie Dora. El Dorado, das Goldland.«

Jeden Mittwochmorgen, wenn Manfred zur Siemens-Werkschule fuhr, begegnete er dem selbsternannten Zugschaffner, einem Rentner von vielleicht siebzig Jahren, der ganz normal gekleidet war und durch nichts anderes auffiel als durch seine Macke, die Stationsnamen auf dem Berliner Vollring auszurufen – allerdings rückwärts gelesen.

»Gniddew!« Der Wedding war sein absoluter Lieblingsbahnhof, und am Klang von Gniddew berauschte er sich richtig und schrie sein Glück in den Morgen hinaus.

Manfred, der in der Kuschelecke eines der alten hölzernen Wagen eingenickt war, schreckte hoch.

»Eßartsztiltup.« Schmatzend mit wulstigen Lippen gesprochen.

»Eßartslessueb.«

»Ediehnrefgnuj.«

Putlitzstraße, Beusselstraße, Jungfernheide – hier war umzusteigen in die Stichbahn nach Gartenfeld, und hier traf Manfred jedesmal einen der dreißig anderen Stammhauslehrlinge, die sich jeden Mittwoch ganz- und jeden Freitag halbtäglich in der Siemens-Werkschule zu versammeln hatten. Diesmal war es Matthias Labové, ein feister, wortgewandter Schleimer mit dicker Brille, hoher Intelligenz und durchaus einiger Begabung zum Kabarettisten und Satiriker.

»Wer rei*ß*t so früh durch Nacht und Wind«, lispelte Matthia*ß* Labové. »Wollen wir auch heute wieder un*ß*ere gan*ß*e Kraft in den Dien*ß*t am Hause Siemen*ß* stellen ...?«

Für einen Augenblick verschmolzen vor Manfreds Augen die Konturen Labovés mit denen des rückwärtssprechenden Originals, und er vermochte nicht zu entscheiden, ob die beiden nun einen Sprach- oder er einen Hörfehler hatte. Vielleicht hörte er alle Menschen nur noch zischeln und lispeln.

Auf dem Bahnhof Siemensstadt stiegen sie aus und gingen zur alten Hauptverwaltung des Elektro-Imperiums, das im Jahre 1957 nur noch Potemkinsche Fassade war. Die meisten Räume standen leer, die maßgebenden Siemens-Verwalter hatten sich längst in den politisch sicheren deutschen Süden abgesetzt und herrschten nun von München und Erlangen aus.

Labové parlierte pausenlos und ohne Punkt und Komma. »Das Saarland ist nun wieder deutsch, herrlich, und die Römischen Verträge unterßeichnet, ab 1. Januar 58 gibt'ß die EWG, ich wechßle, wenn ich hier fertig bin, gleich ßu Siemenß-Madrid.«

»Ja, klar ...« Manfred flüchtete sich in schützende Einsilbigkeit.

»Adenauer für die Atomwaffen, ja, ich auch, und waß hat er gesagt: die seien doch nur eine ›Weiterentwicklung der Artillerie‹ – kößtlich! Und die Gesamtdeutsche Partei hat sich aufgelößt, ißiß denn die Möglichkeit, und der Gustav Heinemann, der geht ßur Eß-Pe-De!«

Manfred ertappte sich bei dem Gedanken, Labové vor eine Straßenbahn zu stoßen. Leider kam keine, auch hätte der kleine Glueck, der gerade angewetzt kam, den Mord ganz sicher gemeldet.

Sie zückten ihre Ausweise, passierten den Pförtner und verirrten sich auch diesmal wieder, da Labové eine Abkürzung nehmen wollte, im Labyrinth der Flure und Treppen, Quergebäude und Innenhöfe. Alles war frisch gebohnert und roch furchtbar nach Linoleum.

Als sie ihren Klassenraum endlich erreicht hatten, sprang die Uhr gerade auf acht. In der Tür lauerte Frantz, ihr Ausbildungsleiter, ein dröger Kommißkopp mit auffällig vielen Warzen im Gesicht. *Frantz heißt die Kanaille.* Manfred konnte nicht anders, als dies in Abwandlung eines Ausrufs aus Schillers *Räubern* zu denken. Er haßte ihn.

»Hier kommt man nicht zu spät«, schnarrte Frantz. »Noch mal das Glück auf Ihrer Seite gehabt, die Herren!«

»Den Glueck«, korrigierte ihn Labové.

»Wieso? Ach so! Wunderbarer Witz.«

Während Manfred, Labové und der kleine Glueck zu ihren Plätzen strebten, nahm Frantz die Sitzordnung zur Hand und prüfte die Anwesenheit seiner 30 Stammhauslehrlinge. Auf einem aufgeklappten Aktendeckel klebten ihre Paßfotos, und darunter standen die Namen, fein säuberlich mittels einer Schablone geschrieben. In fünf Reihen à sechs Mann waren sie geordnet worden, nicht etwa nach Sympathie oder der Stelle, wo man in der Firma angesiedelt war – Halske, Schuckert, Nora oder Bauunion –, sondern nach dem Alphabet. Und es war eine Tabuverletzung schlimmer Art, wenn jemand nicht da saß, wo er zu sitzen hatte.

»Besondere Vorkommnisse?« fragte Frantz. »Beschwerden? Ärgernisse?«

»Nur Sie«, murmelte Moshe Bleibaum.

Frantz zuckte zusammen. Wenn es nach ihm gegangen wäre, hätte er den vorlauten Scheißkerl längst rausgeschmissen, doch von oben war die Weisung gekommen, Bleibaum zu hofieren und bei der Stange zu halten, denn man hatte seine Begabung erkannt und noch Großes mit ihm vor. Obwohl keiner seiner Vorfahren Siemens-Indianer gewesen war.

In der ersten Stunde hatten sie Betriebswirtschaftslehre bei Bartz, der von irgendeiner Handelsschule kam und sich hier bei Siemens ein Zubrot verdiente. Er baute sich, als Frantz gegangen war, vorne auf, nahm den Zeigestock in die Hand und schlug damit auf den Lehrertisch.

»Die Bestandteile des Wechsels – alle im Chor. Erstens ...«

»Ort und Tag der Ausstellung!« schrien sie.

»Zweitens ...«

»Angabe des Verfalltages!«

»Drittens ...«

»Die Bezeichnung ›Wechsel‹ im Text – die sogenannte Wechselklausel!«

Manfred schrie mit und schämte sich nicht nur deswegen, sondern auch, weil es ihm Spaß machte, hier als Idiot zugange zu sein. Alle, die sie hier saßen, hatten das Abitur gemacht, kannten sich aus mit Goethe, Mozart, Faraday, Mendel und den Benzolringen und mußten sich von einem Arsch wie diesem Bartz wie Deppen auf einem Kasernenhof drillen lassen. Aber irgendwie war es auch schön, hier in diesem fast reinen Männerbund das Hirn auszuschalten und ganz einfach mit der Herde mitzutrotten.

»Achtens ...«

»Die Unterschrift des Ausstellers!«

»Bravo!« Bartz freute sich. »Worüber haben wir das letzte Mal gesprochen ...? Fräulein Mirau ...«

Hannelore Mirau war das einzige weibliche Wesen im Raum, zwar den männlichen Stammhauslehrlingen nicht völlig gleichgestellt, aber immerhin schon im selben Lehrgang mit ihnen. Frantz hielt sie zwar für einen unverzeihlichen Irrtum der Führung und eine Perversion organisationalen Denkens, hatte sie aber kommentarlos akzeptieren müssen. Mit Hannelore Mirau brach für ihn die Herrschaft der Weiber an, die Verseuchung des Hauses Siemens und dessen sicherer Untergang.

»Sie haben begonnen, uns einen Überblick über die Zusammenschlußformen von Unternehmungen zu geben. Begonnen haben wir mit dem Konditionskartell.« Hannelore hatte alles mitgeschrieben.

»Gut.« Bartz war es gewohnt, in seiner Handelsschule von »Mädels« umgeben zu sein. »Kommen wir nun zum Gebietskartell ...«

Manfred sparte sich die Mühe des Mitschreibens, denn Hannelore Mirau saß neben ihm und hatte auf seine Bitte hin ein Blatt Blaupapier in ihren Block gelegt. So bekam er am Ende jedes Werkschultages alles Notierenswerte gratis geliefert. Sie tat das gern für ihn, und er war sich sicher, daß sie ebenso gern noch viel mehr für ihn getan hätte, doch irgendwie scheute er sich davor, offene Türen einzurennen. Hannelore war sanft und lieb, ein Gretchen, wie es im Buche stand, ja, aber ... Hing er noch immer an Renate, gefangen vom Mythos des ersten Mals, war es der Schock, daß sie ihn verraten hatte, war alles noch zu früh – er wußte es nicht. Hannelore, das hieß auch: Enge und Verlust an Freiheit, und davor hatte er mehr Angst als vor jeder Einsamkeit. Alles selber machen zu müssen, war nicht das Wahre, aber jeden Tag und jede Nacht nur Hannelore, das war ebenso schlimm.

Vorne brabbelte Bartz. »Kommen wir nun – drittens – zum Preiskartell. Alle Unternehmungen verzichten auf eigene Kalkulationen und einigen sich auf einen gemeinsamen Marktpreis. Damit beherrschen sie den Markt ...«

Manfred schaffte es nicht mehr, Bartz zuzuhören, und litt immer stärker. Was hätte er nicht alles tun können, anstatt hier rumzusitzen: nach Schmöckwitz fahren und mit dem Boot in den Gosener Graben hinein ... mit Hannelore Hand in Hand durch den Zoo laufen und Eis essen ... in Neukölln auf dem Balkon sitzen, Orangensaft mit Gin im Glas, und lesen. Nikos Kazantzakis, *Alexis Sorbas,* oder Heinrich Mann, *Professor Unrat.* Statt dessen verblödete er hier bei Siemens.

Vorn in der Ecke hing eine Bahnhofsuhr, und das Rucken der Zeiger war das einzige, was ihn wahrhaft interessierte. Sechzig lange Male mußte der Sekundenzeiger, lang und schmal und rot, ein Stückchen weiterzucken, ehe der Minutenzeiger einen Abschnitt weitersprang. Der Sekundenzeiger tat es mit einem solchen Ruck, daß Manfred fürchtete, er würde einmal abbrechen, so daß die Zeit für immer stehenblieb und er bis zum Ende aller Tage hier auszuharren hatte. Aber der Zeiger brach nicht.

Endlich kam die Pause. Sie rissen die Fenster auf und packten ihre Brote aus.

Bickel holte seine Klarinette heraus und improvisierte. Es klang wie bei einer Beerdigung in New Orleans.

Leo Roos, viele Zentimeter zu klein geraten und mit schwarzem Kräuselhaar, tönte herum und tat allen kund, er sei der beste Tennisspieler des Berliner Nordens. Sein Vater war stadtbekannter Präsident einer Wohlfahrtsorganisation, und er hatte viel zu tun, damit klarzukommen.

Günther Glueck hatte seine Kamera mitgebracht, eine primitive Agfa-Klack, und versuchte, Bilder zu schießen, wobei er den Apparat um 45 Grad verkantet hielt. Moshe Bleibaum behauptete von Glueck – »Glueck, Glueck, weg war er!« –, daß Kaspar Hauser sich neben ihm wie Einstein ausgenommen hätte.

Ronald Rink, Ronnie, mußte dringend auf die Toilette und trampelte schon wie ein Dreijähriger, doch Benschkowski und Heimann, seine beiden Freunde, hielten ihn fest.

»Ich mach' mir in die Hosen!« schrie Rink. »Laßt mich los, das tut doch weh!«

»Ein Siemens-Indianer kennt keinen Schmerz«, lachte Hippler.

»Heil Hippler!« rief Moshe Bleibaum und klopfte dem Jahrgangsältesten wohlwollend auf die Schulter. »Wie fühlt sich denn mein Führer heute?«

»Großartig.«

»Ich kann es nicht mehr aushalten!« schrie Ronnie Rink. Der handtellergroße nasse Fleck auf seiner hellen Sommerhose bewies das auch. Benschkowski und Heimann ließen ihn los, und er stürzte zur Toilette. Alle bogen sich vor Lachen. Manfred auch, obwohl er es an sich widerlich fand. Das Merkwürdigste aber war, daß Rink nicht darauf kam, sich von den beiden abzuwenden, obwohl sie ihn immer wieder quälten.

Manfred stand mit Axel Pietsch, Wilhelm Höfer und Gerhard Adler zusammen.

Pietsch erzählte, wie er es im Kino, im gerade eröffneten »Zoo-Palast«, mit seiner neuen Freundin in der letzten Reihe kräftig getrieben hatte, und Manfred beneidete ihn heftigst.

Auch Höfer wußte Spannendes zu berichten, wie nämlich die Siemens-Bauunion, der er angehörte, die Stadtautobahnbrücke über die Spree und die S-Bahn in Angriff nahm, daß man von einem Riesenpfeiler ausgehen und nach beiden Seiten weg gleichsam ins Nichts bauen würde, bei einem Orkan aber alles vom Einsturz gefährdet sei.

Selbst Gerhard Adler fesselte die anderen, obwohl er nur die Buchhaltungsprobleme referierte, die seinen Vater in der ZN Berlin plagten, der hiesigen Zweigniederlassung in der Schöneberger Straße, aber alle kamen sie ja einmal im Laufe ihrer Lehre in eine ZN, und da war es immer gut, schon vorab Bescheid zu wissen.

Nur bei Manfred hörte keiner zu, obwohl er seinen Kommentar über Ruth Leuwerik als »Königin Luise« nicht viel schlechter fand als den von Friedrich Luft am Sonntag im RIAS. »Hab' ich mit meinen Eltern bei uns im ›Maxim‹ gesehen – kennt ihr das ...? Is'n großes Kino an der Sonnenallee, Ecke ...«

»Gehn wir wieder rein«, sagte Pietsch.

Die nächste Stunde – Kaufmännisches Rechnen – wurde von Schupp bestritten, ebenfalls Lehrer an einer der vielen Berliner Handelsschulen. Er hatte eine gewisse Ähnlichkeit mit Heinz Erhardt und nahm es nicht so tragisch, daß während seines Unterrichts nur die wenigsten ganz bei der Sache waren. Heimann, Benschkowski und Rink spielten Skat, Moshe Bleibaum las *So zärtlich war Suleyken* von Siegfried Lenz, Bickel komponierte einen Blues, Hannelore Mirau löste Kreuzworträtsel. Manfred und Höfer, der rechts von ihm saß, hatten sich Wolfgang Schmitts Steckschach geborgt und kämpften nun verbissen, gestört nur von Schupps Gebrabbel.

Auch das Kaufmännische Rechnen war irgendwann vorüber, und da vor der Mittagspause nur noch Steno kam, konnte Manfred vorerst aufatmen. Es gab ja nur eines hier: Bloß nicht auffallen und sich irgendwie durchwurschteln. Ihnen die Kurzschrift beizubringen, wie die Stenografie bei Siemens offiziell hieß, war Sache eines kleinen, aber energischen Männleins in anthrazitfarbenem Nadelstreifenanzug, das auf den Namen Buntsack hörte, was bei Manfred gut ankam, denn August Buntsack war der größte Tänzer und Frauenheld in seinem Kultbuch *Die Gerechten von Kummerow* (von Ehm Welk).

Wie ein römischer Feldherr stand Buntsack vorn am Katheder, als er loszutoben begann. »Das schlägt dem Faß den Boden aus, was Sie sich da letzte Woche geleistet haben. Aber, ich versichere Ihnen, meine Herren: Dieses Gefecht haben Sie zwar gewonnen, nicht aber die Schlacht: Die findet heute statt.«

Was war geschehen? Buntsack hatte eine Stenoarbeit angekündigt und diese Attacke näher erläutert: »Datum, Nummer der Arbeit und den Namen schreiben Sie nicht in Kurzschrift, sondern so: Max Müller, Nr. 1, 31.5.1957.« Das hatte er dann auch an die Tafel geschrieben – mit der Folge, daß alle, einem geflüsterten Kommando Benschkowskis folgend, *Max Müller* auf ihrem feinlinierten Blatt zu stehen hatten. Für heute hatte er nun eine viel längere und schwerere Arbeit vorbereitet, dabei voll von Frantz gedeckt.

Während Buntsack die speziellen Stenobögen austeilte, kam Moshe Bleibaum, der in der ersten Reihe saß, nach hinten zu Manfred geschlichen und bat ihn, für ihn mitzuschreiben. Er war zu stolz, diesen »Tippsenkram« zu lernen, und konnte sich beim besten Willen nicht vorstellen, das auch nur ein einziges Mal im Leben gebrauchen zu können. Für Manfred hingegen war die Sache ein Klacks, denn er hatte sich das Stenografieren schon vor Jahren beigebracht, während Schmöckwitzer Ferientage, und konnte den angesagten Text gleichzeitig zwei- bis dreimal zu Papier bringen, parallel sozusagen.

»Ich hatte Furcht vor Paul«, diktierte Buntsack. »Das Mädchen gab Otto den Apfel. Die Kette ist nicht aus Gold. Kaufe Gold aus dem nahen Bergwerk. Der Raucher macht Rauch.«

Manfreds weicher Bleistift flog über das Papier, und der Coup sollte tatsächlich glücken: Beide bekamen sie eine Eins.

Nach der Kurzschriftstunde folgte die Mittagspause, und sie eilten zur Kantine. An Manfreds Tisch führten Hippler und Moshe das Wort, und Hannelore Mirau, Wolfgang Schmitt und ihm blieb nur die Zuhörerrolle.

»Na, Dicker, biste auch mit Hertha über die Wupper gegangen?« Das bezog sich auf die 1:14-Niederlage, die Hertha BSC im Spiel um die Deutsche Fußballmeisterschaft in Wuppertal kassiert hatte.

Hippler grinste. »Nee, nich mit Hertha über die Wupper, sondern mit Karin über drei Runden.«

»Du? Du machst doch schon nach 'ner halben Runde schlapp.«

»Willste mal zusehen?« fragte Hippler.

»Bin ich blind!« lachte Moshe Bleibaum. »Und außerdem: Gegen 'nen Beschnittenen hast du nie 'ne Chance.«

»Du mit deiner Kondition ... Du hustest dir ja schon die Lunge aus'm Hals, wenn du auch nur ein Stockwerk hochlaufen mußt.«

Moshe Bleibaum lachte. »Das kommt daher, daß ich vom Stamme Benjamin bin. Das waren die letzten, als wir aus Ägypten zurückgekommen sind, und die haben in der Wüste den ganzen Staub schlucken müssen.«

So ging die Zeit ganz angenehm vorbei, doch litt Manfred sehr darunter, auch hier wieder nur Statist zu sein. Aber die anderen beherrschten das witzige Geplänkel um vieles besser als er, und er kam sich unendlich schwerfällig vor.

»Was haben wir'n jetzt nach der Mittagspause?« Diese Frage war das einzige, was Manfred zum Tischgespräch beizusteuern wußte.

»Volkswirtschaftslehre.«

Es kam also der große Auftritt von Dr. Schumm-Schelling, der den Klassenraum des Jahrgangs '57 als Bühne mißbrauchte, um jeden Mittwoch sein Einpersonenstück »Mein Leben für Siemens« aufzuführen. Leitender Angestellter war er, AT oder NB, »Außertariflicher« oder »Normalbesoldeter«, und eine Mischung aus Buddha und Heinrich George, ein kahlköpfiger Machtmensch jedenfalls, selbstgefällig und eitel, ein übler deutscher Bildungsbürger. Natürlich trug er einen dunkelblauen Maßanzug, und an seinem fettesten Finger funkelte ein goldgefaßter Lapislazuli. Seine Stimme war hoch und manieriert wie die eines Transvestiten, doch Benschkowski war berichtet worden, daß Schumm-Schelling im Alter von 63 Jahren mit seiner Sekretärin ein Kind gezeugt hatte. Manfred fand ihn derart unerträglich, daß er sich immer wieder ausmalte, wie es sein würde, wenn Schumm-Schelling aus dem Fenster fiel und unten wie eine reife Tomate zerplatzte. Andererseits aber stellte er sich vor, selber Schumm-Schelling zu sein und vorne auf dem kleinen Podium große Töne zu spucken.

»Meine sehr verehrte Dame, meine Herren, Thema des heutigen Tages ist die Arbeit, genauer gesagt: Die Arbeit – ein knapper Produktionsfaktor. Was assoziieren Sie denn, wenn Sie das Wort Arbeit hören ...? Nun ...?« Er stieg vom Podium, schritt den Seitengang entlang und sah fordernd in die ungewiß lächelnden Gesichter, ohne aber eine Antwort abzuwarten, denn reden wollte hier nur er. Und so stellte er sich auch in Positur, um mit großer Geste Heinrich Seidel zu zitieren: »Arbeit! Arbeit! Segensquelle, Arbeit ist das Zauberwort, Arbeit ist des Glückes Seele, Arbeit ist des Friedens Hort. Nur die Arbeit kann erretten, nur die Arbeit sprengt die Ketten, Arbeit macht die Völker frei!«

»Wann schreiben wir denn bei dem 'ne Arbeit?« fragte Gerhard Adler seinen Nebenmann.

Schumm-Schelling hörte es und lief rot an. »Raus!« Er stürzte zur Tür, um sie Adler aufzuhalten. »Sie melden sich bitte bei Herrn Frantz.« Er tupfte sich mit einem weißen Seidentüchlein den Schweiß von der Stirn. »So ... Weiter im Text. Arbeit – ein knapper Produktionsfaktor. Wie kommt das? Nach einem Kriege, der uns den Zusammenbruch des gesamten Wirtschaftsgefüges gebracht hat, wird es trotz der Verluste an Menschen ein Überangebot an Arbeitskräften geben, weil nur wenige Arbeitsplätze zur Verfügung stehen. Allmählich werden dann aber immer mehr in den Arbeitsprozeß eingegliedert werden ... Ich will Ihnen ein Beispiel geben: Am 15. Mai 1945 komme ich nach Siemensstadt. Zu Fuß. Unsere Werke liegen alle in Schutt und Asche. Ich finde einen Spaten und fange an, das Dynamowerk wieder aufzubauen. Der Anfang ist die Hälfte des Ganzen! Ein anderer kommt und findet eine Brechstange. Ein Dritter, ein Vierter, ein Fünfter scharen sich um mich ...«

Manfred versuchte, sich Schumm-Schellings kläffender Stimme zu entziehen, indem er sich zusammengezwirbelte Papierstückchen in die Ohren steckte, aber das half nur wenig. Dann versuchte er nach zen-buddhistischer Manier solange auf einen Wasserfleck an der Decke zu starren, bis er in Trance verfiel.

Er hatte das Gefühl, schon seit Wochen tot zu sein, so sehr drehte sich alles im Leeren. Er hatte sich selber irgendwie verlassen und lebte nun außerhalb seiner selbst, war nicht mehr er, sondern ein anderer, war sich fremd geworden. Diese Welt war nicht die seine, sie gehörte ihm nicht. Er lebte nicht mehr, er wartete nur. Doch worauf? Auf das Ende seiner Lehrjahre bei Siemens. Und dann? Dann war er Siemens-Angestellter, bezahlt nach K 3. Bis ans Ende seiner Tage ... Ein entsetzlicher Gedanke, aber zu nichts anderem taugte er ja. *Nimm dein Schicksal endlich an!* Das hing mit Hannelore zusammen. Wenn er sich jetzt zu ihr beugte, um sie zu fragen, ob sie heute abend ins Kino gehen wollten – *Sissi, die junge Kaiserin* mit Romy Schneider oder *Königin Luise* mit Ruth Leuwerik standen zur Debatte –, dann war alles entschieden. Und er setzte auch schon an: »Du, hast du ...« – da stand Schumm-Schelling vor ihm.

»Sie permanenter Schwätzer! Haben Sie noch immer nicht begriffen: Hier redet nur einer – und das bin ich.«

Manfred lief rot an, und der Schweiß brach ihm aus. »Ich hab' ja zugehört, Herr Dr. Schumm ...«

»Schumm-Schelling, wenn ich bitten darf.«

»Herr Dr. Schumm-Schelling.«

»Nun, was habe ich denn gesagt, mein Lieber ...?« Schumm-Schelling stand vor ihm, hatte ihn am Revers seines Sakkos gepackt und zog ihn langsam nach oben.

Manfred verspürte den Impuls, ihm das Knie in die Hoden zu rammen. Das wäre dann auch der Ausbruch aus dem Siemens-Gefängnis gewesen. Doch bei seiner Erziehung, immer brav und *artig*, schaffte er das nicht, sondern konnte nicht anders, als sich unterwürfig zu geben.

»Sie haben gesagt, daß der Nachholbedarf nach dem Kriege die Wirtschaft so stark angekurbelt hat, daß immer neue Arbeitsplätze geschaffen wurden, solange, bis die Arbeiter nun knapp werden.«

»Nun gut ...« Schumm-Schelling ließ ihn wieder fallen. »Und dann? Fräulein Mirau ...«

»Der Produktionsfaktor Arbeit wird immer knapper ...«

»Und? Bleibauch ...«

Moshe Bleibaum grinste. »...baum, bitte, Herr Dr. Schemm-Schulling.«

Wieder stürzte Schumm-Schelling zur Tür und riß sie auf. »Raus!«

Doch Moshe Bleibaum kümmerte sich nicht im geringsten um diese Aufforderung, er blieb seelenruhig sitzen, gähnte ostentativ und blätterte in seiner Wirtschaftszeitung.

»Wenn Sie nicht gehen, dann gehe ich!« schrie Schumm-Schelling.

»Das wäre fürwahr die optimale Lösung«, erwiderte Moshe, während alles den Atem anhielt.

Schumm-Schelling warf die Tür ins Schloß, aber von innen, und lief zu Moshe Bleibaum, um ihn hochzureißen und ihm die Hand zu schütteln. »Gratuliere, mein Lieber! Ja, meine Dame, meine Herren, dies ist das Holz, aus dem Siemens seine Führungskräfte schnitzt. Weiter so, Herr Blei... Herr Bleibaum, und weiter im Stoff.« Und so, als wäre nichts gewesen, stolzierte er aufs Podium zurück. »Wenn sich die Nachfrage nach Arbeitskräften, die normalerweise immer arbeiten würden und müßten, nicht decken läßt, dann muß man versuchen, Arbeitskräfte zu finden, die nur arbeiten gehen, um eine Verbesserung ihres ohnehin schon relativ hohen Lebensstandards zu erreichen: Frauen. Ein weiterer Weg besteht in der Heranziehung ausländischer Arbeitskräfte ...«

Manfred kam nicht umhin, Schumm-Schelling zu bewundern. Meisterhaft, wie er es geschafft hatte, das Gesicht zu wahren. Fest stand offenbar, daß einer der hohen Herren in Vorstand oder Aufsichtsrat dabei war, Bernhard Bleibaum systematisch aufzubauen und Karriere machen zu lassen – was sich dann bis zu Schumm-Schelling herumgesprochen haben mußte. Vielleicht hatte man in München große Amerika-Pläne, und da war es sicher gut, einen hochbegabten jüdischen Siemens-Mann nach drüben zu schicken, so Manfreds Spekulation. Oder hatte Moshe nur geblufft?

Nach Schumm-Schelling folgte das Fach »Geschichte und Organisation des Hauses Siemens«. Die Lehrkraft kam aus dem firmeneigenen Archiv und trug den Namen Rudi Auer.

»Aua!« schrien denn auch viele, als er den Klassenraum

betrat, denn Auer tat wirklich weh, wie er da unbedarft und bieder vor ihnen stand, vierschrötig wie ein märkischer Kartoffelbauer, dick und rosig wie ein Schweinchen.

»Werner Siemens wurde 1816 in der Nähe von Hannover geboren. Seine Vorfahren waren Kaufleute, Landwirte, Ackerbauern und Bergherren. Georg Halske ist in Hamburg geboren worden. Er zeichnete sich durch eine große handwerkliche Geschicklichkeit aus. Werner Siemens findet 1847 in ihm den geeigneten Mechaniker für den Bau des von ihm erfundenen Zeigertelegraphen mit selbsttätiger Unterbrechung ...«

Benschkowski hatte eine grandiose Idee und begann, nach allen Seiten hin zu flüstern. »Wenn der Zeiger der Uhr vorne auf halb vier springt, lachen alle los, egal, was Auer gerade labert. Das machen wir dann alle halbe Stunde. Weitersagen.«

»Werner Siemens und Georg Halske finden also zusammen, und 1847 kommt es in der Schöneberger Straße in Berlin zur Gründung der Firma Siemens & Halske mit einem Grundkapital von ungefähr 6800 Talern, die ein Verwandter von Siemens zum größten Teil zur Verfügung stellte ...«

Das war die Sekunde. Benschkowski gab das Zeichen, und alles lachte los. Auer zuckte zusammen, begriff nicht. Die Wochen zuvor hatte er nie auch nur die geringste Rückmeldung registrieren können. Und nun dies? Er erschrak. Hatte er sich irgendwie versprochen, war aus einer harmlosen Formulierung Unzüchtiges geworden ...? Hatte er womöglich statt Verfügung Verführung gesagt – oder, daß Werner Siemens und Georg Halske ein Paar geworden waren ...? Ja, das wahrscheinlich, und sofort korrigierte er sich.

»Nicht, was Sie denken: Werner Siemens war glücklich verheiratet ...« Er war richtiggehend beruhigt, als nun bald wieder der Normalzustand eingetreten war, das heißt, ihn niemand mehr zur Kenntnis nahm. So verging auch die nächste halbe Stunde mit simpler Hofberichterstattung.

»In unendlich schwierigen Verhandlungen mit russischen Beauftragten, insbesondere mit dem wendigen Grafen Kleinmichel, gelingt es dem genialen Werner Siemens, dem Gründer unseres Hauses, das heute Weltgeltung genießt, gelingt es Siemens, die Konzessionen für den Bau der Telegraphenleitungen um Riga (1852), von Petersburg nach Warschau, Warschau–Granitza und Moskau–Sebastopol (1854 im Krimkrieg) zu erlangen. Es werden Niederlassungen in St. Petersburg (1855) und Ingenieurbüros in Moskau und Warschau errichtet. Leiter der russischen Betriebe wird Carl ...«

Der Zeiger der Uhr sprang auf vier, und wieder setzte ein ungehemmtes Wiehern ein.

Auer verstand es noch immer nicht, aber er wagte auch nicht, die Lehrlinge zu fragen, warum sie denn lachten. Vielleicht hatte er, ohne es zu merken, wirklich etwas Witziges gesagt ... Aus Angst, daß ihm dies ein drittes Mal unterlaufen könnte, brach er die Stunde unter dem Vorwand, er habe noch einen wichtigen Termin, vorzeitig ab.

»Der geht zu Frantz und schmeißt den Bettel hin«, sagte Moshe Bleibaum, und so kam es auch.

Manfred ging nicht zur S-Bahn, sondern mit Heimann, Benschkowski und Rink zur Nonnendammallee, um mit der 55 nach Hakenfelde zu fahren, wo Tante Eva und Onkel Jochen mit Curt, Püppi und Ilschen in einer Neubausiedlung wohnten. Die drei anderen wollten indessen mit dem 10er Bus nach Charlottenburg.

Manfred eilte nach drüben, wo die Straßenbahn, die 55, angerauscht kam. Ein typenreiner Zug, ein T 24 und zwei B 24. Er quetschte sich vorn hinein und hatte das Glück, ganz dicht hinter dem Mann an der Kurbel zu stehen. Irgendwie war der Tag gerettet.

In Hakenfelde angekommen, umarmte ihn Tante Eva. »Ich freu' mich ja so für dich, daß du nun auch bei Siemens bist. Mein Vater ist ja da so glücklich gewesen, als Oberingenieur.« Das »so« sprach sie mit großer Emphase, mit einem z vorn und einem o, das ins ou überging.

Manfred fühlte sich schuldig, daß er nicht so glücklich war, wie er es hätte sein müssen, empfand es als eine Art Behinderung, ähnlich der Kinderlähmung, unter deren Folgen Onkel Jochen litt.

Manfred funktionierte wie ein Roboter. Es war ein einfaches Programm, das er auszuführen hatte. Erstens: nach links unten bücken und den Rohling aus einer Kiste nehmen, ein taschenbuchgroßes Stück, das wie Messing aussah, aber keines war, sondern nur galvanisiertes Eisen. Zweitens: den Rohling unter die Stanze legen. Drittens: beide Hände weit zur Seite ziehen, auf zwei große runde Knöpfe legen und diese kräftig drücken. Viertens: abwarten, bis der große Stempel mit wahnsinniger Wucht herabgeschossen kam und das Werkstück verformt hatte, und dann mußte es wieder von der Stanze entfernt werden. Fünftens: nach rechts unten bücken und das fertige Teil fein säuberlich in eine zweite Kiste legen. In welches Gerät es dann eingebaut wurde, wußte er nicht.

Aus der Lehrwerkstatt hatte man die kaufmännischen Stammhauslehrlinge nicht wieder in ihre Büros zurückgeschickt, sondern vor dem ersten kurzen Urlaub noch in die Produktion gesteckt. Als Siemens & Halske-Mann war Manfred ins Wernerwerk für Fernmeldetechnik (WWF) gekommen und hatte zuerst in einem Montagesaal fehlerhafte Telefone auseinandergeschraubt, die die Endkontrolle nicht passiert hatten, um dann in der Werkhalle unten eine erkrankte Arbeiterin zu vertreten.

Es war eine furchtbar anstrengende Arbeit, die ihn aussaugte; es war der pure Stumpfsinn, den ganzen Tag über die immergleichen Griffe auszuführen. Und dennoch litt er hier weniger als vordem im Nora-Büro, was vor allem zwei Gründe hatte. Einmal war es die Atmosphäre hier. Das heiße Öl mit seinem animalischen Geruch, der höllische Rhythmus der stampfenden Maschinen und die tropische Schwüle reizten die Sinne so sehr, daß die Frauen ihre blauen Kittel weit öffneten und die Männer kaum noch an sich halten konnten. Manfred fühlte sich wie beim Karneval in Rio. Immer wieder kam es vor, daß die Meister Paare erwischten, die es hinter irgendwelchen Kisten trieben, und ging man unten am Stichkanal und an der Spree spazieren, trat man auf gebrauchte Kondome. In der Nachtschicht sollte es, so hörte man, heiß hergehen. Zum anderen funktionierte er seine Arbeit zum Wettkampf um, das heißt, er kämpfte in jeder Stunde um einen neuen Rekord. Ringsum wurden sie schon unruhig, weil er wie ein Irrer ackerte und zu befürchten war, daß der Refa-Mann auftauchte. Mit einer Stoppuhr in der Hand, um Manfred zum Maß der Dinge zu machen. Gegen Mittag kam denn auch der Meister vorbei, der Ziegenbalg hieß und eine rotblaue Trinkernase hatte.

»Moment mal, Matuschewski.«

»Ja ...?« Manfred drehte sich um.

»Ich warne Sie.«

Manfred lachte. »Ich paß' schon auf, daß ich den Kopf nicht unter der Stanze liegen hab'.«

»Es könnte aber sein, daß Sie eine Bierflasche auf Ihren Kopf kriegen.«

Manfred sah nach oben und verstand den Meister nicht. »Wieso'n das?«

»Weil die anderen Sie für 'nen Akkorddrücker halten, der Ihnen die Preise kaputtmacht.«

»Ach, Gott, ja.« Daran hatte er nicht gedacht, daß die Refa-Leute merkten, wie schnell man sein konnte, wenn man sein Letztes gab. »Ich mach' jetzt öfter 'ne Pause.«

So kämpfte er jeweils eine Dreiviertelstunde mit äußerster Verbissenheit, um sich dann eine Viertelstunde Ruhe zu gönnen und durch die Halle zu schlendern, immer auch in der Hoffnung, daß eine der aufgeladenen Arbeiterinnen gerade bei ihm Entspannung suchte. Aber die waren offenbar alle in festen Händen oder sahen ihm den schlaffen Kissenpuper schon von weitem an.

Auf der Toilette traf er Benschkowski, der ihm gestand, es in der Werkhalle nicht mehr ausgehalten zu haben. »Mir gegenüber an der Maschine sitzt eine, Mann, du ...! Bloß gut, daß morgen wieder Werkschule ist, sonst muß ich mich kastrieren lassen.«

»Morgen ist doch keine Werkschule mehr.« Manfred war sich da hundertprozentig sicher. »Da haben wir schon Ferien.«

»Mensch!« Benschkowski schlug sich gegen die Stirn.

»Und die hier im Werk glauben, daß wir weiter wie jeden Mittwoch zur Werkschule gehen ...«

»Ja, und ...?« Manfred wußte nicht, worauf der andere hinauswollte.

»Na, Mann: Wir verabschieden uns heute bei unseren Meistern, sagen, daß wir ja morgen in der Schule sind – und machen uns dafür 'n schönen Tag. Irgendwo im Wald und auf der Heide. Meinetwegen auch auf der Susi, Moni oder Hannelore.«

»Genial!« rief Manfred. Ihm fiel augenblicklich ein, daß er ja mit Wolfgang Schmitt schon lange mal in Schmöckwitz paddeln wollte. »Aber das geht doch nur, wenn wir alle nicht kommen.«

»Richtig. Und darum laß uns jetzt loslaufen und allen anderen Bescheid sagen.«

Als dann endlich Feierabend war, kam bei Manfred Ferienstimmung auf. Ein Tag ohne Siemens, ein Tag in Schmöckwitz – ein Geschenk des Himmels. Er sang einen selbstkomponierten Schlager, als er auf das Tor zuschritt: »Unverhofft kommt oft das Glück zu dir ...«

Es störte ihn wenig, daß ausgerechnet bei ihm der Zufallsgenerator zuschlug und die rote Lampe oben unterm Dach des Pförtnerhäuschens aufleuchtete.

»Zur Taschenkontrolle, bitte«, befahl der Siemens-Werkschutz-Mann, und Manfred mußte eintreten und alles öffnen, was sich öffnen ließ. Fast hätte er gefragt: »Meinen Hosenschlitz auch ...?«

Der Kontrolleur war unerbittlich. »Was ist denn das hier?«

»Ein Doppelstecker ...«

»Aha! Wissen Sie denn nicht, daß Firmeneigentum ...«

Manfred unterbrach ihn. »Der ist von uns zu Hause. Meine Großmutter liegt im Krankenhaus und braucht den für ihre Nachttischlampe.«

»Der ist doch von hier«, beharrte der Werkschutz-Mann.

»Der ist von Elektro-Krause in der Ossastraße.«

»Haben Sie eine Quittung?«

»Nein, den hat mein Vater schon vor 'n paar Jahren gekauft.« Manfred wurde langsam wütend. »Meine Oma hat Geburtstag heute, und wenn ich nicht bald im Bethanien-Krankenhaus bin, dann komm' ich da nicht mehr rein. Stecken Sie sich den Stecker meinetwegen ...«

»So nicht, junger Mann! Ihren Dienstausweis ...«

Es wurde ein Protokoll aufgenommen, dann aber wieder zerrissen, als ein Vorgesetzter herausfand, daß der Doppelstecker von der Konkurrenz gefertigt worden war und folglich nicht aus einem Büro der Wernerwerke stammen konnte.

So kam Manfred mit einer Viertelstunde Verspätung zum S-Bahnhof Wernerwerk, und Wolfgang Schmitt, der hier auf ihn warten wollte, war schon losgefahren. Hoffentlich klappte es morgen früh: um 9 Uhr am Bahnhof Grünau.

Man brauchte ewig zum Bethanien-Krankenhaus am Mariannenplatz. Mit der Siemens-Bahn ging es bis Jungfernheide, wo umzusteigen war in den Vollring Richtung Osten. Gesundbrunnen mußte er dann mit der längsten Rolltreppe Berlins in die Tiefe fahren und auf die U-Bahn Richtung Leinestraße warten. Bis Kottbusser Tor verging auch noch mal eine gute halbe Stunde, und dann waren es zehn Minuten zu Fuß.

Als er endlich im Diakoniehaus am Krankenbett stand, war er ziemlich erschöpft. Die ganze Mischpoke, wie sein Vater die liebe *family* des öfteren nannte, war schon versammelt. Es erinnerte ihn an ein altes Ölgemälde: *Abschied für immer*. Bleich und ausgemergelt wie eine Sterbende sah seine Kohlenoma aus.

»Herzlichen Glückwunsch«, sagte Manfred und küßte sie auf die Wange, die stachlig war. »Wachse, blühe und gedeihe, und daß du bald wieder in deine Wohnung kannst.«

Onkel Helmut hüstelte, denn diese Wohnung war schon lange an andere vermietet, und all ihr Hab und Gut hatte man ans Rote Kreuz verschenkt, seitdem die Ärzte ihren beiden Söhnen versichert hatten, daß sie das Hospital nicht mehr verlassen würde.

Sie wußte all das nicht, und ihre Wohnung war der große Anker für all jene guten Gefühle, die sie noch am Leben hielten.

»Wenn ich wieder draußen bin«, sagte sie und blühte richtig auf bei diesen Worten, »dann kaufe ich mir einen Blumenkasten fürs Bett und pflanze mir Fuchsien rein. Helmut, hast du auch alles renoviert?«

»Sicher, Mutter.« Onkel Helmut zeigte ihr seine Hände, die in der Tat voller Farbreste waren. Nur stammten sie vom Streichen seiner Küchenmöbel.

»Damit du bald wieder ganz gesund wirst und zu Kräften kommst, hab' ich dir den Saft hier mitgebracht, aus Schmöckwitz. Schau mal, Annekin ...« Manfreds Schmöckwitzer Oma zog eine Flasche Erdbeer-Rhabarber-Saft aus ihrer sackartigen Tasche und legte sie aufs Bett. »Und stell dir vor: Gerda hat geschrieben und läßt auch herzlich gratulieren.« Sie nahm ein Trinkglas vom Nachttisch und hob es Richtung Polen. »Gerda, wir denken an dich, an Leszek und die Kinder!«

Hinter ihrem Rücken verdrehten die anderen die Augen und stöhnten leise auf.

»Was macht sie bloß, wenn Gerda erst hier ist?« fragte Manfreds Mutter.

Manfred legte den Finger auf den Mund. Tante Claire, eine der jüngeren Schwestern seiner Schmöckwitzer Oma, nutzte die entstehende Stille und klagte, daß sie nächtelang kaum geschlafen hätte.

»Warum denn das?« fragte Manfreds Vater.

»Ich hab' so weinen müssen um die Luise ...« Wieder war sie am Schluchzen.

»Welche Luise?« fragte die Schmöckwitzer Oma.

»Na, die Königin Luise.« Tante Claire hatte den Film mit Ruth Leuwerik gesehen. »Wie sie gelitten hat bei ihrer Flucht nach Ostpreußen, wie sie sich vor Napoleon demütigen mußte.«

»Claire, du bist ja meschugge!« rief die Schmöckwitzer Oma.

Die beiden ungleichen Schwestern kabbelten sich noch ein Weilchen, und Manfred sah sich in dem Vierbettzimmer ein wenig um. Neben seiner Kohlenoma lag Frau Edel, die nur ein Bein hatte, aber ständig scherzte und Witze erzählte, die, so seine Mutter, nicht ganz stubenrein waren. An der anderen Wand hatte Frau Sielaff ihr Quartier. Sie galt als geistig verwirrt und brabbelte ständig etwas vor sich hin.

Das vierte Bett stand leer, denn Frau Lemke war am vergangenen Freitag am Ende des Gottesdienstes verstorben. Heimgegangen, hatte die Kohlenoma gesagt, aber Peter, Tante Irmas Sohn aus erster Ehe, hatte »eingegangen« verstanden und laut gelacht, worauf er ans Fenster verbannt worden war, wo er nun stand und fürchterliche Langeweile hatte. Die plagte bald auch Manfred, und so kam es, daß sie etwas auszuhecken begannen. Als sein Vater rief, daß sie sich doch bitte zum Gruppenbild aufstellen sollten, schafften sie es, etwas vom Kirschsaft ihrer Großmutter heimlich in die Urinschüssel von Frau Edel zu schütten.

»Los, stellt euch auf ... und: Lächeln!« Onkel Helmut stand am Apparat, um den Selbstauslöser zu bedienen, denn der Vater hätte wegen seiner steifen Hüfte nicht so schnell zurücklaufen können.

»Schön, wenn man einen Selbstauslöser hat!« kreischte Tante Irma. »Selbst ist der Mann.«

»Irma, bitte: Es sind Kinder im Saal«, mahnte die Mutter.

»Irmas schöner Kuchen muß auch noch mit aufs Bild«, verlangte das Geburtstagskind. »Irma kann so schöne Kuchen backen. Ich bin ja so glücklich, daß ich eine Schwiegertochter habe, die so gut kochen kann und backen.«

Nun guckte Manfreds Mutter böse. »Vielleicht kann sie damit auch mal Geld verdienen.«

»Margot, bitte!« Der Vater rang die Hände.

»Was ich in der Krankenkasse mache, wird ja von keinem anerkannt.«

Die Krankenschwester kam, sah Frau Edels Schale und schrie auf. »Sie haben ja Urin im Blut!«

»Wie?«

»Äh: Blut im Urin!« Die Feierei hier, Kaffee kochen und andauernd Blumenvasen holen, hatte Schwester Edeltraut ganz wuschig gemacht.

Frau Edel blieb gelassen. »Wenn ich sterben muß, dann muß ich eben sterben.«

»Das muß sofort ins Labor!« Die Schwester lief auf den Flur hinaus.

Manfred und Peter kicherten zwar, hatten aber doch ein schlechtes Gewissen und wollten der Schwester hinterher.

»Nicht doch«, sagte Frau Edel. »Mal sehen, was sie rauskriegen. Das ist doch unheimlich spannend. Kirschsaft bestimmt nicht.«

Manfreds Mutter schimpfte mit ihrem Sohn. Ob er denn nie erwachsen werde?

»Nein.«

Nur durch schnelles Abducken vermied er eine Ohrfeige.

Tante Trudchen zeigte nun ein Bild von Alfred Bredel herum, dem Bruder ihrer Untermieterin Martha. »Sieht er nicht gut aus ...?«

»Ah!« schrien alle. »Tante Trudchen ist frisch verliebt.«

»Je oller, desto doller«, meinte Tante Claire.

»Alter schützt vor Torheit nicht«, war der Kommentar seiner Mutter.

»Du kannst ihn ruhig mit nach Schmöckwitz rausbringen«, sagte die Schmöckwitzer Oma.

»Apropos: Schmöckwitz«, fiel Manfred ein. »Bei uns fällt morgen alles aus, weil wir bis jetzt so fleißig gewesen sind, und ich komme gegen halb zehn zum Paddeln raus.«

Am nächsten Morgen stand er pünktlich um 9 Uhr am S-Bahnhof Grünau und kam sich vor wie einer, der gerade aus dem Knast entlassen worden war. Endlich wieder in Freiheit! Ihm schien es, als würde er das alles seit Ewigkeiten zum ersten Mal sehen: die blaugrünen Wipfel der märkischen Kiefern, die rumpelnden Wagen der 86, die zwitschernden Spatzen, die Angler mit ihren Utensilien, die Scharen von Müttern, die mit ihren lieben Kleinen ins nahe Strandbad wollten. Dies war sein »Tag der Befreiung«.

Wolfgang Schmitt kam mit dem nächsten Zug, und sie stiegen beide in die 86. Schuleschwänzen, so fand Manfred, war ein unbeschreiblicher Genuß. Der Siemens-Kamerad kam aus Spandau und kannte diese Gegend nicht, so daß Manfred viel erklären mußte. Die Regattatribünen ... Olympische Spiele 1936 ... Dann das Strandbad Grünau. Am anderen Ufer der Dahme, hier Langer See genannt, die Müggelberge, blaugrün mit Turm. »Richtershorn, Karolinenhof ... Es ist ein ganz schönes Stück bis Schmöckwitz.«

Manfred fühlte einen harten Gegenstand im Rücken und hörte jemanden flüstern. »Sie sind vorläufig festgenommen. Kein Aufsehen bitte.«

Fast hätte er einen Herzschlag bekommen, merkte aber gerade noch rechtzeitig, daß sein alter Freund Gerhard Bugsin hinter ihm stand.

»Mann, hast du mich erschreckt! Was machst du denn hier?«

»Mein Vater hat mich rausgescheucht: Ich muß Rasen mähen.« Die Bugsins, in Wilmersdorf zu Hause, hatten ein Grundstück in Karolinenhof.

»Haste nich Schule heute ...?« Gerhard ging zur Höheren Handelsschule, um später einmal das Büromöbelgeschäft seiner Eltern führen zu können.

»Wir haben doch Ferien jetzt.«

»Ach so. Kommst du nachher noch nach Schmöckwitz?«

»Mal sehen.«

Manfred dachte sehnsuchtsvoll an die Jahre zurück, da es auch für ihn ewig lange Ferien gegeben hatte. Sechs Wochen Schmöckwitz, sechs Wochen im Paradies. Auch dies war vorbei. Immer ging alles Schöne vorbei. Das Weltall war ein einziger großer Konstruktionsfehler.

Seine Schmöckwitzer Oma stand schon am Zaun, als sie aus der Straßenbahn stiegen. Sie drückte Manfred an sich, und er versank in ihren Kittelschürzen. Herzensgüte mischte sich mit Kampfer. Auch Wolfgang Schmitt wurde herzlich willkommen geheißen.

»Vierundzwanzig Grad sollen es heute noch werden, vormittags sonnig, nachmittags wolkig und abends Regen, da beeilt euch mal, daß ihr aufs Wasser kommt.«

Sie taten es und gingen, um sich umzuziehen, ins Zimmer

der lieben Tilly, einer Freundin seiner Oma, die hier ihre Sommerwohnung hatte, aber gerade einkaufen war.

»Paßt gut auf euch auf«, sagte seine Oma, als sie fertig waren und das Faltboot, den *Rebell*, aus dem flachen Bootsschuppen zogen, der sich vom Komposthaufen bis hin zur Laube erstreckte.

Die liebe Tilly kam zurück und lief in ihr Zimmer, um in Ruhe *Rund um die Berolina* zu hören. Sie war in Lichtenberg zu Hause, also in Ostberlin, war aber total westlich eingestellt und liebte Werner Seibicke vom SFB, den Vater der *Berolina*-Sendung, in einem Maße, daß ihre Freundinnen schon spotteten, mit ihren 72 Jahren hätte sie nun endlich den Mann fürs Leben gefunden. Manfreds Mutter, manchmal sehr drastisch, meinte, daß »die« noch nie einen Kerl gehabt hätte. Es war eine Frage, die alle mächtig interessierte, doch die liebe Tilly ließ sich nie darüber aus.

Endlich war alles beieinander, was sie für eine Paddeltour so brauchten. Ihre Ausweise, eine Karte, die beiden Paddel, die Sitzkisten, die Spritzdecken, etwas zu trinken, Badehosen und Handtücher, eine Armbanduhr, etwas Pflaster, falls sich einer beim Baden schneiden sollten, Sonnenöl und Sonnenbrillen. Sie luden das Faltboot auf ein zerlegbares Wägelchen und zottelten damit durch den Wald zum Langen See hinunter. Dabei passierten sie das *Schmöckwitzer Waldstadion*, eine breite Schneise, in der sich Manfred mit Gerhard Bugsin und seinen Schulkameraden Dirk Kollmannsperger und Balla-Balla Pankalla herrliche Duelle mit Kugel, Diskus und Speer geliefert hatte.

Waldidyll, so hieß die kleine Sandbucht neben der Fähre nach Krampenburg noch immer, obwohl das Restaurant dieses Namens längst verschwunden war und heute ein Motorsportverein die Räumlichkeiten nutzte. Am *Waldidyll* schoben sie also ihr Boot ins Wasser und verstauten das Wägelchen hinten im Heck. Das Einsteigen in ein kippliges Faltboot verlangt einiges Feingefühl, und da Wolfgang Schmitt dies nicht hatte, fiel er prompt ins Wasser. Die Leute auf dem Fährsteg klatschten Beifall. Manfred schimpfte, weil ein gehöriger Schwall auch ins Bootsinnere gedrungen war und sie nun im Nassen sitzen mußten. Außerdem war das verdammt unprofessionell, und er schämte sich.

»Macht nichts«, sagte Wolfgang Schmitt, »bei der Wärme heute trocknet ja alles im Nu.«

Los ging es, und bei den ersten Schlägen krachten ihre Paddel in der Luft zusammen. Nur langsam fanden sie zu ihrem Rhythmus. Wolfgang Schmitt hatte sich das nasse Hemd vom Oberkörper gerissen und zum Trocknen vorn aufs Boot gelegt, so daß Manfred, der hinten saß und steuerte, die ganze Zeit über das zweifelhafte Vergnügen hatte, auf den blassen und von roten Pickeln aller Größe übersäten Rücken seines Siemens-Kameraden zu blicken. Das war die Strafe dafür, daß er ihn und nicht Hannelore Mirau nach Schmöckwitz mitgenommen hatte. Aber zum einen mußte die ja im Dynamowerk sitzen und schwitzen, und zum anderen hätte das schon wieder nach Verlobung ausgesehen.

Sie machten einen kleinen Abstecher in den Schmöckwitzer Hafen, sahen und hörten die 86, wie sie zur Wendeschleife hinaufrauschte, und hielten ihre Paddel ins Wasser, bis sich Frösche darauf setzten und zu quaken begannen.

»Wenn ich daran denke, daß ich jetzt an meiner Stanze gesessen hätte«, sagte Manfred.

»Und ich beim Abwickeln von Kupferdrähten wäre ...«

Ihr Glück war grenzenlos. Sie verließen den Schmöckwitzer Hafen und stachen nun richtig in See. Links tauchten zwei Inselchen auf, Werderchen und Weidenwall, und dahinter erstreckte sich der breite Seddinsee vier Kilometer bis nach Gosen hin. Else Zastrau und Erna Kühnemund, die beiden engsten Freundinnen der Schmöckwitzer Oma, waren mit ihrem Angelkahn nach »44« hinübergefahren, der Landzunge drüben am anderen Ufer, wo der Seddinsee mit dem Langen See zusammenstieß. Segelboote zogen vorüber, auch skurrile »Dampfer«: *Seid Bereit*, *Spreetal I* und *Heinrich Zille*.

An der *Palme* ging es vorbei, unter der Schmöckwitzer Brücke hindurch und auf den Zeuthener See hinaus. Am rechten Ufer begann nun das Ausland für sie, die DDR, die verbotene Welt. Ein weiter Bogen war insbesondere um das Gästehaus der DDR zu machen, die frühere Villa Herzog, wie Manfred wußte. Rudolph Herzog hatten sie einmal den Berliner Kaufhauskönig genannt, und die Mutter konnte sich noch daran erinnern, wie sie bei ihm eingekauft hatte. Und ein Stückchen weiter dahmeabwärts gab es in Zeuthen auch noch *Hankels Ablage*, ein sandiges, leicht ansteigendes Uferstück, wo die Schiffer früher ihre Waren ab- und umgeladen hatten.

»Bei Fontane, in *Irrungen, Wirrungen*, spielt das eine große Rolle«, erzählte Manfred. »Hier hat einmal ein Gasthaus gestanden, ›Hankels Ablage‹, und da haben sich die arme Lene Nimptsch und der reiche Botho Freiherr von Rienäcker heftig geliebt.«

»Das möchte ich auch mal gerne«, stöhnte Wolfgang Schmitt, der es mit seiner Akne und seinem pausbäckigen Kindergesicht, dem auf der bekannten Zwiebackpackung ähnelnd, nicht eben leicht hatte, die Blicke der Mädchen auf sich zu ziehen. »Aber wenn ich erst mal bei Siemens in München in der Chefetage sitze, kann ich mich vor Angeboten bestimmt nicht mehr retten.«

Südwärts, Richtung Königs Wusterhausen, gab es nun für sie als Westberliner kein Weiterkommen mehr, denn am Miersdorfer Werder lag der Prahm, auf dem sich die Grenzkontrolle eingerichtet hatte. Man war gezwungen, anzulegen und durfte nur weiterschippern, wenn man sich einwandfrei als Bürger der Deutschen Demokratischen Republik ausgewiesen hatte. Sie aber hatten Backbord abzubiegen, Rauchfangswerder zu umkurven und sich über den Großen Zug wieder auf den Heimweg zu machen. Die *Kleine Umfahrt* nannte man das. Um die 15 Kilometer mochten es werden, und als sie die Hälfte geschafft hatten, legten sie am Berliner Ufer an und erfrischten sich mit einem kurzen Bad. Ihnen gegenüber lag die Ortschaft Ziegenhals, bekannt durch die Gedenkstätte für Ernst Thälmann, der sich hier auf der Flucht vor den Nazis mit etlichen Genossen konspirativ getroffen hatte. Doch hinüberschwimmen durften sie ja nicht.

Nur zu trinken hatten sie sich etwas mitgenommen, zwei Flaschen Club Cola, und so trieb sie der Hunger bald weiter.

»In normalen Zeiten wären wir ausgestiegen und hätten uns drüben in Ziegenhals 'ne Würstchenbude oder 'n Restaurant gesucht ...« Wolfgang Schmitt verdammte Deutschland-Ost und die deutsche Teilung.

Nachdem sie durch den Krossinsee gepflügt waren, erreichten sie vor Wernsdorf das schönste Stück der Strecke. Bis hin zum Oder-Spree-Kanal glitten sie über Seerosenteppiche und schlängelten sich durch den eng gewundenen Verbindungsgraben. Hinter der Straßenbrücke gab es dann die reinste Dorfidylle. Der Karte nach waren sie nun schon auf DDR-Gebiet, doch so genau nahm es hier wohl keiner. Erstaunlicherweise. Aber irgendwie wurden sie das Gefühl nicht los, jeden Augenblick werde ein Motorboot aus dem Gebüsch herausschießen, um sie aufzubringen.

Öde war das Schippern auf dem Oder-Spree-Kanal, zwei Kilometer schnurgerade, bis sie am Seddinsee und zurück in Schmöckwitz waren.

Auf dem Grundstück angekommen, schrien sie nach Essen, und glücklicherweise hatte die Schmöckwitzer Oma noch zwei Portionen Wirsingkohl übrig. Sie ließen sich alles trefflich munden und bekamen als Nachtisch frisch gekochten Rhabarber gebracht.

»Es freut mich, daß es euch so schmeckt.« Sie strahlte über das ganze liebe Gesicht. »Es ist schön, daß ihr beide in eurem Beruf so tüchtig seid und extra einen freien Tag geschenkt bekommen habt.«

Sie nickten und mußten sich auch auf keine großen Debatten einlassen, weil in diesem Augenblick Gerhard Bugsin erschien, mit seinem Rad durch den Garten fuhr und dabei Furchen in die Sandwege zog.

»Ich denke, ihr seid schon beim Tischtennisspielen?«

»Wir müssen erst noch die Platte aufbauen.«

Die beiden braunen Preßpappenplatten wurden aus dem

Schuppen geholt und auf zwei Böcke gelegt. Da Tischtennis zu dritt schlecht ging, ließ Manfred seine Freunde Gerhard und Wolfgang beginnen.

Seine Oma ging noch schnell in den Konsum hinüber, und als Manfred bei ihr im Zimmer nach der *Berliner Zeitung* suchte, um sich an der Kolumne »Bärchen brummt« zu erfreuen, fand er ihr Tagebuch. Diese Chance ließ er sich nicht entgehen.

Dienstag, 9. Juli
Nachts 18°, höchst 24°, Regenschauer 3x am Tage.
Wieder einen Brief von Gerda erhalten!
Ich schlief einigermaßen und stand um ½8 auf. Hatte geträumt, daß bei Margot und Otto vor einem Fernsehempfänger sitze, den Manfred bei Siemens käuflich erworben hatte. Was Menschengeist so vermag! Nach dem Frühstück und dem Aufräumen las in der Zeitung, was Gewitter und Sturm in Berlin für Unheil angerichtet hatten. Ging gleich zum Konsum, doch gab noch keine Getränke. Gegen 10 Uhr kam Trudchen Krummhauer, brachte mir 1 Stückchen Fleisch und Büchsenfleisch und blieb bis 11. Zum Mittag kochte für mich Wirsingkohl und aß dazu Blattsalat. Nach dem Abwasch legte mich noch eine Stunde auf das Sofa, las und schlief. Es regnete, und als die Sonne wieder schien, nahm für Annekin Erdbeeren ab. Ging noch mal zum Konsum und bekam 5 Selter und 1 Pfund Tomaten zu 1,60. Fuhr um 16 Uhr 10 mit der Elektrischen zu Anna Matuschewski in das Diakonissenhaus, wo alle Lieben traf. Das arme Menschenkind, immer ans Bett gefesselt. Habe ihr reichlich Trost zugesprochen. Als letzter kam Manfred, welcher sagte, er käme morgen mit einem Freund nach Schmöckwitz, worüber mich sehr freute. Um 9 Uhr abends war wieder zu Hause, aß eine Scheibe Knäckebrot mit Tomaten aus dem Garten. Stellte dann eine Schüssel mit Wasser auf die Platte und gab Wok und die schmutzige Wäsche hinein, als es kochte. Kochte dann noch aus 1 ½ Pfund Erdbeeren und 1 Pfund Rhabarberstangen Marmelade mit

2 Pfund Zucker und ½ Paket Gelantine. Erna und Else kamen nicht zum Rommèspielen, was mir sehr lieb war, da doch erschöpft. Ich wickelte noch meine Haare, wusch mich und ging um ½12 schlafen, wobei noch Das Siebte Kreuz *von Anna Seghers las und erschüttert war.*

Weiterblättern konnte Manfred nicht, denn seine Oma kam schon vom Konsum zurück, es hatte wieder keine Eier gegeben. Gerhard hatte die Idee, in der Schneise im Wald noch einen kleinen Dreikampf auszutragen – Kugel, Diskus und Speer. Manfred gewann nicht nur die beiden ersten Disziplinen, sondern blühte an diesem Nachmittag richtiggehend wieder auf. Sein ganzes Siemens-Elend war plötzlich vergessen. Daß das Leben so schön sein konnte, war ihm völlig entfallen. Müde, aber glücklich fuhren sie am späten Abend wieder nach Hause.

Als er am nächsten Morgen an seiner Stanze saß und, gut erholt wie er war, einem neuen Stück-Rekord greifbar nahe war, stand plötzlich der Meister hinter ihm.

»Guten Morgen, Herr Matuschewski!« Ziegenbalg grinste breit. »Wie war die Werkschule gestern?«

Manfred ließ sich nicht aus der Ruhe bringen. »Danke. Ein bißchen langweilig, wie immer, aber sonst ...«

»Der Dr. Schumm-Schelling ist ein alter Freund von mir, aus der Zeit, als er hier noch Werksleiter war. Er wollte mir ein paar alte Fotos raussuchen und Ihnen gestern mitgeben ...«

Manfred ließ ungerührt die Stanze nach unten donnern. »Muß er wohl vergessen haben ...«

Da riß ihn Ziegenbalg von der Stanze weg und packte ihn vorn am blauen Kittel. »Passen Sie nur auf, daß ich mich nicht vergesse!«

In dieser Sekunde wußte Manfred, daß alles aufgeflogen war. ... *Mein Todesurteil.* Siemens schmiß ihn raus. *So eine Schande für uns alle!* Er hörte seine Mutter weinen und seinen Vater toben. *Wenn du denkst, daß du jetzt irgendeinen Unsinn studieren kannst, dann hast du dich aber mächtig geschnitten, mein Lieber!* Er war nahe dran, zusammenzubrechen, unfähig, einen Satz hervorzustoßen, geschweige denn, eine Strategie zu entwickeln, die den Schaden begrenzen konnte. Wie ein Frosch im Maul des Storchs, so fühlte und verhielt er sich. Ihm schien es, als stünde er stundenlang so da: von Meister Ziegenbalg gepackt.

»Lügner, Sie!« schrie Ziegenbalg schließlich, denn die Arbeiterinnen ringsum sahen schon zu ihnen herüber, und er konnte ja nicht ewig in dieser Jetzt-hab'-ich-dich-aber-erwischt-Pose verharren.

»Entschuldigung«, würgte Manfred schließlich hervor. »Aber wo alle mitgemacht haben ...«

»Alle ...« höhnte Ziegenbalg. »Da wart ihr ja zu dämlich zu, alle einzuweihen: Den kleinen Glueck, den habt ihr vergessen.«

Damit war Ziegenbalg fertig. Er riß Manfreds Sachen vom Tisch und knallte sie ihm vor Bauch und Brust. »Ab mit dir. Ich will dich nicht mehr sehen bei mir!«

Die Arbeiterinnen lachten höhnisch auf und klatschten Beifall, als Manfred aus der Halle schlich. Draußen auf dem Flur traf er mit Benschkowski zusammen.

»Scheiße!« rief Benschkowski und schwitzte derart, daß er seine Brille abnehmen und putzen mußte. Bleich und erschöpft sah er aus, wie der Letzte eines Marathonlaufes.

»Wie ist denn das gekommen?« fragte Manfred.

»Na, der Glueck, dieser kleine Vollidiot, kommt morgens hier ins Werk und findet keinen von uns. Jeder andere hätte nun begriffen, was los ist, nur der nicht. Anstatt das Maul zu halten und sich still und leise zu verpissen, ruft er Frantz an. Daß wir irrtümlich zur Werkschule hin sind und daß die uns bitte gleich zurückschicken sollen.«

»Unsere Schuld, daß wir den übersehen haben.«

»Das Nichts sieht man eben nicht«, knurrte Benschkowski.

Vor der Kantine trafen nun alle zusammen, die den Mittwoch geschwänzt hatten, neben Manfred, Benschkowski und Wolfgang Schmitt noch neun andere aus der Wernerwerks-Gruppe, darunter Bickel, Heimann, Lichtwitz und Rink.

»Feuern sie uns eben«, sagte Heimann, der gut lachen hatte, denn sein Vater betrieb eine kleine Hinterhoffabrik in Kreuzberg, und er hätte bei dessen guten Kontakten schnell eine andere Stelle gefunden.

Auch Bickel nahm es mehr als gelassen. »Kann ich endlich zur Hochschule gehen und Musik studieren.«

Für die anderen dagegen wäre der Rausschmiß bei Siemens eine Katastrophe gewesen. Vor allem für Lichtwitz, dessen Mutter als Reinemache- und Garderobenfrau fünf Kinder durchzubringen hatte und voll darauf setzte, daß ihr Ältester bald viel Geld nach Hause brachte. Benschkowski fürchtete eine Art Sippenhaft; wenn sich herumsprach, was ihr Sohn verbrochen hatte, würden die Aufstiegschancen seiner Eltern, die beide Siemensianer waren, wohl erheblich sinken.

Eine Sekretärin kam auf sie zu und forderte sie auf, innerhalb der nächsten halben Stunde zum Rapport zu Frantz zu kommen. Sie trotteten mit gesenkten Köpfen durch den Siemensstädter Morgen.

»Wir sind die Moorsoldaten«, sang Bickel, »und ziehen mit dem Spaten ...«

Als Manfred in den Quellweg hineinsah, konnte er Tante Trudchen vor »ihrer« Bäckerei stehen und die Fensterscheiben putzen sehen. Er versteckte sich hinter Heimanns breitem Rücken.

Frantz ließ sie eine halbe Stunde in seinem Vorzimmer schmoren, ehe er Befehl gab, sie eintreten zu lassen. Sitzen durften sie natürlich nicht. Wie auf dem Kasernenhof, in Reih und Glied, mußten sie Aufstellung nehmen. Mit maliziösem Lächeln ging er vor ihnen auf und ab. Er genoß diese Szene. Es war totenstill im Raum. Dann endlich tobte er los.

»Meine Herren, schämen Sie sich! Sie sind ehrlose Verräter für mich. Sie haben unsere höchsten Ideale verraten: Ehrlichkeit, Treue, Hingabe! Ob man seine kämpfende Truppe verläßt oder seine Kameraden am Arbeitsplatz: Es bleibt schoflig und verdammenswert. Anstatt sich kämpferisch um das Erreichen ihres Ausbildungszieles zu bemühen, verlassen Sie Ihre Werkstatt, lügen Ihre Meister an, betrügen Ihre Ausbildungsleitung. Was soll das Haus Siemens mit Menschen wie Ihnen? Müssen wir nicht davon ausgehen, daß Sie um des kurzfristigen Vergnügens willen auch später Ihren Schreibtisch verlassen, wenn vielleicht Millionen von Mark auf dem Spiele stehen? Ja, wir müssen! Und die Schlußfolgerung aus dieser Erkenntnis, die dürfen Sie nun selber ziehen, meine Herren! Und die wäre ...?« Er sah Benschkowski an.

»Wir sind entlassen ...« flüsterte der.

wo soll also was wer werde weder wird wider wieder weil
wo soll also was wer werde weder wird wider wieder weil
wo soll also was wer werde weder wird wider wieder weil
wo soll also was wer werde weder wird wider wieder weil

wolle wolke löwe rudolf worauf slawe kairo kolossal
wolle wolke löwe rudolf worauf slawe kairo kolossal
wolle wolke löwe rudolf worauf slawe kairo kolossal
wolle wolke löwe rudolf worauf slawe kairo kolossal

wo war rudolfs koffer kaufe wieder drei kilo die kieler förde
wo war rudolfs koffer kaufe wieder drei kilo die kieler förde
wo war rudolfs koffer kaufe wieder drei kilo die kieler förde
wo war rudolfs koffer kaufe wieder drei kilo die kieler förde

»Manfred – Abendbrot!« Seine Mutter bummerte gegen die Zimmertür, um zu unterstreichen, daß dies nicht als Einladung, sondern als Ultimatum zu verstehen war.

»Ich komme ja schon!« Er stand auf und deckte die graue Haube über seine Schreibmaschine, eine nagelneue Triumph-*Gabriele*, auf der er die ganze letzte Stunde hingebungsvoll herumgehämmert hatte. Mit allen zehn Fingern blind schreiben zu können, war sein Ziel.

Sein Vater saß schon hungrig am neuen Wohnzimmertisch, erst letzte Woche geliefert, eckig jetzt. Auch stand er nicht mehr in der Mitte des Zimmers, da, wo oben an der Decke der Anschluß für den Leuchter war, sondern hinten rechts vor dem Balkonfenster. Es hatte viel Mühe gemacht, ein Loch in die Betondecke zu bohren und den Dübel für den Lampenhaken reinzustecken, auch konnte man die Balkontür jetzt nur sehr umständlich öffnen, doch die Neutigs hatten ihren Tisch auch umgestellt, und da seine Mutter alles nachmachte, was Gerda Neutig ihr vorexerzierte, war diese Modernisierungsmaßnahme nicht zu umgehen gewesen. Immerhin konnte nun Ännchen, der Wellensittich der Liebetruths über ihnen, wenn er bei Besuchen mitgebracht wurde, auf dem freihängenden Verbindungskabel zwischen altem Anschluß und neuer Lampe, Affenschaukel genannt, selig sitzen und mit seinen weißgrauen Kotspritzern den Teppich verschönern.

»Spät kommt Ihr – Doch Ihr kommt«, sagte der Vater.

»Der weite Weg, Graf Isolan, entschuldigt Euer Säumen«, fuhr Manfred fort und dachte an die Deutschstunde bei Frau Hünicke, immer gewürzt mit den flotten Sprüchen seines Freundes Dirk Kollmannsperger. »Besser ein Gallenstein als Schillers *Wallenstein.*«

»Du hast dir wieder nicht die Hände gewaschen«, bemerkte die Mutter.

»Vor dem Stuhlgang, nach dem Essen – Händewaschen nicht vergessen«, murmelte Manfred und verschwand im Bad.

Als er wieder zurückkam, lief der Fernseher. Zwar hatten sie sich fest vorgenommen, ihn beim Essen nicht laufen zu lassen, aber der Vater wollte nichts von dem verpassen, was über die Bundestagswahl berichtet wurde. Seit Mitte der zwanziger Jahre notierte er sich genau, wie die Deutschen wählten, und trug jedes auch noch so unbedeutende Wahlergebnis in große Kladden ein. Heute, am 15. September 1957, fand die 3. Bundestagswahl statt – ohne die Berliner allerdings. Um dennoch hautnah dabeisein zu können, hatte Manfred Ordre erhalten, sich bei Nora umzuhören, ob es da nicht für Mitarbeiter Zweite-Wahl-Geräte billiger gebe. Herr

Kucharski, darauf angesprochen, hatte dies zwar verneint, war dann aber still und heimlich mit Manfred ins Lager gegangen und hatte einen Karton mit einem völlig intakten Gerät der Marke *Bella Vista* geöffnet. Mit den Fingernägeln war hinten am Holzgehäuse schnell ein winziges Stückchen Furnier herausgebrochen und anschließend eine Schadensmeldung verfaßt worden. Ein paar Buchungsbelege mußten noch ausgeschrieben werden, dann stand das Gerät – zur Hälfte des Ladenpreises – bei Matuschewskis oben auf dem Sideboard und erfreute sie. Nach Neubauwohnung und Kühlschrank hatten sie nun auch einen Fernsehapparat und brauchten sich nicht mehr hinter Neutigs zu verstecken.

»Fehlt uns nur noch ein Auto«, sagte die Mutter. »Aber es will ja keiner fahren von euch.«

»Stellen wir doch ein Schild unten auf«, schlug Manfred vor: »Auch wir können uns einen Wagen leisten. Familie Matuschewski.«

Seine Mutter hatte für solche Scherze nichts übrig. »Nu iß mal!«

Bücklinge gab es und Kakao dazu, einer alten Familientradition entsprechend. Doch Manfred verging ein wenig der Appetit, als nun unbedingt über Siemens gesprochen werden mußte.

»Hat sich denn das mit dem Frantz erledigt?« wollte sein Vater wissen.

Manfred stöhnte auf. Natürlich hatte er zu Hause nicht erzählt, daß sie einen Tag blaugemacht hatten, doch seine Eltern hatten es von Neutigs erfahren, weil Gerda Neutigs Doppelpartnerin beim Tennis mit einem Ingenieur aus dem Siemens-Wernerwerk verheiratet war und die, als beim fröhlichen Umtrunk zufällig der Name Matuschewski gefallen war, sofort vom Fehlverhalten ihrer Lehrlingstruppe berichtet hatte.

»Frantz hätte uns sicher gefeuert, aber irgendeiner von den Oberen hat ihn zurückgepfiffen.« So genau wußte das keiner, aber es hieß, man habe Frantz gesagt, wenn die Lehre so langweilig sei, daß die Lehrlinge davonliefen, dann sei das nicht deren, sondern letztendlich seine Schuld, und er solle kein Drama daraus machen. Nicht einmal eine Eintragung in die Personalakte hatte es gegeben, nur eine Ermahnung und die Androhung schlimmer Sanktionen, wenn so etwas noch einmal passierte. »Nicht mal Siemens kann sich das leisten, zwölf Lehrlinge wegen so 'ner Sache vor die Tür zu setzen.«

Trotzdem konnte sich seine Mutter noch immer nicht beruhigen. Sie war richtiggehend verletzt. »Du hättest mal Neutigs hören sollen – das fällt doch immer alles auf mich zurück, daß ich dich nicht richtig erzogen habe.«

»Auch wenn ich achtzig bin ...« entfuhr es ihm.

»Du-u!« Drohend hob sie den Arm. »Hast du deine Schreibmaschinen-Übungen fertig?«

»Ja.« Bei Siemens gab es auch dafür einen Kurs.

Zum Glück begann jetzt die Wahlberichterstattung, und sie ließen von ihm ab. Manfred und sein Vater hofften auf einen Sieg der SPD, wie sie auf den Sieg von Tasmania 1900 hofften, ihres Neuköllner Fußballvereins, waren sich aber einig, daß sich mit Erich Ollenhauer, den sie immer nur »Gurkendoktor« nannten, weil er so miesepetrig wirkte, kein  Blumentopf gewinnen ließ. *Keine Experimente! Konrad Adenauer – CDU –,* so sah man es überall auf den Plakaten, in Berlin allerdings nur in den Zeitungen, im Kino oder im Fernsehen. Dagegen schien kein Kraut gewachsen. Daß die CDU/CSU dann aber 50,2 Prozent aller Stimmen für sich verbuchen konnte und die SPD nur 31,8 Prozent, das erschütterte sie. Als Manfred im Bett lag, war er mehr als deprimiert. *Immer sitzt du auf dem falschen Dampfer! Immer bist du bei den Verlierern!* Die meisten Klassenkameraden aus der Albert-Schweitzer-Schule studierten und kamen nachher als Diplomingenieure, Rechtsanwälte oder Studienräte ganz groß raus – er aber durfte bei Siemens die Fernsehapparate zählen. Die meisten Männer seines Alters hatten eine feste Freundin – er aber durfte mit sich selber ins Kino gehen ... und ins Bett. Die meisten schafften es, bei ihren Chefs gut angeschrieben zu sein, und konnten sich eine schöne Karriere erhoffen – er aber trat nur von einem Fettnäpfchen ins andere und hatte alle gegen sich, von Frantz, dem Ausbildungsleiter, bis hin zu Gosch, dem Vertriebsleiter bei Nora.

Gosch traf er am nächsten Morgen im Fahrstuhl. Darüber erschrak er so sehr, daß er zurückfuhr und – da er sich gleichzeitig angemessen verbeugen wollte – mit dem Ellenbogen den Notalarm auslöste. Ein widerlich hoher Heulton erklang. »Trottel, Sie!« rief Gosch. Zu allem Überfluß schnatterte der Hausmeister aufgeregt aus dem kleinen Bordlautsprecher.

Seit dem 5. September saß Manfred im Nora-Einkaufsbüro, dessen Leiter Blümel hieß. Blümel war geradezu ein Segen. Er war weißhaarig, trat stets im dunkelblauen Anzug auf, war distinguiert und leise wie ein englischer Lord, der, weil durch widrige Umstände verarmt, sein Geld im Management verdienen mußte. Arbeit war für Blümel eher ein Ärgernis. Ärgerlich fand er auch, wenn Manfred, der für ihn kraft seines Abiturs dem Geistesadel angehörte, als Stammhauslehrling lochen und ablegen sollte. Für ihn war er mehr ein hochwillkommener Privatsekretär.

»Herr von Matuschewski, was liegt heute in Kino und Theater an, meine Frau Gemahlin wünscht ausgeführt zu werden?«

Manfred wußte Bescheid. »Ich darf Ihnen *Vater sein dagegen sehr* mit Heinz Rühmann und Marianne Koch empfehlen, schon die 3. Woche im *Astor*. Und im übrigen, wenn Sie vorher noch einkaufen wollen: *Prüfe hier, prüfe da – kaufe dann bei C&A*. Was das Theater betrifft, so wäre der Montag nächster Woche abzuwarten, der 7. 10., wo wir im Schloßpark-Theater die Premiere von John Osbornes Schauspiel *Blick zurück im Zorn* zu gewärtigen haben.«

»Danke sehr, Männfred!« Er sprach den Namen englisch aus. »Auf Sie ist immer Verlaß.«

Die anfallende Arbeit, viel war es nicht, wurde von Frau Knieschwitz und Fräulein Hobsch erledigt.

Frau Knieschwitz war eine alte Fregatte, über und über mit

goldglitzernden Klunkern behangen. Sie schwärmte ununterbrochen vom Hansaviertel und ihrer Hochhauswohnung, einer Folgeerscheinung der großen Bauausstellung.

»Dieser Blick über den Tiergarten hinweg: herrrrrlich! Da blüht man auf. Und wenn ich dann mit meinem Mann zum Neuen See gehe und Kaffee trinke, dann ist das: herrrrrlich!«

Fräulein Hobsch war jung und morgenschön und verströmte einen so gewaltigen Moschusduft, daß Manfred völlig hin war und, wäre es im *Freischütz* gewesen, dem Samiel glattweg seine Seele verkauft hätte, um sie in die Arme schließen zu dürfen. Doch sie war pathologisch auf die Opernwelt fixiert, besuchte alle Vorstellungen x-mal, lungerte fast jeden Abend am Hintereingang einer Oper herum und geriet schon in Ekstase, wenn sie anschließend im Café Tisch an Tisch mit einem Sänger oder Dirigenten sitzen durfte, deutete auch an, mit diesem oder jenem stadtbekannten Helden schon mal etwas gehabt zu haben. Da hatte Manfred keine Chance, zumal er anfangs, noch nichts von ihrem Faible wissend, scherzhaft zu Herrn Blümel gesagt hatte, daß er, wäre er Kultursenator, alle Opernhäuser schließen lassen und das Geld zur Förderung des Fußballs verwenden würde.

Da er Manfred, wie gesagt, die simple Arbeit im Einkauf nicht zumuten wollte, der aber einen Dienststellenbericht zu schreiben hatte, diktierte Herr Blümel ihm alles über die in seinem Ressort anfallenden Aktivitäten.

»Der Ablauf eines Bestellvorganges von der Bedarfsmeldung bis zum Eingang der Ware ist folgender: Benötigt eine Abteilung Materialien, so werden Menge, Ausführung, Termin und eventuell ein geeigneter Lieferant in ein internes Formblatt eingetragen, das an den Einkauf gegeben wird. Haben Sie ...?«

»Ja ...«

»Dann entschuldigen Sie mich bitte einen Augenblick: Ich muß mich einem dringlichen Geschäft zuwenden.« Herr Blümel stand auf, nahm sich den *Spiegel* und verschwand.

Als wenig später das Telefon klingelte, nahm Manfred ab und meldete sich. »Nora, Einkauf, Matuschewski, bitte sehr …?«

»Nicht Sie, Herrn Blümel!« Es war Gosch persönlich.

»Herr Blümel ist gerade auf der Toilette.«

»Wo ist er?« fragte der Chef, bellte es fast.

Manfred bemühte sich um Aufklärung. »Auf der Toilette, er mußte ganz dringend.«

»Junger Mann, Sie müssen noch sehr viel lernen bei uns: Merken Sie sich bitte ein für allemal, daß leitende Angestellte nie auf der Toilette sind, sondern ›im Augenblick leider nicht zugegen‹. Es werde baldmöglichst zurückgerufen. Sich vorzustellen, wie und was da … das ist der Würde eines Mannes abträglich, verstanden!?«

»Nein, aber ich werde mich auf alle Fälle danach richten.«

Seither hatte Gosch Manfred auf dem Kieker. Die Sache wurde noch schlimmer, als Gosch eines Tages überraschend in den Einkauf kam, um Herrn Blümel in einer eiligen Angelegenheit mit in den Sitzungssaal zu nehmen.

»Wo ist denn Herr Blümel?« fragte er Manfred, der allein im Zimmer war.

»Im Augenblick leider nicht zugegen«, antwortete Manfred, dies als Test auffassend.

»Das ist doch keine Antwort!« Gosch zögerte nicht, sofort loszupoltern. »Wo er genau ist, will ich wissen.«

»Das darf ich Ihnen nicht sagen …«

Gosch lief rot an. »Hat er Ihnen das verboten?«

»Nein: Sie.«

»Wollen Sie mich auf den Arm nehmen?«

Manfred war der Verzweiflung nahe. »Nein, Herr Direktor, aber Sie haben mir doch selber verboten, das Wort Toilette …«

»O Gott!« Gosch sank auf den nächstbesten Stuhl, den von Fräulein Hobsch, und fuhr, als es furchtbar knirschte und krachte, mit einem lauten Aufschrei wieder hoch. »Was ist denn das!?«

Es war die zu zwei Dritteln intakt gebliebene Schale von

Manfreds Frühstücksei, die er Fräulein Hobsch, um sie zu necken, unters Sitzkissen praktiziert hatte.

»Das war nicht für Sie gedacht«, stammelte Manfred, »ich konnte ja nicht wissen, daß Sie ...«

Gosch rieb sich die linke Brustseite, um seinen Herzrhythmus zu normalisieren. »Das werd' ich Ihnen nicht so schnell vergessen ...« Damit zog er ab.

Manfred ging es in den nächsten Tagen gar nicht gut. Er schlief schlecht, hatte kaum Appetit, fühlte sich schlapp und elend, litt unter Durchfall und Herzrasen und mußte schließlich zum Arzt. Der nächste Allgemeinmediziner, Dr. Eck, hatte seine Praxis in der Sonnenallee. Als Manfred merkte, daß der Name – wenn man sich den Punkt wegdachte und das E klein schrieb – wenig verhieß, war es zu spät; er saß schon in der Praxis, und die war voll bis oben ran. Die speckigen Illustrierten und Magazine, die bei Dr. Eck herumlagen, wagte er aus Angst vor schweren Infektionen nicht anzufassen, und da er vergessen hatte, ein Buch einzustecken, mußte er seine eigene, mitgebrachte Zeitung mehrmals lesen.

Alles voller Werbung. Und immer wieder der Untergang der *Pamir. So ging die Pamir unter. Sechs überlebten die Hölle. 54 Stunden ohne Trinkwasser*. Das deutsche Segelschulschiff war am 21. September auf der Fahrt von Hamburg nach Buenos Aires 600 Seemeilen südwestlich der Azoren gesunken. 80 Seeleute waren dabei ums Leben gekommen. Nun spekulierte man über die Ursache. Verrutschte Ladung, sagten die einen, zu schwere Stahlmasten die anderen.

Der Berliner Teil des *Telegraf* berichtete über die Wahl Willy Brandts zum Regierenden Bürgermeister. Otto Suhr, sein Vorgänger, war Ende August nach langer Krankheit verstorben. Wenn es hieß: *Berlin trauert um Otto Suhr*, dann traf das auf Manfred kaum zu, denn nach Ernst Reuter hatte er keinen der »Regierenden« mehr so richtig wahrgenommen. Bei Willy Brandt aber hatte er ein gutes Gefühl, hatte der doch aktiv gegen die Nazis gekämpft.

Ansonsten wurde über zwei Eröffnungen informiert: Die Kongreßhalle im Tiergarten, die »schwangere Auster«, war schon im September eingeweiht worden, und die alte Deutschlandhalle sollte in den nächsten Wochen neu eröffnet werden.

»Der Nächste bitte ...«

Mit Manfred sprangen zwei andere Männer auf, und er fiel wieder auf seinen Stuhl zurück. Die Sprechstundenhilfe aber gab deutlich zu verstehen, daß er der Glückliche sei. Da blühte er richtig auf und fühlte sich gar nicht mehr krank, als er Dr. Eck gegenüber Platz genommen hatte, einem mächtig schwadronierenden Weißkittel, wie sie in alten Filmen immer zu sehen waren, so der Typ: »Macht doch nichts, Muttchen, daß wir Ihnen ein Bein abgenommen haben, wozu hat Ihnen denn der liebe Gott zwei gegeben!?« Das ging Manfred durch den Kopf, während er stotternd über seine Leiden zu berichten begann, einigermaßen irritiert, da Dr. Eck starke Ähnlichkeit mit dem Professor Crey aus der *Feuerzangenbowle* hatte.

»Ich fühle mich wie ein Primeltopf, wie eine Primel, die wochenlang nicht gegossen worden ist«, sagte Manfred und verlor nun völlig den Faden, denn zum einen schüchterte ihn die Schamanen-Attitüde des Arztes gehörig ein, und zum anderen fühlte er sich in diesem Augenblick als übler Simulant, der sich die Krankschreibung erschleichen wollte, denn es ging ihm ja so blendend.

Dr. Eck nickte väterlich, maß den Blutdruck und bat ihn dann mit einem gemurmelten »Wenn Sie sich bitte einmal frei machen würden« auf die etwas schmuddlige Liege, um ihn abzuhorchen und mögliche Verhärtungen seines Leibes zu ertasten.

Das Urteil kam schnell. »Vegetative Dystonie.«

Manfred erschrak. »Ist das schlimm?«

»Keine pathologischen Befunde, aufgrund der Beschwerdebilder lassen sich aber Störungen des Funktionsgleichgewichtes eines oder mehrerer Organe vermuten. Mit *Omca* aber bekommen wir das sicher in den Griff.«

So zog Manfred mit einem Rezept los, um sich in der Apotheke Sonnenallee, Ecke Roseggerstraße kleine rosa Pillen zu besorgen.

Als er auf der Straße stand, um den Beipackzettel zu lesen, kam gerade sein alter Freund Peter Pankalla, genannt Balla-Balla Pankalla, vorbei, und das gewohnte Spielchen »Wie geht's denn?« und »Was macht denn ...?« begann.

Pankalla war, wie Dirk Kollmannsperger auch, einmal sitzengeblieben und erst jetzt kurz vor dem Abi. Viel wußte er von den alten Lehrern zu berichten – von Frau Christen, auch Tante Emma genannt, Frau Dr. Schaudin, der Chefin, Frau Müller, gnadenlos, aber gerecht, Dr. Mann gleich »Meph«, weil aasig wie Mephistopheles, Kuno und so weiter und so fort – doch Manfred hatte nicht das Gefühl, diesen Menschen, die er doch sieben Jahre lang »genossen« hatte, jemals begegnet zu sein. Siemens hatte alles ausgelöscht, was vorher gewesen war, Siemens war die große Krankheit seines Lebens.

Er ging nach Hause, um die Tabletten zu schlucken, sein inneres Gleichgewicht wiederzufinden und mit Siemens fertig zu werden.

Am folgenden Sonntag fuhr er mit Gerhard nach Schmöckwitz, um den letzten Leichtathletikzweikampf dieses Jahres auszutragen. Gerhard brachte seinen Vater mit. Nicht, daß nun auch Max Bugsin als Kugelstoßer in den Wurfring treten wollte, was bei seinen über zwei Zentnern Lebendgewicht so abwegig gar nicht mal gewesen wäre. Er kam nur mit, weil er in Karolinenhof die Renovierung seiner Laube in die Wege leiten wollte und zu diesem Zweck – verbotenerweise – eine Menge Ostgeld mitgenommen hatte.

Als ihr Zug in Baumschulenweg, dem ersten Bahnhof im Osten, angehalten hatte, hieß es barsch: »Alles aussteigen, Zug endet hier!« Auf dem Bahnsteig wurden sie dann von den »Organen«, Volkspolizisten und Zöllnern also, in Empfang genommen, mußten sich in Reih und Glied aufstellen und ihre Ausweise abgeben.

»Währungsumtausch«, wurde getuschelt. Gerüchte liefen um.

»Ostberliner dürfen ihr Ost-Geld 1:1 umtauschen. Westberliner, die Ost-Geld haben, können sich damit den Hintern wischen.«

»Nee, die werden hier abgefangen und eingesperrt. Weil die det Jeld aus de Wechselstuben ham, und det sind ja Stätten det Verbrechens.«

Max Bugsin war aschfahl geworden, und Gerhard schien sich schon auf einen vaterlosen Haushalt einzurichten, eigentlich ohne jedes Bedauern, wie Manfred schien. Doch sie hatten nicht mit Max Bugsins Cleverneß gerechnet. Als ihre Schlange in Höhe des Toilettenhäuschens angekommen war, dessen Tür weit offen stand, machte er einen unauffälligen Ausfallschritt nach rechts, und wenig später hörten sie einen Vopo rufen: »Mann, da liegt ja 'n janzet Bündel Jeld inne Pinkelrinne.«

Ohne Ausweis in der DDR, das war für Manfred als Westberliner ein Gefühl wie Fallschirmspringen ohne den Fallschirm. Irgendwann schlug man unten auf und war zerschmettert.

Doch als er im Kontrollhäuschen seine 85 Pfennig auf den Tisch gelegt hatte, passierte gar nichts. Er durfte das Geld für die Rückfahrt behalten und bekam seinen »Behelfsmäßigen Personalausweis« anstandslos zurück. Auch Gerhard und Max Bugsin durften passieren. Nach einer Stunde konnten sie wieder in die S-Bahn steigen und ihre Reise fortsetzen. In Grünau stand sogar ein Einsetzer der 86 bereit.

Es wurde ein schöner Wettkampf im »Schmöckwitzer Waldstadion«. Gerhard gewann das Speerwerfen mit 31,91 Metern, und Manfred war im Diskuswerfen mit 24,10 Metern der Sieger. Das Kugelstoßen konnte nicht mehr stattfinden, da inzwischen auch Manfreds Vater zu ihnen rausgekommen war und man gemeinsam Kaffee trinken wollte.

Im Tagebuch der Schmöckwitzer Oma fand sich dieser denkwürdige Tag wie folgt wiedergegeben:

Sonntag, 13. Oktober
Nachts 5°, am Tage 12°, neblig, nachmittags Sonnenschein, abends wieder neblig.
Ich schlief besser und erwachte um 8 Uhr. Da hörte ich im Radio eine Extraansage von Minister Grotewohl, daß heute

unser Geld (ausgenommen 50 Pf. und 1 M) gegen neue Scheine umgetauscht würde. Alle Parteimitglieder hätten sich sofort in ihrem Parteilokal einzufinden. Ich ging gegen ½10 zur Schule und sagte Genossen Bu., daß ich mich leider an nichts beteiligen könne, da ich Besuch schon zu Tisch erwarte. Ich nahm aber versch. Formulare mit und trug sie zu den Nachbarn. Als gegen 11 Uhr Manfred und Gerhard kamen, erzählten sie, daß in Baumschulenweg alle aus dem Zug rausmußten, ihre Ausweise abgenommen wurden und gefragt wurde, wieviel Ostgeld sie hätten. Die Ausweise bekamen sie dann wieder zurück. Nach 40 Minuten konnten sie weiterfahren. Otto mußte sogar 1 ½ Stunden warten und kam erst gegen ¼3 hier an. Ich hatte vormittags Rotkohl gekocht, Kartoffeln geschält und Koteletts gebraten. Auch Pudding hatte gekocht. Wir konnten also gleich essen, und bekam Gerhard, der belegte Brote mitgebracht hatte, auch vom Pudding u. Apfelmus ab. Trudchen kam endlich gegen 3 Uhr, doch hatte sie schon Mittag gegessen, da Martha Bredel wieder ihre Knie beim Fallen verletzt hatte und nicht laufen konnte. Sie zog ihr Bett ab, packte ihre Sachen in einen Rucksack und fuhr gegen 4 Uhr wieder nach Hause. Otto, Manfred und Gerhard (beide waren vormittags mit ihren Speeren usw. im Walde gewesen) hatten sich angezogen und nach Tisch einen Spaziergang ans Wasser gemacht. Ich filterte Kaffee und deckte den Kaffeetisch. Um ½5 ließen wir uns zum Kaffee meinen Kuchen gut schmecken. Um 5.25 fuhren alle wieder nach Hause. Gegen ½8 kam Erna zu mir und ging ich mit ihr zur Schule, meine Scheine umtauschen. Wickelte dann meine Haare und ging um 11 Uhr zu Bett.

Die nächsten großen Ereignisse, die man in den Nora-Büros heftigst diskutierte, waren der sowjetische *Sputnik II*, der am 3. November mit der Polarhündin *Laika* an Bord die Erde umkreiste, und der spektakuläre Mord an dem Frankfurter Callgirl Rosemarie Nitribitt. Da war Manfred aber nicht mehr im Einkauf bei Bernhard Blümel, diesem wunderbaren Menschen, sondern steckte in der Zentralregistratur, deren Leiter ein gewisser Langschied war.

»Sie kommen zwei Minuten zu früh!« fuhr er Manfred am Montag morgen an.

Arglos lachte Manfred. »Fünf Minuten vor der Zeit ist des Soldaten Pünktlichkeit.«

Da erhob sich Langschied, trat dicht an ihn heran und schrie: »Pünktlich heißt: auf den Punkt genau! Weder zu spät, noch zu früh – auch nicht zu früh. Merken Sie sich das!«

Nun wäre diese verbale Attacke noch zu ertragen gewesen, wenn Langschied nicht einen unsäglichen Mundgeruch gehabt hätte. Herr Blümel meinte, man sollte Langschied für drei Millionen Mark an die Russen verkaufen – als bakteriologische Angriffswaffe. »Steht der auf dem Kremlturm und pustet Richtung Westen, sterben die Menschen zwischen Oder und Atlantik wie die Fliegen weg.« Manfreds Vater, dem Langschied einmal in der U-Bahn begegnet war, formulierte es nicht weniger drastisch: »Der stinkt ja aus'm Mund wie die Kuh aus'm Arschloch.«

Langschied selber merkte nichts, und von seinen Untergebenen wagte es natürlich keiner, ihm mal Bescheid zu sagen, denn wer wollte schon gerne fristlos gekündigt werden. Da Nora im Hause Siemens nur eine belanglose Unterabteilung war und die Zentralregistratur innerhalb Noras wiederum die unbedeutendste aller Stellen, meinte Langschied, dies kompensieren zu müssen, indem er sich zu einem Westentaschen-Diktator aufblies. Da er auch über die ADREMA-Plattei und die Botenmeisterei gebot, war er Herrscher über eine Frau, drei Männer, zwei kaufmännische Gehilfinnen und eine studentische Hilfskraft.

Die Frau an seiner Seite hieß Dietlinde Christ und war ihm hörig. Bis zur körperlichen Hingabe, wie man vermutete. »Sicherlich a tergo«, meinte Herr Blümel, »ansonsten wäre sie schon tot.« Langschieds akademischer Berater war ein feister Uraltstudent, der ständig esoterischen Schrott absonderte und auf den Namen Böhncke hörte. Mit Böhncke zusammen hatte Manfred ADREMA-Platten zu ändern. Aus

Angst, wieder etwas falsch zu machen, studierte er vorher sorgfältig Langschieds umfangreiche Arbeitsanweisung.

Kernstück des ADREMA-Systems ist die Metallplatte, deren Abmessungen 11 x 6 cm betragen. Auf einer Platte lassen sich 9 Zeilen mit 400 Buchstaben einprägen ... Eine Umprägung der Platte kostet nur 0,11 DM, während eine Neuprägung etwas mehr als 0,30 DM erfordert ... Durch 24 verschiedenfarbige Reiter können wichtige Angaben auf der Platte vermerkt werden ... Der Abdruck der Platten erfolgt mittels eines halbautomatischen ADREMA-Plattenschreibers. Der Transport der Platten von rechts nach links geschieht halbautomatisch. Nach Druck auf ein Pedal erfolgt die Beschriftung ...

33. Änderungen
Trifft ein Formblatt mit den Angaben zu einer Änderung in der ZR ein, so werden Vermerke darüber auf den rosa Karteikarten und in den handschriftlichen Nummernlisten gemacht. Die betreffende ADREMA-Platte wird herausgesucht und auf zwei weitere Formblätter abgedruckt. Dies geschieht unter der Angabe »Alte Anschrift«, während unter »Neue Anschrift« nun die Änderungen der Adresse oder Kontonummer vermerkt werden. Das ursprüngliche Formblatt wird abgezeichnet und in die anderen Abteilungen gegeben. Eines der beiden zusätzlichen Formblätter wird in einer Mappe »Platten bei ADREMA« abgelegt, während das zweite zusammen mit der Platte über den Einkauf an die ADREMA-Werke zur Umprägung gegeben wird.

Damit war Manfred den ganzen Tag über beschäftigt, während Böhncke, ihn kontrollierend, dem Büro mit philosophischen Aussprüchen zu imponieren versuchte, die er selber – auch nach fünfzehn Semestern Philosophie – nicht richtig verstand.

»Ich liebe Kierkegaard«, stöhnte er auf, und hinter seinen überstarken Brillengläsern wuchsen die wäßrig blauen Augen zu Markstückgröße an. »Der Wahrheit, sagt er, sei es ein Bedürfnis, die Menge für sich zu haben.«

Manfred dachte nach. »Dann ist also die Unwahrheit immer Sache des einzelnen ...?«

»Die Menge ist ein Abstraktum, das keine Hände hat.«

»Was heißt das?«

»Daß unser Entweder-Oder in der Unzulänglichkeit des Nur-Menschlichen beschlossen liegt«, erläuterte Böhncke.

»Ich hätte auch so gerne Philosophie studiert«, bekannte Langschied, um dann sofort wieder über Manfred herzufallen: »O Gott, Manfred, begreifen Sie doch endlich mal, daß Radio Bree ein Kunde mit Eigenwerbung ist. Und welche Reiterfarbe haben Kunden mit Eigenwerbung?«

»Orange.«

»Und welchen Reiter haben Sie Radio Bree verpaßt?«

»Einen gelben Reiter ...«

»Wer bekommt einen gelben Reiter?«

»Gelbe Reiter bekommen Kunden ohne Eigenwerbung.«

»Der wievielte Fehler ist das heute?«

»Der dritte.«

Langschied stand auf. »Und, was habe ich gesagt: Was passiert nach dem dritten Fehler ...?«

»›Nach dem dritten Fehler sind Sie nur noch als Bote zu verwenden, Herr Matuschewski‹«, erwiderte Manfred.

»Ist es so, Herr Böhncke ... Frau Christ?«

»So ist es, Herr Langschied.«

Manfred durfte sich nun das Botenwägelchen schnappen und durchs Haus ziehen, um Post zu holen und zu bringen. Verkauf, Verkauf Ausland, Einkauf, Lager und Versand, Werbeabteilung, KdZ, Kreditabteilung, SAL, Chef-Sekretariat, Preis- und Rechnungsbüro, Kasse, Kantine und Hauptbuchhaltung. Man stellte ihm einen extra Kittel zur Verfügung.

So tief bist du also gesunken.

Die Zahnschmerzen, an denen er schon eine Weile litt, wurden immer heftiger. Gestern hatte ihm Dr. Zuckerow einen der Backenzähne rechts oben aufgebohrt, um den Nerv zu töten.

Er versuchte, sich mit Gedanken an Caterina Valente zu

trösten und brabbelte, als er mit einem Eilbrief von Herrn Gosch zum Postamt in der Goethestraße eilte, ununterbrochen vor sich hin: »Tipitipitipso – beim Kalypso ist dann alles wieder gut, ja, das ist mexikanisch. Tipitipitipso – beim Kalypso sind dann alle wieder froh im schönen Mexiko.« Auf dem Rückweg kam dann anderes ran: »Olé, olé! Kauft Ananas! Olé, olé, aus Caracas! Olé, olé! Kauft Ananas! Olé, olé, aus Caracas!« Daß sich die Leute nach ihm umdrehten, fand er absolut richtig. Er suhlte sich geradezu in seinem Elend. *Tiefer kann man nicht mehr sinken.* »Siebenmal in der Woche möcht' ich ausgehn! Siebenmal in der Woche möcht' ich glücklich sein mit dir! Siebenmal, siebenmal, das ist meine Lieblingszahl!«

Dann kam die Adventszeit, und am Freitag, dem 20. Dezember, sollte im Anschluß an die Arbeit in der Zentralregistratur die Weihnachtsfeier stattfinden, also im Büro und nicht in einem Restaurant, weil man sparen wollte.

Wie immer sollte es als einen der Höhepunkte einen Julklap geben, und Frau Christ hielt jedem einen Hut hin, in dem Zettel mit den Namen der Kollegen steckten.

Manfred ahnte schon, wen er ziehen würde, und natürlich stand auf seinem Zettel der Name LANGSCHIED. Frau Christ flüsterte ihm zu, der Chef wünsche sich zum Julklap dringlichst den *Joseph Fouché* von Stefan Zweig, denn er vergöttere den Polizeiminister Napoleons.

»Dem packe ich eine Ladung Hundekacke in die Schachtel und wickle sie in Goldpapier ein«, sagte Manfred zu Hause beim Abendbrot.

»Was bist du nur für ein Mensch!« rief seine Mutter. »Kannst du dich nicht einfügen in die menschliche Ordnung?«

Manfred war sich sicher, es nicht zu können. Und ehe er Herrn Langschied ein Taschenbuch schenkte, da ...

Einschlafen konnte er nicht mehr, als ihn wieder mal das Gefühl überkommen hatte, es wäre das Beste, am nächsten Morgen vor die U-Bahn zu springen.

Lieber ein Ende mit Schrecken ...

»Nur das Unglück gibt Tiefblick und Weitblick in die Wirklichkeit der Welt. Harte Lehre, aber Lehre und Lernen ist jedes Exil: Dem Weichlichen knetet es den Willen neu zusammen, den Zögernden macht es entschlossen, den Harten noch härter. Immer ist dem wahrhaft Starken das Exil keine Minderung, sondern nur Kräftigung seiner Kraft.«

Das las Manfred in der Taschenbuchausgabe des *Joseph Fouché*, und er freute sich, weil er inzwischen seine Zeit auf der Insel Siemens als Exil verstand. Noch knappe zwei Jahre, dann kehrte er ins Leben zurück.

Es war Juni 1958, und er fuhr im *Rebell* die Große Krampe hinauf. Er konnte nicht begreifen, daß er sieben Monate zuvor ernsthaft daran gedacht hatte, sich vor den Zug zu werfen. Doch irgend etwas hatte ihn damals davon abgehalten. Eine ungewisse Hoffnung vielleicht oder die Scheu, seinen Eltern ihre Liebe und Mühe, bei allen Querelen und Bitterkeiten, so zu danken. Nein, er war, als die U-Bahn am Kottbusser Tor einlief, bis zur Mitte des Bahnsteigs zurückgesprungen, um ja nicht in Versuchung zu geraten, und hatte Herrn Langschied statt des Fouché-Buches, das er jetzt selber las, eine große Flasche ODOL geschenkt, um seinen Rausschmiß zu provozieren. *Der Wurm, der sich krümmte*. Doch nichts war passiert, was er sich auch hätte denken können, denn als einziges Mitglied der Firma Nora wußte ja Herr Langschied nichts von seinem Mundgeruch – rastete also nicht aus, sondern freute sich sogar, nun ein passendes Weihnachtsgeschenk für seine Mutter zu haben. Als er davon erfuhr, lachte Herr Blümel so schallend, daß die Fensterscheiben klirrten, und selbst Gosch, Manfreds Intimfeind Nummer eins, mußte heimlich schmunzeln, obwohl er in die Geheimakte Manfred Matuschewski stillschweigend einen Minuspunkt eintrug.

Daß er nun als halbwegs stabilisiert gelten konnte, war zum Großteil das Verdienst von Frau Arndt, seiner Praxisanleiterin in der Hauptbuchhaltung, in der er seit Februar saß. Sie ging auf die Fünfzig zu, war also im selben Alter wie Margot Matuschewski und in der Tat wie eine Mutter zu ihm. Manfred hoffte sogar, wie eine Schwiegermutter, denn Nora Arndt – sie trug wirklich diesen Vornamen – hatte vier wunderschöne Töchter, von denen sich mindestens drei für ihn als Ehefrauen geeignet hätten, wie er meinte. Er hatte sich für Carola, die jüngste, entschieden.

»Nun weiß ich endlich, wozu es gut war, zu Siemens zu gehen und zu Nora zu kommen ...« Er fuhr ihr mit den Fingerspitzen ganz zart die Wirbelsäule hinauf. »Nur deinetwegen ...«

Sie drehte sich um und warf ihm eine Kußhand zu. »Es kann nicht anders sein ... Wir sind füreinander bestimmt. Wenn meine Großmutter meine Mutter nicht Nora genannt hätte, dann wäre die nie zu Nora gegangen – und folglich wären wir einander nie begegnet.«

»Unser Karma ist das, sicher.«

»Komm, laß uns hier ins Schilf fahren«, bat sie. »Laß uns hier an Land gehen ...«

Es war eine schöne Szene, wenn auch nur in seiner Phantasie. Bis jetzt kannte er Carola Arndt nur von den Familienfotos, die ihre Mutter des öfteren herumgehen ließ, doch das reichte schon: Bildhübsche kleine schwarzhaarige Hexen waren sie alle, die Carola und ihre drei Schwestern, grazil und atemberaubend. Und wenn sie auch nur ein wenig vom Wesen ihrer Mutter geerbt hatten – intelligent, heiter, ausgleichend und einfühlsam –, dann konnte schon am Ende seiner Lehrzeit Hochzeit sein.

Manfred paddelte die Große Krampe bis Müggelheim hinauf, fast vier Kilometer waren das, und stellte sich vor, als Huckleberry Finn auf dem Mississippi zu schippern ... *denn ein Traum ist alles Leben*. Er hatte das Gefühl, das Leben zu verpassen, zu verträumen, rügte sich aber sofort, denn er hatte ja Schmöckwitz. War dies nicht sein Paradies? Und konnte nicht einmal das Paradies die Menschen glücklich machen? Blöde Frage, fast wie im Besinnungsaufsatz. *Ich denke nicht, also bin ich*. Was ihm fehlte, war schon klar: eine Renate, eine Hannelore, eine Carola – oder wie immer sie auch heißen mochte.

Über den Müggelbergen zog ein schweres Gewitter auf, und er schaffte es gerade noch, am *Waldidyll* an Land zu gehen und sich in den dichten Kiefernwald zu retten, als es zu donnern und zu schütten begann. Irgendwo fuhr der Blitz in einen Schornstein. Den *Rebell* hinten auf dem filigranen Bootswagen, rannte er durch den Wald und zerschrammte dabei die Gummihaut. Er hatte große Angst, vom Blitz getroffen zu werden. Klitschnaß, aber heil, kam er schließlich auf dem Grundstück an. Auch seine Eltern waren schon gekommen.

Bibbernd lag er dann im Bett und träumte davon, Carola neben sich zu haben und sich an ihrer Haut zu wärmen. Wieder nur ein Traum, es war zum Heulen. Renate, Hannelore ...

»Mit Gewalt läßt sich kein Bulle melken«, sagte der Vater unten in der Küche, zwar nicht auf das Kernproblem seines Sohnes bezogen, sondern auf den Klingeltrafo, der nicht mehr funktionieren wollte. Aber es paßte trotzdem.

Als er zu den anderen hinunterging, sah er auf dem dunklen Bord seiner Oma ein Foto stehen, rechts oben mit einem schwarzen Trauerflor versehen.

20. Juni 1953
Friedenskämpfer Ethel und Julius Rosenberg
von der Terrorjustiz der USA hingerichtet.
Ihr seid unvergessen!

»Wo kommt denn das her?« fragte er.

»Berthold hat es vorhin gebracht.« Berthold war der jüngste Bruder der Schmöckwitzer Oma, hatte zwölf Jahre im KZ gesessen und nach dem Kriege bei der SED Karriere gemacht.

»Dennoch ist er mein Lieblingsonkel«, sagte die Mutter.

»Mutti«, sagte der Vater zur Schmöckwitzer Oma, »die beiden sind Hochverräter, die haben Atomgeheimnisse verraten, und wenn die Russen eines Tages eine Atombombe über Berlin abwerfen, dann haben wir es diesen beiden zu verdanken.«

Onkel Berthold kam aus dem kleinen Zimmer, wo er in

Scholochows *Stillem Don* gelesen hatte. »Bis jetzt haben nur die Amerikaner Atombomben abgeworfen, und wir sind aufgerufen, ein zweites Hiroshima unmöglich zu machen. Was nur geht, wenn auch die Sowjetunion über Atomwaffen verfügt.«

Sie gerieten sich mächtig in die Haare, und erst Tante Irma und Onkel Max, die zum Kartenspielen kamen, unterbrachen das Gefecht. Inge Bugsin war nicht mit nach Schmöckwitz gekommen, weil sie lieber auf eine Party gewollt hatte, und Gerhard, Manfreds ältester Freund, war letzte Woche nach Hannover gezogen, um dort als Volontär bei einer Büromöbelfirma anzufangen. Volontär, das hörte sich doch ganz anders an als Lehrling. Gerhard tat dies, um einmal das Geschäft seiner Eltern zu übernehmen. *Der hat es gut!* Daß er, Manfred, die Firma Siemens übernehmen würde, war weniger wahrscheinlich.

Er fühlte sich so einsam wie selten zuvor. Sein großer Trost war der Fußball, gerade fand ja in Schweden die WM statt. Immer wieder las er die Spielberichte in der Zeitung. So richtig einschlafen konnte er aber erst mit seiner Modellbahnzeitschrift, der *MIBA*. Da war er völlig entspannt, wenn er in Gedanken Strecken abfuhr oder sich die monumentalen Anlagen vorstellte, die er sich einmal bauen wollte, wenn er denn genügend Platz und Geld hatte.

Im Tagebuch seiner Oma, das er ihr eine Woche später wieder einmal stibitzen konnte, las sich dieser Tag so:

Sonnabend, 14. Juni
Nachts 7°, am Tage 21°, heiter bis wolkig, Gewitter.
Ich stand um 8 Uhr auf, und da die Sonne schien, hängte die halbtrockene Wäsche im Garten auf. Nahm ca. 3 Pfund Erdbeeren ab, die einzuckerte. Dann ging zur Drogerie Sennewald und zum Schlächter. Im Konsum hatte Fischfilets (isländische) bekommen, die ich nach dem Auftauen briet, dazu Kartoffeln kochte und 2 Köpfe Salat zurechtmachte. Manfred und ich aßen gegen ½3 Uhr, Otto kam um 3 Uhr vom Dienst und aß auch gleich. Dann brachte er die 2 alten

Nachttischlampen über den beiden Betten oben im Zimmer an. Margot kam um 4 Uhr und las mir den Brief vor, den sie von Gerda erhalten hatte. Berthold schaute kurz herein. Nach dem Gewitter war es doch noch so warm geworden, so daß wir im Garten Abendbrot essen konnten. Gegen 8 Uhr kamen Irmgard und Max Bugsin. Nachmittag hatte ca. 2 Pfund Erdbeeren mit 1 Flasche Wein übergossen und kalt gestellt. Otto und ich machten die Bowle dann fertig. Es kamen noch 2 Flaschen Wein hinzu und eine kleine Flasche Cognac, die Margot mitgebracht hatte. Margot, Irmgard, Otto und Max wollten Samba spielen, doch hatten die Karten vergessen. Manfred holte sie dann aus Karolinenhof aus Bugsins Wochenendlaube. Nun spielten die 4 ihre Samba-Partien, und ich schenkte die Gläser mit Bowle voll. Manfred trank 2 Glas und ging um 10 Uhr schlafen. Macht mir der Junge große Sorgen! Die 4 spielten bei heiteren Gesprächen bis ½2 Uhr. Selber war schon vorher im Sessel eingedrusselt.

Am Montag gab es wieder den alten Trott in der Nora-Buchhaltung in der Wilmersdorfer Straße: Sortieren von Rechnungskopien, Vergleich von Rechnungen mit Buchungen auf Kontokarten, Errechnen von Skonto, Freistellen von Rechnungen, Einholen von Auskünften über die Kreditwürdigkeit, 1. und 2. Mahnungen schreiben, Ablegen älterer Karteikarten, wenn der Saldo 0 ist, Sortieren nach Konten zum Buchen, Buchungsgänge vornehmen und kontrollieren.

Stunde um Stunde saß er an einer der riesigen Buchungsmaschinen, tippte Zahlen ein, hörte es rattern und zog die Karteikarten wieder heraus. Bei ihm waren sie gelb, was für Norddeutschland stand. Fernsehapparate, Rundfunkgeräte, Musiktruhen, Schallplatten der Marke *Heliodor*, Ersatzteile, Zubehör – alles, was die Händler zwischen Göttingen und Norderney geordert hatten, mußte er verbuchen. Dies hatte er in etwa anderthalb Tagen gelernt, und wenn er jetzt noch Fehler machte, dann lediglich wegen seiner immer stärker brennenden Augen. Viele Zahlendreher – 47 statt 74 –

entstanden einfach dadurch, daß er alles nur noch sehr verschwommen sah.

»Herr Matuschewski, Sie müssen dringend mal zum Augenarzt gehen«, riet ihm Frau Arndt.

»Ja, danke für Ihre ...« Was sollte er sagen: Anteilnahme, Hilfe, Fürsorglichkeit ...? »Heute hab' ich den Termin, um 16 Uhr, und wollte ich Sie sowieso fragen, ob ich deshalb früher gehen darf.«

Manfred zog seinen Taschenkalender hervor, um ihr zu zeigen, daß er nicht schwindelte. »Hier.«

»Ja, ich glaub' Ihnen ja.«

In diesem Kalender stand so wenig, daß ihm wieder einmal schmerzlich bewußt wurde, wie leer sein Leben war:

9. 1. Zahnarzt
10. 1. Zahnarzt
12. 1. Geburtstag Schmöckwitzer Oma
14. 1. Karte an Bimbo nach Köln
15. 1. Geburtstag Curt
16. 1. Zahnarzt
23. 1. Zahnarzt
31. 1. Theater – *Tribüne – Heinrich der VIII. und seine Frauen*
1. 2. Besuch bei Neutigs
2. 2. Feier eigener Geburtstag
9. 2. Kino *Wirtshaus im Spessart*
15. 2. Besuch bei Bugsins in Wilmersdorf
22. 2. Fernsehen bei Liebetruths: *Die glücklichen* 4 mit Kulenkampff
23. 2. Bei Kohlenoma Pfannkuchenessen
2. 3. Bei Liebetruths Canasta gespielt
16. 3. Hebbel-Theater *Ninotschka*
21. 3. Zahnarzt
22. 3. Wettkampf in Schmöckwitz. 10.34 ab Bf. Neukölln!
25. 3. Mit Siemens Coca-Cola-Fabrik in der Franklinstraße besucht
27. 3. Theater mit Inge *Der Arzt am Scheideweg*

3. 4. Tante Elisabeth aus New York zu Besuch
5. 4. Skat mit Balla und Kuhmeier – 18.00 Uhr
7. 4. Ostereiersuchen in Schmöckwitz
11. 4. Kino *In 80 Tagen um die Welt*
12. 4. Canasta bei Liebetruths
16. 4. Frisör
3. 5. Renaissance-Theater *Bunbury* mit Püppi
4. 5. Kino *Die Brücke am Kwai*
10. 5. Kino *Die zehn Gebote*
15. 5. Himmelfahrt – Tischtennis mit Wolfgang Schmitt in Schmöckwitz
18. 5. Urlaub Eltern. Beginn Fußball-WM
22. 5. Farbe und Faltbootpaste besorgen!!!
24. 5. Besuch bei Balla-Balla, abends nach Schmöckwitz
25. 5. Pfingsten – Schmöckwitz
26. 5. Pfingsten – Schmöckwitz
4. 6. Mit Siemens Kraftwerk *Ernst Reuter* besichtigt
7. 6. Zum ersten Mal Boot gefahren – 20 km – Umfahrt Krossinsee
10. 6. Theater *Die Zeit und die Conways* mit Vati
11. 6. Mutti Geburtstag. Fußball Deutschland – ČSSR
13. 6. Besuch Neutigs
14. 6. Schmöckwitz – Große Krampe
15. 6. Deutschland – Irland
16. 6. Augenarzt 16.00 Hermannplatz
19. 6. Deutschland – Jugoslawien
21. 6. Gerhard Hannover hin
22. 6. Gerhard Hannover rück
24. 6. Fußball Deutschland – Schweden bei Balla
26. 6. Frisör

Manfred legte seinen Kalender deprimiert zur Seite und machte sich an die Arbeit, da begann an der Buchungsmaschine neben ihm Fräulein Flach laut zu schluchzen. Herr von Szuck, der Buchhaltungsleiter, stand neben ihr und wedelte sich mit einem Fächer von rosafarbenen Karteikarten Frischluft zu.

»Ich bitte Sie, Fräulein Flach!«

»Nein, nein, nein!« schrie die Buchhalterin.

Rosa Flach war Manfred immer wie eine märkische Landfrau vorgekommen, die eigentlich zum Eierverkaufen nach Berlin gekommen und dann aus Versehen bei Nora untergeschlüpft war. Sie war die Stillste und Isolierteste, konnte nicht so plaudern und plappern wie die anderen, benutzte kein Deodorant, war omahaft gekleidet, ging nie aus, galt als »alte Jungfer« und war Mitglied einer evangelischen Sekte. Ihre Kolleginnen und Kollegen gingen alles in allem sehr schonend mit ihr um, doch ließ es sich mitunter nicht vermeiden, daß jemand einen rosa Pullover anhatte und sich in einem Blumenstrauß, den man morgens einem Geburtstagskind auf den Schreibtisch stellte, rosa Gerbera befanden. Dann schrie Rosa immer auf und floh auf die Toilette. Sie hatte eine starke Phobie gegen alles entwickelt, was rosa war. Man erzählte sich, sie sei als Kind im märkischen Dorf Wassersuppe, das nördlich von Rathenow am Hohennauener See gelegen war, von einer Kuh namens Rosa so heftig an den Kopf getreten worden, daß sie tagelang im Koma gelegen hätte. Es gab noch andere, »schweinische« Versionen über die Herkunft ihres Leidens, doch niemand wußte da Genaueres. Schon die nüchterne Angabe »geboren in Wassersuppe« oder »Rosa Flach aus Wassersuppe« war diskriminierend genug. Wie auch immer, sie schien sich selber furchtbar zu hassen. Das Wort Rosa stand für ihr Elend und ihr Lebenstrauma.

»Das ist eine organisatorische Notwendigkeit, daß Sie Deutschland-Süd übernehmen – und Deutschland-Süd ist nun einmal rosa«, beharrte von Szuck.

»Lassen Sie mich den Süden nehmen, und geben Sie ihr meinen Westen«, suchte Frau Arndt zu vermitteln. Der Westen war himmelblau.

»Den Norden kann sie doch auch haben«, sagte Manfred. »Die gelben Karten.«

Nun mischte sich Herr Pinkpank ein, der früher als Lokal-Reporter beim *Abend* in Aktion gewesen war, aber nach einer Hüftoperation umgesattelt hatte. Hin und wieder schrieb er noch Glossen für seine alte Zeitung. Da er unter heftigen Blähungen litt und man, insbesondere wenn das Kantinenessen Hülsenfrüchte enthielt, nach der Mittagspause einen weiten Bogen um seinen Drehstuhl machen mußte, hatten die Kolleginnen und Kollegen aus dem rasenden einen gasenden Reporter gemacht: »Pingpong, der gasende Reporter«. Niemand wagte es aber, das zu laut zu sagen, denn Pinkpank war ein Busenfreund von Gosch. Sie hätten, so hieß es, von früher her gemeinsame Leichen im Keller.

»Das gibt 'n herrlichen Artikel!« rief Pinkpank, der bislang den rosa Süden verwaltet hatte, und nutzte die Chance, sich kurzzeitig zu erheben und seine Sitzfläche zu lüften.

»Meine Gasmaske!« dachte Manfred, und auch von Szuck wich zurück.

»Von der Sache mit dem Rosa dringt mir nichts nach draußen«, warnte von Szuck, riß das Fenster auf. »Entweder, Frau Flach, Sie übernehmen Deutschland-Süd mit den rosa Karten, oder wir werden einen anderen Arbeitsplatz für Sie finden müssen. Herr Pinkpank kommt in die Werbung, und Sie sind die einzige, die seinen Arbeitsplatz kompetent ausfüllen kann.«

Rosa Flach kauerte zusammengesunken auf ihrem Stuhl und wischte sich die Tränen aus den Augen. »Warum kann ich denn nicht ... warum kann ich denn nicht Mitte-Südwest behalten ...? Grün ...«

»Weil aus dem Raum Frankfurt/Main so viele Beschwerden über Sie vorliegen, daß ich Sie da unbedingt aus dem Schußfeld nehmen muß. Wir bekommen zum 1. 7. zwei neue Leute. Eine Kraft muß ja Herrn Matuschewski ersetzen, die andere wird Mitte-Südwest übernehmen. Und Sie rücken auf den Platz von Herrn Pinkpank. So ist das von Herrn Gosch und mir beschlossen worden.«

Es gab noch ein Riesen-Hin-und-Her, doch schließlich schaffte es der Betriebsrat, daß Rosa Flach den gelben Norden übernehmen durfte, wenn Manfred nicht mehr zur Verfügung stand.

Was lernte er daraus? Daß es in der Geschäftswelt längst nicht so rational zuging, wie man nach außen hin unentwegt den Anschein zu erwecken versuchte.

Um 15 Uhr verabschiedete Manfred sich von den Kollegen, um zum Augenarzt zu fahren.

Beim Umsteigen auf dem Bahnhof Kottbusser Tor prallte er mit Henriette Trettin zusammen, seiner ehemaligen Klassenkameradin aus der Albert-Schweitzer-Schule, der Schönsten aller Schülerinnen, und es wurde fast eine Umarmung. Da sie mitten im dicksten Strudel derer steckten, die von der Hoch- hinunter in die U-Bahn gespült wurden, hatten sie einige Mühe, voneinander loszukommen.

»Oh, wen sehen denn da meine entzündeten Augen?« rief er aus.

»Was, du lebst auch noch?«

»Nicht so richtig, aber ...« Manfred versuchte, sich mit ihr in ein ruhiges Eckchen treiben zu lassen.

Sie kam mit der Standardfrage. »Was machste 'n jetzt?« Henriette hatte immer noch ihre strahlenden Vergißmeinnicht-Augen, und das verwirrte ihn sehr. »Jetzt fahre ich zum Augenarzt.«

Ihre hohe Stirn umwölkte sich leicht. »Ich meine beruflich ...«

»Ich bin bei Nora ...«

»Ah, hast du geheiratet?«

»Nein, Nora ist ein spezieller Vertriebszweig von Siemens.« Er erklärte ihr, wie das alles zusammenhing und wie er sich fühlte.

»Wird sich der Ibsen aber freuen, daß du jetzt bei Nora bist. Im Puppenheim des Hauses Siemens.« Sie ließ ihn spüren, was sie so begehrenswert machte: die schnippische Intelligenz.

»Nun, ja ...« Ein klügerer Kommentar fiel ihm auf die Schnelle nicht ein. »Und du ...?«

»Ich studiere Chemie.«

Und dann zählte sie alle auf, die auch studierten, und Manfred kam sich klein und zweitklassig vor. Klar, die verdienten später alle mehr als er, genossen mehr Achtung als er, konnten ausbrechen aus der Enge Neuköllns.

»Du, ich muß um vier beim Augenarzt sein ...« Er machte, daß er weiterkam und versetzte sich – und sie – ins Jahr 1980: Da war er Siemens-Vorstandsmitglied, mit 42 Jahren das jüngste in der Geschichte des Hauses, und sie klopfte an seine Tür: »Du, ich bin jetzt schon seit drei Jahren arbeitslos, hast du nicht 'ne Stelle für mich, wo ich als Diplomchemikerin ...?« – »Ja, du, die Geruchsbelästigung auf unseren Toiletten hat in letzter Zeit drastisch zugenommen – wenn du das mal untersuchen könntest ...«

Der Augenarzt träufelte ihm eine Flüssigkeit in die Augen und ließ ihn vor der eigentlichen Untersuchung solange im Wartezimmer sitzen, bis er alles nur noch sehr verschwommen sah und sich wie ein Blinder an der Wand entlangtasten mußte. Dann stellte man fest, daß Manfred unter einer beträchtlichen Akkomodationsschwäche litt und eine Brille brauchte.

»Muß das wirklich sein?«

»Ja.«

Es war ein schwerer Schlag für Manfred. *Alles wegen Siemens und dieser Scheißbuchungsmaschine!* Wenn er studiert hätte, wäre er weiterhin ohne Brille ausgekommen. Wie um sich selber zu bestrafen, wählte er beim Optiker das häßlichste Gestell. Am Freitag sollte alles fertig sein.

Da vergaß er aber, die Brille abzuholen, weil er am Sonnabend mit dem Bus zu Gerhard nach Hannover fuhr. Das dauerte über fünf Stunden, weil sie an den Grenzübergängen Dreilinden und Marienborn ewig warten mußten. Wegen seiner schwachen Blase war das besonders nervig. In den Bussen gab es keine Toiletten, und es war strengstens verboten, auf den Rastplätzen anzuhalten. Zudem saß er neben einer älteren Frau, die in Charlottenburg ein Fischgeschäft betrieb und unter krankhaftem Redefluß litt.

»Wissen Sie, junger Mann, fast wär' ich ja im April ums Leben gekommen ...«

»Wieso das?« Manfred war zu höflich, nicht weiter nachzufragen.

»Fahr' ich zu meiner Schwester nach Frohnau, die wohnt da hinten am Eichenhain, gleich an der Grenze. Und da kippt doch in Frohnau der Doppeldeckerbus um, in der Burgfrauenstraße ... Ich hab' dringesessen: vier Tote!« Sie sprach so laut, daß sich die Leute noch fünf Reihen vor ihnen entsetzt umdrehten.

Manfred unterdrückte den Gedanken, daß es da auf eine weitere Tote auch nicht mehr angekommen wäre, und zeigte Mitgefühl: »Sie sind aber ...«

»Nein. Nur mein Knie hier eingeklemmt, der Meniskus zersplittert ...« Sie hob ihren Rock und zeigte ihm die Narbe.

Manfred sah schnell aus dem Fenster und sagte, er habe in Frohnau auch Verwandte: Tante Lolo und Onkel Kurt.

»Ach, wissen Sie, junger Mann, meine Schwester Gudrun, die hat so 'n Pech gehabt mit ihren drei Männern. Der erste ist an Tbc gestorben, der zweite im Krieg gefallen, und der dritte hat sie umbringen wollen. Das muß ich Ihnen mal erzählen ...«

Da fiel es Manfred schwer, mit seiner Reiselektüre, Jochen Kleppers *Kahn der fröhlichen Leute*, weiter voranzukommen, und er verpaßte auch die Durchsage des Fahrers, daß man auf einem dem Fahrschein angehefteten Blatt den Rückreisetermin vermerken müsse, wollte man in Hannover mitgenommen werden.

»Wie war das noch mal mit Ihren Verwandten in Frohnau?« fragte die Fischfrau, während sie ihr Heringsbrötchen mampfte.

Manfred tat sich schwer, diese Art Konversation zu machen. Allerdings verging so die Zeit viel schneller. Gerhard stand am Busbahnhof und nahm ihn in Empfang. Er hatte zwei Kollegen aus seiner Firma mitgebracht, und man ging in ein kleines Restaurant am Kröpcke. Gerhard war lachend-strahlend-lebensfroh, und Manfred kam sich an seiner Seite vergnatzt und greisenhaft vor, minderwertig und mit einem großen Handicap belastet, wie ein Hinkender unter Männern, die die hundert Meter unter elf Sekunden laufen konnten. Dieses Gefühl sollte sich noch verstärken, als sie mit der 5, der Straßenbahn, nach Kirchrode fuhren, einem der südwestlichen Vororte, wo Gerhard nun wohnte. Marienbader Straße 5a, bei Theweleit, hatte Manfred notiert.

Werner Theweleit war Geschäftsführer einer Maschinenbaufirma und erinnerte Manfred wegen seiner auffallend rötlich-braunen Körperbehaarung, aber auch wegen seiner Statur an einen Orang-Utan. Er strotzte vor Kraft, und wenn er sprach, dann so dröhnend, daß die Scheiben vibrierten. Seine Frau war derart attraktiv, daß sich Manfred sicher war, die aktuelle Miß Hannover vor sich zu haben, und seine beiden kleinen Kinder, Junge und Mädchen, waren umwerfend süß und selbstbewußt. Man kam gerade vom Tennis und stieg aus einem großen Mercedes, und das Eigenheim im Hintergrund war eine echte Villa. Manfred hatte Mühe, dies alles als Wirklichkeit zu nehmen, so sehr war es Klischee, so sehr roch es nach »Fülm«. Theweleit – ein wahrgewordener Traum. *Kannst du auch haben, wenn du dir bei Siemens Mühe gibst!*

Gerhard und Theweleit duzten sich, und Manfred registrierte mit Schmerz und Eifersucht, daß er für seinen Freund zunehmend unwichtiger wurde. Alles wurde anders, nichts blieb, wie es war. Er fühlte sich als Verlierer.

Theweleit liebte Wagner, und so dröhnte es den ganzen Abend, während sie Skat spielten, durch den Raum: »Nun brach die Lohe mir in die Brust. Es braust mein Blut in blühender Brunst ...« Dies aus der größten Musiktruhe, die Nora im Sortiment hatte und von der Manfred bislang nur fünf Stück als verkauft abgebucht hatte.

Er schlief schlecht und wurde am Sonntag nach dem Frühstück quasi gezwungen, mit Gerhard und den Theweleits zum Tennisplatz zu fahren.

»Ich hätt' mir lieber Hannover angesehen«, wagte er leise zu maulen.

»Nach dem Essen fahren wir dich rum«, beschied ihn Gerhard.

Zwar litt er beim Turnier des TV Neureich Hannover ganz erheblich, hatte aber andererseits seine Freude daran, im selbstgedrehten Film des Lebens Werner Theweleit zu sein und mit Dorothea Theweleit zu schlafen, aber auch mit den anderen braungebrannten Schönen, die sich im kurzen weißen Röckchen hoch zum Aufschlag reckten. Bei der Stadtrundfahrt am späten Nachmittag sah er von Hannover nicht mehr als ein Formel-I-Rennfahrer von der Eifel, wenn er über den Nürburgring raste. Theweleit und Gerhard schienen froh zu sein, ihn endlich wieder absetzen zu können.

»Dein Bus steht ja schon da«, sagte Gerhard und zeigte zum Bahnhof hinüber.

»Wir wollen noch zur Kirmes, und es ist schon spät geworden ...« Theweleit gab Gas.

Manfred winkte ihnen hinterher. *Außer Spesen nichts gewesen.* Mißmutig trottete er zum Berlin-Bus hinüber und stellte sich ans Ende der Schlange. 21 Uhr 34 war es, und es begann, langsam dunkel zu werden. Das Reiterstandbild des Herzogs Ernst-August erstrahlte schon in vollem Lichterglanz.

An der vorderen Tür des Busses hatten die Leute ihre Fahrscheine vorzuzeigen und wurden in die Listen eingetragen, die für die Grenzkontrollen unabdingbar waren. Erst dann durften sie ihr Gepäck abgeben und sich auf die ihnen zugewiesenen Plätze begeben. Als Manfred nun weit genug vorgerückt war und hören konnte, was die Angestellte mit den Passagieren sprach, traf ihn fast der Schlag: Es durften nur die einsteigen, die auf der gelben Liste standen – und auf der standen nur diejenigen, die sich bei der Hinfahrt für Sonntag, den 22. 7. 1958, 22 Uhr, angemeldet hatten. Er nicht, er hatte das verpatzt ... Die Fischhändlerin, die ihn vollgequatscht hatte ...

Was nun? War der Bus ausgebucht, und daran war leider nicht zu zweifeln, stand er da wie *Doofens Karl.* Geld für ein Hotel hatte er nicht dabei, warum denn auch, und zu Theweleit zurück, das wollte er nicht. Außerdem war der ja auf irgendeinem unbekannten Kirmesplatz.

»Na, junger Mann, worauf warten wir noch ...?« herrschte ihn die Angestellte des Busunternehmens an.

»Hier ...« Manfred streckte ihr sein Fahrscheinheft hin.

»Matuschewski ... Matuschewski ... Sie stehen nicht auf meiner Liste ...«

»Ich hab' aber gestern den Zettel mit dem Rückfahrttermin bei ihrem Kollegen abgegeben«, sagte Manfred mit einer Bestimmtheit, die ihn selber erstaunen ließ. Es war, als hätte Theweleit aus ihm gesprochen.

Und es wirkte. »Ich hab' nur einen Karl-Heinz Martschauski hier ...«

»Na bitte, da müssen die sich verschrieben haben!« *Glück muß man haben.*

»Ja, Entschuldigung.«

Manfred bekam den Sitz Nummer 14 zugewiesen und durfte passieren. Aufatmend sank er in die weichen Polster. *Frechheit siegt.* Er erkannte sich nicht wieder. Seine Erfahrungen bei Siemens hatten offensichtlich gefruchtet. Schon knallte der Fahrer die Gepäckklappen zu.

Da kam der echte Martschauski an. Zwar war es ein dürres Männchen von etwa fünfzig Jahren, das Manfred nicht zu fürchten hatte, was die Körperkraft betraf, und auch Mitleid brauchte er keines zu haben, denn sein heller Maßanzug ließ auf einen schließen, der sich allemal ein gutes Hotel leisten konnte, doch der Mann war Jurist, wie er bei dem erregten Wortwechsel mit der Busbediensteten alsbald durchblicken ließ.

»Sie haben den Beförderungsvertrag mit mir geschlossen, und es geht nicht an, daß sie ihn jetzt einseitig kündigen wollen. Der Name MARTSCHAUSKI steht außerdem groß und breit auf Ihrer Liste.«

»Aber Herr Martschauski sitzt bereits im Bus.«

»Ich habe keinen Verwandten gleichen Namens, das muß ein Irrtum sein. Lassen Sie sich mal von diesem Herrn den Ausweis zeigen.«

So kam, was kommen mußte, und Manfred stand auf der Straße, als der Berlin-Bus zur Autobahn rollte, mutterseelenallein. Bis zum nächsten Morgen um acht hatte er zu warten.

Zwanzig Jahre war er nun alt und fühlte sich wie der kleine Manfred mit zwei ohne seine Mama. *Meine Mutti ist weg!* Seine Eltern anrufen ging nicht: Sie hatten noch kein Telefon. Keiner der Nachbarn hatte eins. Er fiel auf eine Bank. Die Aussicht auf eine Nacht als Obdachloser in Hannover jagte ihm eine Wahnsinnsangst ein. Entweder man raubte ihn aus und erschlug ihn anschließend – oder die Polizei griff ihn auf und sperrte ihn ein. Hunderte von Menschen kamen vorüber, warum sprach ihn denn keiner an und half ihm aus der Not? Sie mußten doch merken, daß er ein guter Mensch war.

Er stand auf, um durch die Stadt zu schlendern, Gepäck hatte er ja kaum. Am Kröpcke sah er die 5, die nach Kirchrode fuhr. Nahm er sie und setzte sich bei Theweleits auf die Terrasse, war alles ausgestanden. Sie würden sicher nicht allzuspät nach Hause kommen. Die Kinder war zwar bei der Oma, aber dennoch. Alles war so einfach, doch sein Stolz ließ es nicht zu.

Also stromerte er so lange in der Stadt herum, bis die Füße schmerzten, und hockte dann im Wartesaal ... Als der geräumt wurde, blieb ihm nur noch der Platz vor dem Bahnhof. Aber immer wieder war Polizisten auszuweichen. Schließlich fand er im Hintereingang der Post ein Plätzchen, wo er sich niederlassen konnte. Rings um ihn herum die Landstreicher, die Penner. *Tiefer kannst du nicht mehr sinken!*

Er schlief ein, doch fror so erbärmlich, daß er gleich wieder aufspringen mußte. Seine Nieren, seine Blase. Andauernd mußte er sich zum Wasserlassen verziehen. Und obwohl er versucht hatte, sich auf den Bahnhofstoilette ein wenig herzurichten, roch er schon ein wenig streng, als er um acht Uhr im Berlin-Bus saß, diesmal ganz legitim. So sehr ihn das freute, so erschrocken war er, als er sich bewußtmachte, daß er um diese Zeit eigentlich schon bei Nora hätte sein müssen. »Guten Morgen, Frau Arndt.« – »Guten Morgen, Herr Matuschewski, na, wie war Ihr Ausflug nach Hannover?« Zeit anzurufen war nicht mehr, und er hörte die Oberen schon fragen: »Wo bleibt denn Matuschewski heute, hat der sich krank gemeldet?« – »Nein, fehlt unentschuldigt.« – »Gott, in dessen Haut möchte ich nicht stecken, wo ihn der Gosch eh schon auf dem Kieker hat.«

Und so folgte denn auch gleich die nächste Pleite, als er kurz vor 13 Uhr endlich den Nora-Pförtner passierte und – wie nicht anders zu erwarten – Herrn Gosch begegnete.

»Ah, schön, daß Sie überhaupt noch kommen!«

Stockend trug er vor, weshalb es ihm leider nicht möglich gewesen war, pünktlich am Arbeitsplatz zu sein. »Also, die haben mich im Bus rausgesetzt, weil ... Da war plötzlich einer, der so ähnlich hieß wie ich und ...«

»Lassen Sie's!« beschied ihn Gosch. »In die Buchhaltung brauchen Sie nicht mehr zu gehen, denn Sie verlassen uns zum nächsten Montag sowieso. Am 1. Juli haben Sie sich im Hausgerätewerk einzufinden, in Gartenfeld draußen. Bis dahin: Melden Sie sich bei Herrn Langschied, der hat Arbeit für Sie.«

Manfreds Arbeit, Manfreds Strafarbeit, bestand darin, im Keller zu stehen und Unterlagen durch den Reißwolf zu drehen. Stundenlang allein.

Dieses Schicksal mußte auch andere vor ihm getroffen haben, denn an der weiß gekalkten Wand stand in schwarzer Schülerschrift: Lehrjahre sind keine Herrenjahre

Ein Rädchen im Getriebe, kein Rädchen im Getriebe?

»Siemens-Hausgerätewerk Berlin, Einkauf, Matuschewski, ja bitte ...?« Manfred meldete sich mit seiner Standardformel, nun schon zum achtzehnten Mal an diesem Morgen, wie die Strichliste zeigte.

»Firma Bugsin, ich hätte gerne Frau Reich gesprochen ...«

»Frau Reich ist im Urlaub, ic h bin die Vertretung.«

»Sie hatten Büromöbel bei uns bestellen wollen ...«

»Du kannst ruhig weiter du zu mir sagen, als meine Patentante ...« Manfred lachte. Das hatte er im Siemens-Imperium bisher kaum getan.

»Was denn, Manfred! Ich wußte gar nicht, daß du jetzt in Gartenfeld bist, du warst doch bei Nora ...?«

»Gott sei Dank bin ich jetzt hier, richtig bei Siemens. Hier ist es längst nicht so miefig wie bei Nora.«

Seit er Lehrling war, fuhr er nun zum ersten Mal vergleichsweise gern zur Arbeit. Ihm ging auf, daß er der geborene Händler war. Obwohl es seine Patentante war, die Schulfreundin seiner Mutter, holte er bei ihren Verhandlungen fünf Prozent mehr Rabatt heraus, als es Frau Reich vordem gelungen war, wobei die schon seit fünf Jahren im Einkauf saß und als ziemlich ausgebufft galt. Außerdem schaffte er das, wofür Frau Reich einen ganzen Tag benötigt hatte, spielend bis zur Mittagspause. Es fiel ihm aber schwer, sich darüber so richtig zu freuen, denn bei seinem Erfolg konnte es doch kaum mit rechten Dingen zugehen. Als er auf der Suche nach den Ursachen seines unverhofften Erfolges nicht weiterkam, rief er Moshe Bleibaum an, dessen Stammplatz in der ZN Berlin lag.

»Ganz einfach«, erklärte ihm der neue Freund. »Wenn du in die Fertigung runtergehst und sagst, daß die Lieferung neuer Schrauben morgen kommt, dann dauert das fünf Minuten, wenn aber Frau Reich das tut, dann braucht sie eine halbe Stunde dafür.«

»Versteh' ich nicht ...« Bei Manfred wollte der Groschen noch immer nicht fallen.

»Du bist neu im Werk und kennst niemanden. Frau Reich aber ist schon seit Ewigkeiten da und kennt fast jeden – und mit jedem wechselt sie ein paar Worte, wenn sie durch die Flure läuft. Mal Betriebliches, mal Klatsch und Tratsch. Was meinste, wie sich das summiert.«

»Ah, ja ...«

In den nächsten Tagen beobachtete Manfred die Kollegen

im EK, führte heimlich Buch über ihr Tun und fand Moshes Erklärung voll und ganz bestätigt. Er selbst kannte nur seine Mit-Lehrlinge Mulack und Willich, aber denen wich er meistens aus, denn Mulack war ein elender Schleimer, der ihn immer nur anpumpen wollte, und Willich war ganz einfach ein Simpel, bei dem man aufpassen mußte, denn jemand in der Konzernspitze protegierte ihn. Es gab da gewisse Gerüchte, zumal Willich aus der DDR gekommen war.

Als der Chef des Einkaufs, Herr Kubisch, Manfreds Können bemerkte, gab es ein dickes Lob. Als er aber vier Wochen später – er hatte inzwischen Urlaub gehabt und saß nun im Versand – den Ausbildungsleiter traf, schaute der ihn finster an.

»War wohl nichts im Einkauf, wie?« Der Mann hieß Behling, maß fast zwei Meter und war mindestens so vierschrötig wie ein Farmer aus Kansas oder Oklahoma.

Manfred war verblüfft. »Herr Kubisch hat mich doch ausdrücklich gelobt ...«

»Haben Sie immer solche Träume, wie? Ein ›Ausreichend‹ hat er Ihnen gegeben.«

Manfred fiel aus allen Wolken. Er verstand die Welt nicht mehr. Erst ein Anruf bei Moshe Bleibaum ließ ihn klarer sehen.

»Weißt du nicht, wie das gelaufen ist: Die Reich, die alte Kuh, hat sich an dir gerächt. Als der Chef ihr Vorhaltungen gemacht hat, daß du viel schneller und viel besser gewesen bist als sie, da hat sie alles in Bewegung gesetzt, um dich madig zu machen und dir Fehler nachzuweisen, die du gar nicht begangen hast. Wahrscheinlich hat sie sogar die Unterlagen gefälscht – schließlich ging es ja um ihren Kopf. Wenn es ihr nicht gelungen wäre, dir Schlampigkeiten nachzuweisen, wäre sie gefeuert worden.«

»Das stimmt doch alles nicht, was sie da behauptet!« erregte Manfred sich. »Es gibt doch x Leute im Werk, die wissen müssen, daß sie lügt. Ich werd' da 'n mächtiges Faß aufmachen. Ich hab' genug Entlastungszeugen.«

»Wirst du nicht: Du bist da nicht im Mädchenpensionat!

Und deine Entlastungszeugen, die fallen der Reihe nach um, denn das sind alles Uralt-Freunde von ihr.«

Manfred brauchte eine Weile, bis er das verdaut hatte. Da stand er viele Stunden lang an einem Förderband, auf dem Kühlschränke und Waschmaschinen aus der Lagerhalle in die Güterwagen rollten. Seine Aufgabe war es, die Gerätenummern, die auf grünen Zetteln an der Verpackung hingen, in langen Listen festzuhalten. In der knalligen Sonne war er ständig einem Hitzschlag nahe.

Was ihn tröstete, war der Sport. Zwar war die Fußball-WM seit Wochen vorbei, hatte ja mit Deutschlands beiden Niederlagen – im Halbfinale 1:3 gegen Schweden nach dem Platzverweis Juskowiaks und dem 3:6 gegen Frankreich im Spiel um Platz drei – auch wenig Freude bereitet, doch nun gab es in Stockholm die Europameisterschaft der Leichtathleten, und da strahlten die Sterne der deutschen Sprinter ganz hell: Armin Hary gewann die 100 Meter in 10,3, Martin Lauer die 110-Meter-Hürden in 13,7 und Manfred Germar die 200 Meter in 21,0. Auch die 4 x 100-Meter-Staffel mit Mahlendorf, Hary, Fütterer und Germar lief in 40,2 allen auf und davon. Dazu kamen noch die beiden Goldmedaillen der Frauen, die von Liesel Jakobi im Weitsprung mit 6,14 Meter und die von Marianne Werner im Kugelstoßen mit 15,74 Meter. So sehr identifizierte er sich mit den Siegern, daß ihm Tränen in die Augen schossen, als man die Hymne spielte. Nicht sie standen da auf dem Podest, sondern er selber.

Noch jemand half ihm über Frust und Öde hinweg: Gott. Genauer gesagt: Lothar Gott, ein Student der Betriebswirtschaftslehre, der bei Siemens ein Praktikum absolvierte. An sich waren ihm die Werkstudenten ein Greuel, denn sie wurden, so dämlich sie auch sein mochten, von der Firma regelrecht hofiert. Man suchte händeringend Akademiker und hoffte, sie für immer an die Firma binden zu können, wenn sie denn ihr Diplom oder ihren Doktortitel in der Tasche hatten. Firmeneigene Lehrlinge, so schien es Manfred jedenfalls, wurden demgegenüber wie der letzte Dreck behandelt. Das war die Rangordnung, die sich in den Köpfen der Siemensianer festgesetzt hatte: ganz oben der Adel, dann Doktor, Diplomkaufmann, Stammhauslehrling (mit Abitur), normaler Lehrling und angelernte Arbeitskraft. Daß er in dieser Hierarchie nur wenig Chancen hatte, lag auf der Hand.

Fast haßte er die werdenden Akademiker, die eine Reihe von Privilegien genossen, während er und seinesgleichen die Drecksarbeit zu erledigen hatten, doch besaß er die Fähigkeit, bei allem immer erst den Menschen zu sehen. Und »Lord Lothar« war ein prima Kerl. Er hatte ein so sonniges Gemüt, daß Imke neulich gesagt hatte, man brauchte ihn nur durch eine Nervenheilstätte spazieren zu lassen, und alle Depressiven wären sofort geheilt. Da er es blasphemisch fand, mit »Herr Gott« angeredet zu werden und in einer englischsprachigen Bibel zufällig gesehen hatte, daß »unser Herr« dort mit »our Lord« wiedergegeben wurde, bat er darum, ihn doch »Lord Lothar« zu nennen. Die Bayern stellten schließlich auch den Vor- hinter den Nachnamen. Imke war eine liebliche Maid, die in der Fertigungsvorbereitung an der Schreibmaschine saß und sichtlich darauf wartete, von Lord Lothar erobert zu werden.

Jedenfalls, mit »Gottes« Hilfe ließen sich Versand und Warenannahme halbwegs ertragen, beides Abstellgleise für Leute ohne Karrierechancen, müde Rädchen im Getriebe.

Manfred saß eines Nachmittags wieder mal am Schreibtisch und vertiefte sich in die Bearbeitung der Warenbegleitscheine, der WBS. Die benötigte man nach dem Kontrollratsgesetz für den Güterverkehr von und nach Berlin. Bei einfachen Wirtschaftsgütern, Rohmaterialien beispielsweise, genügte das Placet des Westberliner Senats. Komplexere Industriegüter aber, wie es die Produkte des Hausgerätewerks Berlin (HWB) wohl waren, mußten in der Liste sogenannter Vorbehaltsgüter aufgeführt werden und bedurften der Genehmigung der Kontrollstellen der DDR. Dazu waren in den WBS-Satz von vier Blättern nacheinander einzusetzen: Absender, Empfänger, Stückzahl der Güter, genaue Bezeichnung der Güter, Nettogewicht und Wert der Güter.

Damit nun war Manfred beschäftigt, als der Werksleiter

Umbach, ein Mensch wie Werner Theweleit, mit einer Gruppe hochrangiger Besucher durch die Büros und Hallen zog. Manfred duckte sich und starrte auf seine Warenbegleitscheine, als wären sie Seiten aus einem Magazin für Sonnenanbeter und Freikörperkultur. Am liebsten hätte er die Farbe des grünen Linoleumbodens angenommen, um perfekt getarnt zu sein. Doch es half ihm alles nichts, denn aus der Gruppe der Besucher, sicherlich hohe Herren aus der Zentrale Erlangen/München, löste sich ein Mann, der etwas von einem Zisterzienser an sich hatte, jenen Mönchen, die versucht hatten, mit der Formel *Ora et labora – Bete und arbeite* – Brandenburg die Hochkultur zu bringen. Gedrungen war er, trug einen schlichten grauen Anzug und wies den typischen Mönchsschädel auf: breit mit Glatze, das Gesicht gemütlichweise und von gepflegtem Weintrinkerrot. An Manfreds Schreibtisch blieb er stehen.

»Sie werden mich nicht kennen ... Mein Name ist Zulsch, Paul Zulsch ...«

Manfred sah auf. »Nein, tut mir leid.«

Umbach raunzte Manfred an. »Was, Sie kennen den Leiter der zentralen Ausbildung in München nicht ...? Aber aufstehen sollten Sie wenigstens, wenn er mit Ihnen sprechen will.«

»Entschuldigung ...« Manfred, rot überlaufen und schwitzend, fuhr hoch. »Ich kenne nur Herrn Frantz ...« Er war sich sicher, daß Zulsch nur gekommen war, um ihm mitzuteilen, er sei nicht geeignet, eine Position im Hause Siemens angemessen auszufüllen, er solle lieber gleich die Konsequenzen ziehen, also von sich aus den Lehrvertrag aufkündigen.

Paul Zulsch schmunzelte. »Ich kenne nicht nur Herrn Frantz, und Sie sollten nicht von ihm auf alle schließen. Sie sind der Herr Matuschewski ...?«

»Ja ...« Manfred konnte sich noch immer keinen Reim auf das alles machen.

»Ich weiß, daß Sie Ihre Schwierigkeiten mit Nora hatten ...«

»... und Nora mit mir.« Manfred lachte. Zulsch hatte ganz

offensichtlich die Gabe zum Beichtvater oder Psychotherapeuten.

»Das spricht nur für Sie«, sagte der oberste Ausbildungsleiter. »Dieses Getriebe ist so, daß die Rädchen in ihm immer wieder haken bleiben.«

»Ich will kein Rädchen im Getriebe sein«, bekannte Manfred.

Zulsch nickte. »Ich hab's doch geahnt: Leute wie Sie brauchen wir, wenn das Haus Siemens eine Zukunft haben soll.«

Manfred war verwirrt. »Gucken Sie sich meine Noten an, die sind doch eher mies. Und Herr Umbach ...« Er zeigte auf den Werksleiter des HWB, der mit seiner Gruppe schon am Ausgang stand. »... Herr Umbach hat mich neulich als Niete bezeichnet.«

»Nun, ich habe so meine Quellen und weiß mehr, als in den Akten steht ... Ich weiß, daß Sie im Hause Siemens mächtig leiden, aber nur aus dem Leiden wächst die Kraft, später einmal leiten und zu neuen Strukturen überleiten zu können. Wer zu Siemens kommt und auf der Stelle glücklich ist, der wird nichts ändern wollen – wir aber müssen uns in den nächsten Jahrzehnten gewaltig verändern, wenn wir in der Welt bestehen wollen.«

Umbach rief Herrn Zulsch zu, er möge doch bitte kommen, die Zeit dränge sehr.

Zulsch drückte Manfred die Hand. »Schön, Herr Matuschewski, wir sehen uns ja dann beim Abschlußlehrgang wieder, Anfang Januar 1959 in Erlangen. Bis dahin: Gehen Sie Ihren Weg, Sie schaffen es schon.«

»Tooor, Tooor!« schrie Manfred und umarmte seinen Vater. Sie standen im Neuköllner Stadion, und eben hatte auf dem Acker unten ihre geliebte Tasmania das 1:0 gegen Hertha Zehlendorf geschossen. Wenn Tas gewann, fühlte er sich groß und mächtig, und alle Daseinsprobleme wurden vom Sturzbach seiner Euphorie hinweggespült. Verloren die Neuköllner aber, wuchs seine Depression in bedrohlichem Maße. Eigentlich war es unbegreiflich, und es kam ihm bei genauerem Nachdenken auch reichlich kindisch vor, weil er von den elf blau-weiß bedreßten Spielern unten auf dem Rasen keinen einzigen persönlich kannte und vermutlich auch nicht näher hätte kennenlernen wollen, denn proletenhaft dröhnende, Bier trinkende, fürchterlich berlinernde und schweinische Witze erzählende Männer, als die er sie einschätzte, mochte er nicht. Und dennoch nahm er an ihrem Schicksal wesentlich stärkeren Anteil als an dem naher Verwandter. Fiel seine Tante Claire die Treppe hinunter und brach sich ein Bein, juckte ihn das weit weniger, als wenn Kuntze von Tas ein Selbsttor schoß.

Er fragte seinen Vater. »Warum freust'en du dich, wenn Tas 'n Tor schießt?«

»Weil sich mein Chef dann ärgert.«

3:1 siegte Tas schließlich gegen den Nobelverein aus dem Süden Berlins. Die »langen Kerls« des Trainers Mauruschat hatten sich gegenüber TeBe und Viktoria einen beruhigenden Vorsprung gesichert. Manfred und sein Vater waren begeistert. Die Welt war in Ordnung.

Als sie nach Hause kamen – mit der S-Bahn von Hermannstraße bis Sonnenallee sparte man sich ein paar Meter Weg –, waren ihre Hausschuhe verschwunden.

»Ich hab' meine hier in'n Flur gestellt.«

»Und ich meine vor's Bett. Margot ...!?«

Doch Margot Matuschewski war spazierengegangen, wollte sich ein wenig einlaufen, denn Mitte nächster Woche ging es nach Bad Meinberg zu Kur. Als sie zurückkam, war sie ganz erstaunt darüber, daß »ihre beiden Männer« ihre Hausschuhe nicht gefunden hatten.

»Na, wie immer, wenn ihr beim Fußball seid und Eisbeine habt: Die hab' ich euch in die Bratröhre gestellt.«

»Aber es ist gerade mal September und draußen noch warm – und geheizt haben wir auch noch nicht.«

»Ich hab' das aber immer so gemacht.«

Manfred setzte sich also mit gedanklich vorgewärmten Puschen an den Schreibschrank seines Vaters und begann mit dem nächsten Dienststellenbericht. Im Material- und

Teilelager saß er jetzt – im LM/LT. Da gab es erst einmal eine Unmenge zu definieren:

Im Gegensatz zu »Material« versteht man unter »Teil« das Material, das irgendwie im Werk bearbeitet worden ist und Lohnkosten verursacht hat. »Halbzeuge« sind unbearbeitetes Material – z. B. Profile und Rohre. Wird ein solches Profil (»Material«) mit einem Gewinde versehen, so ist es ein »Teil« und geht in das Teilelager, nachdem es vor der Bearbeitung aus dem Materiallager genommen wurde.

Ein Lieblingsspruch der Schmöckwitzer Oma kam ihm in den Sinn: *Was Menschengeist so vermag!* Natürlich mußte es Menschen geben, die das alles wußten, denn auch die größten Apparate funktionierten nur, wenn das kleinste Rädchen seine Arbeit tat – aber warum mußte gerade er ein solches Rädchen sein? *Von irgendwas mußt du doch leben!* Das war die Logik seiner Mutter, und die duldete keinen Widerspruch. Sein Elend war es eben, für nichts eine besondere Begabung zu haben: weder fürs Singen, Schreiben, Malen, Komponieren, Operieren, Forschen oder Konstruieren noch zum Fußballspieler, Politiker oder Einbrecher. Nichts anderes war ihm vom Schicksal vorbestimmt, als ein Rädchen zu sein, eine ganz normale Arbeitsameise. Aus und Schluß der Debatte!

Seine Mutter kam und fragte ihn, warum er denn keine Brille aufgesetzt habe.

»Na, weil ich ohne besser sehe als mit.«

»Und warum hast du dann eine?«

»Weil ich bei Nora an der Buchungsmaschine Schwierigkeiten mit den Augen hatte. Jetzt aber sitze ich nicht mehr an der Buchungsmaschine und habe keine Probleme mehr.«

»Das Gestell war so teuer, die Brille trägst du jetzt auch.«

»Ich will keine Brille«, beharrte Manfred.

Sein Vater war hinzugekommen und hatte sofort die Variation eines alten Spruches parat: »Ihr letzter Wille war einer mit Brille.«

Die Mutter verlor die Nerven, fing an zu weinen, verschwand im Schlafzimmer und warf die Tür hinter sich zu. »Ihr könnt mich mal … In Bad Meinberg such' ich mir 'n Kurschatten.«

»Aber einen mit Brille«, lachte der Vater.

Sie stimmten sie wieder versöhnlich, indem sie den Abwasch erledigten und ihr versprachen, während ihrer Abwesenheit das Wohnzimmer »zu machen«. Sie müsse vorher nur noch die Tapete aussuchen.

Am nächsten Freitag ging es los. Das Renovieren eines Zimmers war stets ein Großereignis, einem halben Umzug zu vergleichen. Schränke, prall gefüllt mit Büchern und vollgestellt mit Gläsern und edlem Kristallkram, waren auszuräumen und in die Mitte des Raumes zu rücken. Eßtisch, Stühle, Gummibaum, Fernseher, diverse Schalen, Zeitungsständer, Stehlampe, Musiktruhe und Radioapparat waren hinauszutragen und irgendwo in der eh recht engen Wohnung zu verstauen. Gardinen, Vorhänge und der »Kronleuchter« waren abzunehmen. Sessel und Couch mußten in andere Zimmer geschleppt, gerollt und geschleift werden, waren aber so voluminös, daß sie nur hochkant durch die Türen paßten. Das ging nicht ab ohne großes Geschrei und gequetschte Finger, zumal der Vater schwerbehindert war. Allerdings kamen ihnen seine Erfahrungen als Möbelträger zugute, die er Ende der zwanziger Jahre, arbeitslos damals, als Statist in einigen kleineren Filmen gemacht hatte. Weniger nützlich hingegen war es, daß er ab und an jähzornige Ausbrüche hatte.

Leider blieb das eine lange Bein der Couch am Türrahmen hängen und rückte und rührte sich nicht, so sehr sie sich auch mühten.

»Jetzt reicht's mir aber!« schrie der Vater und holte den großen Hammer aus dem Werkzeugschränkchen in der Kammer, um das Bein ganz einfach abzuschlagen.

»Nein, Vati, tu's nicht!« schrie Manfred, konnte aber nicht mehr eingreifen, da die festgeklemmte Couch die ganze Tür versperrte.

»Problem gelöst!« meldete der Vater, und sie konnten nun die Couch ohne weitere Umstände ins Schlafzimmer bugsieren. Zwar sollte die Reparatur später viele Stunden in Anspruch nehmen, aber der Vater war trotzdem froh darüber, es dem Feind kräftig gegeben zu haben.

Nun waren nur noch die Tütenlampen und die Verblendungen an den Steckdosen und Schaltern abzuschrauben, der Teppich aufzurollen, die Schränke in der Mitte mit alten Laken abzudecken und der Fußboden mit Zeitungspapier auszulegen, so daß sie am Sonnabend morgen gleich nach dem Frühstück loslegen konnten.

Die größte Sauerei kam gleich am Anfang: das Abwaschen der Decke. Mit einem Riesenschwabbel und viel Wasser war die alte weiße Farbe – »Schlämmkreide«, wie der Vater sagte – zu entfernen. Manfred hatte sich einen Papierhelm übergestülpt und trug nichts weiter als eine alte Badehose, denn es spritzte gewaltig und war vor allem deshalb so mühsam, weil er dauernd Dreckwasser ins Badezimmer tragen und ins Toilettenbecken schütten mußte, um dann mit dem frisch gefüllten Eimer wieder auf die Leiter zu klettern. Sein Vater war dazu nicht imstande und zudem damit beschäftigt, die alte Tapete von der Wand zu lösen. Auch das war eine Heidenarbeit, dauerte aber bei Otto Matuschewski ganz besonders lange, da sie, als sie vor vier Jahren eingezogen waren, alte Zeitungen als Makulatur verwendet hatten – und die las er nun mit voller Hingabe.

Manfred machte nun auch etwas langsamer. Er hatte infolge der großen körperlichen Anstrengungen bei der Arbeit über Kopf wieder Zahnschmerzen bekommen. Überhaupt stand es mit seiner Kondition nicht gerade zum Besten. Nach anderthalb Jahren bei Siemens im Büro kam er sich vor *wie ein menschliches Wrack*. Bevor es ans Weißen der Decke ging, mußte er sich eine Weile hinlegen.

Da klingelte es, und Elvira Liebetruth brachte ihnen etwas zu essen. Mit den Liebetruths – Elvira, Willy und Oma Schmieder –, also den Nachbarn über ihnen, waren sie gut befreundet. Man traf sich einmal im Monat zum Canasta-Spielen.

»Kartoffelsalat und Buletten für die fleißigen Arbeiter.«

»O wunderbar! Wie lieb von Ihnen!« Manfred tat, als könne er sich vor Freude gar nicht mehr lassen. Auf diesen Ausbruch hin faßte Frau Liebetruth, die hochschwanger war, den spontanen Entschluß, ihn zum Patenonkel ihres Kindes zu machen. O Gott, dachte er, auch das noch! Der eigentliche Grund für Manfreds Entsetzen war jedoch Ännchen, Oma Schmieders Wellensittich, denn der durfte allzeit frei in der Wohnung herumfliegen und überall seine Häufchen ablassen.

So saßen Manfred und sein Vater verzweifelt vor Frau Liebetruths Kartoffelsalat und suchten ihn nach Ännchens Hinterlassenschaften ab.

»Ich krieg' das nicht runter«, würgte Manfred hervor.

»Du warst auch noch nicht in Kriegsgefangenschaft«, sagte sein Vater, ohne aber seinerseits, trotz allen Hungers, zuzuschlagen. »Es wäre eine Sünde, den Salat ins Klo zu kippen.« Er stocherte mit der Gabel darin herum. »Ich seh' nichts.«

»Das ist doch schon verrührt.«

Der Vater versuchte es mit kühler Rationalität. »Wenn Ännchen wirklich so gefährlich wäre, müßten Liebetruths doch längst schon überm Jordan sein.«

»Bitte, wenn du unbedingt die Papageienkrankheit haben willst.« Manfred suchte im abgedeckten Bücherschrank lange nach dem Lexikon, aber schließlich ging es ja in diesem Falle um Sein oder Nichtsein. »Papageienkrankheit, siehe unter Ornithose ... Hier: Symptome sind Schläfrigkeit, Appetitlosigkeit, Schwäche, Durchfall, Lähmungserscheinungen und Krämpfe.«

»Man kann nur einen Tod sterben.«

»Stell dir vor, Mutti kommt nach Hause – und wir liegen hier beide ...« Manfred nahm den Salat, kippte ihn ins Klo und spülte ihn runter. Die Buletten aßen sie aber, weil sie meinten, daß die tödlichen Erreger aus Ännchens Darm beim Braten wohl abgetötet worden waren.

Nun wurde die Decke neu gestrichen. Am Sonntag standen

sie um 6 Uhr auf, um schon vor dem Frühstück mit dem Tapezieren zu beginnen. Traditionsgemäß wurde die erste Bahn am Fenster geklebt. Der Vater stand an dem Tapeziertisch, den sie sich vom Händler in der Sonnenallee für das Wochenende ausgeborgt hatten, und strich die fällige Tapetenbahn mit dickem Kleister ein, während Manfred auf der Leiter stand und wartete. Wurde ihm die zusammengefaltete Tapete nach oben gereicht, mußte er mit Daumen und Zeigefinger vorsichtig die beiden oberen Ecken zu fassen bekommen und die Bahn so geschickt an die Wand anlegen, daß sie möglichst gerade nach unten fiel. Zwar hatten sich beide geeinigt, nicht »auf Stoß« zu kleben, also Kante an Kante, weil das zu mühsam war, aber die angrenzenden Bahnen sollten sich nie mehr als einen Zentimeter überlappen.

»Schief!« schrie der Vater, der ein Stückchen weiter hinten stand. »Hängt zu sehr nach rechts.«

Manfred mußte die Tapetenbahn wieder abziehen und es erneut versuchen. Als auch der zweite Anlauf scheiterte, war die Tapete schon so stark durchgeweicht, daß die Ecken oben abrissen und ihm alles auf die Erde klatschte.

»Den Fußboden sollste nicht tapezieren«, rief der Vater, »da haben wir den Teppich für.«

Als Manfred die nächste Bahn sauber und symmetrisch an die Wand gebracht und mit der Bürste glattgestrichen hatte, stellte sich heraus, daß unten gut zwei Zentimeter fehlten.

»Diesmal bist du aber schuld«, stellte Manfred fest.

»Das scheißt sich weg«, sagte sein Vater.

»Otto, mäßige dich!« rief Manfred in der Tonlage seiner Mutter.

»Da kommt doch der Schrank davor.«

»Und wenn Erwin Krause mal dahinter sieht!«

Erwin war ein alter Freund und Kollege des Vaters, ein großer Paddler vor dem Herrn, der solche kleinen Kunstfehler sofort entdeckte und monierte. Er war Ausbilder bei der Post und darauf abgerichtet, den jungen Telegrafenbauhandwerkern auf die Finger zu sehen.

»Erwin sieht nicht hinter unsere Schränke.«

»Auch da, wo man's nicht sieht, muß man ordentlich sein. Gerade da ... als echter Deutscher.« Manfred meinte das nicht ernst, aber dennoch diskutierten sie das Ganze zehn Minuten lang, denn der Schrank hätte ihren Kunstfehler so oder so nicht vollständig verdeckt.

»Also, gut, 'ne neue Bahn – noch haben wir's ja.«

Gegen Abend hatten sie es geschafft, und als die Liebetruths samt Oma Schmieder und Ännchen nach unten kamen, konnten sie voller Stolz ihr Werk präsentieren. Es gab viele Ahs und Ohs, nur wurde die Freude etwas getrübt, als Ännchen durchs Zimmer schwirrte. Wenn sie jetzt die neue Tapete mit einem weißgrauen Klacks verzierte ... Manfred lief nach nebenan, um die Luftdruckpistole zu holen. Das war nicht nur symbolisch gemeint.

»Wie hat Ihnen denn der Kartoffelsalat geschmeckt?« war Frau Liebetruths erste Frage.

»Den haben die doch ins Klo gekippt«, sagte Willy Liebetruth lachend und schlug Manfred so kräftig auf die Schulter, daß es fast schmerzte.

Natürlich sollte das ein Scherz sein, aber Manfred lief rot an, weil er glaubte, sie hätten oben an der Melodie der Spülung irgendwie gehört, was vor sich gegangen war, und beteuerte heftig, nie etwas derartig Gutes gegessen zu haben.

Ännchen überlebte, weil sie mit ihrem allfälligen Schiß nur die Scheuerleiste traf.

Am nächsten Morgen war Manfred wie gerädert und hatte Mühe, während des Vortrags über Sinn und Segen der deutschen Banken nicht einzunicken. Diesmal waren die Siemens-Stammhauslehrlinge zur Hardenbergstraße gefahren, um zuerst die Zentrale der *Berliner Bank* und dann die Börse zu besuchen. An diesem Tag begriff Manfred, daß alle Macht von den Konzernen und Banken ausging und nicht vom Volke, wie es einem das Grundgesetz vorgaukelte. Und wenn die Männer, die da im Börsensaal wie die Halbirren herumrannten und schrien, als ob sie am Spieße steckten, wirklich die entscheidende Schaltstelle des Systems markierten, dann konnte der Kapitalismus wohl kaum die optimale Lösung sein, und man mußte nach anderen suchen. Zugleich fühlte er sich angesichts der Allmacht von Banken und Börsen, von Siemens, AEG und Borsig so klein und so verloren wie niemals zuvor. Die anderen aber blühten auf und wuchsen innerlich zu Titanen heran, gehörten sie doch als Siemensianer auch zu den Herren der Welt. Manfred schwieg und litt und verfluchte Gott und die Welt, weil er nicht so war wie die anderen und die Dinge nicht so nehmen konnte, wie sie waren.

Nach dem Mittagessen saß er in der Lagerverwaltung (LM/LT), und zwar am Katzentisch von Tanczulski und Demuth, zwei langen Kerls, die der Potsdamer Soldatenkönig anno dunnemals so geliebt hatte. Nicht nur, weil sich die jeweils ersten drei Buchstaben ihrer Namen so schön zu dem Wort Tandem fügten, hießen sie im ganzen HWB »das Tandem«. Sie waren in der Tat so unzertrennlich wie Dick und Doof, Latsch und Bommel oder Pat und Patachon, und es war nicht nur ein flacher Kollegenwitz, daß sie sogar gemeinsam pinkeln gingen.

Da sie das wirklich taten und auch sonst alles gemeinsam unternahmen, mußten sie dem Gerücht entgegentreten, daß sie ... So hing denn auch an der Wand ihres Büros ein großes handgemaltes Schild mit der schönen, wenn auch von den Vorgesetzten immer wieder beanstandeten Aufschrift: UNS IST ZWAR WARM – UND WIR SIND BRÜDERLICH, DOCH WARME BRÜDER SIND WIR NICHT.

Tanczulski und Demuth waren der gar nicht so abwegigen Ansicht, es würde viel länger dauern, Manfred etwas zu erklären, seine Arbeit zu überprüfen und seine Fehler zu korrigieren, als es gleich selber zu machen, und so verbrachte Manfred seine Zeit in der Lagerverwaltung in der Hauptsache damit, Tucholsky zu lesen. Den Dienststellenbericht kupferte er aus den Vorlagen ab, die ihm Lothar Gott beschafft hatte.

Mit dem FU-Studenten traf er sich noch immer jeden Mittag und verfolgte dessen Balz mit regem Interesse. Er tänzelte um Imke herum und spreizte sich mit seiner Männlichkeit, seinem Humor und seinem Wissen, um die Schöne aus der Fertigungsvorbereitung herumzukriegen, doch sie hielt sich zurück.

»Elvis Presley ist jetzt als Soldat in Deutschland«, rief Lord Lothar und begann, *Love me tender* anzustimmen.

»Hören Sie auf«, bettelte Imke. »Die Leute denken sonst, die Werkssirene ist angegangen, und laufen ins Freie.«

»Dann kommen Sie wenigstens zu Bill Haley mit.« Lord Lothar ließ nicht locker. »Der ist am 26. in Berlin.«

»Da hab' ich Geburtstag.«

»Danke für die Einladung«, grinste Lord Lothar.

»Tut mir leid: Ich möchte nicht enterbt werden.«

Am 4. Oktober war sein letzter Tag in der Lagerverwaltung, und um seine Eins nicht zu gefährden, hatte Manfred freudig ja gerufen, als Tanczulski und Demuth ihn fragten, ob er nicht zum Boxkampf des Jahrhunderts mitkommen wolle: Scholz gegen Humez.

An die 30 000 Zuschauer saßen in der Ostkurve des Olympiastadions.

»Bubi! Bubi!« Manfred schrie sich die Kehle aus dem Hals, und als Gustav Scholz dem Franzosen seine Konter verpaßte, genoß er es so, als würde er selber auf alle Männer einschlagen, die er nicht mochte: Frantz, die Kanaille; Behling, den Ausbildungsleiter; Labové, den Mitlehrling – und so weiter, bis hin zu verschiedenen Politikern.

Charles Humez war ein Meister des Nahkampfs, und Bubi Scholz hatte nur eine Chance, wenn er den Gegner auf Distanz halten konnte. Und im Verlauf des Kampfes gelang ihm das immer besser. Er schaffte es auch, Humez' scharfes Tempo mitzugehen. In der siebten Runde war es dann soweit: Scholz konnte fünf, sechs schwere Linke landen, krachend schlugen sie ein, und alles sprang von den Sitzen. Aber das war nicht der K. o., so sehr sie ihn erhofften. Humez hatte zu gute Nehmerqualitäten. Doch in der zwölften Runde gab er auf, Bubi Scholz war Europameister im Mittelgewicht, und ganz Berlin stand Kopf.

Manfred war happy.

Doch die kalte Dusche kam schon am darauffolgenden Montag, als er seinen Platz in der Rechnungsprüfstelle einnehmen mußte. Die RP wurde von Herrn Kaase geleitet und von Frau Düsterhaupt beherrscht, beide in einem Alter, in dem die Berentung nahe war. Sie hielten ihre Abteilung für den Nabel der Firma und gingen ihre Arbeit so ernst und weihevoll an wie Inka-Priester. Griesgrämigkeit war in ihrem kleinen Reich die höchste Tugend, und wer auch nur leise lachte, konnte seine Sachen packen. Der Mief ballte sich richtiggehend in der RP. Lord Lothar sprach nur von den Matten des Herrn Kaase, den Kasematten, so sehr glich die RP der Festung einiger Siemens-Mumien, die sich hier vor aller Modernität verschanzt hatten.

»In der RP werden die Duplikate der Rechnungen abgenommen und vernichtet, um doppelte Bezahlungen zu vermeiden«, dozierte Herr Kaase. »Wiederholen Sie.«

Manfred tat es. »In der RP werden die Duplikate der Rechnungen abgenommen und vernichtet, um doppelte Bezahlungen zu vermeiden.«

»Mit Ausnahme der Rechnungen über unbearbeitetes Eisen ...«

»Mit Ausnahme der Rechnungen über unbearbeitetes Eisen ...«

Gegen diesen Stumpfsinn versuchte er anzukommen, indem er mehrmals in der Woche ins Kino ging. Mit seinen Eltern sah er *Taiga*, in den Hauptrollen Ruth Leuwerik und Hannes Messemer, und mit Tante Trudchen zusammen *Immer die Radfahrer*. Das waren Hans-Joachim Kulenkampff, Heinz Erhardt und Wolf Albach-Retty, ein Likörfabrikant, ein Filmstar und ein Lehrer, die als gereifte Männer eine Fahrradtour wiederholen wollen, die sie Jahrzehnte zuvor als Schulkameraden unternommen hatten. Die Familie hatte Tante Trudchen zum Geburtstag eine Kinokarte geschenkt, und sie hatte sich außerdem gewünscht, daß alle mitkommen sollten. Manfred genoß den Film in einem Maße, daß Moshe Bleibaum ihm die Freundschaft aufkündigen wollte, dies vor allem nach dem Geständnis, daß er auch im Gloria-

Palast gewesen war, mit Dirk Kollmannsperger zusammen, um sich *Das Mädchen Rosemarie* anzuschauen, die Geschichte der ermordeten Edelnutte Nitribitt.

»Rolf Thiele – das ist doch Kunst, das ist doch 'ne Satire auf die deutsche Wirklichkeit, das Wirtschaftswunder, die Doppelmoral.«

»Ihr seid doch aus ganz anderen Gründen dagewesen«, hielt ihm Moshe Bleibaum vor.

»Man kann doch das eine tun, ohne das andere zu lassen.«

»Red nicht: Mit einem solchen Barbaren und Banausen will ich nichts mehr zu tun haben.«

Manfred störte sich nicht an der Kritik des Freundes, sondern ging weiterhin zu Tasmania, freute sich am 4:1-Sieg über den Spandauer SSV, bei dem »Jockl« Posinski trotz eines Nasenbeinbruchs zwischen den Pfosten gestanden und Tas nach dem verletzungsbedingten Ausscheiden von »Lunge« Scholz 80 Minuten lang nur mit zehn Mann gespielt hatte. Auch sah er sonnabends um 20 Uhr 45 im Fernsehen die *Spiele und Spielereien mit Peter Frankenfeld* und ging mit seinen Eltern zu Liebetruths hinauf, um beim Canasta zu gewinnen – alles nicht gerade das, was Moshe Bleibaum unter Hochkultur verstand.

Da half nur Manfreds Versicherung, er wolle demnächst mit seinem Vater ins Theater gehen, *Schau heimwärts, Engel!* am 27. November, und er freute sich darauf.

Rechtzeitig daran denken – bar kaufen, froh schenken – C&A.

Ach, ja, Weihnachten war ja auch wieder im Anrollen. Vorher aber durfte er in der Magdalenenkirche an der Karl-Marx-Straße Thomas Liebetruth über das Taufbecken halten. Patenonkel war er nun und konnte es gar nicht fassen, daß andere Menschen ihn mochten, klein, muffig, verklemmt, maulfaul und elend, wie er sich sah.

Schau heimwärts, Engel ... Wenn Siemens ihn ins Werk nach Traunreuth rief und er dann, vierzig Jahre alt geworden, heimwärts schaute nach Berlin, was würde er wohl fühlen?

Der 27. November 1958 sollte für die Matuschewskis wie für alle Westberliner ein Tag des Schreckens werden, denn auf allen Kanälen gab es nur ein Thema: das Chruschtschow-Ultimatum. In gleichlautenden Noten an die drei Westmächte, die Bundesregierung und die DDR hatte die sowjetische Regierung den Vier-Mächte-Status Berlins aufgekündigt und vorgeschlagen, West-Berlin in eine »entmilitarisierte freie Stadt« umzuwandeln.

»Dann schluckt uns die DDR im Handumdrehen«, sagte Willy Liebetruth, als man sich im Treppenhaus traf.

Manfreds Mutter hatte Tränen in den Augen. »Bei den Nazis hab' ich meinen Arbeitsplatz verloren, weil ich nicht rein arisch war, und jetzt werfen sie mich raus, weil wir immer gegen die SED gewesen sind.«

»Lieber tot als rot«, sagte Oma Schmieder. »Aber ich leb' ja sowieso nicht mehr lange.«

»Aber die Kinder ...« Elvira Liebetruth meinte sowohl Manfred als auch ihren Sohn, der friedlich im Wagen schlummerte.

Manfred hatte das gleiche Gefühl wie damals, als sie Dietmar Kaddatz, den Klassenkameraden, auf seinem letzten Gang begleitet hatten: Das war das Ende aller Träume, das war der Tod. Erst würden sie ihn wie alle Westberliner Männer unter dreißig in einer Fabrik malochen lassen, im Schmöckwitzer Reifenwerk vielleicht, und wenn er sich dann bewährt hatte, kam er, weil seine Schmöckwitzer Oma SED-Mitglied war und ihr Bruder Berthold ein hoher Funktionär, als Dispatcher zum VEB Siemens, zeitlebens ein Zweiter-Klasse-Mensch.

Manfred hatte sich den rororo-Band 275/276 gekauft, war indes noch nicht dazu gekommen, Thomas Wolfes ersten Roman weiter als bis zum zweiten Kapitel zu lesen. Er glaubte aber zu ahnen, daß *Schau heimwärts, Engel!* die schwermütige Geschichte eines langen Abschieds vom Elternhaus war. Die vorangestellten Zeilen ließen wohl keine andere Vermutung zu:

Im Dunkel ihres Schoßes kannten wir unsrer Mutter Angesicht nicht. Aus dem Gefängnis ihres Fleisches sind wir ins deutungslose Gefängnis dieser Erde geraten ... Wer unter uns ist nicht immer ein Fremdling und allein? O Öde aus Verlust: in heißen Wirrsalen verloren; unter hellen Sternen auf dieser müden, lichtlosen Schlacke verloren. Verloren!

»Ich hab' keine Lust, ins Theater zu gehen«, sagte der Vater, »ich hab' zu nichts mehr Lust.«

So blieben sie vor dem Fernseher hocken. Die Politiker versuchten, dem Wahlvolk Mut zu machen. Die Amerikaner würden Westberlin nicht fallenlassen, hieß es.

Die folgenden Tage verliefen wie immer. Dann, am 7. Dezember, gab es Wahlen in Berlin, und Manfred und sein Vater jubelten, denn die SPD mit Willy Brandt an der Spitze hatte gesiegt und sage und schreibe 52,6 Prozent aller abgegebenen Stimmen eingefahren.

Zu dieser Zeit saß Manfred in der Fertigungsvorbereitung (FV). Imke Conradi hatte er von seinem Platz aus voll im Blick und verfolgte den ganzen Tag über, wie sie hinreißend klug und fleißig ihre Schreibmaschine bediente. Er träumte davon, an Lord Lothars Stelle zu sein, wenn der sie besuchte und seine Balz fortsetzte. Noch hatte er es nicht geschafft, Imke zu erobern, und vielleicht zögerte sie nur, weil sie es eigentlich auf ihn, Manfred, abgesehen hatte ...? Doch er war viel zu schüchtern, um sie zu fragen, ob sie sich nicht am Freitag abend mit ihm zusammen im Gloria-Palast *Wir Wunderkinder* ansehen wollte, hätte das auch Lord Lothar gegenüber als unfair empfunden. Gleichzeitig litt er sehr darunter, daß er es nicht wagte, denn wenn es stimmte, was sie immer in der Operette sangen – *Wer sich die Welt mit einem Donnerschlag erobern will, der darf nicht warten, bis ein anderer vor ihm blitzt* –, dann würde er immer ein Verlierer sein. Und – war er es nicht ...? Nichts war es mit Chefarzt, Oberstaatsanwalt, Professor, Pfarrer, Dr. phil., Diplomkaufmann – als simpler Siemens-Sachbearbeiter würde er durchs Leben gehen.

Statt mit Imke Conradi saß er mit seinen Eltern im Kino und sah mit ihnen zusammen nicht nur *Wir Wunderkinder* mit Johanna von Koczian, Hansjörg Felmy und den beiden wunderbaren Wolfgangs, Neuss und Müller, sondern auch *Peter Voß, der Millionendieb* mit O. W. Fischer in der Hauptrolle und schließlich Heinz Rühmann als *Der eiserne Gustav*. Am Ende dieser Kino-Orgie stand dann noch *Wehe, wenn sie losgelassen* mit Peter Alexander und Bibi Johns, in die er sich bei dieser Gelegenheit unsterblich verliebte.

Zu Hause hockte er vor dem Fernseher und sah sich, wo er auch auftrat, als strahlender Sieger: sonnabends bei Hans-Joachim Kulenkampffs *Sieben auf einen Streich* oder in Peter Frankenfelds *Viel Vergnügen!*, und montags um 21 Uhr 05 bei Heinz Maegerleins *Hätten Sie's gewußt?* Wenn er künstlerisch begabt gewesen wäre, hätte er sein Lebensgefühl in einem Gemälde zum Ausdruck gebracht, das einen Greis im Bett zeigt, unfähig, noch einmal aufzustehen – und das ganze Leben spielte sich nur in seinem Kopf ab, in Träumen, Phantasien.

Am nächsten Morgen saß er dann wieder an seinem Katzentisch und las den Dienststellenbericht, den Lord Lothar über die Fertigungsvorbereitung verfaßt hatte.

Die FV hat im einzelnen die Materialmengen zu bestimmen, der Werkstatt die Fertigungsmethode, die Fertigungsmittel und die Fertigungszeiten vorzuschreiben, die für die Arbeitsgänge notwendigen Werkzeuge festzulegen und zu bestellen, die Maschinenkapazität zu berechnen und für die Bereitstellung der nötigen Betriebsmittel zu sorgen ...

Es war die reine Qual, dies Seite für Seite durchzuackern, und er schaffte es nur mit Caterina Valente im Ohr: »Bambina, oho! Tschitschina, ohohoho! Wie wär's, wie wär's mit uns zwei? Das wär doch für dich einmal neu ...« Er hatte alle ihre Platten zu Hause, auch »Mandolinen und Mondschein«: »Die Nacht war wieder mal so romantisch, wie sie lang nicht war ...«

Es ging ihm in diesen Wochen so schlecht wie nie zuvor. Seine Zähne schmerzten, zwei zog man ihm, und Dr. Eck mußte ihm einiges an *Omca* verschreiben.

Weihnachten kam. Er erlebte es wie in tiefer Narkose und mußte später im Tagebuch der Schmöckwitzer Oma nachlesen, was denn eigentlich passiert war:

Mittwoch, 24. Dezember
Nachts 3° plus, am Tage ebenso, trübe und Regen.
Wieder sehr, sehr schlecht geschlafen und bin um 8 Uhr aufgestanden. Nach Einheizen, Frühstück und Aufräumen plättete Wäsche und meine weiße seidene Bluse. Zum Mittag hatte noch Pellkartoffeln von gestern. Bratete diese und schlug ein Ei darüber. Aß dazu Apfelmus. Wusch alles schmutzige Geschirr und 5 Weckgläser von gärigem Apfelmus ab. Legte mich danach aufs Sofa und schlief etwas. Um 4.25 Uhr fuhr dann zu Margot, Otto und Manfred, wo Trudchen schon war und alle auf mich gewartet hatten. Und vermißten wir Mutter Matuschewski, unser »Annekin«, sehr, die ans Bett gefesselt bleibt. Das arme Menschenkind! Margot, Otto und Manfred gingen nach dem Kaffeetrinken zu Familie Liebetruth nach oben, bei denen kurz zuvor ein kleiner Thomas angekommen war. Als sie wieder nach unten kamen, mußten Trudchen und ich in Manfreds Zimmer gehen, bis wir gerufen wurden. Jeder machte jedem eine große Freude unter dem strahlendem Weihnachtsbaum bei schöner Musik. Ich war erstaunt und hocherfreut, als Margot und Otto mir 200,– M. Geld schenkten, dazu einen Karton mit Seife und Parfüm und einen reichen bunten Teller. Von Manfred bekam einen Eimer und eine große Plasteschüssel, worüber mich sehr freute. Wir aßen dann zum Abendbrot Gänseklein, tranken 1 Glas Wein und dachten dabei an Gerda und Familie in Polen. Von Elisabeth aus New York war auch wieder ein Paket gekommen. Manfred brachte Trudchen gegen ¾ 9 zur S-Bahn, denn sie wollte wegen Alfred Bredel zurück nach Siemensstadt.

Donnerstag, 25. Dezember
Wieder so gegen 3° plus, Regenschauer.
Wir waren gestern Abend, nachdem Frau Liebetruth mit ihrem Kleinen und der ganzen Familie nebst der Schwägerin von Frau Schmieder noch runterkamen, erst gegen 12 Uhr ins Bett gekommen. Um ½9 war ich dann aufgestanden, und um ½10 saßen wir alle am Kaffeetisch. Margot in ihrem neuen schwarzen hübschen Morgenrock, der innen mit gelber Seide abgesteppt war. Manfred hatte einen Hula-Reifen geschenkt bekommen, mit dem er nach dem Frühstück gymnastische Übungen machte, und konnte er den Reifen 60x um seinen Körper schwingen. Margot versuchte es auch, doch es gelang ihr nur 2x. Wir mußten sehr lachen. Ich machte dann die Gans sauber und füllte sie mit Äpfeln und nähte sie zu. Margot setzte sie dann in den Bratofen. Wusch dann das Geschirr ab. Wusch auch 2 Pfund Grünkohl, ließ ihn aufkochen, hackte ihn klein und schmorte ihn in Schmalz. Schälte dann Kartoffeln. Margot nahm das Fett aus der Bratenpfanne. Ca. 1 Pfund war es. Bald war die Gans weich und braun. Kartoffeln und Kohl wurden auch gekocht. Gegen 1 Uhr konnten wir uns alles gut schmecken lassen. Otto goß Weißwein in unsere Gläser, und mit dem Wunsch, daß wir Weihnachten noch oft so feiern können und mit Gedanken an Gerda leerten wir unsere Gläser. Als Nachtisch aßen wir Birnenkompott. Ich wusch dann ab und nähte verschiedene Sachen ganz. Margot und Otto fuhren dann mit ihrem Bildwerfer und Fotos aus Bayern zu Familie Neutig nach Wittenau. Manfred und ich sahen im Fernsehen einen Film In langer Nacht, *Tragödie der Blinden. Um ½7 fuhren wir nach dem* Theater am Kurfürstendamm, *wo* Die Pariserin *von der* Freien Volksbühne *gegeben wurde. Um ¼12 waren wieder zu Hause.*

Freitag, 26. Dezember
Gegen 3° plus, ohne Regen.
Manfred hatte noch gegessen, und war es auch 12 Uhr, bis wir ins Bett kamen. Ich hörte noch, wie gegen ½1 Otto und

Margot nach Hause kamen, dann schlief ich ein und erwachte erst gegen ½9. Stand dann auf, lüftete, und gegen 10 Uhr saßen wir alle wieder beim Frühstück fröhlich zusammen, und jeder erzählte von seinen Erlebnissen am gestrigen Tag. Manfred nahm dann wieder seinen Hula-Reifen, und heute konnte er ihn über 120x um sich schwingen. Margot versuchte es wieder, doch es wollte ihr abermals nicht gelingen. Wir mußten wieder viel lachen. Ich hatte noch Kleinigkeiten ganz zu nähen. Um ½12 packte meinen Eimer mit verschiedenen Sachen voll und schlang einen Bogen herum, den dann zuschnürte. Zog mich dann an, um zu Trudchen zu fahren, die mich um 1 Uhr zum Essen erwartete. Manfred brachte mich zur Sonnenallee, wo die S-Bahn 12.00 abfuhr, und Punkt 1 Uhr war ich bei Trudchen. Begrüßte auch Alfred und Martha Bredel. Trudchen hatte Sauerbraten mit Rotkohl, Kopfsalat, Pudding und Kirschen und dazu 1 Glas Portwein. Alles schmeckte sehr gut. Nach dem Abwasch ruhten wir bis etwa ½4. Dann deckte Trudchen den Kaffeetisch, und bald kamen Alfred und Martha Bredel, beides liebe Menschen, sowie Karl mit Familie. Trudchen hatte Rosinen- und Weizenin-Kuchen gebacken. Bei fröhlicher Unterhaltung vergingen Nachmittag und Abendbrot sehr schnell. Las ich ihnen auch alle Briefe vor, die von Gerda im letzten Jahr erhalten. Um 9 Uhr gingen alle nach Hause. Trudchen bat mich, bis zum 3. Feiertag zu bleiben, und kam ich diesem Wunsch gern nach. Um 12 Uhr wurde das Licht gelöscht. Schlief in Trudchens Bett, sie auf der Chaiselongue.

Manfreds erste Dienststelle im Jahre 1959 war das HWB-Selbstkostenbüro, das sich in einem zweistöckigen und ewig langen Anbau direkt neben dem Werkstattgebäude befand.

Manfred hatte noch nie soviel geackert wie im SB. Er war ein reiner Rechenknecht. Eine Kostenkarte nach der anderen lief über seinen Tisch. Um die Werkselbstkosten (WK) zu ermitteln, waren auszurechnen und zusammenzuzählen: die Kosten des Fertigungsmaterials (M), der Material-Gemeinkostenzuschlag (MZ), der Fertigungslohn (L), der Fertigungs-Gemeinkostenzuschlag (FZ) sowie eine endlose Latte weiterer Gemeinkostenzuschläge wie EZ, Wzz, VZ und MrZ. Das alles war sehr mühsam und erforderte ein Höchstmaß an Konzentration, so daß Manfred in einen Zustand genereller Betäubung verfiel. Ihm fehlte sogar die Energie, darüber nachzudenken, ob es falsch gewesen war, zu Siemens zu gehen, und sein Schicksal zu bejammern. Er lebte, weil er aufgehört hatte, darüber nachzudenken, wozu er lebte.

Das Wichtigste war in diesen Wochen aber sein 21. Geburtstag, wurde er doch jetzt *volljährig*.

»Vollwertig«, sagte sein Vater, als er ihm gratulierte, gleich nach dem obligatorischen »Wachse, blühe und gedeihe«.

»Und mach uns keine Schande«, fügte seine Mutter hinzu.

Als sie ihm gratulierten, war die Geburtstagsfeier schon seit sechs Stunden vorbei, denn da sein Wiegenfest diesmal auf einen Sonntag fiel, hatte man sich zum Hineinfeiern schon am Sonnabend getroffen. Fünfzehn Gäste waren es, die sich zum Abendessen eingefunden hatten, aber die rechte Stimmung wollte nicht aufkommen, denn die Schmöckwitzer Oma war nicht erschienen.

»Dabei wollte sie doch zum Kaffee da sein«, sagte Manfred.

»Hoffentlich hat sie keinen Schlaganfall erlitten und liegt nun im Garten im Schnee und ...« Tante Eva, die Krankenschwester war, liebte düstere Szenarien dieser Art.

Max Bugsin setzte noch einen drauf. »Wo wir im Krieg evakuiert waren, in Rockow, da ist einer erst gefunden worden, als wieder Tauwetter war, so Mitte März.«

»Wenn einer ein Auto hätte, könnten wir schnell rausfahren und nachsehen«, sagte Manfred. Es besaß aber niemand ein Auto.

Sein Vater dachte nach. »Hat denn keiner Telefon in Schmöckwitz, so daß man von 'ner Zelle aus anrufen kann und einer nachsehen geht ...?«

»Das mußt du doch selber wissen«, fand Onkel Helmut, sein sechzehn Jahre jüngerer Bruder. »Du bist doch bei der Post.«

»Aber nicht im Osten.«

Seine Mutter begann zu weinen. »Mutti war immer so ein guter Mensch – das hat sie nicht verdient.«

»Das ist doch ein schöner Tod.« Onkel Helmut war um Trost bemüht. »Aus und weg. Denkt mal an Mutter, wie die leiden muß.« Das bezog sich auf die Kohlenoma, die sich schon seit zwei Jahren im Hospital befand und ans Bett gefesselt war.

»Wie könnt ihr nur so reden ...« Die Mutter lief aus dem Zimmer.

Manfred ergriff die Initiative. »Jetzt ist es sieben, und spätestens um vier hat sie hier sein wollen, und da keine Verkehrsstörungen gemeldet wurden, muß etwas passiert sein. Wahrscheinlich liegt sie bei sich im Haus und kann sich nicht bewegen. Zu Hilfe kommt ihr ja keiner, Erna und Else, denn alle denken ja, daß sie nach Neukölln gefahren ist. Also müssen wir unbedingt raus und nachsehen, was mit ihr los ist. Wer kommt mit?«

Peter meldete sich als erster, wurde aber für untauglich befunden.

»Eva sollte mitgehen«, schlug Onkel Jochen – ihr Mann – vor. »Sie kann Erste Hilfe leisten.«

»Da würd' ich lieber sterben«, brummte Dirk Kollmannsperger, Manfreds alter Klassenkamerad. »Das ist das kleinere Übel.«

Tante Eva stand auf, und nun hatte alles auf ihr Kommando zu hören. »Ein starker Mann muß mit, damit wir sie hochheben können.«

Da blieben nicht viele. Moshe Bleibaum schied, da er ein wenig zwergwüchsig war, ebenso aus wie Manfreds Vater als Schwerbeschädigter, auch Herbert Neutig, der unter einem offenen Leistenbruch litt. Max Bugsin war zu dick, um sich richtig bücken zu können, Onkel Jochen, der als junger Mann an Kinderlähmung erkrankt war, ging an Krücken, und Dirk Kollmannsperger mußte kurz nach Hause, um seine Mutter, die ihren Schlüssel vergessen hatte, in die Wohnung zu lassen.

So zogen schließlich Manfred, Curt und Onkel Helmut mit Tante Eva los.

»Alles Gute für die Expedition ›Rettet Mariechen‹!« rief Tante Claire ihnen hinterher.

»Nehmt euch ’ne Taxe, wenn ihr eine seht«, sagte seine Mutter. Doch sie fanden keine.

Manfred sah genau vor sich, wie seine Schmöckwitzer Oma in der Küche lag, zusammengesunken, und verzweifelt versuchte, zur Klinke hochzulangen. Immer wieder rief sie um Hilfe, doch die Türen waren verschlossen, und die Nachbarn hatten sich in ihren Hütten verkrochen und alles gegen Schnee und Kälte abgedichtet. Langsam erlosch ihr Lebenslicht, die Flamme wurde immer kleiner.

Tante Eva schien ähnliches zu denken und wollte ihn beruhigen. »Wer zäh ist, der hält das tagelang durch, bis Hilfe kommt.«

»Wir hatten mal einen, der hat mit einem Bauchdurchschuß noch zwei Tage gemacht.« Onkel Helmut kam mit seinen Kriegserlebnissen. »Als die Ardennen-Offensive gerade angelaufen war, da ist es passiert.«

Als sie in der Sonnenallee an der Haltestelle standen, um auf die 95 zu warten, kam Peter die Fuldastraße entlanggerannt.

»Halt!« schrie er. »Alles zurück. Es ist nicht mehr nötig.«

Am Tag vor seinem 21. Geburtstag war die Schmöckwitzer Oma also verstorben. Die Aufregung …

Keuchend war Peter herangekommen.

»Wie ist sie denn gestorben?« fragte Tante Eva.

»Die is doch nich jestorb’n, die kann nur nich kommen, weil Tante Gerda da is – mit ihre janze Familie. ’n Telegramm hat se jeschickt.«

Sie konnten aufatmen. Für Manfred war es das schönste Geschenk. Eine Viertelstunde später saßen alle beim Abendessen und waren bester Laune.

»Totgesagte leben länger«, stellte Tante Claire fest.

»Das wird sie«, sagte Onkel Jochen, der so ernsthaftwürdig reden konnte wie ein Prediger bei einer Trauerfeier, »denn nun befindet sie sich ja in der Obhut ihrer Kinder.«

»Meinst du, bis jetzt hätte sie keine Kinder gehabt!« rief Manfreds Mutter, sichtlich gekränkt.

»Aber ihr wart doch nicht täglich in Schmöckwitz.«

»Wenn sie krank war, konnte sie jederzeit herkommen.«

»Nun eßt mal«, sagte sein Vater.

»Kaßler für Quassler!« lachte Onkel Max.

Traditionsgemäß gab es Kaßler mit Sellerie-, Kartoffel- und Nudelsalat, und insbesondere von letzterem hatte die Mutter mit Manfreds Hilfe so viel zubereitet, daß es für die gesamte Armee eines kleineren Staates ausgereicht hätte. Auch quollen die Nudeln derart heftig, daß selbst die größte Entnahme bald wieder ausgeglichen war.

»Gut, daß Gerda erst morgen kommt«, sagte Irma Matuschewski, nach Irma Bugsin, seiner Patentante, Manfreds zweite Tante mit Namen Irma. »Sonst hätten wir gar nicht mehr alle Platz hier.«

»Die können auf den Balkon«, sagte Manfred, »die sind doch vom Dorf her Kälte gewöhnt.«

Inge Bugsin hatte ein feines Ohr für Zwischentöne. »Du bist ja ganz schön tücksch.«

Manfred fühlte, daß etwas geschehen war, das sein Leben total verändern sollte: Für ihn war nicht nur ein Lebensabschnitt zu Ende gegangen, sondern ein ganze Epoche, die Schmöckwitzer Epoche. Er hatte seine Schmöckwitzer Oma an Lucyna und Agnieszka verloren, Tante Gerdas Töchter, seine Cousinen – um deren Wohlergehen würde sich nun alles drehen. Und mit der »polnischen Landnahme«, wie er das nannte, war für ihn ganz Schmöckwitz verloren, war er aus seinem Paradies vertrieben worden. Er schämte sich dafür, riß aber dennoch sein Weinglas hoch und sprach höhnisch, seine Schmöckwitzer Oma parodierend, den Satz, den sie anderthalb Jahrzehnte lang bei jeder Feier gehört hatten:

»Gerda, wir denken an dich!«

Max Bugsin spann den Faden weiter und spielte den ganzen Abend über den Leszek: »Schwagärrr Otto, mußt du trinken mit mir Briederschaft!«

Der Vater machte mit. »Schwager Leszek, bin ich sehr erfreit, daß du gekommen bist nach Deitschland.«

Manfred ging in sein Zimmer hinüber, um einen Augenblick allein zu sein und mit sich ins reine zu kommen. *Als ich achtzehn geworden bin, warum ist da die Zeit nicht stehengeblieben ...?* Da hatte er noch hoffen können: auf eine große Karriere beim Sport, auf die große Liebe, auf einen Beruf, der zu ihm paßte und ihm Erfolgserlebnisse brachte. Nun hatte er nichts: Die 100 Meter lief er nicht mehr unter zwölf Sekunden, kam kaum ins Ziel, ohne vor Überanstrengung zusammenzusacken. Mit der großen Liebe war es aus, Renate war auf und davon. Und Siemens war für ihn noch immer der große Knast des Lebens, trotz aller Hafterleichterungen und obwohl er sich inzwischen ganz gut eingerichtet hatte. Eine fürchterlich miese Bilanz also, die er da vorzuweisen hatte. Und nun das: Schmöckwitz, seine letzte Festung, von Tante Gerdas Familie besetzt. *Freude, schöner Götterfunken ...*

Die Glückwunschkarten türmten sich zu einem kleinen Berg. Gerhard war nach Frankfurt am Main gezogen, wo es ihm blendend ging. Balla-Balla Pankalla schrieb aus dem Fliegerhorst Neu-Kaufbeuren und sah jubelnd den höheren Luftwaffen-Weihen entgegen. Bimbo hatte sich aus Köln gemeldet und freute sich, alsbald Post-Inspektor zu sein. Allen ging es besser als ihm. Und wenn er die zehn anderen Glückwunschkarten las, hatte er das Gefühl, daß alle ihn als Prinzen sahen, nur er selber sich als Schweinehirt.

Tante Ilse, die Zwillingsschwester Tante Evas und eine der vier Cousinen seiner Mutter, verheiratet in Heidelberg mit Onkel Seppl, einem leibhaftigen Dr. rer. nat., der bei Osram, einer Siemens-Tochter, forschte, schrieb: »... für Deine Zukunft sind wir nicht bange, denn wer bei Siemens ist, hat das große Los des Lebens gezogen, hat den Marschallstab im Tornister und kann sich in aller Ruhe seine Existenz aufbauen ...«

Onkel Berthold und Tante Grete hatten sich aus Johannisthal gemeldet und waren voller Zuversicht, was den Sieg des

Sozialismus betraf: »... hoffen wir, dermaleinst einen Verbündeten in Dir zu haben, wenn der Siemens-Konzern dem Volke gehört.«

Onkel Erich, gewesener Siemens-Oberingenieur, hatte seine Frau die Glückwunschkarte schreiben lassen, und Tante Martha war sich sicher, daß Manfred ganz weit nach oben kommen würde: »... bei Deinen reichlich vorhandenen geistigen Gaben gehen wir sicher nicht fehl in der Annahme, Dich als erfolgreichen Siemens-Kaufmann bald im Jahresbericht, der uns immer noch übersandt wird, gedruckt zu finden. Mit den beigefügten zehn Mark mache Dir eine kleine Freude.«

Von ähnlichem Tenor waren die Karten von Onkel Kurt und Tante Lolo aus Frohnau, von den Blöhmers aus Rahnsdorf, von Erwin und Erna Krause aus Lichterfelde und Onkel Albert und Tante Emmi aus der Fuldastraße, die schrieben, daß sie schon gerne selbst gekommen wären, »den ganzen Trubel« aber nicht mochten.

Lenchen Behnke, die Lieblingskollegin der Mutter, hatte noch hinzugefügt: »Margot, Du kannst stolz sein auf Deinen Sohn!«

Daß sie das wirklich war, konnte er allerdings nicht feststellen, dazu machte er zu wenig her, das heißt: hatte er mit jenen totschicken, alerten und eloquenten jungen Männern, wie man sie im Kino sah, viel zu wenig gemeinsam. Ihnen gegenüber fühlte er sich plump und eher wie eine Schießbudenfigur.

Bezirksbürgermeister Kurt Exner freute sich, einen neuen Wahlbürger begrüßen zu dürfen, und lud Manfred zum Jungbürgertreffen ins Rathaus ein.

Manfred betrachtete ein wenig freudlos seine Geschenke. Von Onkel Max und Tante Irma hatte er drei Flaschen Champagner bekommen, echten aus Reims. Mit dem sollte um Mitternacht zünftig angestoßen werden. Von Inge stammte das rororo-Taschenbuch Nr. 227, Henry Millers Erzählungen *Lachen, Liebe, Nächte*, was seine Mutter mit dem Satz kommentiert hatte, das sei aber *sehr gewagt*, und ihn selber wieder hoffen ließ, was Inge betraf. Von Onkel Helmut, Tante Irma, Peter und seiner Kohlenoma, die er nachmittags im Krankenhaus besucht hatte, waren ihm vier leere BASF-Tonbänder überreicht worden, passend zum Geschenk seiner Eltern, einem Uher-Tonbandgerät. Tante Trudchen hatte ihm von Martha Bredel ein Paar Wollhandschuhe stricken und Tante Claire von Lolo und Kurt aus London einen Soldaten mitbringen lassen, wie er vor dem Buckingham Palace Wache stand. »Vielleicht kommst du mal mit Siemens nach London und kannst die Königin persönlich sehen.« Von Tante Eva, Onkel Jochen und Curt kamen – neben einem Primeltopf – allerhand Salben und Verbände, die aus der pharmazeutischen Firma stammten, in der Onkel Jochen arbeitete, seit die DDR seine Zehdenicker Apotheke konfisziert hatte. Neutigs hatten ihm etwas Praktisches geschenkt, das klassische SOS-Ensemble für den Herrn von Welt: Socken, Oberhemd und Schlips. Moshe Bleibaum schließlich hatte ihm Gustav Schwabs *Sagen des klassischen Altertums* in die Hand gedrückt und in einer kalligraphisch sehr schönen Widmung seiner Hoffnung Ausdruck gegeben, eines Tages einmal mit ihm zusammen durch Griechenland zu ziehen. Dirk Kollmannsperger hatte es bei einem Händedruck bewenden lassen und gemeint, daß er gekommen sei, wäre doch Geschenk genug.

Wieder im Wohnzimmer zurück, staunte er, wieviel Lärm siebzehn Menschen, vom Moselwein befeuert, machen konnten. Keiner ließ einen ausreden, und um überhaupt einmal zu Worte zu kommen, setzten die meisten schon ein, bevor der andere fertig war. Drei, vier schnatterten immer gleichzeitig los. Am lautesten war Tante Eva, so daß sich Max, der neben ihr saß, gerade zwei Taschentuchenden in die Ohren stopfte.

»Der Lehrter Bahnhof ist gesprengt worden«, sagte Tante Eva gerade.

»Wieso?« fragte der Vater. »Hat's da so gestaubt – jetzt im Winter?«

Alle lachten los, und das, so kam es Manfred vor, war das

Muster für den ganzen Abend: Jemand sagte etwas, und ein anderer machte seine Witze darüber.

»Gestern sind in Tempelhof zwei Doppeldeckerbusse zusammengestoßen«, wußte Tante Trudchen zu berichten.

»Ich bin auch ein Doppeldecker!« rief Max.

»Wieso, du hast doch keine vier Räder ...?«

»Aber zwei Kinder!«

Wieder prusteten alle los. Bis auf Manfreds Mutter und Onkel Jochen, denen das sehr peinlich war.

Auch Tante Irma, Irmgard Bugsin, war bemüht, das Niveau zu heben und fragte Manfred, ob er denn nicht mal Dias von ihrer Capri-Reise zeigen wolle. Die hatte er für sein bestandenes Abitur geschenkt bekommen. »Eine Woche Capri mit deinen Eltern ...«

Es war wie beim Kniescheibenreflex: Sofort begannen alle zu singen.

»Wenn bei Capri die rote Sonne im Meer versinkt und vom Himmel die bleiche Sichel des Mondes blinkt, zieh'n die Fischer mit ihren Booten aufs Meer hinaus, und sie legen im weiten Bogen die Netze aus ... Und von Boot zu Boot das alte Lied erklingt, hör' von fern, wie es singt: Bella, bella, bella Mari, bleib mir treu, ich komm' zurück morgen früh ...«

»Lolo und Kurt waren auch gerade auf Capri«, erzählte Tante Claire. »In der ›Blauen Grotte‹, richtig trunken vor Glück, wie sie schreiben.«

»Ich war im ›Blauen Affen‹«, gestand Onkel Max. Er meinte eine stadtbekannte Großdestillation am Kottbusser Damm, gleich am Hermannplatz. »Richtig trunken vor Korn.«

Wieder erntete er die Lacher.

»Faraglioni heißen die steilen Felsen, die aus dem blauen Meer wachsen«, dozierte Manfreds Mutter. »So richtig majestätisch.«

»Was für'n Teetisch?« fragte Onkel Helmut.

Manfred nahm nun sein Tonbandgerät, ging reihum und spielte einen rasenden RIAS-Reporter.

»Frau Neutig, wir wissen von Ihnen, daß Sie weder Fisch und Fleisch noch Obst und Gemüse essen.« Das bezog sich darauf, daß Gerda Neutig furchtbar mäklig war und an allen Speisen ausgiebig roch, bevor sie einen kleinen Happen aß oder aber, wie so oft, angeekelt weitergab. »Wovon leben Sie eigentlich?«

»Von der Liebe.«

»Ah, danke. Und Sie, Frau Bugsin, Inge Bugsin ... Sie waren gerade als Au-pair-Mädchen in England ... Was haben Sie da gemacht?«

»Nicht das, was Sie denken.«

»Wie schade für die englischen Männer. Wenden wir uns nun Frau Irma Matuschewski zu ... Frau Matuschewski, wir haben gehört, daß Sie schon wieder ein neues Kuchenrezept ... äh ... entwickelt und an den RIAS eingeschickt haben ...?«

»Butterkuchen.«

»Mutterkuchen?« fragte Max und wurde von den empfindsamen Gemütern erneut heftig gerügt.

Manfred wandte sich an Tante Claire. »Sie waren doch sicherlich letzten Dienstag in der Kaiser-Wilhelm-Gedächtniskirche ...?«

»Ja, natürlich, junger Mann, zum Gedenkgottesdienst. Unser Kaiser Wilhelm II. wäre 100 Jahre alt geworden.«

Sofort fingen alle zu singen an: »Wir wollen unsern alten Kaiser Wilhelm wiederham, wir wollen unsern alten Kaiser Wilhelm wiederham, mit'm Bart, mit'm Bart, mit 'nem langen Bart.«

So ging es reihum. Tante Trudchen erzählte vom letzten Film mit Heinz Erhardt, Curt vom Georg-Herwegh-Gymnasium in Hermsdorf, Onkel Helmut von der AEG, Moshe Bleibaum von der Drogerie-Kette seiner Tante und Tante Eva von einer Patientin, die Emmi Göring persönlich gekannt hatte. Andere machten Reklame: Gerda Neutig für den DGB, Herbert Neutig für die CDU und Onkel Jochen für die FDP.

»Nun zu Ihnen, Max Bugsin. Wie wir gehört haben, sind Sie von der Deutschen Oper als Solotänzer verpflichtet worden. Ob Sie uns wohl eine kleine Kostprobe Ihres Könnens geben könnten ...?«

Onkel Max ließ sich nicht zweimal bitten, und ehe Tante Irma eingreifen konnte, hatte er seine Hosen heruntergerissen und stand in langen weißen Unterhosen da.

»Verwirrte, äh, verehrte Damen und Herren, ich bin der Leszek Kapitulski und tanze nun den ›Schwagärr-Otto-Krachkowiak‹ für Sie.« Im Krieg hatte er einige Brocken Polnisch gelernt, und die sang er nun herunter, während er, ein Zwei-Zentner-Mann, mit den irrwitzigsten Verrenkungen durchs Zimmer schwebte. »Dzien 'n dobry! Dobry wieczór! Do widzenia! Przepraszam. Przepraszam ...«

Tante Trudchen, Tante Claire und Irma Matuschewski hüpften auf dem Sofa derart auf und ab, daß das eine Bein wegbrach, und zwar das, das der Vater beim Renovieren des Wohnzimmers mit dem Hammer abgeschlagen und dann wieder repariert hatte. Das war der Höhepunkt des Abends, wie die *drei Grazien* da am Boden lagen. Tante Trudchen mußte so lachen, daß sie sich in die Schlüpfer machte und zum Wechseln aufs Klo mußte. Die Nachbarn unten klopften mit dem Besen gegen die Decke, was als Ausbund der Humorlosigkeit gewertet wurde. »Das gibt Rache!« Max ging auf den Balkon hinaus und schickte sich an, durch das Gitter hindurch nach unten zu pinkeln. »Hoffentlich haben Sie da ihr Essen stehen.«

»Nein!« Die Mutter versuchte, ihn zu stoppen. »Ich muß das dann wieder ausbaden!«

Also schlich Manfred heimlich in den Korridor und drückte auf die automatische Sicherung. Sämtliche Lichter gingen aus.

»Jetzt haben sie uns schon den Strom abgedreht!« rief seine Mutter. »Das kommt davon.«

»Kurzschluß!« schrie Onkel Helmut.

»Curt hat mit diesem Schluß nichts zu tun«, entgegnete Manfred.

»Ferkel!« schrie Inge, denn Moshe Bleibaum hatte die Dunkelheit genutzt, um ihr sonstwohin zu fassen.

»Hilfe!« schrie auch Tante Claire, denn Dirk Kollmannsperger hatte sich inzwischen auf dem Balkon frischen Schnee gegriffen und ihn blindlings ins Zimmer geworfen.

»Jemand hat die Sicherung rausgedrückt!« rief Manfred und ließ das Licht wieder aufflammen.

Peter bekam von seiner Mutter ein paar gescheuert. »Hab' ich dir das nicht verboten!«

»Ich war es nicht!«

»Lüg nicht so frech!« Peter hatte Kellner gespielt und dabei immer ein wenig am Weinbrand genippt, so daß ihm alles zuzutrauen war.

Manfred bekannte nun, daß er selber der Übeltäter war, doch man glaubte ihm nicht, ja, lobte ihn noch dafür, daß er so edel war, den Jüngeren in Schutz zu nehmen.

»Leg doch mal 'ne Platte auf«, wies ihn seine Mutter an. »Wir tanzen in deinen Geburtstag hinein.«

So geschah es, und kurz vor zwölf wurden die Champagnerflaschen entkorkt. Es war wie zu Silvester, und als im RIAS das Zeitzeichen ertönte – »null Uhr« –, gratulierten alle dem Geburtstagskind, von den Eltern gab es zusätzlich einen Kuß auf die Backe.

»Bleib gesund, mein Junge«, sagte der Vater, »und mach uns weiterhin so viel Freude wie bisher.«

»Daß wir stolz auf dich sein können«, fügte seine Mutter hinzu.

»Mögest du ein nützliches Mitglied der menschlichen Gesellschaft werden«, sagte Onkel Jochen.

Die meisten beließen es beim Standardsatz: »Alles Gute für das neue Lebensjahr und alles, was du dir selber wünschst, vor allem Gesundheit.«

Inge meinte nur, sie würde sich ihren Vorrednern anschließen.

Max Bugsin drückte ihm wortlos die Hand und tat so, als würde er ihn ebenfalls küssen wollen, unterbrach den Vorgang aber. »Nein, kein Bus auf die Kacke, äh: Kuß auf die Backe!«

Moshe Bleibaum spielte seine ganze Bildung aus: »Wie sagt Andersen-Nexö: ›Leben heißt sich wundern.‹ Ich wünsche dir, lieber Matu, daß du dich immer wieder wunderst, wie schön doch alles sein kann, denn mag es auch kein

Leben nach dem Tode geben, nach Siemens gibt es bestimmt eins.«

Auch Dirk Kollmannsperger tröstete ihn. »Nichts ist schöner, als wenn der Schmerz nachläßt.«

»Darauf kannste einen lassen«, warf Manfreds Vater ein.

Jetzt ging die Feierei erst richtig los, denn beim Champagner liefen sie alle zur Höchstform auf, und Manfred hatte das Gefühl, innerlich so langsam überm Berg zu sein, obwohl ihn der Verlust von Schmöckwitz bedrückte. Er kam sich vor wie ein Herzog, der sein Lieblingsschloß verloren hatte.

Manfreds Vater, der als junger Mann von seiner Mutter und seinem Stiefvater zum Geigenunterricht geprügelt worden war, holte nun das »Wimmerholz« aus der Kammer und trat als Virtuose auf. Er spielte etwas aus dem *Zigeunerbaron*, das heißt, er legte eine Platte auf und tat so, als ob er spielte. Tante Claire, eh wie eine Zigeunerin gekleidet, tanzte dazu.

Max, stets den Cognacschwenker in der Hand, rief dem Vater zu: »Schwagärr Otto, ich bin der Leszek, wollen wir nicht trinken Briederschaft.«

Am nächsten Tag standen die Schmöckwitzer pünktlich zum Mittagessen vor der Tür. Manfred und seine Eltern weinten. Gerda war seine Lieblingstante, und nun war sie wieder da. Aber nicht mehr das Mannequin war sie, das so herrlich duftete, sondern eine herbe Frau vom Lande. Seine beiden Cousinen waren süße Mäuse. Elvira Liebetruth, die gerade mit Thomas vom Spazierengehen kam, flüsterte indes seiner Mutter ins Ohr: »Richtige Landeier sind das ja.« Die Schmöckwitzer Oma strahlte wie eine Ordensschwester, der im Traum der Heiland erscheint, und Leszek sagte: »Schwagärr Otto, ich bin der Leszek, wollen wir nicht trinken Briederschaft.«

Manfred eilte ins Bad, um dort loszuprusten.

Sommer war es geworden, Juni 1959, und Manfred durchlief die letzte seiner HWB-Stationen, die Buchhaltung. Sein Praxisanleiter, Herr Nalepa, war ein gemütlicher Dicker mit grauweißen Haaren und einem so großen Schlafbedürfnis, daß Lothar Gott ihn immer Narkolepa nannte.

»Warum denn Narkolepa?« fragte Manfred.

»Weil Narkolepsie das anfallsweise auftretende Einschlafen ist, und zwar außerhalb der normalen Schlafenszeit. Stellt sich mehrfach am Tage ein, ist von kurzer Dauer, und du kannst nichts dagegen machen. Es ist imperativ, wie die Ärzte sagen.« Lord Lothar wußte das, weil sein Onkel Mediziner war. »Kommt oft bei Diabetes und Fettsucht vor, siehe Nalepa/Narkolepa.«

Manfred mochte Narkolepa, weil der seinem Onkel Richard wie ein Zwillingsbruder ähnelte. Onkel Richard war ein Schwager seiner Schmöckwitzer Oma, jener, der in Kreuzberg am Lausitzer Platz ein Geschäft betrieb – Zeitungen, Schreibwaren, Getränke und Lotto – und außerdem in der Berliner Vertragsliga Fußballspiele gepfiffen hatte, trotz seiner Leibesfülle.

Es war heiß an diesem Nachmittag, und auch Manfred fielen fast die Augen zu, denn in der Kantine hatte es Königsberger Klopse gegeben, *reichlich und gut,* wie seine Oma immer sagte. Narkolepa war noch beim Essen, und er saß allein in ihrem »Verschlag«, einem durch eine leichte Wand – unten Holz, oben Glas – von der übrigen Buchhaltung abgetrennten Teil des langgestreckten Büros. Um nicht von den anderen beim Schlafen beobachtet werden zu können, hatte Narkolepa eine große Blaupause mit dem Werksgrundriß an die Scheiben geklebt. Die Kostenstelle »Zahlungsverkehr« bestand lediglich aus Herrn Nalepa und Frau Hirnschal, die aber zur Zeit Urlaub hatte.

Herr Nalepa kam zurück, drückte die Verbindungstür hinter sich ins Schloß, ließ sich in seinen Drehstuhl fallen und wischte sich den Schweiß von der Stirn.

»Uff, ist das eine Affenhitze!« stöhnte er, und sein Gesicht wirkte noch teigiger als sonst. »Sie passen bitte mal auf ...« Kaum hatte er sich seinen Hosenbund aufgeknöpft, war er auch schon weggetreten.

Manfred wachte nun über seinen Praxisanleiter. Erwischte

man ihn beim Pennen, gab es wieder mächtiges Theater. Winzer, der Buchhaltungschef, hatte ihn bereits des öfteren abgemahnt, und irgendwann war Nalepa fällig.

Manfred verfaßte seinen Dienststellenbericht, das heißt, er pinselte ab, was Lothar Gott schon zu Papier gebracht hatte, ohne davon auch nur ein Wort zu verstehen.

Als er kurz aufblickte, sah er Behling in die Buchhaltung kommen. *So lang wie er ist, so dämlich ist er auch.* Manfred ließ den Bericht in der Schublade verschwinden und machte sich mit Hingabe an das Ausfüllen von Postschecküberweisungen. Gleichzeitig warnte er seinen Praxisanleiter.

»Achtung, Herr Nalepa!«

Der Buchhalter fuhr hoch und begann, an seiner mechanischen Rechenmaschine zu drehen.

Behling kam herein, Manfreds Zeugnis aus der Siemens-Werkschule Berlin in der rechten Hand.

»Das ist ja kein Ruhmesblatt, Herr Matuschewski!«

Manfred warf einen kurzen Blick auf den DIN-A4-Bogen, dick wie Büttenpapier, und fand, daß er sich recht wacker durchgemogelt hatte. In Klammern stand der Klassendurchschnitt.

Volkswirtschaftslehre	3 (2,9)
Wirtschaftsgeographie	2 (2,3)
Betriebswirtschaftslehre	4 (3,1)
Rechtslehre	3 (2,8)
Buchführung	3 (2,7)
Kalkulation	3 (2,7)
Gesch. u. Org. des Hauses Siemens	2 (2,9)
Werkstoff-, Fertigungs- und Warenkunde	2–3 (2,8)

»Damit kann ich doch zufrieden sein«, entgegnete Manfred.

»Sie schon, Herr Umbach aber ist es nicht.« Behling sah über ihn hinweg und gab sich alle Mühe, ihm begreiflich zu machen, daß er ihn ebenso langweilte wie anwiderte. »Er meint, daß wir mit einer Niete wie Ihnen hier nichts anfangen können.«

Manfred zuckte zusammen wie unter einem Peitschenschlag, freute sich aber im selben Augenblick: *Gott sei Dank, sie wollen dich nicht!*

Behling verzog sich wieder, und Manfred eilte zur Toilette. Der Ausbildungsleiter war ihm auf den Magen geschlagen. Doch als er vom Klo zurückkam, traf er erneut mit Behling zusammen, und zwar auf dem langen Flur vor dem Büro des Kassierers, der gerade zur Toilette ging, um Wasser für seine Erdbeeren zu holen. Die züchtete er auf dem Fensterbrett. Manchmal erreichten sie die Größe von Tomaten.

Behling gähnte. »Da ist noch etwas, das ich Ihnen sagen soll ...«

»Ja ...« Manfred rumorte es erneut im Magen, denn es klang, als würden sie ihn hinrichten lassen wollen.

»Die Würfel sind gefallen. Wo Sie ab 1. Juli hinkommen ...«

Das war eine ungeheuer spannende Sache, denn die zweite Hälfte ihres letzten Lehrjahres hatten die Berliner, bevor sich die Stammhauslehrlinge aller Standorte zum Abschlußlehrgang in Erlangen trafen, in den nord-, west- oder süddeutschen Siemens-Werken beziehungsweise -Zweigniederlassungen (ZN) zu verbringen, und alle hatten Bammel, daß es sie in kleine Nester wie Rodach, Redwitz oder Bocholt verschlagen würde. Manfred hätte sein ganzes Geld darauf verwettet, daß man ihn, die Niete, an einen Ort schickte, wo keiner der künftigen Führungselite versauern sollte.

»Ich freu' mich schon auf Redwitz«, sagte er, um Behling den Triumph zu nehmen. Das Dorf Redwitz lag im fränkischen Zonenrandgebiet, einen Steinwurf von der DDR entfernt, und wer als Berliner dorthin kam, der konnte mit Recht behaupten, in der Verbannung zu leben.

»Wieso Redwitz?« fragte Behling. »Da schicken wir die hin, auf die wir große Stücke setzen und die sich da bewähren und vervollkommnen sollen, ohne jede Ablenkung von der Arbeit. Sie kommen nur nach Hannover.«

Manfred freute sich, denn Hannover kannte er ja. Nur schade, daß Gerhard inzwischen fortgezogen war. Aber

Hannover hatte das Niedersachsenstadion und mit »96« einen Fußballverein, mit dem sich die Wochenenden sicherlich erträglich gestalten ließen.

Lothar Gott freute sich mit ihm, daß er es so gut getroffen hatte, und fragte ihn, ob er ihm wohl am Sonnabend sein Faltboot borgen könne.

»Wieso das? Du haßt doch Wasser.«

»Aber Imke möchte gerne.«

»Wenn Imke gerne möchte ...« Sie machten aus, sich um 9 Uhr morgens auf dem S-Bahnhof Neukölln zu treffen und gemeinsam nach Schmöckwitz zu fahren.

Als Manfred aber am Sonnabend morgen erwachte, hatte er heftigen Brechdurchfall, Fieber, Schüttelfrost und Kreislaufstörungen. Seine Mutter lief zur Sonnenallee, um eine Taxe zu holen und mit ihm zur Ersten Hilfe ins Urban-Krankenhaus zu fahren. Er hatte am Freitag abend eine Riesenportion von dem Kartoffelsalat gegessen, der von der Geburtstagsfeier übriggeblieben war, wodurch er sich ganz offensichtlich eine bakterielle Lebensmittelvergiftung zugezogen hatte. Ihm war sterbensübel, aber nach einer Spritze ging es ihm ein wenig besser, und sie entließen ihn wieder nach Hause.

Gegen 11 Uhr, als er auf dem Bett lag und vor sich hindämmerte, fielen im Lord Lothar und Imke ein.

»Wie lange habt ihr denn auf dem Bahnhof gestanden und gewartet?« erkundigte er sich am Montag morgen, nachdem er sein Nichterscheinen ausführlich begründet und sich entschuldigt hatte.

»Bis halb zehn.«

»Wart ihr doch bei mir vorbeigekommen.«

»Ich hab' doch deine Adresse nicht gehabt.«

Manfred seufzte. »Nächste Woche kriegen meine Eltern Telefon, damit ich aus Hannover immer anrufen kann. Und ... was habt ihr gemacht?«

»Zur Havel sind wir rausgefahren, zum Großen Fenster, und haben da gebadet. Ganz weit sind wir rausgeschwommen. Unsere Sachen hatten wir am Ufer versteckt ...« Doch bei ihrer Rückkehr, war alles verschwunden gewesen, bis hin zum letzten Taschentuch. »Da haben wir dann gestanden, klatschnaß und nur in Badehose und Badeanzug.«

»Gut, daß ihr nicht nackt gebadet habt.«

»Ha-ha!«

»Und dann?«

»Sind wir zur DLRG gegangen, und die haben die Polizei geholt. Im Funkwagen sind wir dann nach Hause gebracht worden. Jetzt geht die Lauferei los, 'n neuen Ausweis beschaffen – und, und, und.«

»Seid ihr euch denn wenigstens nahegekommen ...?« wollte Manfred wissen.

»Und wie!«

»Na, bitte. Herz, was willst du mehr.«

Manfred genoß seine letzten Tage im Hausgerätewerk Berlin. Behling hatte ihn abgeschrieben und ließ ihn in Ruhe, und bei Nalepa brauchte er sich auch weiterhin nicht anzustrengen, seine Zwei hatte er sicher, wenn er ihn nur rechtzeitig weckte. Daß er nichts lernte, störte ihn wenig, denn bis zur Kaufmannsgehilfen- und zur Siemens-eigenen Prüfung waren es noch Ewigkeiten hin. *Ich weiß, es wird einmal ein Wunder gescheh'n ...*

Vom 20. Juni an hatte er eine Woche Urlaub, und die wollte er in Schmöckwitz und auf dem Wasser verbringen. Als er sich am Freitag davor vom HWB verabschiedete, vermied er es, auch bei Behling anzuklopfen. Vielen anderen aber sagte er gern »Auf Wiedersehen«, denn verglichen mit der Zeit bei Nora hatte er sich hier in Gartenfeld fast wohl gefühlt. Sie hatten ihn genommen, wie er war, von Behling und Umbach, dem Werksleiter, einmal abgesehen. Aber auch die hatten ja so unrecht nicht, denn an ihren Maßstäben gemessen war er in der Tat nur Mittelmaß, schwamm überall mit, fiel nirgendwo auf, tat seine Pflicht, doch mehr auch nicht. Daß mehr in ihm steckte, fühlte er wohl, war aber im Grunde froh, von keinem Oberen entdeckt worden zu sein, denn der Gedanke, auf ewig bei Siemens hängenzubleiben, entsetzte ihn. Andererseits litt er darunter, daß niemand seinen wahren Wert erkannte ... Manfred hatte es, wie immer, schwer mit Manfred.

In Schmöckwitz war alles anders als sonst. In seinem Zimmer oben schliefen Tante Gerda und Leszek, und er war in das kleine Zimmer unten verfrachtet worden, in dem sonst die liebe Tilly, die alte Freundin seiner Oma, für ein paar Mark zur »Sommerfrische« gewohnt hatte. Schön, das ging ja noch an. Viel schlimmer war, daß er nun den vorderen Weg nicht mehr umgraben und als Weitsprunggrube nutzen konnte. Als er es zuletzt getan hatte, war Leszek dort mit dem Knöchel umgeknickt und hatte eine Woche lang nicht ins Reifenwerk zur Arbeit gehen können. Auch mit der heiligen Ruhe war es vorbei, denn seine beiden Cousinen, zehn und dreizehn Jahre alt, stritten sich in einem fort. Jede für sich allein war allerdings lieb, und er mochte sie. Begabt wie sie waren, hatten sie außerordentlich schnell Anschluß an die deutsche *kultura* gefunden und sprachen teilweise besseres Deutsch als ihre Berliner Klassenkameraden. Lucyna ging schon in Köpenick zur Schule, Agnieszka noch in Schmöckwitz. Wenn Manfred kam, stand er immer im Mittelpunkt, sozusagen als familiärer »Botschafter des goldenen Westens«, und das war eine Rolle, die er als recht angenehm empfand.

Er las viel – zum Beispiel Ernest Hemingways *In einem anderen Land* und Erich Kubys *Das ist des Deutschen Vaterland* –, versuchte, den Zwei-Kilo-Diskus über 35 Meter zu werfen, allerdings vergeblich, und schipperte mit dem *Rebell* noch einmal die heimatlichen Gewässer entlang, obwohl sie doch im Ausland lagen, in Ostberlin. In die eigentliche DDR durfte er schon seit Jahren nicht mehr: Mitten auf dem Dämeritzsee und am Ende des Zeuthener Sees lag jeweils ein Prahm, auf dem die Grepos standen und nur die passieren ließen, die Bürger ihres Landes waren. Blieben ihm aber immer noch und Gott sei Dank der Lange See, die Große Krampe, der Seddinsee, der Gosener Graben, die Müggelspree und die kleine Umfahrt über Zeuthener See, Großen Zug, Krossinsee, Oder-Spree-Kanal und Seddinsee. Aber wie lange noch? Wenn er zurück war aus Hannover, konnte auch das Vergangenheit sein.

Neben Tante Trudchen war noch Tante Grete da, Onkel Bertholds Frau, die Schwägerin der Schmöckwitzer Oma.

»Hast du noch immer keine Braut?« fragte Tante Grete.

Keine Frage war Manfred peinlicher als diese, und so lachte er nur verkrampft und wich aus. »Tausche abgelegte Braut gegen ein Pfund Sauerkraut.«

»Wer traut dich?«

»Grete, du mußt dein Hörgerät einschalten«, mahnte die Oma.

»Wie ...? Was ist, Mariechen ...?«

»Dein Hörgerät!« schrie Tante Trudchen.

»Schreit doch nicht so!«

Der Verlust des Schmöckwitzer Paradieses machte ihn sehr traurig; nichts würde ihn je wirklich darüber hinwegtrösten können . Und er war sehr einsam auf den weiten Seen um Schmöckwitz herum. Renate, Hannelore, Inge – und wie sie alle hießen, seine Träume – keine saß vor ihm im Boot. Wäre jetzt ein Wal neben ihm aus den Tiefe aufgetaucht, um ihn zu verschlingen, er hätte diesen Tod genossen.

Hannover-Kirchrode, Ernststraße 5, bei Öttl. Gerhard hatte, bevor er nach Frankfurt umgezogen war, das Zimmer für Manfred angemietet. Kirchrode lag im Südosten der Landeshauptstadt, und er war mit der Straßenbahn vom ZOB gekommen, schleppte seinen schweren Koffer nun von der Haltestelle Großer Hillen/Tiergartenstraße einige hundert Meter, bis er vor einem dunkelgrau verputzten, dreistöckigen Mietshaus ankam. Es erinnerte ihn an Tegel, an die Marzahnstraße, wo Tante Martha und Onkel Erich wohnten. Im Treppenhaus roch es nach Bohnerwachs. Er stieg nach oben und befürchtete, daß plötzlich eine der Türen aufgehen und ihn jemand ansprechen würde. Er litt unter dem Gefühl, in einem furchtbar fremden Land zu sein, und brauchte Minuten, ehe er den Mut und die Kraft hatte, im zweiten Stock bei Öttl zu klingeln. Er war nicht einundzwanzig, sondern zwei, wie ein Kind, das sich verlaufen hatte. *Ich will zu meiner Mutti zurück.*

Als er sich endlich überwunden und den Klingelknopf gedrückt hatte, dauerte es ein Weile, bis sich schlurfende Schritte näherten und die Tür vorsichtig geöffnet wurde. Frau Öttl glich ein wenig der Witwe Bolte aus *Max und Moritz*, sprach aber mit stark bayerischem Akzent.

»Was woll'n S ...?«

»Mein Name ist Manfred Matuschewski, und ich komme ...«

»Is scho recht.«

Entgegen der landläufigen Meinung, daß Wirtinnen mit ihren Untermietern ständig fröhliche Pläusche abhielten, war Frau Öttl, an die sechzig mochte sie sein, wortkarg und grantig. Ohne jeden Kommentar zeigte sie ihm zuerst Toilette und Bad, das er sich mit drei weiteren Untermietern zu teilen hatte, und dann sein Zimmer. Es war sehr geräumig, ging zur Straße hinaus und war viel moderner möbliert, als er es von Neukölln her kannte.

Als Frau Öttl ihn allein ließ, stand er minutenlang regungslos in der Mitte des Raumes. *The time stood still* ... Man hatte ihn ausgesetzt, unmöglich, daß das Leben weiterging. *Unrasiert und fern der Heimat* ... Er hielt es nicht aus, nahm die Schlüssel vom Tisch und stürzte wieder aus der Wohnung. Die Straßenbahn brachte ihn zum Kröpcke. Es war lange nach Ladenschluß, und der Abend senkte sich über die Stadt. Er war so einsam, daß er jedem gefolgt wäre, der ihn jetzt angesprochen hätte: einer barmherzigen Ordensschwester ebenso wie einer Nutte, einem Heiligen, einem Guru ebenso wie einem Haarmann, Fritz Haarmann, der ja hier, das wußte Manfred, 27 junge Männer abgeschlachtet hatte. *Mit dem kleinen Hackebeilchen macht er Schabefleisch aus dir* ... Er fiel völlig aus der Zeit, irrte umher.

Nichts passierte, absolut nichts. *Kein Schwein ruft mich an, keine Sau interessiert sich für mich* ... Ein alter Schlager fiel ihm ein, Tante Claire hatte ihn öfter gepfiffen.

Als es auf Mitternacht zuging, bekam er Hunger und aß im

Bahnhof eine Bockwurst mit Brot. Dabei fiel ihm wieder ein, daß er noch vor wenigen Wochen an dieser Stelle, als er aus dem Berlin-Bus rausgeworfen worden war, ein Königreich für ein Zimmer gegeben hätte. Nun hatte er eins – und wollte nicht hin.

Der Anfall ging vorüber. Mit der letzten 5 fuhr er wieder zur Ernststraße hinaus und fügte sich in sein Schicksal. Sein großer Trost war ein rotes Siemens-Radio, kompakt wie ein Ziegelstein. Da waren menschliche Stimmen. Ohne sie hätte er es nicht aushalten können. Er stellte ein Hochglanzfoto der leichtbekleideten Bibi Johns auf und ging ins Bett. Er schlief schnell ein.

Der nächste Morgen kam – es war Mittwoch, der 1. Juli 1959 – und damit Siemens. Die ZN Hannover befand sich am Maschpark, dem Rathaus gegenüber, und er fuhr eigentlich in ganz guter Stimmung zur Arbeit. Schlimmer als bei Nora konnte es nicht sein. Oder doch? Ein anderer Berliner Stammhauslehrling war schon seit Anfang Januar hier, einer, mit dem er in Siemensstadt zusammen die Werkschulbänke gedrückt hatte: Leo Roos. Aber dem ging er lieber aus dem Weg.

Er hatte sich um 8 Uhr bei Herrn Rutz zu melden, seinem neuen Ausbildungsleiter, und als er dessen Büro ansteuerte, traf er auf drei, wie sich alsbald herausstellen sollte, einheimische Stammhauslehrlinge des neuen Jahrgangs: Hilmar, ein irrer Typ, ehemals Fahnenjunker bei der Bundeswehr, Paolo, der eigentlich Paul hieß und aus Walsrode stammte, dem Herzen der Heide, aber sehr italienisch aussah, und Ottomar, der aus dem hessischen Zonenrandgebiet kam und trotz seiner zwanzig Jahre leicht greisenhaft wirkte. Für diese drei war er schon ein altgedienter Siemensianer und folglich der Leithammel. Das tat ihm unheimlich gut.

Herr Rutz erwies sich als väterlicher Freund. Grauhaarig war er und stand kurz vor der Rente. Er erinnerte stark an »Papa Gnädig«, den Richter aus dem Fernsehen.

Er führte sie in einen dunkel getäfelten Sitzungssaal, wo sie von Herrn Kommer, dem Leiter der ZN, bei Kaffee und belegten Brötchen feierlich empfangen wurden. Kommer hatte einen kahlen Asketenschädel und redete viel von Ethos und Leistung. »Sie können sich hier bei uns in der ZN in unterschiedlichen Aufgaben bewähren. Am besten lernt man die Dinge, indem man sie tut. Wir bieten Ihnen zahlreiche Möglichkeiten zur Erweiterung Ihres Wissens, wir erwarten jedoch auch, daß derjenige, der vorwärtskommen will, an sich selbst weiterarbeitet.« Wie in Berlin sollte es auch hier in Hannover anderthalb Tage die Woche Unterricht geben, aber da es nur sieben Stammhauslehrlinge waren, die im nächsten Jahr in Erlangen ihren Abschluß machen sollten, war das Ganze mehr ein Seminar. Dr. Patz, ein hospitierender Vorstandsassistent aus München, sollte sie anleiten. Er wurde ihnen vorgestellt, und Manfred fand ihn sehr sympathisch.

Zum Abschluß händigte man ihnen ihre Ausbildungspläne aus. Manfred kam zuerst mit Hilmar zusammen ins Lager nach Wülfel und meinte dort, nicht nur in einer anderen Firma, sondern gar in einem anderen Land zu sein. In Hannover war jeder freundlich und entspannt, und wenn er an die Berliner dachte, so kamen die ihm alle bissig und verbissen vor. Im Gebäude der ZN gab es sogar, unfaßbar für ihn, einen hauseigenen Frisör, und alle fanden es selbstverständlich, wenn man sich, gab es einmal weniger zu tun, in seiner Arbeitszeit die Haare schneiden ließ. »Die wachsen ja auch während der Arbeit«, lachte Herr Rutz. Hier war er als Lehrling nicht der letzte *underdog*, sondern hier hofierte man ihn fast als Führungskraft von morgen. Welch ein Unterschied!

Auch das baute Manfred auf, und gut gelaunt stand er nun im Wülfeler Lager hinter dem Tresen, um den aus Hannover und Umgebung anrückenden Elektromeistern alles zu verkaufen, was Siemens zu bieten hatte: Stecker und Schalter, Sicherungen und Schütze, Kontaktschienen und Kabel.

Das rettete ihn auch über die Wochenenden hinweg, an denen die neuen Freunde heimwärts fuhren. Nur er nicht. Berlin war zu weit, die DDR wirkte als große Barriere: die langen Wartezeiten, die nervenden Kontrollen, die Angst, einen Fehler zu machen und womöglich eingesperrt zu werden. Da blieb er lieber in Hannover und versuchte, halbwegs über die Runden zu kommen. Von Wunstorf aus fuhr er mehrmals mit der kleinen Bahn zum Steinhuder Meer, um einsam und allein zur Scharnhorst-Festung zu paddeln. Und wenn das Wetter nicht allzu garstig war, ging es mit der Straßenbahn zu den Heimspielen von 96 oder Arminia und später auch zum Eishockey. Heimweh hatte er nur selten.

Auch für die gehobene Bildung tat er eine Menge, las viel, sah im Ballhof *Camino Real*, ein selten gespieltes Stück von Tennessee Williams, und in einer Matinee am Sonntag vormittag den *Hamlet*-Film mit Sir Laurence Olivier. Eine Begleiterin ließ sich nicht finden. Was ihm das Schicksal in dieser Hinsicht bot, war wenig: zweimal in der Woche die Chance, von der Straßenbahn aus in Kleefeld Jutta Heine an der Haltestelle stehen zu sehen, die großartige und aufregend hübsche Läuferin, und das Hochglanzfoto von Bibi Johns samt ihrer Schlager: »Jeden Morgen sitz' ich um halb neun in der Bürgermeisterei, / und ich führe dort tagaus, tagein still und fleißig die Kartei. / Aber nachts in der Bar, aber nachts in der Bar fängt für mich das wahre Leben an! Aber nachts in der Bar, aber nachts in der Bar / rette sich vor mir, wer kann!«

Manfred hatte nie eine Bar von innen gesehen, und von all den Mädchen und Frauen, die bei Siemens an der Schreibmaschine saßen, wollte ihn keine. Nirgendwo fand sich ein weibliches Wesen, das mehr für ihn übrighatte als ein freundliches »Guten Morgen, na, wie geht's?« Amor mußte ihn hassen. Nur einmal schien das Liebesglück auch ihm zu lachen. Da saß er in einem Restaurant in Kirchrode, und die Serviererin, die zugleich das allerliebste Wirtstöchterlein war, brachte ihm die Ochsenschwanzsuppe.

»Da schwimmt ja eine Fliege drin!« entsetzte er sich.

»Das hab' ich nur für Sie getan ...« flötete die gute Fee.

»O danke ...« Er verneigte sich vor ihr und nahm sein Herz in beide Hände. »Darf ich Sie dafür ins Kino einladen?« Er nannte Zeit und Ort, *Quo vadis?* gab es, am Aegidientor.

»Klar, ich komme.«

Doch das tat sie nicht – und er mußte sich ein anderes Lokal suchen, um am Wochenende halbwegs vernünftig zu essen. In seinem Zimmer hatte er nur einen Heißwasserkocher stehen.

Das Essen in der Siemens-Kantine am Maschsee war nicht schlecht, nur war es schwierig gewesen, einen freien Platz zu finden. Geradezu dramatisch ging es am ersten Tag zu, als Hilmar, Paolo, Ottomar und er mit dem Teller in der Hand von der Essensausgabe kamen und frohgemut einen Vierertisch besetzten, von dem aus man einen schönen Blick auf Park und Rathaus hatte. Spinat mit zwei hartgekochten Eiern gab es. Sie hatten viel Spaß an einem denkwürdigen Dialog zwischen Herrn Lompe und Frau Wunstorf, beide aus dem Vertrieb.

Frau Wunstorf, blond und voller niedersächsisch-germanischer Kraft, hatte diesmal keinen rechten Appetit und rief laut durch den Saal: »Herr Lompe, darf ich Ihnen ein Ei abtreten?«

»Neiennnn ...« Herr Lompe schrie auf wie ein hart getroffener Fußballer.

Das Lachen verging ihnen aber schnell, denn plötzlich stand Herr Bethke vor ihnen, die graue Eminenz der Buchhaltung (»Bethke und arbeite«), und bat sie, Platz zu machen, da er mit seinen Kolleginnen und Kollegen hier schon seit sieben Jahren sitze.

»Nebenan ist doch noch so viel Platz«, wandte Hilmar ein.

»Da sitzen andere, wir sitzen hier.« Hinter Bethke hatte sich inzwischen die Schar seiner Getreuen versammelt.

Manfred sah auf. »Aber wir müssen doch auch irgendwo essen ...«

»Nicht auf unseren Plätzen.«

»Wer zuerst kommt, ißt zuerst«, sagte Paolo und drückte Ottomar auf seinen Stuhl zurück.

»Dann holen wir eben Herrn Kommer«, meinte Bethke und ging zum Kantinenwirt, um anzurufen.

Vielleicht wären sie doch noch aufgestanden, wenn ihnen

nicht Lompe und andere hinter dem Rücken der Buchhaltungsmannschaft Zeichen gegeben hätten: Standhalten!

Sie aßen weiter ihren Spinat, während den Platzvertriebenen das Essen kalt wurde. Manfred konnte sich nicht vorstellen, daß Kommer wirklich hier oben unterm Dach erschien, um den Fall zu klären. Tat er auch nicht, er schickte Dr. Patz. Der baute sich vor ihnen auf und hielt eine echte kleine Rede.

»Tradition, meine Herren, ist viel, sie ist, wie es Thomas Mann einmal formuliert hat, ein notwendiges Element des fortschreitenden Lebens. Für Siemens ist sie ungemein stabilisierend, unverzichtbar für die Integration der Menschen hier. Und darum darf ich Sie auch bitten, mir ins Zimmer nebenan zu folgen, ins Offizierskasino sozusagen, wo die leitenden Angestellten und ihre Gäste zu speisen pflegen. Es ist eine alte Tradition, daß unsere Stammhauslehrlinge gleich zu Anfang auch einmal dort sitzen dürfen ... und entschuldigen Sie bitte, daß wir das diesmal vergessen haben.«

Er bat auch Herrn Bethke und seinen Hofstaat um Verzeihung und führte Manfred, Hilmar, Paolo und Ottomar in den kleinen Salon.

Am nächsten Tag hatten sie ihren eigenen Tisch, wenn auch den an der Toilettentür. Dennoch: Manfred imponierte es sehr, wie Dr. Patz das Problem gelöst hatte.

Einmal in der Woche unterrichtete Dr. Patz sie zwei Stunden lang im Fach Betriebswirtschaftslehre. Für die Unterrichtung der sieben Hannoveraner Stammhauslehrlinge des Jahrgangs 1957 hatte Siemens im Gebäude des Niedersächsischen Fußballverbandes einen Saal angemietet, nicht weit von der ZN entfernt. Als Manfred seine sechs Weggefährten zum ersten Mal sah, traf ihn fast der Schlag, denn unter ihnen waren – ausgerechnet – seine beiden Berliner Intimfeinde: Leo Roos, der umtriebige Aufschneider mit dem prominenten Vater, und Heil-Hippler, der Doppelgänger Adolf Hitlers. Dazu kam ein weiterer Unsympath: Norbert Börner, der das Wirtschaftsabitur abgelegt hatte, folglich alles, was bei Siemens gelehrt wurde, schon wußte und so blasiert tat wie eine Knallcharge in einem deutschen Heimatfilm. Richtig nett fand er dagegen Ingo Schießke, der aus Mülheim kam, aus dem Ruhrpott also, in seiner Freizeit bei der katholischen Jugend Zeltlager organisierte, an Gedenktagen nach Auschwitz fuhr und eine große CDU-Karriere plante. Schießke war so bullig wie ein American-Football-Spieler und hatte eine feste Freundin. Wenn er den Raum betrat, knarrten die Dielen. Darin war er ganz das Gegenteil von Rainer Grau, der ein leiser Schleicher war, so unauffällig, daß er oft übersehen wurde. Manfred schien er wie aus Nebel gemacht. Der letzte im Bunde war Horst Czyczykowsky. Jeder, der ihn erblickte, zuckte erst einmal zusammen und glaubte, Opfer einer Sinnestäuschung zu sein, irgendwie verrückt geworden, denn Czyczykowsky hatte Kopf und Profil eines Farbigen, eines Negers, wie man damals sagte, sah in etwa aus wie Joe Louis, doch seine Gesichtsfarbe war käsig weiß. Da er die stolze Gestik eines kenianischen Mau-Mau-Fürsten an den Tag legte und seine Bewegungen so manieriert waren wie die eines klassischen Tänzers, hieß er bei vielen auch Fürst Chi-Chi. Grau und Czyczykowsky kamen aus Berlin und hatten in ihrer Heimatstadt die Auswahlhürden nicht nehmen können, waren aber noch in den Siemens-Werken Redwitz und Rodach untergekommen. Im zweiten Teil ihrer Ausbildung waren sie nun in die ZN Hannover geschickt worden.

Verglichen mit der Berliner Werkschule, der reinen Siemens-Kadettenanstalt, ging es hier in Hannover zu wie in einem Uni-Seminar, manchmal auch wie in einem englischen Debattierklub. Wenn Klausuren geschrieben wurden, dann mehr zum Schein. Mit Ausnahmen. Zum Beispiel bei Frau Meyerdierks, die Handelsenglisch lehrte.

»Wir schreiben ein Diktat.«

»Nicht schon wieder ein Diktat«, brummte Schießke. »Wir haben uns Ihrem Diktat erst letzte Woche gefügt.«

»Sie haben das gerade nötig!« Vor vierzehn Tagen hatte er »with an attached slip« (»mit einem beigefügten Zettel«) sehr lüstern übersetzt (»mit einem beigefügten Schlüpfer«).

»Ich schließe mich meiner Meinung an«, sagte Czyczykowsky.

»Seiner!«

»Nein, meiner.«

»Wie ...? Also ...« Frau Meyerdierks, in Aussehen und Auftreten voll an den englischen Gouvernanten der vierziger Jahre orientiert, kam von der Handelsschule und war keinen Widerspruch gewohnt. »Das heutige Thema: Money exchange. Bitte ... Los!« Sie begann zu diktieren.

Sie schrieben ein paar Sätze mit, dann gab Schießke die Devise aus, alles in Lautschrift aufs Papier zu bringen, und Manfred schrieb: »Wie känn ounlie schäinsch äh lätta of kredit vor ju, wenn it is äszäint to ßis partickjular bäng. Häff ju gott se lätta wiß ju?«

Als Frau Meyerdierks die Bögen einsammelte und die Bescherung sah, wollte sie allen eine Fünf geben, doch Schießke warnte sie. »Herr Kommer wird sich wundern, warum wir nur bei Ihnen so schlecht sind. Und wir möchten Sie wirklich gern behalten.«

Daraufhin zerriß Frau Meyerdierks die Diktatbögen und machte Unterricht.

In der Pause las Hippler einen Brief von Moshe Bleibaum vor, der jetzt in Redwitz steckte und in schamloser Übertreibung davon berichtete, wie er die Frauen und Mädchen reihum beglückte. Allerdings hatte er fast alles von Henry Miller abgeschrieben. Doch das merkte außer Manfred keiner. Er selber hatte nur Post von Wolfgang Schmitt bekommen, der in Karlsruhe gelandet war und die baldige Verlobung mit einer Einheimischen zu vermelden hatte. Wiederum wurde Manfred seine eigene Not bewußt, was dies betraf.

Ihr nächster Dozent hieß Kötterheinrich und war der Prototyp eines versoffenen Genies. Sein Lebenslauf war wirklich exotisch: Fremdenlegion – Afrika und Indochina, diplomatischer Dienst – Argentinien und Peru, Lehrer – Spanien und Costa Rica, Siemens – Madras, Beirut und schließlich Hannover. Er beherrschte sieben Sprachen, darunter Rumänisch, und war Begründer eines Vereins zur Reinhaltung der deutschen Sprache. Dafür kämpfte er zäh und verbissen.

Hippler war von schwächlicher Konstitution und fürchtete ständig, seinen Ischiasnerv zu reizen.

»Herr Kötterheinrich, wenn ich weiter im Zug sitzen muß, bekomme ich einen steifen ...« Alle prusteten los, denn Hippler ließ einige Zeit vergehen, bis er »... Nacken« hinzufügte. »Darf ich das Fenster zumachen?«

»Schließen!« kläffte Kötterheinrich, und sein pockennarbiges Gesicht färbte sich rot. »Wahre Bildung zeigt sich an diesen Kleinigkeiten.«

»Können wir jetzt etwas über das Außenhandelsvolumen hören«, verlangte Börner.

»Das Außenhandelsvolumen ist die Summe der mit den Preisen eines Basiszeitpunktes bewerteten Importe und Exporte einer Periode.«

»Können wir das Fenster wieder aufmachen?« fragte Manfred. »Hier ist die Luft so stickig.«

»Öffnen!« bellte Kötterheinrich.

So verging die Zeit, bis sie auf den Zusammenhang zwischen Macht und Wirtschaft zu sprechen kamen und Kötterheinrich ihnen die Funktionsweise des RGW erklärte, des 1949 gegründeten Wirtschaftsblocks der osteuropäischen Länder. Gründungsmitglieder seien die SU, Bulgarien, Polen, Rumänien, die Tschechoslowakei und Ungarn gewesen.

»Diese Schweine!« schrie Leo Roos, urplötzlich fürchterlich erregt. »Was da in Ungarn alles passiert ist. Wie die Russen die Ungarn liquidiert haben.«

»Was die Franzosen in Algier machen, ist auch nicht besser«, wandte Manfred ein.

»Kommunist, du!« Leo Roos sprang auf, um auf Manfred einzuprügeln, kam aber nicht bis zu dessen Sitzplatz, weil Schießke ihm ein Bein stellte. Das wiederum erzürnte Börner, und so drohte eine große Prügelei, denn schon schlugen Börner und Schießke aufeinander ein, und Roos versuchte, Manfred zu Boden zu werfen.

»Dir werd' ich dein rotes Maul stopfen«, geiferte Roos.

»Und ich dir dein großes, Großmaul du!«

»Matuschewski, die Pennratze!«

»Roos, das Arschloch!«

Sie kämpften.

»Auseinander!« Wie ein Ringrichter beim Catchen ging Kötterheinrich dazwischen, und dank seiner Nahkampferfahrung war die Ruhe schnell wiederhergestellt.

Trotzdem hatte Dr. Patz, der der nächste Unterrichtende war, draußen auf dem Flur alles mitbekommen, und er nutzte seine Stunde, um ihnen ins Gewissen zu reden.

»Erstens steht es uns Deutschen nun wahrlich nicht zu, über die Verbrechen anderer Völker zu richten, denn wir sind wohl in dieser Hinsicht bis ans Ende aller Tage die größten Verbrecher, und zum zweiten kann ich mir nicht vorstellen, daß Siemens eine Zukunft haben wird, wenn seine Führungskräfte ihre Konflikte nicht verbal austragen, sondern mit den Fäusten aufeinander losgehen. Es muß also etwas geschehen. Roos und Matuschewski, ich weiß, daß Sie für den Sport etwas übrig haben: Sie gehen also in den nächsten Wochen dreimal zusammen zum Eishockey oder zum Fußball und zeigen mir nachher die Eintrittskarten. Und Börner und Schießke, Sie halten ein gemeinschaftliches Referat über das Problem der optimalen Betriebsgröße. Erledigen Sie vier das zu meiner Zufriedenheit, werde ich die Sache von eben nicht an die große Glocke hängen, sonst aber ... Nun gut, sprechen wir von der Produktionsfunktion ...« Er schrieb die Grundgleichung an die Tafel: $x = f(r_1, r_2, r_3, ..., r_n)$.

Manfreds Bewunderung für Andreas Patz wuchs von Tag zu Tag. Das lag vor allem daran, daß der Vorstandsassistent das genaue Gegenteil aller jener Führungskräfte war, die ihre Fähigkeiten in der Nazi-Zeit und beim Militär geschult hatten und ihm durchweg dumpf, spießig und faschistisch vorkamen. Patz dagegen, gerade dreißig Jahre alt, war ein Mann der neuen Generation; mit Kommißköppen wie Frantz hatte er nichts gemeinsam. Mit Brille und legerer Jacke glich er eher einem Harvardprofessor für Betriebswirtschaftslehre. Und er hatte während seines Studiums viel von Elton Mayo und den Hawthorne-Experimenten gehört, wußte also von der Bedeutung des »menschlichen Faktors«.

War es Zufall, Schicksal, Fügung, Karma oder Gottes Wille – Manfred wußte es nicht –, jedenfalls stieß er an einem verregneten Novembersonntag bei einem einsamen Spaziergang um den Maschsee herum auf Dr. Patz, der die Ruhe in der ZN genutzt hatte, um über eine neue umfassende Marktstrategie nachzudenken. Sie kamen ins Gespräch und von Siemens zum Persönlichen.

»Ich hab' schon öfter über Sie nachgedacht«, sagte Dr. Patz.

»Oh ...« Manfred war nicht sehr erfreut darüber, eher besorgt.

»Und über Czyczykowsky ... Sie beide fallen aus dem Rahmen. Die anderen werden alle brauchbare Siemens-Leute werden und gut funktionieren. Aber es werden keine Impulse von ihnen kommen, weil sie schon jetzt total angepaßt sind. Sie beide aber haben das Potential dazu – doch Sie kapseln sich ab, Sie geben uns nicht das, was Sie uns geben könnten. Czyczykowsky schreibt Gedichte und Romane, anstatt sich um das Haus Siemens zu kümmern, und Sie ziehen sich in Ihr Schneckenhaus zurück, schweigen und leiden – anstatt ans Licht zu bringen, warum unsere Strukturen so verkrustet sind und die Siemens-Mannschaft aus einem Heer von braven Beamten besteht.«

Manfred dachte nach. »Ich fühle alles nur, ich kann es nicht in Worte kleiden. Mir fehlen die passenden Begriffe.«

»Dann hören Sie auf bei Siemens, studieren Sie ... Psychologie oder besser noch: Soziologie.«

Manfred staunte. »Sie vertreiben einen Stammhauslehrling ...? Ich denke, wir kosten soviel Geld, und die Firma will uns unbedingt halten ...«

»Was würden Sie uns nützen, wenn Sie ein Leben lang denken ›Ach, wär' ich doch nur von Siemens weggegangen‹ und all dem nachtrauern, was Sie verpassen.« Dr. Patz schmunzelte. »Und außerdem: Als Diplomsoziologe können sie jederzeit zu uns zurückkommen. Die Börners, Hipplers und Roos' überholen Sie auf diese Art und Weise spielend.«

»Soziologie soll ich studieren …« Manfred mußte zugeben, daß er von diesem Fach keine bestimmte Vorstellung hatte.

Dr. Patz überlegte einen Augenblick und dozierte dann mit leiser Ironie: »Soziologie ist die Wissenschaft, die soziales Handeln deutend verstehen und dadurch in seinem Ablauf und seinen Wirkungen ursächlich erklären will.«

»Ich verstehe nur, daß ich nichts verstehe …«

»Beispiel: Warum sind Sie zu Siemens gegangen? Warum sind Sie innerlich kein Siemensianer geworden?«

»Das möcht' ich wirklich gerne wissen«, bekannte Manfred.

»Dann studieren Sie Soziologie, dann studieren Sie Psychologie!«

Als er anschließend vom Postamt aus das sonntägliche R-Gespräch mit seinen Eltern führte, bat er seinen Vater, sich von der FU Berlin Unterlagen über das Soziologiestudium schicken zu lassen. Für die Soziologie – und nicht die Psychologie – hatte er sich deswegen entschieden, weil das mehr nach sozial, Sozialdemokratie und Sozialismus klang – und dafür war er sehr zu haben.

Der Vater nahm seine Entscheidung für ein Studium gelassen hin, obwohl er gehofft hatte, Manfred würde doch noch zur Post gehen, um ihn dort zu rächen, knüpfte aber sein Placet an eine schwerwiegende Bedingung.

»Wenn du in den Semesterferien bei Siemens arbeitest und Geld verdienst … den großen Rest des Studiums finanzieren dir dann schon Mutti und ich. Aber vorher mußt du deine Siemens-Prüfung bestehen, sonst …«

»Ich werd' mir alle Mühe geben.«

Das war leichter gesagt als getan, denn zwar stand er hier in Hannover – auch dank der stillen Förderung von Dr. Patz – sozusagen glänzend da, doch was er in den vierzehn Monaten Nora und durch sein totales Desinteresse in der Berliner Werkschule versäumt hatte, schien sich nie mehr wieder aufholen zu lassen, so daß er sich dem Fatalismus ergab und es gar nicht erst probierte. *Kommt Zeit, kommt Rat.*

Anstatt an den Wochenenden zu pauken, las er lieber Heinrich Böll, Günter Grass und Uwe Johnson, und an *Billard um halb zehn* wie der *Blechtrommel* und den *Mutmaßungen über Jakob* hatte er lange zu kauen, wie auch am Godesberger Programm der SPD. Eine Parteikarriere wäre nicht schlecht … Wenn er sah, daß ein derartiger Simpel wie Heinrich Lübke es bis zum Bundespräsidenten gebracht hatte … Oft blieb er den ganzen Sonntag über im Bett. Er ging nicht einmal zum Mittagessen ins Dorf, sondern kochte sich in seinem Topf schnell zwei harte Eier. Zudem hatte ihm die Schmöckwitzer Oma eine Kiste selbstgezogener Tomaten geschickt, und die mußte er aufessen, auch wenn die letzten schon fürchterlich zermanscht waren und schimmlig rochen.

Seine Hauptnahrung aber waren Salzstangen, die einer seiner Mituntermieter, der bei der Firma Bahlsen arbeitete, in Riesenmengen anschleppte. Die mampfte er in sich hinein, während er las und sein kleines rotes Siemens-Radio dudelte. Zwar blieb Bibi Johns seine Göttin und heimliche Verlobte, doch auch die Schlager der anderen – Dalida, Freddy, Ralf Bendix und Bill Ramsey – trugen und erfreuten ihn. Die Texte hatte er alle im Kopf.

»Am Tag, als der Regen kam, lang ersehnt, heiß erfleht – auf die glühenden Felder, auf die durstigen Wälder. Am Tag, als der Regen kam, lang ersehnt, heiß erfleht, da erblühten die Bäume, da erwachten die Träume, da kamst du.«

Bei ihm kam noch immer keine …

»Jimmy wollt' ein Mädchen lieben, doch ein and'rer kam daher, und als Trost sind ihm geblieben: die Gitarre und das Meer. Juanita hieß das Mädchen aus der großen, fernen Welt, und so nennt er die Gitarre, die er in den Armen hält …«

In gewisser Weise konnte sich auch Manfred, Eigentümer des Faltbootes *Rebell* und Skipper, als ein Seemann fühlen. Zwar war er nicht in der Lage, Gitarre zu spielen, und nicht das Meer, sondern der Maschsee bezeichnete seinen Aktionsradius, doch auch er hatte »sein Mädchen« verloren: Renate Zerndt. Also …

»Hörst du das Rauschen der Bäume im Wind? Der Himmel weint Tränen um uns're Liebe, Abschied von dir und von der Liebe, es regnet, es regnet auf unser Glück. Ciao, ciao, Bambina ...«

Auch das paßte auf ihn.

»Kriminal-Tango in der Taverne, dunkle Gestalten und rotes Licht. Und sie tanzen einen Tango ...«

Kriminalromane mochte er nicht und hatte in seinem Leben noch keinen gelesen. Dafür würde er sich bestimmt nicht erwärmen können.

»Souvenirs, Souvenirs, kauft, ihr Leute, kauft sie ein, denn sie sollen wie das Salz in der Lebenssuppe sein. Von der Gitarre eine Seite, die Elvis schlug, und den Verschluß der Bluse, die die Lollo trug ... Souvenirs, Souvenirs einer großen Zeit sind die bunten Träume uns'rer Einsamkeit ...«

Und einsam blieb er weiterhin. Seine große Depression hatte er jedoch überwunden. Daß er jetzt vergleichsweise fröhlich durchs Leben ging, obwohl die Abschlußprüfung in Erlangen drohte – sein sicheres Scheitern –, lag an der Arbeit in der ZN und dem, was sie alles so erlebten. Mit Ausnahme des AKN (Auftragskostennachweises), wo es im Kreise älterer und sehr säuerlicher Damen fast so schrecklich zuging wie bei Nora oder in der Rechnungsprüfstelle des HWB, war es eigentlich überall so schön wie bei einem heiteren Theaterabend.

In der Buchhaltung wurde Manfred das höchste Ehrenamt zuteil, das Bethke-und-arbeite zu vergeben hatte: Er durfte zu jeder vollen Stunde die Lüftungsglocke läuten. Die stand auf dem Tresor, und wenn sie geläutet wurde, hatte jeder aufzustehen und an die Wand zu treten. Als er dies zum ersten Mal miterlebte, hatte Manfred angenommen, Herr Bethke hätte alle seine Mitarbeiterinnen und Mitarbeiter der Faulheit angeklagt und nun in einer symbolischen Hinrichtungsszene an die Wand stellen wollen, doch in Wirklichkeit tat er dies nur aus Gründen der Fürsorglichkeit, denn keiner sollte sich, wenn die Fenster aufgerissen wurden, ernsthaft erkälten. Genau fünf Minuten und null Sekunden standen sie da, dann kehrten sie geschlossen an die Schreibtische zurück. Auf diese geniale Art und Weise vermied Bethke das sonst übliche Hickhack ums Lüften.

An Manfreds letztem Tag in der Buchhaltung stand Bethke plötzlich auf und sagte: »Alle verlassen bitte den Raum und warten in der Kantine, bis ich sie wieder holen komme.«

Erst dachten alle an einen Probealarm, dann stellte sich heraus, daß der Verfassungsschutz gekommen war, um die Räume zu durchsuchen und von Kugelschreibern wie Schreibmaschinen Schriftproben zu nehmen. In der ZN saß ein Spion der DDR. Es sollte aber nie herauskommen, wer es war.

Viel Lustiges gab es auch im Vertrieb und im Kundendienst zu erleben. Als Vertreter der ZN Hannover ein ganzes Siemens-Kraftwerk nach Argentinien verkauft hatten, wurde tagelang gefeiert. Manfred legte besonderen Eifer an den Tag, als es darum ging, für die Plattenmarke *Heliodor,* unter der die *Deutsche Grammophon* – neben *Polydor* – ihre U-Musik vertrieb, einen jungen österreichischen Schlagersänger aufzubauen: Udo Jürgens. Ganz besonders aber tat er sich beim Beantworten von Kundenbriefen hervor. Manchmal schrieben die Leute richtig böse Briefe, etwa wenn Siemens-Vertreter einer blinden Großmutter angeblich einen Fernseher angedreht hatten. Einmal wurde hinsichtlich eines Radioapparats ausgeführt: »Als ich ihn eingeschaltet hatte, gab er zwar keinen Ton von sich, sonderte aber in regelmäßigen Abständen Rauchzeichen ab, so daß ich als alter Karl-May-Leser wenigstens wußte, daß ich beim NWDR gelandet war.«

So schön die Zeit in Hannover auch war, sie endete mit einem großen Krach und vielen bösen Worten. Der Anlaß war die Besichtigung der Gilde-Brauerei eine Woche vor Weihnachten. Um 9 Uhr sollte sie beginnen und um 12 Uhr beendet sein. Danach, so war es vorgesehen, sollten sie in die ZN zurück und weiterarbeiten. Doch das Bier, gratis und in rauhen Mengen ausgeschenkt, schmeckte so gut, daß sie alle sieben nach Ende der Führung im Brauerei-Kasino weitertranken und irgendwann am späten Nachmittag vom Pförtner in verschiedene Taxis verladen werden mußten. Manfred kam erst gegen Mitternacht einigermaßen wieder zu sich.

Am nächsten Morgen war die Hölle los, und nicht einmal Dr. Patz, der dem Chef das Ganze als »sinnstiftendes Gemeinschaftserlebnis« schmackhaft machen wollte, konnte sie retten: Kommer war furchtbar sauer und verlor fast die Fassung, als sie in seinem Zimmer vor ihm standen.

»Meine Herren, Fähigkeiten zu einer echten Führungskraft hat für mich nur der, der nach einem Umtrunk wie diesem – mag er noch so, entschuldigen Sie: besoffen sein – trotzdem am Arbeitsplatz erscheint. Die Kunst des Trinkens ist ein wichtiger Teil des Erfolges einer Spitzenkraft, gerade im Verkauf. In dieser Hinsicht haben Sie total versagt. Das ist es, was ich Ihnen übelnehme, ganz abgesehen davon, daß Sie nicht am Arbeitsplatz erschienen sind und die Mentalität eines Schuleschwänzers an den Tag gelegt haben. Wenn ich Ihnen zugesichert habe, daß Sie Mittwoch, den 23. Dezember, ab Mittag frei haben, um in aller Ruhe in Ihre Heimatorte zurückkehren zu können, so gilt diese meine Zusage nach den Vorkommnissen des gestrigen Tages selbstverständlich nicht mehr. Im Gegenteil, die versäumte Arbeitszeit wird nachgeholt, das heißt, Schluß ist erst um 18 Uhr.«

Insbesondere für die Berliner war das die absolute Katastrophe, denn bis auf Grau, der in Hannover bleiben und sich unterm Weihnachtsbaum verloben wollte, hatten sie alle – Hippler, Roos, Czyczykowsky und Manfred – einen Platz im Linienbus gebucht. Um 14 Uhr. Ein schneller Anruf bei dem Fuhrunternehmen ergab, daß sich nichts mehr umbuchen ließ. »Alles voll bis oben ran, tut uns leid, nichts mehr zu machen. Und Tauschen, unmöglich, wie denn?« Auch Flüge waren keine mehr frei, ganz abgesehen vom fehlenden Geld, und die total überfüllten Züge schieden von vornherein aus. Sie waren ratlos und restlos am Boden zerstört.

Da kam Dr. Patz und gab ihnen die Telefonnummer eines Freundes aus dem nahen Sarstedt. »Der hat einen alten Mercedes, vielleicht borgt er Ihnen den. Und nach Sarstedt kommen Sie mit der Straßenbahn. Hat denn einer von Ihnen ’n Führerschein?«

Ja, Leo Roos hatte einen, weigerte sich aber, Manfred mitzunehmen.

»Dann bekommen Sie den Wagen nicht«, sagte Dr. Patz.

»Na schön …«

So kam es, daß Manfred zum Weihnachtsfest 1959 von seinem Erzfeind Leo Roos nach Berlin kutschiert wurde. Es wurde eine denkwürdige Reise, denn das Auto war nicht nur alt, sondern eine regelrechte Schrottkiste. Zwei der vier Türen gingen noch nach hinten auf und mußten, da nicht mit Schlössern, sondern dicken Bindfäden zu verschließen, während der Fahrt ständig festgehalten werden. Die Heizung hatte längst ihren Geist aufgegeben, und so froren sie bei Temperaturen bis zu minus 5 Grad ganz erbärmlich. Hinzu kam, daß Leo Roos ein miserabler Autofahrer war. Am meisten aber strapazierten die beiden Grenzkontrollen ihre Nerven.

Marienborn. Endlos die Schlange der Wagen, die vor ihnen herangerollt waren. Warten vor den rot-weißen Schranken, Einweisung in die Wartezone. »Alle aussteigen, bitte!« Kofferraum auf, Motorraum auf. Die Koffer waren in eine finstere Baracke zu schleppen. Hippler mußte – offensichtlich wegen seiner Ähnlichkeit mit Hitler – vor den Augen der Grenzer seinen Fotoapparat öffnen, um den Film herauszunehmen. »Machen Sie mal das rechte Ohr frei.« Ihre Papiere verschwanden hinter dem Schalter, und sie hatten das Gefühl, schon mit einem Bein im Knast zu stehen, in Bautzen. Endlich kamen ihre »behelfsmäßigen Personalausweise« zurück. Sie suchten sie nach unauffälligen Markierungen ab. Waren die kleinen roten Punkte, unregelmäßig verstreut, als solche anzusehen – oder war es nur Stempelfarbe, hingeschludert? War der Laufzettel dabei? Ja. Fünf Mark »Straßenbenutzungsgebühren« waren noch zu zahlen, dann durften sie passieren. Auf ging es Richtung Dreilinden. Die ganze Fahrt über hatte Manfred die ungewisse Angst, Roos und Hippler könnten anhalten und ihn aus dem Auto werfen. Und dies nachts mitten in der DDR. Vielleicht taten sie es nur deshalb nicht, weil Czyczykowsky dabei war, der mit Manfred ganz gut konnte. An der Grenze zu Westberlin noch einmal in etwa dieselbe Prozedur.

Um 2 Uhr nachts war er endlich zu Hause in Neukölln, nach sieben Stunden Fahrt. Das Abenteuer Hannover war zu Ende, er lag wieder im eigenen Bett.

Weihnachten, Silvester, jedes Jahr dieselbe Prozedur, und doch war diesmal alles ganz anders, denn die Schmöckwitzer Oma saß am Heiligen Abend nicht mit ihnen zusammen unterm Tannenbaum. Damit war es gar kein richtiges Weihnachten mehr. Zwar kam sie am frühen Nachmittag mit Tante Gerda zusammen vorbei, fuhr dann aber bald wieder nach Schmöckwitz zurück. Als er die entsprechende Passage in ihrem Tagebuch las, war er traurig, war er böse.

Donnerstag, 24. Dezember
Ein schöner harmonischer Heiligabend. Hatte nur bis ½ 3 in der Frühe geschlafen und dann für Agnieszkas Puppenbett eine Decke mit Brüsseler Spitze genäht. Dann um 7 Uhr aufgestanden und eingeheizt. Mein Zimmer aufgeräumt, Fenster geputzt. Beim Staubwischen half Lucyna. Wir frühstückten um 10 Uhr und aßen vom Mohnkuchen, der gut schmeckte. Gerda war um ½ 6 Uhr, nachdem Leszek zur Arbeit ins Reifenwerk gegangen war, wachgeblieben, hatte den Vorhang im kleinen Zimmer ausgebessert und dann alles saubergemacht. Ich hatte ca. 4 Pfund Rotkohl geschnitten, Äpfel dazu, und aufs Feuer gesetzt. Gerda hat dann fertigkochen lassen. Sie machte dann Entenklein und von den Hühnern die Hälse sauber und ließ alles kochen. Um 12 Uhr 45 fuhr mit Gerda zu Margot, die wir unterwegs trafen. Zu Hause begrüßten wir Manfred, der in der Nacht aus Hannover gekommen war. Sie freuten sich aber nicht so richtig über unser Kommen, und besonders Margot war komisch zu mir, obwohl ich ihr ein Alpenveilchen und einen Porzellanteller mitgebracht hatte. Manfred sollte 1 Buch erhalten, doch ich bekam es nicht. Otto kam auch bald von der Post und aßen wir vom Entenklein mit. Um ½ 4 gingen wir wieder nach Hause …

Tante Trudchen kam zwar, doch sie war eben nur der »Oma-Ersatz«. Und überhaupt, es war schwer damit fertig zu werden: Einerseits liebten sie die Schmöckwitzer, andererseits wünschten sie sie auf den Mond, denn als Manfred in Hannover gewesen war, hatte es in Schmöckwitz einen Vorfall gegeben, der insbesondere seine Mutter tief getroffen hatte, aber auch ihn und seinen Vater gehörig empörte. »Sie haben mich enterbt!« So der Anruf seiner Mutter im Kurheim. »Ich hab' doch immer alles für meine Mutter getan – womit hab' ich das verdient ...!?« Tante Gerda hatte ihre Mutter überredet, ihr Haus und Grundstück in Schmöckwitz zu überschreiben, angeblich aus der Angst heraus, nach deren Tod von den Behörden auf die Straße gesetzt zu werden, wenn alles zur Hälfte einer »Westlerin« gehörte. »Das ist doch totaler Quatsch!« rief Manfred, als er davon hörte. »Die haben uns nur ausgetrickst.« Tante Gerda und die Schmöckwitzer Oma hatten immer wieder beteuert, daß sich faktisch nichts ändern werde. »Ihr seid doch weiter meine Kinder und keine Gäste.« Das zu glauben, fiel ihnen schwer.

So wurde es eine sehr besinnliche Feier, und fast flüchteten sie sich nach oben zu den Liebetruths.

Als Manfred im Bett lag, wurde er von seinen widersprüchlichen Gefühlen richtiggehend durchgeschüttelt. Einerseits, andererseits. Trotz Krieg und Spaltung, trotz aller Krisen und Schmerzen empfand er seine Kindheit als das irdische Paradies – und er war dankbar dafür. Zugleich aber verfluchte er diese Erfahrung, denn alles, was nun noch kommen konnte – und Siemens hatte nur den Anfang gemacht – entfernte ihn unweigerlich immer weiter vom Paradies. Er kam sich vor wie Martin Grambauer in den *Gerechten von Kummerow*, als der sein Dorf verlassen mußte: »Das Tor des Paradieses war zugefallen. Für immer.«

Damit hast du dich nun abzufinden, verdammt noch mal!

Am ersten Weihnachtsfeiertag besuchten sie die Kohlenoma im Hospital in der Kreuzberger Adalbertstraße und gingen anschließend zu Onkel Helmut, Tante Irma und Peter, die ein paar Schritte weiter im »alten Haus von Rocky-Docky«

wohnten, also in der Manteuffelstraße. Am zweiten Weihnachtstag kamen die Schmöckwitzer zu ihnen nach Neukölln.

Sonnabend, 26. Dezember
Nachts 1° minus, am Tage 2° plus, nachmittags Regen.
Hatte nachts sehr wenig geschlafen und war um 8 Uhr aufgestanden. Frühstück für uns alle gegen 10 Uhr. Torte und Kuchen. Um ½ 1 aßen wir zum aufgebratenen Entenbraten Rotkohl, Kartoffeln und Kirschen-Kompott. Um ½ 2 fuhren wir nach Neukölln zu Margot, Otto und Manfred. In der Bahn traf ich Else und Erna, welche zu Elses Schwester nach Hohen Neuendorf fuhren. Gegen ½ 4 waren wir an der Treptower Brücke, wo Trudchen auch schon wartete. Im Wohnzimmer war der Tisch mit Geschenken und bunten Tellern für uns aufgebaut. Die Kinder bekamen Pullover, Agnieszka einen fraisfarbenen und Lucyna einen blauen, Gerda 1 Garnitur und einen Perlon-Unterrock, Leszek noch Kaffee. Er hatte schon zum Geburtstag den elektrischen Rasierapparat bekommen. Agnieszka hatte Onkel Otto 1 Pfeffermühle geschenkt und Lucyna einen Gemüseschneider. Leszek und Gerda schenkten Manfred 1 Flasche Ananassaft und seinen kleinen Golfball, den Leszek beim Umbuddeln der Hagebuttenrose wiedergefunden hatte. Margot und Otto bekamen einen Flaschenhalter in Form einer Kanone und eine Flasche Weinbrand aus dem Konsum, Trudchen eine Flasche Wein. Ich hatte ihre ganzgemachte Muffe mitgebracht. Trudchen hatte Äpfel und Mandarinen und 1 Cocosnuß für die Kinder beschert. Von Elisabeth aus New York noch ein Care-Paket bekommen. Von Margot und Otto bekam 75,– geschenkt und eine modefarbene Wolljacke und einen reichen bunten Teller. Manfred erfreute mich mit einem Kasten Confekt von einem ½ Pfund. Ich war hocherfreut über alle Gaben und sehr ergriffen. Bei Kaffee und Kuchen, Kartenspiel (Schlesischer Lotterie), wo es sehr lustig mit Agnieszka und Manfred zuging, dann einem reichhaltigen Abendessen und Fernsehen verlebten wir alle einen sehr schönen harmoni-

schen Weihnachtstag. Wir packten alle Taschen voll und nahmen noch einen Koffer mit den gesandten Sachen mit. Um 12 Uhr gingen wir nach Hause und waren um 2 Uhr in Schmöckwitz.

Silvester wurde oben bei Liebetruths gefeiert, und schon am Neujahrstag ging es mit dem Zug nach Erlangen, wo bis Ende März 1960 der Siemens-Abschlußlehrgang stattfinden sollte. Manfred kam sich vor wie ein Schaf, das man zur Schlachtbank führte.

Erlangen war neben München der Hauptsitz des Siemens-Imperiums im Nachkriegsdeutschland. Hier, wo die Schwabach in die Regnitz mündete, wo am 16. März 1789 der große Physiker Georg Simon Ohm zur Welt gekommen war – siehe die Einheit des elektrischen Widerstandes, Ω –, stand das riesige Verwaltungsgebäude der Siemens-Schuckert-Werke AG und produzierten außerdem die Siemens-Reiniger-Werke elektromedizinische Apparate und Einrichtungen. Für die knapp einhundert Stammhauslehrlinge aus allen deutschen Werken und ZNs hatte man an der Ausfallstraße nach Nürnberg ein Barackenlager aufgetan. Um sich unabsehbare Querelen zu ersparen und zudem alles tüchtig durcheinanderzuwirbeln, hatte man im Büro Paul Zulschs, des obersten Ausbildungsleiters, die Betten ausgelost. Es gab zwar viel Ach-und-Weh-Geschrei, doch da von vornherein jeder Protest zwecklos war, mußte man sich mit dem abfinden, was einem das Los beschert hatte. Nicht einmal Moshe Bleibaum, der Ästhet mit dem Sauberkeitstick, schaffte es, von Wulkow loszukommen, einem schmuddligen Pseudo-Intellektuellen, der bevorzugt Sartre las, dabei aber so nach Tabaksqualm, Urin, Schweiß und anderem roch, daß Moshes Vergleich mit einem Pumakäfig noch stark untertrieben war.

Manfred war Horst Czyczykowsky zugelost worden, seinem Kameraden aus Hannover, dem Fürsten Chi-Chi, und fand das ganz erträglich. Es hätte schlimmer kommen können, siehe Wulkow, Heil-Hippler oder Leo Roos. In dem anderen Zimmer ihres Barackenteils waren Ingo Schießke, also ein weiterer Ex-Hannoveraner, und dessen Düsseldorfer Freund Hennig Haubenreißer untergebracht. Haubenreißer war lang, dürr und etepetete wie ein englischer Konservativer, trug eine Nickelbrille, schrieb seine Briefe nur in lupenreinem Latein und wollte Siemens verlassen, um in Bonn Jura zu studieren. Alle vier hatten denselben Eingang und eine gemeinsame Küche.

Als sie eintrafen, war es bitterkalt in der Unterkunft. Als erstes mußten sie sich vom zentralen Punkt Preßkohlen holen.

Manfred schleppte Kohlen und kam sich wie in einem Straflager vor. Die hölzernen Wände ihrer Zimmer waren mit giftgrüner Farbe gestrichen und ließen ihn an eine Desinfektionsanstalt denken.

Die Betten waren so durchgelegen, daß er nachts glaubte, in einer Hängematte zu baumeln. Außerdem blieb es lausig kalt, und nebenan spielten Schießke, Haubenreißer und Benschkowski bis zum Sonnenaufgang Skat.

So war er hundemüde, als sie sich am nächsten Morgen im großen Saal der Siemens-Schuckert-Hauptverwaltung trafen, begrüßt von Herrn Loerke, einem dicklichem Mann mit Wiener Charme, der stellvertretend für Paul Zulsch aus München hergekommen war. Alle wurden aufgerufen, und Manfred vernahm die vertrauten Namen aus der Berliner Werkschulzeit, dazu noch die der Hannover Weggefährten: Adler, Benschkowski, Bickel, Bleibaum, Börner, Czyczykowsky, Glueck, Grau, Heimann, Hippler, Höfer, Labové, Lichtwitz …

»Matuschewski …?«

»Ja, hier.«

Mulack, Pietsch, Rink, Roos, Schießke, Schmitt, Willich, von Zauchwitz und viele andere. Frauen waren die höheren Weihen in diesen Jahren noch verwehrt worden. Hannelore Mirau hatte nicht anreisen dürfen.

Nun kam, völlig unerwartet, etwas so Ensetzliches, daß Manfred am liebsten aufgesprungen wäre und den Saal verlassen hätte: Loerke teilte sie in zwanzig Gruppen ein und gab bekannt, daß jeder Stammhauslehrling von einem neutralen Siemens-Bediensteten ganztägig getestet und bewertet werden sollte.

»Wir wollen wissen, was Sie wissen. Und zwar in den Fächern, in denen Sie in den verschiedenen Werkschulen unterrichtet worden sind, wie auch im Hinblick auf Ihr arbeitsplatzbezogenes Wissen. Es wird eine Punktliste erstellt, und diejenigen von Ihnen, die eine bestimmte Mindestpunktzahl nicht erreichen, bekommen von uns die Gelegenheit, bis zu den Prüfungen im März in Zusatzkursen ihre Defizite auszugleichen.«

99 waren sie, und Manfred war sich sicher, auf Platz 99 zu landen. *Na und, davon hängt dein Leben nicht ab.* Nein, aber sein Ehrgeiz war so groß, daß es ihm schwergefallen wäre, mit dieser Schande zu leben. Auch fühlte er sich den meisten – abgesehen von Moshe Bleibaum, Bickel, Hennig Haubenreißer und zwei, drei anderen – intellektuell ziemlich überlegen. Tatsache war aber, daß er herzlich wenig wußte. Wenn ihn Leo Roos in Hannover als »Pennratze« tituliert hatte, so traf das, was sein Verhalten im Unterricht anging, ganz sicher zu. Da hatte er fast immer schweigend dagesessen und vielerlei getan – zum Beispiel Schach gespielt, Streckennetze gezeichnet, die 50 Bundesstaaten der USA aufzulisten versucht oder von einem Rendezvouz mit Renate und anderen Mädchen geträumt –, nur eines nicht: aufgepaßt und mitgeschrieben. Bei den Arbeiten hatte er entweder abgeschrieben oder aber Glück gehabt, wie zum Beispiel bei einer Buchführungsarbeit, als der Lehrer das Muster eines Betriebsabrechnungsbogens neben ihm hochgehalten hatte und es ihm gelungen war, einen Blick auf die entscheidenden Zahlen zu werfen. Manchmal hatte er sich krank gemeldet, und dann war vergessen worden, ihn nachschreiben zu lassen. Eines aber hatte er bislang immer vermieden: den »Quatsch« zu lernen. Das rächte sich nun. Dazu kam sein Pech mit Nora. Dieser Vertriebszweig war nun aufgegeben worden und sein praktisches Wissen damit nichtig. Aber

auch im Hausgerätewerk hatte er seine Dienststellenberichte von Lord Lothar abgeschrieben und allzeit versucht, sich nicht übermäßig zu belasten. Hier rein, da raus – Siemens verdrängen, Siemens vergessen.

Nun war das dicke Ende gekommen, und er fühlte sich fast wie auf dem elektrischen Stuhl, als er mit Roos, Glueck und Hippler zusammen in einem kleinen Besprechungszimmer saß und ihn ein Diplomkaufmann aus der Zentral-Finanzabteilung (ZF) gehörig in die Mangel nahm.

Ich weiß nur, daß ich nichts weiß. Mit dieser Erkenntnis ließ Manfred alles über sich ergehen.

»Herr Glueck, was verstehen wir unter Plankostenrechnung?«

»???«

»Herr Roos ...«

»Also ... Plankostenrechnung ist etwas anderes als die Istkostenrechnung ...«

»Und wie definieren wir sie?«

»???«

»Herr Matuschewski ...«

Natürlich wußte er das nicht. Aber da Schweigen sicherlich das Schlimmste war, erzählte er dem ZF-Mann, was ihm zum Planen gerade einfiel, schwadronierte einfach drauflos. Seine weit überdurchschnittliche Allgemeinbildung und sein waches Interesse an der Welt halfen ihm dabei. »Mit der Plankostenrechnung liegt es ja bei Siemens noch im argen. Das mag aber auch daran liegen, daß wegen der DDR, wo das ja gar nicht funktioniert, auch bei uns die Planung generell nicht so gut angesehen ist. Der letzte Siebenjahrplan in der DDR ist letztes Jahr beschlossen worden, 1959 also, aber da haben wir ja jetzt keine Zeit zu, darüber zu reden.«

»Herr Hippler ...«

»Die Plankostenrechnung ist bestrebt, bestimmte Einflüsse, die auf die Kosten einwirken, durch Vorausplanung der Kosten auszuschalten.«

»Richtig. Plankosten haben also ...?«

»???«

»Vorgabecharakter!« rief der Leitende Angestellte aus München, unnahbar, streng, bierernst und ganz Oberbuchhalter.

So ging das fast in jeder Runde: Glueck war absolut ahnungslos, Roos hatte irgendwo ein Bruchstück aufgeschnappt, konnte es aber kaum einmal in einen größeren Zusammenhang bringen, Hippler hatte vieles brav gelernt, jedoch nur wenig verstanden, und Manfred hatte weder etwas gelernt noch etwas verstanden, wußte aber aus der Literatur, dem *Spiegel* und den Tageszeitungen eine ganze Menge über das Sosein der Welt.

Als ihr Prüfer sie Punkt 17 Uhr entließ, konnten sie nur noch in die nächste Kneipe wanken und mit einigen anderen, die ebenso geschafft waren wie sie, beim Bier die Wunden lecken.

Das Urteil kam am nächsten Morgen. Glueck wurde als absolut unbrauchbar nach Berlin zurückgeschickt und vom Stammhaus- zum normalen Lehrling degradiert. Roos wurde in die »Nachhilfeklasse« geschickt. Hippler und Manfred dagegen hatten bestanden und durften weiter in der Karawane mitmarschieren.

Manfred konnte es nicht fassen. *Frechheit siegt.* Nein, das war es nicht allein. Auch nicht die Kunst des Bluffens. Was dann? Ganz einfach: Die anderen waren noch schlechter als er. Zu Siemens in die Lehre war das geistige Mittelmaß gegangen – von Sonderfällen wie Moshe Bleibaum, Haubenreißer und Bickel einmal abgesehen. Die Elite studierte an den Universitäten, um bei Berufsbeginn als Akademiker gleich zwei Etagen höher einzusteigen. Die wahre Stärke der Stammhauslehrlinge kam in theoretischen Prüfungen überhaupt nicht zur Geltung: ihre Fähigkeit, gut mit Kunden umzugehen und am Arbeitsplatz »was wegschaffen« zu können, und das im Team. Wolfgang Schmitt war das Paradebeispiel für einen hervorragenden Praktiker, an dem die Firma noch viel Freude haben würde, obwohl er nur Platz 77 belegt hatte.

Zwei Tage später verteilte das Ausbildungssekretariat einen

Bogen mit nur einer, aber einer sehr entscheidenden Frage: »Wollen Sie nach dem Abschlußlehrgang und bestandenen Prüfungen im Hause Siemens bleiben? Ja ( ), Nein ( ). Zutreffendes bitte ankreuzen.«

Was tun?

»Ich sage denen ganz offen, daß ich nachher Jura studiere.« Für Hennig Haubenreißer war die Sache klar.

»Du kannst dir das erlauben«, seufzte Manfred, »du bist einfach zu gut. Mich aber lassen Sie dann bei der Prüfung durchfallen.«

»Na und?«

»Dann finanzieren mir meine Eltern das Studium nicht.«

Schießke rang die Hände. »Gott, dann sagst du eben, daß du bleibst, gehst dann aber doch. Wie ich.«

»Wenn das rauskommt, dann sind sie erst recht wütend auf uns und lassen uns doppelt und dreifach durchfallen.«

»Schreib doch, daß du nach dem Studium wiederkommen willst, weil du die Firma so liebst«, riet Czyczykowsky. »Siemens, Siemens über alles, über alles in der Welt.«

Das machte Manfred dann auch. Er kreuzte das Nein an und schrieb dahinter: »Ich möchte aber nach dem Studium von Soziologie und Psychologie wieder ins Haus Siemens zurückkehren und in der Personalverwaltung arbeiten.« Natürlich wollte er das nicht, aber wer wußte schon, was in fünf Jahren sein würde.

In der zweiten Januarwoche begann in Erlangen die Routine Einzug zu halten.

Jeden Montag setzten sie sich frühmorgens in drei Busse und besuchten die Siemens-Werke und Niederlassungen im Süden: Amberg, Nürnberg, Karlsruhe, Bruchsal, Speyer, Mannheim, Würzburg, Redwitz und Regensburg. Hinzu kam das Versandhaus Quelle in Fürth. Auf den Wegen gab es immer wieder Abstecher zu kulturellen Stätten, etwa Rothenburg ob der Tauber, Baden-Baden, Freudenstadt im Schwarzwald, Schloß Banz und die Walhalla, plus der Führungen durch die Altstädte von Nürnberg und Regensburg. Manchmal blieb man auch irgendwo über Nacht, ausschließlich aber in Jugendherbergen. So hörte Manfred im Schlafsaal der Karlsruher Jugendherberge aus seinem kleinen Radio, wie Jörg Thoma bei den Olympischen Winterspielen in Squaw Valley die Goldmedaille in der Nordischen Kombination gewann. Alle sprangen von ihren Strohsäcken und jubelten.

So ging es also montags zu, und das waren Rosinen im sonst knochentrockenen Erlanger Kuchen. Von Dienstag bis Freitag nämlich hatten sie meist im großen Vortragssaal zu hocken und endlose Vorträge über sich ergehen zu lassen. Mit oft nur vier Stunden Schlaf war es fast unmöglich, dabei wach zu bleiben, und Manfred machte die Erfahrung, wie qualvoll das sein konnte.

Kein Wunder, daß es bei so viel alltäglicher Monotonie abends in der Unterkunft um so turbulenter zuging.

Eines der beliebtesten Spiele war das Wettheizen, bei dem die Sieger einen Kasten Bier gewinnen konnten. Man schleppte bergeweise Preßkohlen heran und warf sie in den Kanonenofen, der bei jeder Vierergruppe in der Küche stand. Der Ofen fing bald an zu glühen, und die Kämpfer, nur noch in Badehosen, sahen aus wie Heizer auf Ozeanriesen. In fünf Meter Entfernung vom Ofen stand Heimann, eine Figur wie Hermann Göring, und hielt das Thermometer, das stieg und stieg, bis einige schrien: »Aufhören, der Holzfußboden fängt an zu brennen!« Das geschah zwar nie, aber Manfred hatte des öfteren schon seine Sachen gepackt, um schnell fliehen zu können.

Er selber veranstaltete in der Küche für Freunde der Leichtathletik mehrmals in der Woche den Wettbewerb »Weitsprung aus dem Stand«. Die Dielen federten sehr schön und hielten das gut aus. Man mußte sich vor dem Springen die Hacken mit Kreide einschmieren, was den Abdruck gab, von dem aus gemessen wurde. Er siegte fast immer und steigerte seinen persönlichen Rekord auf gute 2,48 Meter.

Ingo Schießke und Hennig Haubenreißer spielten meistens Skat, an einem Abend, als sich kein anderer finden ließ, sogar mit Wulkow.

Als es auf Mitternacht zuging, droschen sie noch immer Skat. Czyczykowsky hämmerte gegen die Wand. »Ruhe, ich will arbeiten!« Er saß an einer Kurzgeschichte für den Berliner *Abend*. Aus dem anderen Zimmer kam nur Wulkows höhnisches Lachen.

»Mir geht das auch auf den Keks.« Manfred war dabei zu lernen. Es war der verzweifelte Versuch, in zweieinhalb Monaten das nachzuholen, was er in zweieinhalb Jahren versäumt hatte. Nichts wußte er richtig, überall fehlten ihm die Grundlagen, konnte er nicht erkennen, wie was womit zusammenhing. Sätze wie: »Alle im Laufe des Geschäftsjahres gebildeten Wb (2 an 0) werden am nächsten Jahresende wieder storniert ...« verstand er ebensowenig wie die vedischen Schriften, die bei Hennig auf dem Nachttisch lagen: »trai-gunya-visaya veda ...«.

Manfred bummerte an die dünne Wand des Nebenzimmers. »Könnt ihr nicht bitte auf den Dachboden gehen ...!« Da saß er am Wochenende immer und lernte eisern, während die anderen Fußball spielten oder nach Nürnberg fuhren.

»Nein, geht ihr doch!«

Da riß Czyczykowsky der Geduldsfaden. Er holte zwei dicke Nägel, schob sie in die Steckdose neben seinem Bett, nahm ein Küchenmesser, das einen hölzernen Griff hatte, und führte einen mächtigen Kurzschluß herbei, indem er die Schneide zwischen die beiden Nägel klemmte.

»Nun spielt mal schön – im Dunkeln!«

Von nebenan kam Wutgeheul. Eine Ersatzsicherung hatte keiner zur Hand, Kerzen auch nicht, und beim Schein einer einzigen Taschenlampe spielte es sich mehr schlecht als recht. Man mußte also aufhören und schmiedete Rachepläne. Die bestanden darin, daß man zu dritt in die Küche stürmte und die Zimmertür der Saboteure, die nach außen hin aufging, mit Nägel und Brettern verbarrikadierte. Noch begriffen sie nicht so recht, was die Gegner eigentlich wollten, sie ausräuchern wohl kaum. Dann hörten sie es draußen rauschen. Wulkow hatte die Idee gehabt, die Küche so unter Wasser zu setzen, daß es auch zu ihnen ins Zimmer reinlief –

zwischen Schwelle und Tür war ein Spalt von gut einem halben Zentimeter. Schnell brachten sie ihr Hab und Gut in Sicherheit, warfen alles hoch ins Bett oder in und auf die Schränke. Der Pegel stieg und stieg. Erst am Morgen war alles wieder versickert.

Diese Tat blieb indes nicht ungesühnt, denn als Wulkow zwei Tage später abends mit seiner Isetta nach Nürnberg zum Schwofen fahren wollte, stürzten Czyczykowsky, Manfred und zwei Helfer – Pietsch und Schmitt – hinter einer Ecke hervor und hoben das Gefährt hinten soweit an, daß die beiden kleinen Räder nicht mehr greifen konnten. Dann schoben sie die Isetta so dicht an eine Mauer heran, daß Wulkow die Fronttür nicht mehr öffnen konnten, und legten hinten ein paar große Steine unter die Karosserie. Da ihn niemand richtig leiden konnte, saß er zwei Stunden hilflos da, ein echter Lacherfolg. Schließlich kam Haubenreißer und befreite ihn edelmütig. Wulkow tat, als trage er das alles mit Fassung, war aber wenig später der Drahtzieher des Attentats auf Axel Pietsch, dessen Messerschmitt-Kabinenroller plötzlich verschwunden war. Die Polizei mußte eingeschaltet werden, um nach ihm zu suchen, und fand ihn auf dem Dach von Pietschs Baracke.

Als alter Leichtathlet trank Manfred keinen Alkohol, höchstens mal zwei Gläser Wein. Czyczykowsky war auch eher abstinent, aber in manchen Baracken wurde heftig gesoffen, und dann gab es »Ausschreitungen«, die Loerke zum Eingreifen zwangen. So kamen eines Nachts Benschkowski, Heimann und fünf andere auf die Idee, »die sieben Schwaben zu spielen«, das heißt, sie rissen einen Wäschepfahl aus dem Boden, hielten ihn wie einen Spieß und stießen damit eine Coca-Cola-Flasche vom Küchentisch – allerdings durch das geschlossene Fenster, durch Laden und Scheibe hindurch. Auch gab es »Orgien« in deren Verlauf Pietsch eine Erlanger Krankenschwester schwängerte, die er später heiratete, und Heimann vor Benschkowski den Titel des schnellsten Ejakulierers gewann. Die Ermittlungen gegen die beiden verliefen im Sande, Strafen wurden keine erlassen. Die Benschkowskis dienten ja schon seit mehreren Generationen treu und brav dem Hause Siemens, und Heimanns Vater besaß eine eigene Firma und war ein zu wichtiger Geschäftspartner von Siemens & Halske, als daß man wegen seines ejakulierenden Sohnes Ärger heraufbeschwören wollte.

Vormittags gab es jetzt öfter Sonderprüfungen, veranstaltet von den Ausbildungsleitern, um herauszufinden, ob irgend jemand besondere Kompetenzen aufzuweisen hatte. So mußte beispielsweise Friedrich-Wilhelm von Zauchwitz im großen Vortragssaal vor allen anderen Kursteilnehmern ein Referat halten, und das auch noch über das Thema »Vor- und Nachteile von Fusionen am Beispiel des Zusammenschlusses der Hoesch-AG und der Dortmunder Hüttenunion«. Zur Vorbereitung war ihm gerade mal eine Viertelstunde Zeit gelassen worden. Manfred wurde mit Moshe Bleibaum, Hennig Haubenreißer und Leo Roos zur Gruppendiskussion auf die Bühne gerufen.

»Im Godesberger Programm der SPD heißt es ›Wettbewerb soweit wie möglich – Planung soweit wie nötig‹. Welche Konsequenzen könnte das für das Haus Siemens haben?«

Moshe Bleibaum und Hennig Haubenreißer waren brillant und hatten die besseren Argumente, blieben aber immer kühl, während Manfred mit dem Herzen und sich immer wieder erregend für den Sozialismus focht.

»Ich kenne nur einen Sozialismus: den Nationalsozialismus!« rief Leo Roos.

In der Kantine kam Paul Zulsch, der oberste Ausbildungsleiter aus der Münchener Zentrale, zu Manfred an den Tisch und setzte sich neben ihn. Manfred war wegen seiner ständigen Zahnprobleme bei Tische immer der Letzte.

»Werd' ich jetzt nicht zur Prüfung zugelassen?« fragte er.

Zulsch lächelte. »Doch gerade. Und ich hoffe, daß Sie mindestens mit einer Zwei bestehen werden, denn ich könnte mir gut vorstellen, daß Sie eines Tages einmal mit unseren Vorstandsmitgliedern an einem Tisch sitzen werden ...«

Manfred war verwirrt. »Wie denn das ... als Siemens-Angestellter ... bei meinen Leistungen ...«

»Nein, auf Gewerkschaftsseite … bei Tarifverhandlungen. Und da ist es immer gut, gut für die Sozialpartnerschaft, wenn man sich kennt, wenn man auch die andere Seite kennt.« Er klopfte Manfred auf die Schulter. »Also, auf, pakken Sie's! Es ist auch eine gute Vorbereitung für Ihre Betriebssoziologie.«

Das war für Manfred der Auslöser, noch öfter auf den Dachboden zu klettern, sich einzuschließen und bis zum Umfallen zu pauken.

Am Nachmittag verfiel man wieder in den gewohnten Trott, einen Vortrag nach dem anderen. Ein leitender Angestellter des Wernerwerks für Weitverkehrs- und Kabeltechnik sprach über projektierte Richtfunknetze zwischen den Kraftwerken im Ruhrgebiet.

»… so erhielt S&H in den letzten Jahren unter anderem von der Bergwerksgesellschaft Hibernia, von der Rheinisch-Westfälischen Elektrizitätswerk AG, dem größten öffentlichen Stromversorgungsunternehmen in der Bundesrepublik, und von der Steinkohlen-Elektrizitäts AG, einem Unternehmen des Ruhrbergbaus, den Auftrag, Richtfunkgeräte zu liefern. So kann sofort überschüssige Energie …«

Weiter kam er nicht, denn in diesem Augenblick stürmten zwei Herren in weiten Mänteln den Saal und liefen, da der Referent seinen Vortrag unterbrach, nach vorn zum Podium, wo Kastrell, ein fetter, extra von Loerke bestellter Aufpasser, schon aufgesprungen war. Sie flüsterten ihm etwas zu, und sein Blick streifte suchend über die Gesichter der 99 Stammhauslehrlinge. Manfred erschrak. Offensichtlich war ein naher Verwandter gestorben, und nun sollte der Sohn ans Telefon geholt werden. Sein Vater …?

Da hatten die beiden Herren in den weiten Mänteln mit Kastrells Hilfe den gefunden, den sie suchten: Ingo Schießke. Der Verfassungsschutz. Man bat ihn, unauffällig mitzukommen. Entsetzen, Schweigen. Schießke, kommender Mann der Jungen Union, sollte, wie alsbald geflüstert wurde, bei einer seiner Auschwitz-Reisen von östlichen Geheimdiensten angeworben worden sein. Am nächsten Tag hatte sich das Ganze als großer Irrtum erwiesen. Schießke sagte nur, er trüge es wie ein Nahkampfspange auf dem Revers. Manfreds Zweifel an diesem Staate wurden durch diesen Vorfall sehr verstärkt.

Es war wie bei einer großen Operation: Erfährt man, daß sie in einem Monat stattfinden soll, ist es bis zu diesem Tag noch ewig hin, und man ist sich sicher, daß er nie kommen wird, denn vorher wird es noch das Wunder geben, das einem alles erspart. Doch das Wunder geschieht nicht, und plötzlich ist es soweit.

So empfand Manfred die Zeit vor den Prüfungen. Um sechs Uhr morgens ging dann eines Tages wie immer das Licht an, und Czyczykowsky pfiff. »Aufstehen, erster Prüfungstag. Kostenrechnung.«

Zwei schriftliche Prüfungen waren zu bestehen, erst die Siemens-eigene, dann die der Industrie- und Handelskammer Nürnberg, bei der man auch zum Mündlichen anzutreten hatte.

Es waren zwei fürchterliche Wochen, und als sie am 22. März zum letzten Mal im Vortragssaal saßen, war sich Manfred sicher, trotz all seiner Bemühungen durchgefallen zu sein. Mit gesenktem Kopf hing er in seinem roten Sitz.

Paul Zulsch würde, das wußten sie von ihren Vorgängern, feierlichen Schrittes an das Rednerpult treten, um im Rahmen einer kleinen Feierstunde die Noten zu verlesen. Das geschah aber erst, nachdem alle ihre Reden gehalten hatten und das Orchester öfter in Aktion getreten war. In den *Siemens-Mitteilungen*, der Werkzeitschrift des Hauses, las sich das später so:

»... sich erst bewähren«
Erlangen – »Ich gestehe es offen: Die Prüfungsergebnisse dieses Jahrganges haben sich auf die Durchschnittsergebnisse der Industrie- und Handelskammer Nürnberg recht vorteilhaft ausgewirkt.« Die Teilnehmer des Stammhauslehrganges 1960, denen das Lob von Senator Maser, dem Vizepräsidenten der Industrie- und Handelskammer Nürnberg, galt, hörten es gerne. Daß sie in ihren guten Prüfungsergebnissen aber noch keine absolute Gewähr für eine erfolgreiche

Zukunft sehen, sprach einer von ihnen aus: »Wie man einen Weinjahrgang erst nach Jahren richtig beurteilen kann, so muß sich auch dieser Stammhauslehrgang erst noch bewähren.«

»10 Jahre Stammhauslehrgänge« – so stand es auf der Einladung zur Freisprechungsfeier im Verwaltungsgebäude der SSW. Direktor von Worgitzky, Leiter der Hauptpersonalabteilung, benutzte das Jubiläum, um Vergleiche zu ziehen zwischen damals und heute. 1950 habe bei den Kursteilnehmern – zum großen Teil Spätheimkehrern aus der Kriegsgefangenschaft – der Wunsch vorgeherrscht, sofort in die Praxis zu gehen, Verantwortung zu übernehmen, Geld zu verdienen. Heute sei der Drang zum Studium unverkennbar.

Und so weiter. Ovationen gab es für Paul Zulsch, den Leiter der Kaufmännischen Ausbildung. Er trat ans Rednerpult.

»Liebe Freunde, der Worte sind genug gewechselt: Nun laßt die Noten sprechen.« Er wußte, daß im Grunde alle nur auf diesen Augenblick gewartet hatten. »Ich darf Ihnen nun Ihre Abschlußnoten verlesen, und zwar in alphabetischer Reihenfolge. Und das Erfreulichste vorneweg: Nur einer von Ihnen hat nicht bestanden ...«

»Ich!« fuhr es Manfred durch den Kopf, und er hatte das Gefühl, daß ihn alle anstarren würden, zitterte am ganzen Körper, hatte nur den einen Wunsch, aufzuspringen und aus dem Saal zu laufen.

Es begann mit Rainer Adler, der nur eine Drei bekommen hatte, und die erste Eins entfiel programmgemäß auf Bernhard Bleibaum, Moshe Bleibaum. Czyczykowsky hatte eine Vier bekommen, war aber trotzdem glücklich.

Bis zum Buchstaben M verging noch eine Ewigkeit. Das Schlimmste war, daß der einzige Durchfaller bis dahin noch nicht aufgetaucht war.

»Labové – Drei.«

Die Schadenfreude, daß der nicht besser abgeschnitten hatte, lenkte Manfred sekundenlang ab, bis er voll realisierte, daß er der Nächste war. Nichts konnte ihn mehr retten.

»Matuschewski – leider nicht bestanden.«

»Matuschewski – Zwei.«

Er konnte es nicht fassen und mußte bei Czyczykowsky, seinem Nebenmann, nachfragen, ob das auch wirklich stimme.

»Ja, klar.«

Ein Raunen ging durch den Saal, als herauskam, daß der einzige Diplomkaufmann unter allen 99 Stammhauslehrlingen, also einer mit abgeschlossenem Hochschulstudium, die Niete gezogen hatte und durchgerasselt war.

Die beiden Prüfungen vor der Industrie- und Handelskammer hatte Manfred sogar mit einer 1–2 (schriftlich) und einer 1 (mündlich) bestanden.

Die Freisprechungsfeier ging zu Ende, und Manfred fühlte sich, als wäre er nie zu drei Jahren Siemens verdonnert worden. Im Freudentaumel seiner Zwei vergaß er, daß er sich – mit der Ausnahme Hannover vielleicht – bei Siemens immer wie im Gefängnis vorgekommen war und er sich selber als ein Knacki, verurteilt zu drei Jahren kaufmännischer Lehre.

Freude, schöner Götterfunken. Er gönnte sich eine Flasche Champagner. Dann ging es nach Berlin zurück.

Mauerbau und Alma mater

Manfred pfiff vergnügt vor sich hin. Ein großer Traum hatte ihn aufrechterhalten: frei zu sein und studieren zu können. So war es ihm gelungen, die drei Jahre Siemens-Haft schließlich hinter sich zu bringen. Und nun war dieser Traum in Erfüllung gegangen. Es war Mai geworden, und er marschierte, die neue rehbraune Collegetasche an die rechte Hüfte geklemmt, am modernden Kanal entlang, um mit der S-Bahn zur FU zu fahren. Ihm kam ein Kalenderspruch in den Sinn, den ihm sein Vater aus der Störungsstelle in der Skalitzer Straße mitgebracht hatte: »Das Leben eines Menschen, der freiwillig studiert, ist von unaussprechlichem Vergnügen begleitet.« (Goldsmith, *Der Weltbürger*)

Von der Treptower Brücke bis zum S-Bahnhof Sonnenallee waren es 1,2 Kilometer, Manfred hatte es genau ausgemessen, aber mit der Straßenbahn zu fahren, lohnte sich nicht, obwohl der Weg, insbesondere am Abend und bei Nebel, ziemlich gruselig war. Bis zur Teupitzer Brücke ging es immer am Kanal entlang, vorbei am weißgefliesten Fabrikgebäude der »Nationalregistrierkassen« und einem Lagerplatz der Bewag, und das war ja noch zu ertragen, trotz Einsamkeit und huschender Ratten, dann aber gab es keine Straße mehr, sondern nur noch einen schmalen Schotterweg, zu beiden Seiten von hohen Zäunen eingefaßt. Links zog sich das Neuköllner Gaswerk hin, an eine Ruhrpottzeche erinnernd – düster, stinkend, feuerspeiend und fauchend –, und rechts erstreckten sich die Laubenkolonien *Kühler Grund* und *Grüne Ecke* bis zum Hertzbergplatz hin – unübersichtlich und furchteinflößend. Das ähnelte dem Teil Londons, den man aus vielen Filmen kannte – überall schienen Einbrecher und Räuber zu stecken, Triebtäter und Mörder zu lauern. Seine Mutter wäre diesen Weg nie und nimmer gegangen, und auch er war froh, wenn er ihn hinter sich gelassen hatte, fuhr nervös zusammen, als man in der Nähe den Koks ablöschte und es zischte, als würde eine glühende Lavazunge ins Meer stürzen.

Die S-Bahn versöhnte ihn dann wieder. Schon auf dem Bahnsteig zu warten, war schön, den Gedanken nachzuhängen, die Leute zu betrachten, es einfach zu genießen, nicht bei Siemens im Büro sitzen und Einstandspreise ausrechnen zu müssen – wie es all die taten, die nicht studierten: Czyczykowsky beispielsweise, Schmidt, Roos und Höfer. Er aber – Gott sei Dank! – konnte sich jetzt in die S-Bahn setzen und in aller Gemütlichkeit herumkutschieren lassen, absolut frei. Kein Vorgesetzter, kein Ausbildungsleiter, kein Druck.

Am Neuköllner Stadion rollten sie vorbei – ob er wieder zu NSF gehen und einen neuen Anfang machen sollte? –, dann am Tempelhofer Feld, und er reckte sich nach hinten, um zu sehen, wie die silbernen Vögel der PAN AM hinten über den Neuköllner Friedhöfen zur Landung ansetzten, in der Schneise zwischen den vierstöckigen Mietshäusern wie in einem Cañon zur Erde schwebten. Ob er ein so guter Student werden würde, daß sie ihn mit einem Fulbright-Stipendium in den USA studieren ließen? Sicher. Er mit seiner Siemens-Erfahrung hatte ja all denen, die direkt von der Schulbank auf die Uni kamen, unendlich viel voraus.

In Schöneberg war in die Wannsee-Bahn umzusteigen, und hinaus ging es in die Welt, die einem Neuköllner Hinterhofjungen wie ihm immer als das gelobte Land erschienen war: Friedenau, Lichterfelde, Dahlem. Da traute sich keiner von ihnen so richtig hin, da waren sie Fremde, Ausländer fast, gehörten sie partout nicht dazu und verspürten immer auch unterschwellig die Angst, für einen potentiellen Dieb oder Einbrecher gehalten zu werden. Daß man die Freie Universität ausgerechnet in einem der vornehmsten Stadtteile angesiedelt hatte, in Dahlem, und in vielen seiner Villen, mochte Manfred nicht als reiner Zufall erscheinen, denn zu klar schien doch, was das heißen sollte: Für die Kinder kleiner Leute Zutritt verboten!

Denen werd' ich's aber mal zeigen! Er brannte wie ein austrainierter Boxer auf den ersten Kampf.

An der Station Lichterfelde West, wo nebenan auf den Fernbahngleisen die Militärzüge der Amerikaner Richtung Westen gingen, war auszusteigen. Die breite Straße Unter den Eichen war zu überqueren, dann ging es durch ein Villenviertel hindurch, das Manfred zu dem Tagtraum inspirierte, Bundesminister für Arbeit und Soziales zu werden, nach der Wiedervereinigung, wenn Berlin wieder deutsche Hauptstadt war. *Deutsche an einen Tisch!* Von-Laue-Straße, Correns-Platz, Garystraße – es war nicht weit zur Wiso-Fak, zur Wirtschafts- und Sozialwissenschaftlichen Fakultät, und zum Henry-Ford-Bau, dem Herzen der FU.

Dort erfolgte auch die Vereidigung der neuen Studenten, und zwar einzeln und per Händedruck. Der Rektor hatte viel zu tun an diesem Morgen. Nach feierlicher Musik und längerer Rede hatten sie in endloser Schlange zum Podium hinaufzusteigen, um Handschlag und Urkunde entgegenzunehmen. Alles auf Büttenpapier, inklusive Siegel, die Unterschrift eigenhändig daruntergesetzt, alles in großen Buchstaben:

UNTER DEM REKTORAT VON
EDUARD NEUMANN
DOKTOR DER PHILOSOPHIE
UND ORDENTLICHEM PROFESSOR DER DEUTSCHEN
PHILOLOGIE
HAT HEUTE
MANFRED MATUSCHEWSKI
AUS
BERLIN
GEBURTSORT

ALS STUDENT DER WIRTSCHAFTS- U. SOZIALWISS.
FAKULTÄT

DAS AKADEMISCHE BÜRGERRECHT AN DER
FREIEN UNIVERSITÄT BERLIN ERLANGT. ER HAT
DURCH HANDSCHLAG FEIERLICH GELOBT, DIE VON
IHM EINGEGANGENE VERPFLICHTUNG GETREULICH
EINZUHALTEN UND SICH IN HALTUNG, GESINNUNG
UND ARBEITSEIFER DER HOHEN, DER LEHR- UND
LERNFREIHEIT UND DER ERFORSCHUNG DER
WAHRHEIT GEWIDMETEN ZIELE EINER UNIVERSITÄT
WÜRDIG ZU ERWEISEN, ENTSPRECHEND UNSEREM
SINNSPRUCH, DEN DAS SIEGEL DER FREIEN
UNIVERSITÄT BERLIN BEKUNDET:
VERITAS IUSTITIA LIBERTAS

BERLIN, DEN *18. APRIL 1960*

DER REKTOR
E. NEUMANN

Manfred hatte in reinem Arbeits- und Lerneifer für das Sommersemester 1960 gleich zehn Lehrveranstaltungen fein säuberlich in das braune STUDIENBUCH geschrieben. Nach der laufenden Nummer kamen die Nummer im Vorlesungsverzeichnis, der Name des Dozenten, der Tittel der Vorlesung oder Übung, die Anzahl der belegten Wochenstunden und der dafür zu zahlende Betrag. Zu den insgesamt 50 Mark Unterrichtsgebühren hatte er noch eine Studiengebühr von 80 Mark zu entrichten und sich bei der Meldung in der Quästur für 29 Mark eine grüne Marke zu kaufen und ins Studienbuch zu kleben. Eine Lehrveranstaltung galt nur dann als belegt, wenn der Dozent zu Beginn und zum Abschluß des Semesters in den dafür vorgesehenen Rubriken des Studienbuches den regelmäßigen Besuch mit einer eigenhändigen Unterschrift bestätigt hatte. An- und Abtestat hieß das und war ein Ritual, wo man seinen Lehrenden einmal von nahem ins Gesicht und in die Augen schauen konnte.

1	563	Behrens	Allgem. Betriebswirtschaftslehre I	3	7,50
2	511	Schack	Hauptprobleme der Wirtschafts- und Sozialphilosophie	2	5,–
3	730	Sodhi	Gegenwartspsychologie II	2	5,–
4	529	Schack	Geschichte der Volkswirtschaftslehre von K. Marx bis zur Gegenwart	2	5,–
5	508	Mayntz	Methoden der empirischen Soziologie	2	5,–
6	503	Stammer	Einführung in die Soziologie	2	5,–
7	711	Landmann	Geschichtsphilosophie	2	5,–
8	533	Schultz	Das Werden der Sozialpolitik insbes. in England und Deutschland	2	5,–

9	605	Schmieder	Zur Gesch. d. deutschen Unternehmens	1	2,50
10	525	Schilcher	Allgem. Geldlehre (Geldtheorie) II	2	5,–

Behrens, der BWL-Professor, war ein ernster Mann und glich den typischen Oberbuchhaltern, wie Manfred sie von Siemens kannte, siehe Bethke-und-arbeite in Hannover. Und auch sonst entsprach das, was er predigte, ziemlich genau dem, was Manfred während seiner Lehre in Berlin, Hannover und Erlangen gehört hatte. Und nun mußte er es noch einmal über sich ergehen lassen …

»Wir unterscheiden die allgemeine und die besondere Betriebswirtschaftslehre. Die allgemeine Betriebswirtschaftslehre zerfällt in die Organisationslehre, die betriebswirtschaftliche Theorie und die angewandte Betriebswirtschaftslehre. Die besondere Betriebswirtschaftslehre gliedert sich erstens in Industriebetriebswirtschaftslehre und zweitens bis achtens in die Betriebswirtschaftslehre des Handels, der Banken, der Versicherungen …«

Manfred schwitzte, denn er hatte sich vorgenommen, alles mitzustenografieren. Er tat das quasi zwanghaft, weil er fürchtete, später in der Prüfung durchzufallen, aber zugleich war er beim Anblick dessen, was er da schrieb, von heftigem Widerwillen erfüllt. *Du ißt jetzt deinen Spinat!* Doch er haßte Spinat. BWL war jedoch unerläßlich, denn wenn man an der Wirtschafts- und Sozialwissenschaftlichen Fakultät der FU Berlin Diplomsoziologe werden wollte, mußte man drei Nebenfächer belegen, und da hatten Manfred eingedenk seiner Siemens-Zeit alle geraten, Betriebs- und Volkswirtschaftslehre zu wählen. »Damit das nicht alles verschenkt ist«, hatte seine Mutter angemahnt. Außerdem könne er da sicher von Moshe Bleibaum profitieren, der Diplomkaufmann werden wollte. Was war ihm da, obwohl er beide Fächer ziemlich haßte, groß übriggeblieben, als artig zu sein und nachzugeben. Schließlich finanzierten ihm seine Eltern zu etwa zwei Dritteln das Studium. Als Wahl- und Neigungsfach, was die Prüfung anbelangte, war ihm nur eines verblieben: die Psychologie. Politologie, Publizistik und Philosophie konnte er nur nebenher betreiben.

Noch quälender als der Inhalt der BWL-Vorlesung war die Einsamkeit. Mochten sich mit ihm auch weitere zweihundert Studenten im Hörsaal befinden, so fühlte er sich dennoch mutterseelenallein, denn er kannte ja keinen von ihnen, und ganz einfach jemanden anzusprechen war undenkbar. Andersherum sprach auch ihn niemand an. So sehr er die Albert-Schweitzer-Schule und Siemens verfluchte, da jedenfalls hatte er immer jemanden zum Klönen gehabt. An der FU dagegen war er auf sich selber, auf endlose innere Monologe angewiesen. Alles, vom Sex bis zur Seelenmassage, mußte er alleine besorgen.

Nur bei Schack saß er mit Moshe Bleibaum zusammen. Schack, ein gebeugtes Männlein mit blassem und eindrucksvoll verlebtem Gesicht, war zwar auch Professor, aber kein richtiger Ordinarius, sondern ein »Lektor«, was immer das hieß, philosophierte ungebremst vor sich hin und hatte stets eine altjüngferliche Hilfskraft im Schlepptau, die jedes seiner Worte mit Mikrofon und Tonband festzuhalten hatte.

»Wozu eigentlich?« fragte Moshe. »Das liest ja doch keiner, wenn sie's drucken lassen.«

»Schopenhauer hat man auch verkannt«, wandte Manfred ein. Er mochte Schack, weil er seiner Tante Claire zum Verwechseln ähnlich sah.

»Was der da erzählt, das weiß ich auch ohne jede Vorbereitung«, sagte Moshe Bleibaum und begann, Gedichte von Else Lasker-Schüler zu lesen.

Immerhin konnte Manfred Schacks Vorträgen folgen, während er bei Sodhi, Landmann und Schilcher nur wie gelähmt dasitzen und mit den Worten der Schmöckwitzer Oma denken konnte: *Was Menschengeist so vermag.* Was für gänzlich unverständliche, selbstverliebte Begriffe, was für aberwitzige Satzkonstruktionen, nach Kleistschem Muster vielfach und unentwirrbar verschachtelt, und was für labyrinthische Gedankengänge Professoren hervorbringen konnten. Unfaßbar für Manfred. Da begriff er erst, wie wunderbar doch die Sprache eines Sportreporters war: »Schuß – und Toor, Toor, Toor!« Im Hörsaal zu sitzen und ruhig zuzuhören, war enorm qualvoll.

Leider störten die Ausführungen der Dozenten in den Vorlesungen in nicht unerheblichem Maße die Zeitungslektüre. Marlene Dietrich war nach Berlin gekommen ... Manfred verehrte sie wegen ihres Widerstands gegen die Nazis, aber auch als »fesche Lola, den Liebling der Saison«. Im Europacup der Landesmeister hatte Eintracht Frankfurt gegen Real Madrid mit 3:7 verloren ... Manfred hätte fast einen Herzanfall bekommen. Eichmann war nach Israel entführt worden ... Manfred freute sich, daß sie ihn endlich am Kragen hatten. In der Deutschen Fußballmeisterschaft hatte Tasmania 1900 – mit Posinski, Bäsler, Peschke, Kuntze, Talaszus, Mauruschat, Basikow, Pinkpank und anderen Helden – sowohl Pirmasens als auch Werder Bremen mit 2:1 besiegt, aber dann war es ganz dicke gekommen, und man war dem 1. FC Köln mit 0:6 unterlegen. »›Boß‹ Rahn erschoß Tasmania«, so stand es dick und fett in der *Sport-Depesche*.

Auch die Lektüre der Werbung trug während der Vorlesungen zu Manfreds Unterhaltung bei:

Sieh fern mit HÖR ZU
Deutschlands große Familienzeitschrift für Fernsehen, Rundfunk und Unterhaltung
Living BH ... der BH, der paßt! Nach New York, London, Mailand, Zürich jetzt auch bei uns! KAJOT am S- und U-Bhf. Neukölln
Peter Stuyvesant ... der Duft der großen, weiten Welt

Da hatte Peter, Onkel Helmuts Sohn, beim Geburtstag seiner Mutter noch etwas hinzugefügt: »Ein Junge sitzt am Lokusrand und raucht die *Peter Stuyvesant*. Und was da hinten runterfällt, das ist der Duft der großen weiten Welt ...«

Schmieder, zu dessen Vorlesung er sich angemeldet hatte,

um die Geschichte des Hauses Siemens aus wissenschaftlicher Sicht kennenzulernen, stürzte ihn in arge Gewissenskonflikte, denn in der ersten Stunde hatten sich nur drei Studenten bei ihm eingefunden, und in der zweiten Woche waren sie nur noch zu dritt: der Dozent, Manfred und ein Kommilitone, der eine Diplomarbeit zum Thema »Gründerväter« schrieb. Blieb Manfred auch noch weg, war das Ganze geplatzt, denn es galt die alte Regel, daß eine Lehrveranstaltung nur dann zustande kam, wenn neben dem Lehrenden noch mindestens zwei Studierende anwesend waren. Einerseits war Schmieder stinklangweilig und wußte zu Siemens auch nicht mehr zu sagen, als in den Festschriften stand. Die Stunde bei ihm war also vergeudete Zeit. Andererseits aber tat er Manfred leid, noch mehr der Mitstudent. Also saß er seine Zeit bei Schmieder ab.

Na schön, das waren die Nebenfächer. Wenn er nur hier gelangweilt und frustriert gewesen wäre, hätte das nicht erklären können, warum er nach der ersten Hälfte seines ersten Semester unter ebenso starken Depressionen litt wie drei Jahre zuvor bei Siemens und Nora. Anhand seines Psychologielexikons definierte er das in einer ansonsten weniger aufregenden Stunde bei Sodhie so: *Depression* gleich ...

D wie Denkhemmung (kaum einer Vorlesung konnte er folgen)
E wie Entschlußunfähigkeit (siehe das Ringen um die Schmieder-Stunde)
P wie Psychopharmaka (da schluckte er schon wieder *Omca*)
R wie Resignation (»Hat doch alles keinen Sinn, auch das Studium nicht.«)
E wie Energielosigkeit (zu nichts konnte er sich mehr aufraffen)
S wie Schuldgefühle (seine Eltern bezahlten das alles, und er ...)
S wie Suizidgedanken (am besten, er warf sich vor die S-Bahn)

I wie Innerliche Leere (»Ich leb' doch eigentlich gar nicht mehr ...«)
O wie Ohne Antrieb (»Ich will nur noch im Bett liegen und schlafen.«)
N wie Negative Grundhaltung (»Aus mir wird doch nie was.«)

Daß das alles so gekommen war, lag in der Hauptsache an seinem Hauptfach, der Soziologie. Was hatte er sich nicht alles versprochen von ihr: die grundlegende Erkenntnis dessen, was die Welt im Innersten zusammenhält, vor allem aber den Impuls, endlich aufzubrechen ins Leben, sich aufs wilde Meer hinauszuwagen und nicht immer nur im sicheren Hafen auf das große Wunder zu warten. Seine kluge Geliebte hatte sie werden sollen, die Soziologie, Sinn und Sinnlichkeit hatte er erwartet von ihr, alles für Kopf und Bauch erträumt, Rausch und Erleuchtung. Und nun zeigte sie sich als eine spröde alte Jungfer, die ein entsetzliches Kauderwelsch von sich gab.

»Max Weber spricht von dem Existenzcharakter des Erfassens von Sinngehalten im Gegensatz zu dem rein äußerlichen Begreifen von Kausalzusammenhängen, die nicht verstehbar sind. Die dem Menschen am nächsten liegende Erklärung sozialer Tatsachen ist die rationale, es gibt aber auch einen irrational fundierten Bereich des Verstehens.«

Ich versteh' gar nichts mehr ...

»Nimm Pril, Pril entspannt«, riet ihm sein Vater.

Dabei war Manfred überaus fleißig und tippte zu Hause auf seiner Schreibmaschine alles ab, was auf dem Stenoblock stand, und gab sich wirklich Mühe. Doch es half alles nichts. Er litt an FU und Soziologie wie an einer schweren Viruserkrankung. Aus dem Traum war ein Alptraum geworden. Und das mit dem erhofften Imagegewinn, das war auch so eine Sache ...

»Studieren, das ist doch heutzutage nur brotlose Kunst«, meinte Herbert Neutig, der beste Freund seiner Eltern. »Alles Hungerleider ...«

Wieder schien er auf dem falschen Dampfer zu sein. Was ihn daran hinderte, alles hinzuschmeißen, waren zu gleichen Teilen Trägheit wie die Angst, seine Eltern bitter zu enttäuschen, aber auch die Aussicht, wieder zu Siemens zurückzumüssen.

Der Sommer 1960 stand in Manfreds Heimatbezirk ganz im Zeichen eines großen Jubiläums: 600 Jahre Neukölln. 1360 hatten Hermann von Werberg, der »Stadthalter in der Mark und den wendischen Landen«, und Dietrich von Zastrow, seines Zeichens Comtur des Johanniterordens, einen einzelnen Hof zu einem Dorf mit Namen Richardsdorp ernannt, ausgestattet mit 25 Hufen.

Am 24. Juni erschien im *Telegraf* eine zwölfseitige Sonderbeilage mit einem Festgedicht:

Prost, Freunde, laßt
uns einen heben,
Geburtstagskind
Neukölln soll leben!
Ick halte mit, und nach dem Fest
nehm ick 'n Affen mit ins Nest.

Gefeiert wurde vor allem auf der großen Festwiese im Volkspark Hasenheide, wo es bis zum 10. Juli jeden Tag hoch herging. Und abends gab es ein großes Höhenfeuerwerk: *Die Hasenheide in Flammen!*

»Das erinnert mich zu sehr an 1943 und 1944«, sagte der Vater, »als ganz Berlin in Flammen stand. Da geh' ich nicht hin.«

Manfred schloß sich dem voll und ganz an, doch seine Mutter drängelte so sehr, daß sie nicht drum herum kamen, am frühen Freitag abend mit dem 4er Bus zum Columbiadamm zu fahren.

»In Schmöckwitz bist du morgen noch lange genug. Und außerdem: Alle drei können wir ja sowieso nicht mehr draußen übernachten.«

Die Begeisterung, mit der andere Rummelplätze besuchten, hatte Manfred noch nie so recht verstehen können. Einmal davon abgesehen, daß ihm hier zuviel Volk versammelt war, aufgedreht und schrill, sah er nicht ein, warum er hier freiwillig dieselben Ängste ausstehen sollte wie damals in der Turnhalle, oben an den Stangen oder am Reck. Achterbahn und Kettenkarussell waren ihm zu gefährlich, da sah er sich ständig aus der Kurve fliegen und auf grausame Art und Weise zu Tode kommen, und auch die anderen »Fahrgeschäfte« mied er. Blieben ihm nur die Schieß- und Losbuden und die Geisterbahn. Aber auch da wollte sich die richtige Sektlaune nicht einstellen.

»Schieß mal deiner Mutter eine Rose«, sagte sein Vater und drückte ihm ein Markstück in die Hand.

Damit war sein ganzes Elend auf den Punkt gebracht, denn mit zweiundzwanzig Jahren schoß man seiner Freundin eine Rose und nicht seiner Mutter. Er kam sich feist, picklig und furchtbar unansehnlich vor, eben wie *Mamas Liebling*. »Geh nach oben, Mami will dir den Bauch waschen!« hatten sie früher in der Ossastraße solchen Typen zugerufen.

Es schien, als wollte ihn das Schicksal nun so richtig verhöhnen, denn just in diesem Augenblick erspähte er Henriette Trettin, die Schönheits- wie Intelligenzkönigin der alten Albert-Schweitzer-Schule. Sie war in männlicher Begleitung, und als er genau hinsah, war das kein anderer als Dieter Manzke, jener Klassenkamerad, der schon in der 10. Klasse abgegangen war, ein Sitzenbleiberkandidat also, der verglichen mit ihm geradezu kümmerlich wirkte. Nichts hatte Dieter Manzke – weder Geld noch Geist, noch Sex-Appeal –, und dennoch ging Henriette, die Unvergleichliche, mit ihm aus. Alle waren wild nach ihr, doch sie nahm sich diesen unscheinbaren Trottel – Manfred echauffierte sich, und der Lauf seines Luftdruckgewehrs geriet derart ins Schwanken, daß er die weißen Porzellanröhrchen Mal für Mal verfehlte. Mit einem Schlüsselanhänger, geschweige denn einer roten Rose für die Mutter wurde es nichts.

Sogar Schmöckwitz am Tage danach konnte ihn nicht trösten. Wieder saß er allein im *Rebell* und träumte leidenschaftlich von einem bronzebraunen Rücken vor sich auf dem Sitz und vor allem einem Bikini, den man öffnen konnte, drinnen im Schilf. Als er zum Karolinenhofer Badestrand hinübersah, konnte er Inge Bugsin erkennen, wie sie sich von Hartmut Meyerdierks den Rücken mit Sonnenmilch einreiben ließ. Meyerdierks besaß eine Fabrik im Westfälischen, in der Waschbecken und Kloschüsseln hergestellt wurden, war mehrfacher Millionär und hatte Manfred im Kampf um Inge nicht die Spur einer Chance gelassen.

Aus Verzweiflung las er exzessiv alles an Romanen, was in den rotierenden Taschenbuchständern auf ihn zukam, immer auf der Suche nach Menschen, denen es noch schlechter ging als ihm, oder aber nach anderen Welten. Den *Alexis Sorbas* verschlang er innerhalb von zwei Tagen, Joseph Roths *Radetzkymarsch*, den *Schwejk* natürlich, sämtliche Südstaaten-Romane von Gwen Bristow und Carson McCullers bis hin zu William Styron, die Lateinamerikaner mit Jorge Amado an der Spitze, eben alles, was Rang und Namen hatte. Seine Regale waren schon lange voll, er mußte die Bücher in den Ecken stapeln, und die Stapel reichten ihm bald bis über den Kopf. So sehr ihn das innerlich bereicherte, so schmerzlich war es, daß er im Grunde selber nichts erlebte, nur dahindümpelte. Er lebte nicht eigentlich, er stellte sich nur vor zu leben.

Selbst für die kleine Umfahrt – Schmöckwitz, Zeuthener See, Großer Zug, Krossinsee, Wernsdorf, Oder-Spree-Kanal und Seddinsee – fehlte ihm der Mumm. Apathisch lag er im Schilf der Großen Krampe und las *Stark wie der Tod*, Guy de Maupassants Künstlerroman.

... und wie er seine Freundin auf dem Diwan ausgestreckt sah, einen Fuß in dem feinen Schuhzeug etwas herabhängend, und den erregenden Eindruck der Haut durch den fast durchsichtigen Strumpf wahrnahm, rief er aus: »Halt, halt, das ist es, was man malen muß, das ist das Leben: ein Frauenfuß am Saum eines Kleides! Da kann man alles hinein-

legen: Wirklichkeit, Sehnsucht und Poesie! Nichts ist anmutiger und hübscher als ein Frauenfuß, und dann welch ein Geheimnis: das verhüllte Bein, dem Blick entzogen und doch unter dem Stoff geahnt!«

Manfred schwang sich wenig später aus dem Boot ins Wasser, um ein paar Meter zu schwimmen und unauffällig seine Badehose zu säubern. Ein Stückchen weiter war ein Zeltplatz, und da gab es Pärchen über Pärchen. Sie lachten, lärmten und schmusten. Nur er schwamm alleine umher.

Dann paddelte er langsam über den Langen See hinüber, nach Schmöckwitz zurück. Zwischen Ausflugsdampfern, die vom Seddinsee herangerauscht kamen, und vorüberschießenden Wellenflitzern fand er nur mühsam den Weg und konnte den Bug seines kleinen Bootes manchmal nur im letzten Augenblick herumreißen, um die gefährlich hohen Wellen zu schneiden. Am *Waldidyll* am Steg, wo es längst kein Restaurant mehr gab, sondern ein Motorsport-Club seine neue Heimat hatte, stand Leszek und winkte.

»Mußt du schnell kommen, haben Tante Gerda Essen fertig zerkocht.«

Tante Gerda beherrschte jetzt die Szene. Sie redete viel, mischte sich in alles ein, wußte alles und nutzte ständig den Wurm-Rüssel-Trick, um Anekdoten aus ihrem ersten Leben, dem in Berlin mit Onkel Gerhard, an den Mann bringen zu können.

»Wie geht denn der?« fragte ihn Lucyna, seine ältere Cousine, als Manfred das erwähnte.

»Der Wurm-Rüssel-Trick ist der, wo sich der Zoologiestudent für die große Prüfung monatelang auf die Würmer vorbereitet hat, zigtausend Arten herbeten und beschreiben kann, nun aber vom Professor überraschenderweise Fragen zum Thema Elefanten vorgesetzt bekommt. Da wußte er nur, daß es zwei Arten gab, den indischen und den afrikanischen. ›Welche beiden Arten unterscheiden wir denn?‹ fragt ihn der Professor. ›Na, den indischen und den afrikanischen. Beide zeichnen sich durch Rüssel aus, die auf uns wie große

Würmer wirken. Bei den Würmern unterscheiden wir Plattwürmer, Schlauchwürmer, Schnurwürmer und Ringelwürmer ...‹«

Bei Tante Gerda ging das so, daß sie sofort loszusprudeln begann, wenn eines der etwa zwei- bis dreitausend Stichworte fiel, das bei ihr Erinnerungen an früher und an ihren Gerhard auslöste. Praktisch hieß das, daß jemand sagen konnte, was er wollte, immer fand sie etwas, bei dem sich einhaken ließ.

»Vielleicht lass' ich die Soziologie sausen und studiere Politik und Publizistik«, überlegte Manfred.

»Onkel Gerhard«, fiel ihm Tante Gerda ins Wort, »wäre heute ein großer Journalist, wenn er noch leben würde. Bei der Textilzeitung damals ist er ja ganz groß rausgekommen, und stellt euch mal vor: Wenn bei uns am Mariannenplatz zwei Autos zusammengestoßen sind, früher, vor dem Krieg, dann ist Onkel Gerhard sofort zum nächsten Telefon gelaufen und hat das *12-Uhr-Blatt* angerufen. Da gab es dann jedesmal Geld für, und Onkel Gerhard hat mich zum Eisessen eingeladen ...«

»Ja, ja, deine Gerhard«, murmelte Leszek. Er tat Manfred leid.

Manfred hob sein Glas, das mit giftig roter Himbeerbrause randvoll gefüllt war, und blickte weihevoll Richtung Osten. »Gerda, Leszek, wir denken an euch und trinken auf euer Wohl und das der Kinder.«

Die Schmöckwitzer Oma nahm die freche Parodie gelassen hin.

»Du Strick, du ... Aber geholfen hat es doch, daß wir nun wieder alle zusammen sind.«

Sie faßten sich alle bei den Händen und wünschten sich einen guten Appetit.

Die Schmöckwitzer Oma sang nun wieder Loblieder auf die heimgeholten Familienmitglieder.

»Ihr wißt ja gar nicht, was für Freude mir Gerda, Leszek und die Kinder jeden Tag bereiten. Gerda wäscht und kocht mir alles, Leszek besorgt mir den Garten und repariert mir alles, und Lucyna und Agnieszka haben sich in der Schule so gut eingelebt, daß sie jetzt schon besser Deutsch schreiben und sprechen als die meisten Kinder von hier.«

»Was hab' ich auch geübt mit Ihnen«, sagte Tante Gerda. »Ich war ja in der Schule nicht so gut, intelligent schon, aber immer faul und hab' meine Schularbeiten nicht gemacht. Erst als ich Onkel Gerhard kennengelernt habe, ist das anders geworden. In meiner Lehrzeit als Schneiderin, da war ich immer Eins A, und Gerhard hätte mich zur Haute Couture gebracht, wenn der Krieg nicht gekommen wäre. Lucyna hat ja meinen Chic geerbt, was die so alles nähen kann. Aber meine Agnieszka auch.«

Manfreds Mutter versuchte, sich Gehör zu verschaffen und berichtete das Neueste aus ihrer Krankenkasse am Oranienplatz.

»Hab' ich doch letzte Woche einer jungen Frau dreißig Mark zuviel auszahlen lassen, und ist die so anständig und bringt mir das Geld zurück ... Und wißt ihr, wer das war?«

»Irma Matuschewski ...?« fragte Manfred. »Oder etwa Tante Claire ...?«

»Quatsch!« Seine Mutter hob die Hand, und er mußte blitzschnell in Deckung gehen. »Die Tochter von der alten Stegert. Die haben auch immer bei Siedentopf verkehrt.«

»Kenn' ich doch, die alte Stegert!« Tante Gerda verschluckte sich an ihrer Suppe. »Bei der hat doch Onkel Gerhard die Traueranzeige aufgesetzt, als deren Mann gestorben ist. An Darmverschlingung. Onkel Gerhard ist noch mit zum Krankenhaus gefahren.«

Manfred stieß unterdessen seinen Vater an, machte ein Zeichen in Richtung Tante Gerda und flüsterte ihm zu: »Sag mal was, wo sie nicht mit Onkel Gerhard kommen kann ... Schaffste nicht.«

»Doch.«

»Nein.«

»Doch.« Sein Vater dachte kurz nach. »Ich bin mal mit Gerhard zusammen gepaddelt – die große Wertungsfahrt im September 1942 war das –, und da hat er zu mir gesagt: ›Du,

Otto, die Gerda ist ja wirklich ein liebes Mädchen, wenn sie nur nicht immer die Koteletts anbrennen lassen würde ...‹«

»Gott, ja!« Tante Gerda sprang auf und rannte in die Küche.

»Gewonnen«, sagte der Vater und strahlte.

Manfred blieb nur, ihm zu gratulieren.

»Ich bin ja so glücklich, daß Gerda und Leszek und die Kinder jetzt bei mir in Schmöckwitz sind«, wiederholte die Schmöckwitzer Oma. »Und was der Leszek mir schon alles reparieren konnte.«

»Als ob Otto und Manfred nie was gemacht hätten«, sagte die Mutter pikiert.

Die Stimmung war also ein wenig durchwachsen, zumal nun auch der vorhin mühsam beigelegte Streit zwischen Lucyna und Agnieszka wieder aufzuflammen begann. Lucyna hatte ein Kleid geschenkt bekommen, nachträglich zum Geburtstag, und Agnieszka machte es fürchterlich wütend, daß sie leer ausgegangen war. Sie keiften und rissen sich kräftig an den Haaren.

»Lucie, nun komm mal wieder zu dir!«

»Anuschka, laß das!«

Man hatte mit der Eindeutschung der Namen begonnen.

Als endlich wieder Ruhe eingekehrt war, wurden die Liegestühle aufgestellt, und die allgemeine Mittagsruhe begann. Da Tante Trudchen traditionsgemäß erst noch den Abwasch besorgte, konnte sich Manfred in ihre Hängematte legen. Leszek hatte sie zwischen dem Apfelbaum neben der Zementplatte, wo sie immer saßen und aßen, und einem Zaunpfahl aufgespannt. Die Hängematte war die absolute Attraktion dieses Sommers und Anlaß zu ständigen Streitereien.

»Jetzt will ich auch mal rein!« schrie Agnieszka und gab sich alle Mühe, Manfred zum Kentern zu bringen.

»Paßt auf den Apfelbaum auf!« rief die Schmöckwitzer Oma. »Ihr scheuert mir ja die ganze Rinde vom Stamm.«

»Der Baum hat doch nie einen Apfel getragen«, wandte Manfred ein. »Schon seit dreißig Jahren nicht.«

Genosse Otto Wegener, der Nachbar zur Goulbierstraße

hin, stand schon wieder hinter dem Zaun und äugte herüber. Die Frage war, ob er nur von Haus aus so neugierig war oder aber der Stasi zu berichten hatte, was nebenan geschah, wenn die Westler einfielen, und ob das den Sieg des Sozialismus gefährdete.

Endlich war für eine halbe Stunde Ruhe, und Manfred konnte sich der Lektüre des *Magazins* widmen, jenes heißbegehrten Druckerzeugnisses, das seine Schmöckwitzer Oma durch ihre guten Beziehungen zur Zeitungsfrau jeden Monat bekam. Für DDR-Verhältnisse war das Ganze sehr neckisch, insbesondere das, was Dinah Nelken schrieb, besonderen Anlaß zur Freude bot indes das Aktfoto in der Mitte des Heftes.

Leider marschierte nun Tante Trudchen an, um sich selbst ihrer Hängematte zu erfreuen. Manfred wurde sogleich von Agnieszka abgeschleppt, die nicht herausbekam, mit welcher Durchschnittsgeschwindigkeit Täve Schur seine letzte Friedensfahrt gewonnen hatte. Manfred rechnete lange und kam auf 451,2 Stundenkilometer.

Lucyna trug ihr blaues Pioniertuch spazieren.

»Was denn?« fragte Manfred. »Hast du Halsweh?«

Sie fauchte ihn an und geriet noch mehr in Rage, als er behauptete, Rußland sei so gut, daß es bei den bevorstehenden Olympischen Spielen in Rom noch vor den USA einkommen werde.

»Das heißt nicht Rußland, das heißt Sowjetunion«, belehrte sie ihn.

Manfred ging zum Kompost, um zu pinkeln. Spätestens seit er *Clochemerle* gelesen hatte, hielt er das für ein archaisches, allen Männern dieser Erde zustehendes Vergnügen. Hatten aber die französischen Weinbauern in besagtem Roman ihren ganz besonderen Spaß daran, mit ihrem Strahl Rebläuse abzuschießen, so war er tierlieb genug, an allen Ameisen und Käfern vorbeizuzielen. Stand man hier am Zaun, hatte man außerdem einen schönen Blick auf das Reifenwerk und die Straße, konnte viel sehen, ohne selber gesehen zu werden. Es schien aber auch sonst zweckmäßig zu sein, sich hier im Freien zu entleeren, denn ging er ins Toilettenhäuschen, um in den dort postierten Eimer zu pinkeln, dann lief der alsbald über. Außerdem wurde man dort ständig von dicken Lokusbrummern umschwirrt. Letzendlich blieb es sich auch gleich, denn der Inhalt dieses Eimers wurde sowieso dem Kompost beigegeben.

So ärgerte er sich maßlos, als Tante Gerda ihm zurief, es werde nicht mehr auf den Kompost gemacht. »Wir haben schließlich auch Kultur. Oder denkst du, nur weil wir aus Polen kommen, da …«

Manfred spazierte wortlos zum Gartentor. Da, wo sie all die Jahre hindurch den Sandweg auf- und umgegraben hatten, um beim Weitsprung weich zu landen, hatte Leszek vor kurzem rot-gelbe Gehwegplatten ausgelegt. Auch mit dem Hochsprung war es aus, denn in der Hochsprunggrube stand nun ein kleines Holzhäuschen, Leszeks Werkstatt, wo er in seiner Freizeit saß und bastelte. In Serie entstanden dort für alle Familienmitglieder hölzerne Kanonen, in die sich Weinbrandflaschen legen ließen. Mit dem Lötkolben brannte er auf kleine Sperrholzschildchen die Aufschrift *Reserve hat Ruh*. Die Schildchen mit dem sinnigen Spruch wurden auf die Geschütze gepappt.

Nichts mehr war so wie früher. Manfred empfand das nur zu deutlich.

Seine beiden Cousinen zeigten sich indessen von ihrer besten Seite, waren lieb und nett. Sie wollten mit ihm und seiner Mutter Tischtennis spielen, ein Doppel.

»Ich will zuerst mit Tante Margot spielen!«

»Nein, ich!«

Und das, obwohl sie an der Seite seiner Mutter nur verlieren konnten, denn deren Tischtenniskünste waren über das Ping-Pong einer Sechsjährigen nie hinausgekommen. Aber ihre beiden Nichten himmelten sie an.

Plötzlich ertönte ein lautes Krachen, gefolgt von einem Schrei, der sie alle zusammenfahren ließ.

Der Zaunpfahl, offenbar unter der Erde morsch geworden, hatte der Zugkraft der Hängematte nicht länger standhalten können und war umgestürzt, Tante Trudchen somit ins Blumenbeet geplumpst.

»Pumpelchen ist tot!« rief Leszek.

Sie liefen alle hin, um sie aus der Hängematte zu wickeln. Zum Glück war sie heil geblieben. Nur die schöne blaue Hortensie hatte dran glauben müssen. Leszek machte sich wortlos daran, einen neuen Zaunpfahl in den Boden zu rammen.

»Hoffentlich trifft er die Klingelleitung nicht«, sagte Manfred und grinste in froher Erwartung.

Sie setzten sich hin und spielten *Bimbo*, wo man zehn Karten mit unterschiedlichen Buchstaben erhielt und versuchen mußte, daraus möglichst viele sinnvolle Worte zu bilden, was mit einem Joker, dem »Bimbo«, am besten gelang. Als sein Vater KACKE auf den Tisch legte, drohte das Spiel zu platzen, da Tante Gerda darauf bestand, daß ihre Mädchen so was nicht lernten, Manfred im Brustton des angehenden Diplomsoziologen aber darauf insistierte, daß auch dies zur Kultur gehöre und die Tabuisierung solcher Worte nichts anderes sei als die Instrumentalisierung der Sprache zur Aufrechterhaltung der Klassengesellschaft.

Die Diskussion wurde jäh unterbrochen, als es Sturm läutete. Die spontan geäußerte Vermutung, Leszek habe nun doch die Klingelleitung getroffen, erwies sich als voreilig, denn vorn am Gartentor stand in der Tat jemand und hielt den Klingelknopf gedrückt.

»Ein fremder Mann«, sagte Agnieszka, durch die Zweige spähend.

»Das wird nur die Onkel Berthold sein«, stellte Leszek fest.

»Dann muß er aber anderthalb Zentner abgenommen haben«, sagte Manfreds Mutter.

»Vielleicht geht mal einer nach vorn und sieht nach.« Der Vater war immer sehr pragmatisch.

Manfred machte sich auf, durchaus mit bangen Gefühlen, denn auf dem Territorium der Deutschen Demokratischen Republik war jeder Westberliner grundsätzlich unerwünscht und mußte stets damit rechnen, daß man ihn als Staatsfeind entlarvte.

Doch zum Glück war es Gerhard Bugsin, sein ältester Freund.

»Was, du bist auch noch am Leben?«

»Nein, seh' ich so aus?«

»Gut siehst du aus.«

»Das macht der Frankfurter Äppelwoi.«

Alle begrüßten ihn mit großem Hallo, und Leszek bewies Humor, als er arglos fragte, ob dies der Onkel Gerhard sei, von dem Tante Gerda nie etwas erzählen würde.

»Is sich aber jung geblieben, deine Gerhard. Mußt du mir einmal erzählen, wie er ist gewesen so, schweigst du immer nur.«

Gerhard Bugsin war gekommen, um Manfreds Eltern nach Karolinenhof mitzunehmen, wo man mit den Rommé-, Samba- und Canasta-Karten auf sie warten würde.

»Wir kommen gerne«, sagte Margot Matuschewski, nicht ohne ein weiteres Mal gegen Mutter und Schwester zu sticheln. »Für uns gibt's ja hier keinen Schlafplatz mehr.«

So zogen sie los, Manfred und Gerhard mit den Rädern, seine Eltern mit der 86. Auf dem langen Adlergestell gab es ein kleines Wettrennen, das Gerhard vor der Straßenbahn gewann. Manfred war kein guter Radfahrer, und wenn er schneller als zwanzig fuhr, fürchtete er, sich den Hals zu brechen.

Bugsins saßen beim Kaffeetrinken, Inge Arm in Arm mit Hartmut Meyerdierks. Manfred glaubte, im falschen Stück zu sein. Die Hälfte seines Lebens war ihm suggeriert worden, Inge und er würden einmal heiraten – und nun war ein anderer an seine Stelle getreten. Er erinnerte sich an eine Stunde bei dem Privatdozenten Dieter Claessens, in der er ihnen das Einmaleins der soziologischen Rollentheorie vermittelt hatte. Deren Ausgangspunkt seien einige Verse in Shakespeares *Wie es euch gefällt*: »Die ganze Welt ist Bühne, / Und alle Frau'n und Männer bloße Spieler. / Sie treten auf und gehen wieder ab, / Sein Leben lang spielt einer manche Rollen ...« Manfred spielte jetzt die des Ritters von der traurigen Gestalt, war »Neese« ... Wer immer dieses Stück mit dem Titel *Manfred Matuschewski Berlin* geschrieben hatte, für ihn schien, was die Liebe betraf, nur eine Statistenrolle geblieben zu sein.

Hartmut Meyerdierks und Inge turtelten nach Leibeskräften. Der Millionär aus Minden hatte eine gewisse Ähnlichkeit mit Vico Torriani, war so charmant, wie sich die Mütter, die mit den alten Ufa-Filmen aufgewachsen waren, den idealen Schwiegersohn vorstellten, hatte eine wohlklingende Stimme und konnte gut kochen. Zudem besaß er eine Jagd samt Hütte im Solling und fuhr den dicksten Mercedes, den man für Geld kriegen konnte. Tante Irma war völlig weg von ihm. Manfred dachte an den alten Spruch, daß der Weg zum Herzen der Tochter immer über das der Mutter führte. Klar, daß er da keine Chancen hatte, denn Tante Irma hielt ihn mehr oder minder für »Klein-Doofchen mit Plüschohren«, zu weichlich und zu steif, um siegreich seinen Mann zu stehen.

Manfreds Eltern waren damit beschäftigt, Erdbeeren für die Bowle zu pflücken. Manfred machte sich nützlich, indem er die Kienäppel von den Wegen auflas.

Hartmut Meyerdierks hatte bald auch Margot Matuschewski um den Finger gewickelt.

»Gnädige Frau, es wäre mir ein Vergnügen, auch Ihnen einen echten französischen Cognac bringen zu dürfen«, flötete er formvollendet.

Seine Mutter strahlte, fühlte sich »gebauchpinselt«, wie sein Vater das ausdrückte, und gab sich kokett wie Marika Rökk. »Ja, Herr Hartmut, Sie dürfen bei mir immer.«

Manfred fragte sich, wer wohl der größere Schleimbeutel war: Erich Mende, der neue FDF-Vorsitzende, oder Hartmut Meyerdierks.

Glücklicherweise machte sich Hartmut bald wieder auf nach Minden, und alles schien wieder wie früher zu sein. Die Eltern spielten Samba, eine Variante von Rommé und Canasta, und sie – Inge, Gerhard und Manfred – saßen beim Skat. Er hatte lange gebraucht, es den beiden anderen beizubringen, doch jetzt waren sie so gut, daß er manchmal alt aussah.

»Achtzehn, zwanzig, zwei, drei – dann spiel du mal ...«

Während sich Inge abmühte, einen Null mit viel zu vielen hohen Karten über die Bühne zu bringen, diskutierten Gerhard und Manfred mit Leidenschaft die Frage, ob Armin Hary nach seinem Rekordlauf von Zürich – 10,0 hatte man gemessen – bei den Olympischen Spielen in Rom als Favorit angesehen werden mußte.

»Beim Kampf gegen die Amerikaner, Mann gegen Mann, versagt er bestimmt.« Manfred als alter Sprinter war skeptisch.

»Der hat die Nerven dazu.« Gerhard wußte, was ein *sunny boy* zu leisten vermochte.

Inge bluffte mit einer einzigen Neun, zu der sie noch Acht und Sieben hatte. »Meine einzige schwache Stelle ...«

Sie verlor ihr Spiel, hatte aber später Glück bei einem Grand ohne drei, weil Gerhard und Manfred sich darüber stritten, ob Eintracht Frankfurt beim 3:7 gegen Real Madrid eine echte Chance gehabt habe oder nicht.

»Du, Manfred«, rief die Mutter vom Nebentisch herüber, »Max möchte gerne wissen, was Soziologie eigentlich ist – und wozu man das gebrauchen kann.«

Diese Frage entzückte ihn fast noch mehr als die, ob er wohl schwul sei, weil er noch immer keine feste Freundin habe.

»Soziologie ist die Wissenschaft, die herausfinden will, was Soziologie für eine Wissenschaft ist, und gebrauchen kann man sie nur dazu, später mal Soziologieprofessor zu werden.«

Alle lachten – bis auf seine Mutter .

Sie spielten – vor Kälte schlotternd und von den Mücken gepiesackt – bis vier Uhr morgens, dann konnte Inge nicht mehr. Auch die Älteren beschlossen, schlafen zu gehen. Da Manfreds Eltern in Karolinenhof übernachten mußten, lagen sie in der engen Laube dicht gepackt nebeneinander, und für Gerhard blieb kein Platz mehr frei.

»Fahr' ich eben mit Manfred erst mal baden.«

Das taten sie, und es war herrlich, im Langen See zu schwimmen. Die Welt war wie eben erst erschaffen. Drüben auf den Müggelbergen waren die Semnonen dabei, ihre Feuer zu löschen, und auch Manfred und Gerhard kamen sich vor wie zwei junge Germanen. Allerdings waren sie warmes Badewasser gewohnt und bibberten recht ungermanisch.

»Und ich muß jetzt bei uns in der Toilette schlafen«, stöhnte Gerhard, »nur mit 'ner Decke auf Klodeckel sitzen.«

»Komm mit nach Schmöckwitz«, sagte Manfred. »Da kannst du im kleinen Zimmer auf zwei Sesseln schlafen.«

»Nee, laß man.«

So trennten sie sich, und Manfred fuhr auf seinem Rad allein nach Schmöckwitz zurück, wie in einem Rausch, obwohl er von der Karolinenhofer Bowle die ganze Nacht über kaum zwei Glas getrunken hatte. Die Welt war schön, und er war heute voller Kraft und Tatendrang, sie zu erobern.

In dieser Stimmung holte er seinen Diskus aus dem Schuppen und warf zum ersten Mal in seinem Leben über dreiunddreißig Meter. Dann sank er halbtot ins Bett.

Nach knapp drei Stunden Schlaf weckten ihn seine beiden Cousinen, und sie frühstückten zusammen mit seinen Eltern, die inzwischen mit der 86 von Karolinenhof zurückgekommen waren, sichtlich gerädert. Dennoch wünschte sich sein Vater, daß sie das Faltboot aus dem Schuppen holten und zur kleinen Umfahrt starteten.

Otto Matuschewski hatte zwar erhebliche Mühe, sich am *Waldidyll*-Strand vorn in das schmale Boot zu zwängen, zeigte aber dann als alter Paddler soviel Klasse, daß Manfred Mühe hatte mitzuhalten. Er rechnete. In welchem Jahr war sein Vater, 1906 geboren, so alt gewesen wie er jetzt, zweiundzwanzig? 1928, zehn Jahre, bevor er, Manfred, auf die Welt gekommen war. 1928, das wußte er als semiprofessioneller Eisenbahner, war der *Rheingold* zum ersten Mal in Hoek van Holland nach Basel gefahren. Wenn sein Vater vom *Rheingold* überfahren worden wäre, dann ... oder einer seiner Vorfahren in der ganzen Kette vor Jahrtausenden von irgendwem erschlagen worden wäre ... Dann würde er am ersten Julisonntag des Jahres 1960 nicht hier sitzen. Er fragte den Vater, ob er sich an das Jahr 1928 erinnern könne.

»Klar, da war die SPD wieder stärkste Partei im Reichstag und Hermann Müller Reichskanzler …«

»Nie gehört.« Für Manfred war es völlig unvorstellbar, daß es in der Bundesrepublik jemals einen Kanzler geben könnte, der von den Sozis gestellt wurde, ja, jemals einen anderen Kanzler als Konrad Adenauer. »Und persönlich?«

»Da war ich arbeitslos … Nee, nich ganz …« Der Vater fing an, sich wieder zu erinnern. »Hier drüben in Zeuthen hab ich mal 'n Klavier in eine Villa getragen … als Statist beim Film. Und auf dieser Strecke – Schmöckwitz, Zeuthen, Wernsdorf, Seddinsee – bin ich im September 1943 zum letzten Mal im Krieg gepaddelt, bevor ich eingezogen worden bin … Allein, denn ihr beiden, Mutti und du, ihr seid ja schon evakuiert gewesen, in Steinau, bei Tante Emma, an der Oder unten … Da war ich 1938 mit dem Boot, auch allein, weil du im Februar auf die Welt gekommen warst …«

Manfred rechnete abermals. Wenn er, wie sein Vater, mit zweiunddreißig Jahren Vater wurde, dann schrieb man bereits das Jahr 1992, wenn sein eigener Sohn beziehungsweise seine eigene Tochter den zweiundzwanzigsten Geburtstag feierten, und sein Vater wäre dann sechsundachtzig Jahre alt oder vielleicht schon tot.

»Alles ist vergänglich, auch lebenslänglich«, erwiderte der Vater, als Manfred ihm mit dieser Rechnung kam. »Der Mensch lebt nur, um das Leben weiterzugeben.«

»Dann würde ich also gar nicht leben, wenn ich keine Kinder habe …?«

»Sieh dich mal langsam um nach 'ner Frau fürs Leben.«

»Mit Renate hat's nicht geklappt, mit Inge hat's nicht geklappt.«

»Wer weiß, wozu's gut war. Und tröste dich: Für jeden Topf findet sich 'n Deckel.«

So verging der Sommer 1960, und auch im Herbst und Winter gab es wenig, was sich in Manfreds Gedächtnis besonders eingebrannt hätte. Seine Kohlenoma lag weiterhin im Siechenhaus, wie sie es selber nannte, Weihnachten hatten sie in der Familie und Silvester wiederum oben bei Liebetruths gefeiert, und noch immer wartete er darauf, »die Frau fürs Leben« zu treffen, doch es tat sich nichts. Das absolute Gleichmaß regierte, bürgerlich-behaglich floß die Zeit dahin. Er genoß sein Neuköllner Biedermeier ... und verdammte es zugleich. Geborgenheit und Enge – er wollte hinaus und dennoch bleiben.

Was sein Studium betraf, so hatte er nun auch das zweite Semester hinter sich gebracht und wußte noch immer nicht so recht, ob er diese Institution Universität lieben oder hassen sollte. Im Zweifelsfalle tat er beides. Was ihn daran hinderte, alles hinzuschmeißen, waren zu gleichen Teilen seine Trägheit wie die charismatische Kraft derer, die das Fach Soziologie in dieser Zeit an der FU vertraten, an seiner Fakultät jedenfalls:

Otto Stammer – rothaarig, robust, sozialdemokratisches Urgestein und ein politischer Soziologe von großem Ruf – erinnerte ihn so sehr an seinen Vater, daß er sich selbst mit hohem Fieber in seine Vorlesungen schleppte, nur um keines seiner Worte zu versäumen;

Renate Mayntz – gerade aus den USA zurückgekommen und auf dem Wege zur Grande Dame der europäischen Organisationssoziologie, ebenso kompetent wie attraktiv – sollte er schon bald als Göttin anbeten und fürchten;

Ludwig von Friedeburg – Sohn des Admirals Hans-Georg von Friedeburg, der am Ende des Zweiten Weltkriegs die Kapitulation der deutschen Wehrmacht mitunterzeichnet hatte, in den siebziger Jahren sozialdemokratischer Kultusminister in Hessen – wurde für ihn der Inbegriff des Souveränen, Liberalen und Geistreichen.

Dieter Claessens, Günter Hartfiel und Jürgen Fijalkowski – alle drei zehn Jahre später bekannte Professoren – waren Assistenten mit Herz, die zwar viel wußten, die Jüngeren mit ihrem Wissen aber nicht einschüchtern wollten, sondern sie ermutigten und davon überzeugten, daß sie zu vielem fähig waren.

Dennoch: Vieles, was er in den Vorlesungen und Seminaren hörte, war zu hoch für ihn, verstand er so wenig wie die Fliege den Zeitungstext, auf den sie gerade schiß. Außerdem war er sich zu jeder Zeit bewußt, daß Soziologie nichts anderes war als brotlose Kunst, völlig ungeeignet, Karriere zu machen und genug zu verdienen, um eine Familie zu gründen und sich ein Häuschen im Grünen zu bauen. Mediziner, Juristen, Ingenieure ... die sicherten sich die großen Stücke vom Kuchen, für ihn und seinesgleichen blieben die Krümel.

In dieser Grundstimmung saß er Ende März 1961 in der U-Bahn, las *So zärtlich war Suleyken* von Siegfried Lenz und freute sich auf den Besuch bei Curt und Anett draußen in Hermsdorf. Seinen »Groß-Cousin« Curt hatte er seit seiner Zeit in Hannover und Erlangen gänzlich aus den Augen verloren gehabt, und erst als Onkel Erich, Curts Großvater, am 9. März gestorben war, hatten sie sich bei der Beerdigung wiedergetroffen. Manfred war aus allen Wolken gefallen. Von den dramatischen Wendungen in Curts Leben hatte er nichts mitbekommen, die familiären Buschtrommeln hatten geschwiegen. Curt hatte in der Zwischenzeit geheiratet – die Anett – und war Vater. Bettina hieß ihre Tochter und war erst vor kurzem auf die Welt gekommen. Tante Martha und Tante Eva hatten nicht nur deswegen so verweinte Augen, weil sie den Verlust von Mann und Vater zu beklagen hatten. Diese Schande, o nein! Aus ehrbaren Elternhäusern kamen die beiden jungen Leute, hie Apotheker, dort gar Pfarrer, nach dem Abitur standen ihnen akademische Weihen in Aussicht – und nun das! Hatten sich während der Proben zu einer Schüleroper hinter den Kulissen vergessen und – die schlimmste Sünde – *nicht aufgepaßt*.

Als Manfred davon erfuhr, konnte er nicht anders, als beide zu beneiden. Anett kannte er von Curts Geburtstagsfeiern her und fand sie außerordentlich anziehend.

Nun also hatten Curt und Anett, C & A, ihn nach Hermsdorf eingeladen. Sie wohnten bei Frieder und Annerose Grigoleit in der Boumannstraße hoch oben unterm Dach, und Manfred hatte seinem Stadtplan entnommen, daß er vom

U-Bahnhof Tegel mit dem A 15 bis zur Haltestelle Hermsdorfer Damm / Schulzendorfer Straße fahren mußte. Sein *Lonely-wolf*-Gefühl pendelte ständig zwischen den Polen depressiv und heroisch. In Tegel kam er sich als Fremder vor, aber als er dann mit dem Bus durch den Forst und die Auenlandschaft tuckerte, fühlte er sich ganz als Abenteurer, immer auf der Suche nach interessanten Menschen und Milieus.

Er stieg aus. Zwar war es trübe und der März als solcher noch ziemlich kühl, doch in den Gärten harkten sie schon in froher Erwartung des Frühlings ihre Blumenbeete und winterbraunen Rasenflächen sauber. Kam er vorüber, fuhren die Köpfe nach oben, denn ein alleingehender Fremder konnte in dieser Gegend nur zweierlei bedeuten: Einbrecher oder Sittenstrolch. Anständige Menschen hatten ihr Frauchen oder ihren Hund dabei. Manfred ging unwillkürlich schneller, war dann aber, als er das Haus der Grigoleits gefunden hatte, wiederum verunsichert, denn die Institution eines Hammergrundstücks war ihm nicht geläufig. Wo war zu klingeln, wer wohnte wo? Grigoleits Einfamilienhaus, das begriff er schließlich, lag ganz hinten, und von der endlos langen Zufahrt, dem Hammerstiel, zweigte noch der Zugang zu einer Arztpraxis ab. Endlich war die Haustür der Grigoleits gefunden, doch ein Schildchen, das auf C & A verwies, gab es nicht. Manfred faßte sich ein Herz, klingelte und fragte, als die Gegensprechanlage schnarrte, nach den beiden.

»Die haben wir gerade rausgeworfen, die haben ihre Miete nicht bezahlt«, brummte Frieder Grigoleit.

Manfred stand unschlüssig am Gartenzaun. Möglich war alles, und seine Mutter hatte des öfteren betont, Anett und Curt seien nicht auf Rosen gebettet. Fast hatte er sich wieder umgedreht, da ging oben die Tür auf, und Annerose Grigoleit erschien.

»Hören Sie nicht auf meinen Mann«, rief sie ihm zu, »das ist nur typischer Lehrerhumor.«

Die Tür ging auf, und schon kam Anett mit vielen Huchs und Hachs herbeigeschwebt, ihn freudig zu begrüßen.

»Der Onkel Manfred, na endlich!«

Curt, die kleine Bettina im Arm und ganz perfekte Amme, hielt sich im Hintergrund, in allem viel verhaltener.

Manfred fühlte sich vom ersten Augenblick an äußerst wohl bei beiden, nur Annerose Grigoleit irritierte ihn, denn ihr Gesicht war wie ein großes Plakat, auf dem zu lesen stand: »Ich bin die Herzensgüte und die Nächstenliebe in Person, ich bin so fromm und gut.« Das stellte alles in den Schatten, was er bislang bei der Heilsarmee, bei Diakonieschwestern, bei Nonnen und Vertreterinnen des Demokratischen Frauenbundes in Schmöckwitz und Umgebung gesehen hatte. Es nahm ihm schier den Atem; im Angesicht von Annerose Grigoleit kam er sich sündig vor und schmutzig, egoistisch und hartherzig, elend und verloren.

Er war froh, als Anett vorschlug, vor dem Kaffeetrinken einen Waldspaziergang zu machen. Dabei wurde ihm die Ehre zuteil, den Kinderwagen mit Bettina schieben zu dürfen. Sie hatten Zeit genug, ausgiebig über die liebe Familie zu lästern.

Der Kaffeetisch nachher zeigte Anetts großes Talent, aus Nichts etwas zu machen. Mit dem Geld, das manche nur für die Sahne verbrauchten, hatte sie eine festliche Tafel gezaubert.

Es kam ein weiterer Gast, den Manfred schon aus Curts Hakenfelder Zeit kannte: Dieter Deffmers, ein ehemaliger Klassenkamerad von C & A. Er studierte Geologie und hatte dasselbe Kardinalproblem wie Manfred: kein passendes weibliches Wesen zu finden.

Anett ging alle ihre Freundinnen durch, doch es war nichts dabei.

»Im Sommer«, tröstete sie die beiden, »wenn Grigoleits verreist sind und wir das Haus zu hüten haben, machen wir 'ne große Fete und laden alles ein, was ungebunden ist.«

»Manchmal ist das Gebundene viel reizvoller«, lachte Dieter und sog bedeutungsschwer an seiner Pfeife.

»Aber Onkel Dieter!«

Manfred schloß sich Dieters Meinung an. Ein Juwel wie Anett war schwer aufzutun, wenn überhaupt. *Jung gefreit hat nie gereut.* Natürlich, es war wie auf einer Auktion: Die besten Stücke gingen am ehesten weg. Und wer zu lange zögerte, bekam lediglich die zweite Wahl ab – oder mußte warten, bis die Ware wieder auf den Markt kam. Und daß sich Curt und Anett trennen würden, bevor der Tod sie schied, darauf konnte man nicht hoffen.

Dabei ging es C & A wirklich nicht gut. Curt hatte wenigstens noch das Abitur machen können und dürfen, während Anett, als sich ihre Schwangerschaft nicht mehr kaschieren ließ, still und heimlich abgegangen worden war und sich als Sprechstundenhilfe durchgeschlagen hatte. Ihr Vater, gewesener Pfarrer, war »im Krieg geblieben«, und ihre Mutter, die in der DDR lebte, konnte ihr nicht helfen. Wenn da nicht Annerose Grigoleit gewesen wäre ... Curt hatte sein Pharmaziestudium wie geplant begonnen, es aber nicht durchhalten können, einmal finanziell nicht und zum anderen, weil es schier unmöglich war, in einer Einzimmerwohnung mit einem schreienden Kleinkind drin zu pauken. So hatte ihm sein Vater, der Apotheker, eine Stelle in einer kleinen pharmazeutischen Hinterhoffirma vermittelt, und da ackerte er nun bis zu zwölf Stunden am Tag.

Ein Traum von einem Leben war das sicher nicht, doch Manfred hätte jederzeit mit Curt getauscht, zu stark war das Klischee *Raum ist in der kleinsten Hütte für ein glücklich liebend Paar* in ihm verankert, und Dieter Deffmers ging es ebenso.

Am Abend fuhr Manfred mit dem Gefühl nach Hause zurück, immer auf dem falschen Dampfer zu sitzen. Er hatte eigentlich kein Ziel, und so war ihm auch die Chance verbaut, schon auf dem Weg dorthin das Glück zu finden. Wenn sie ihn im Psychologiekurs aufgefordert hätten, seine Situation bildlich darzustellen, dann hätte er ein Schiff gemalt, das ohne Steuer und Ziel im weiten Ozean trieb.

Für Manfred war jeder Samstagabend gleich schrecklich. Selten kam er sich so einsam und verloren vor, quälte ihn das Gefühl, das Leben zu verschenken und mit dreiundzwanzig

Jahren schon ein alter Mann zu sein. Sein Zimmer, elf Quadratmeter, begann er wie ein Gefängnis zu hassen. Die Tür stand offen, und dennoch saß er nur zu Hause herum, gelähmt von der Frage: Was soll ich denn machen?

»Geh doch mal ins Kino«, riet ihm sein Vater.

»Alleine ...?«

»Schaff dir endlich mal 'ne Freundin an!« nörgelte seine Mutter und kam sofort mit zwei Vorschlägen, jüngeren Kolleginnen aus der Krankenkasse. »Die kleine Mehring hat noch keinen und die Reese auch noch nicht.«

In Manfred zog sich alles zusammen. »Dann schon lieber ...«

»Die sagen schon alle, daß du schwul bist ...«

Er knallte die Tür hinter sich zu und versuchte, auf seinem kleinen Billard, das jetzt statt der Eisenbahn im Zimmer stand, einen neuen Rekord im Einband aufzustellen, hundert Aufnahmen, im Kampf gegen sich selber.

Was sollte er machen? Seine alten Freunde waren in alle Winde verstreut. Gerhard volontierte in Frankfurt am Main weiterhin in der Büromöbelbranche, Balla-Balla Pankalla übte an verschiedenen Standorten, Kampfflieger abzuschießen, Bimbo saß als frischgekürter Postinspektoren-Anwärter in Jülich, und Dirk Kollmannsperger war verschollen. Von den Siemens-Kameraden war nur Moshe Bleibaum geblieben, doch der hatte soviel mit dem jüdischen Gemeindeleben und dem Geldverdienen zu tun, daß sie sich außerhalb der Uni selten sahen. Und in Dahlem hatte er noch keinen Anschluß gefunden, da studierte jeder für sich selbst und gegen alle. In Schmöckwitz gab es vor dem 1. Mai auch wenig zu erleben, und C & A konnte er nicht dauernd auf den Wecker gehen. Also spielte er Billard, legte Hand an sich und las.

Es war Sonnabend, der 8. April 1961. Seine Eltern waren zu Neutigs in die Afrikanische Straße gefahren. Was blieb ihm, als um 19 Uhr 30 auf RIAS II die *Insulaner* zu hören und dann um 20 Uhr 20 Peter Frankenfeld in *Guten Abend!* zu erleben. So ging auch dieser Tag zu Ende, ohne daß er sich aus dem Fenster gestürzt oder vor die S-Bahn geworfen hätte.

Und das war doch immerhin ein Erfolg für den Frührentner Manne Matuschewski.

Am folgenden Morgen schreckte er schon um 7 Uhr hoch, als über ihm Thomas Liebetruth mit seinem Papa Hoppe-hoppe-Reiter spielte, schlief aber bald wieder ein, als er sich die Pflichtlektüre vorgenommen hatte, den Sammelband *Soziologie* von Gehlen und Schelsky. Für einen Nachkommen von Bauern, Handwerkern und Kohlenhändlern war dies nun mal nicht die rechte Kost ...

... er schreckte um so heftiger hoch, als seine Mutter gegen die Tür bummerte.

»Manfred, Besuch für dich!«

Wer konnte das sein? Er hatte das Bild Renate Zerndts vor Augen.

»Dein Freund Dirk Kollmannsperger«, präzisierte der Vater.

Aus der Traum, daß die Geliebte plötzlich zu ihm zurückkehrte, *wie im Fülm*: »Ohne dich hab' ich nicht leben können.« Aber die Enttäuschung der ersten Sekunde verflog schnell, denn mit Dirk Kollmannsperger kam wieder Leben in den Bude, und sie konnten wie in alten Zeiten nach Herzenslust blödeln.

»Was denn: Früher hast du nie einen Anzug getragen«, staunte Dirk, »jetzt gehst du sogar mit einem ins Bett.«

»Ich war mit keinem im Bett.«

»Wir alle sind doch Bett-ler.«

»Wie man sich bettet, so leert man sich auch. Ich muß erst mal, dann können wir.«

»Ah, deine denile Siemens!« rief Dirk.

»Wie?«

»Äh, deine senile Demenz.« Da man an der TU Berlin, wo Dirk studierte, auf das Studium generale eingeschworen war, hatte er neben der Mathematik und anderen naturwissenschaftlichen Fächern auch Psychologie und Schwedisch belegen müssen. »Jag har punktering.«

»Wieviel Punkte hast du im Ring? Boxt du jetzt?«

»Nein, das ist Schwedisch: Ich habe eine Reifenpanne.«

»Das merkt man dir auch an.«

»Jag talar inte tysk. Ich spreche kein Deutsch. Darum bin ich damals in der zwölften Klasse sitzengeblieben.«

Manfred lief ins Bad, um sich sonntäglich herzurichten.

»KAJOTT gekleidet, flott gekleidet!« rief Dirk Kollmannsperger, als Manfred wieder erschien.

»Begeisterung bei allen Hausfrauen – BAUKNECHT.«

»Der Wertmesser für ein gutes Bild: das gestochen scharfe Bild – NORDMENDE.«

»Besser NORDMENDE als Erich Mende.«

»Frisch auf den Tisch – KaDeWe.«

»Mach mal im Bad das Fenster auf!« rief seine Mutter. »Es stinkt.«

Sie nahmen die alten Rituale wieder auf. Nach dem Frühstück legten sie zuerst das mobile Billardspiel auf den Wohnzimmertisch und spielten solange, bis sie eine Handvoll Flusen vom nachgemachten Perser losgetreten hatten und eine Intervention von Manfreds Mutter zu fürchten war. Dann gingen sie zum Fußballplatz, nicht ohne vorher um 11 Uhr 45 auf RIAS I Friedrich Luft gehört zu haben, *Die Stimme der Kritik*. Das gehörte zum Sonntag wie das lange Schlafen und das Frühstücksei.

Zwar waren sie nur auf dem Sportplatz, um über die unbegnadeten Fußballer der unteren Klassen zu lästern, doch als sie sich auf den leeren Rängen des Hertzbergplatzes in einem improvisierten 100-Meter-Lauf maßen und hinterher völlig außer Puste waren, merkten sie, daß ihre Kondition auch nicht viel besser war als die der biederen Bierbauchkicker.

»Jedermann an jedem Ort jede Woche einmal Sport«, leierte Manfred. »Wie recht doch Walter Ulbricht hat.«

Dirk Kollmannsperger stimmte zu. »Ja, man sollte das Asthma absägen, auf dem man sitzt.«

So beschlossen sie, mindestens einmal in der Woche wieder zum Training zu gehen. Ihr Verein, die Neuköllner Sportfreunde (NSF), war noch immer in der alten Radrennbahn an der Oderstraße ansässig, sollte aber bald in die Silbersteinstraße umziehen.

Zwischen 1955 und 1957 war Manfred der große Sprinterstar der NSF-Jugend gewesen. Doch nun, vier Jahre später, kannte ihn kaum noch jemand. Andere standen im Mittelpunkt, andere hatten das Sagen. Und als er mit der neuen Generation zusammen in den Startblöcken kniete, waren die anderen, als der Trainer in die Hände klatschte, schon drei Meter weg, bevor Manfred begriff, daß er nun loszulaufen hatte.

»They never come back«, sagte Rainer Hirschmann, der alte Trainer, der ihn damals zur Superzeit von 11,1 Sekunden über die hundert Meter gebracht hatte. »Du solltest dich jetzt auf was anderes verlegen.«

»Ja, auf den Diskus«, rief Dirk Kollmannsperger, »denn er ist immer noch der schönste Kuß, und schon die alten Griechen haben ja kräftig diskustiert.«

Das war ein Wort, und so schleuderten sie nun regelmäßig die zwei Kilo schwere Scheibe. Einer warf, und der andere paßte höllisch auf, denn da NSF keinen Wurftrainer hatte, mußten sie sich den komplizierten Bewegungsablauf selber beibringen. Oft genug rutschte ihnen das Gerät aus der Hand und flog unkontrolliert auf die Trainingskameraden zu. Aber es machte ihnen einen Riesenspaß, zumal sie sich laufend verbesserten und in etwa gleich gut waren. Dirk Kollmannsperger war mindestens einen Kopf größer als Manfred und hatte die besseren Hebel, Manfred war aber schnellkräftiger und technisch besser, so daß bei ihren Duellen mal der eine, mal der andere Sieger war. Für Amateure waren ihre Weiten – zwischen 33 und 34 Meter – recht beachtlich.

»Paß auf!« schrie Manfred, als dem Freund ein Wurf mißglückte und die Scheibe steil nach oben flog. »Sonst holst du noch Juri Gagarin vom Himmel.«

Seit der Kosmonaut am 12. April 1961 als erster Mensch die Erde in einer Raumkapsel umrundet hatte, ließ sich kaum jemand die Gelegenheit entgehen, diese Pioniertat in die eigenen Gedankengänge einzuflechten.

»Der erste Mensch im Weltall!« Dirk Kollmannsperger preßte sich die Fäuste an die Schläfen wie früher Meph, ihr

Chemielehrer. »O Gott, Matuschewski: als wären wir nicht alle täglich im Weltall – oder befindet sich die Erde vielleicht außerhalb des Weltalls?«

»Das ist Haarspalterei!«

»Das ist Logik. Die Logik, die euch Geisteswissenschaftlern halt abgeht.«

»Paß mal auf, daß dir keiner abgeht.«

Sie stritten sich noch ein Weilchen, bis Werner Scherwinski erschien, der Abteilungsleiter.

»Ihr habt euch beide für die Holland-Reise angemeldet?« fragte er, und da er von Hause aus Polizeibeamter war, Obermeister, hatte das Ganze von Anfang an den Charakter eines Verhörs.

»Ja ...«

Der Bezirk Neukölln war mit mehreren europäischen Gemeinden in froher Städtepartnerschaft vereint, und in regelmäßigen Abständen fand mit den neuen Freunden, immer reihum, ein großes Treffen statt, die »Jumelage«. Dieses Mal wollte man nach Zaandam in den Niederlanden reisen und sich dort mit den holländischen Sportsfreunden sowie Gästen aus Hammersmith, Anderlecht und Boulogne-Billancourt in der Leichtathletik messen.

»Du läufst die 800 Meter.« Werner Scherwinski zeigte auf Dirk Kollmannsperger. »Und du die hundert.« Damit war Manfred gemeint.

»Wir haben aber nur Diskus trainiert, Herr Polizeipräsident«, wandte Dirk Kollmannsperger ein.

»Was ihr macht, bestimme ich. Sonst bleibt ihr zu Hause.«

Daß man so mit ihnen umsprang, wurmte sie, aber sie blieben ruhig, denn zum einen wußten sie, daß Scherwinski immer rot sah, wenn er Studenten vor sich hatte, Akademiker von morgen, und zum anderen wollten sie gerne nach Holland.

So nickte Manfred und stieß Dirk Kollmannsperger den Ellenbogen in die Seite. »Gut, laufen wir eben ... oder?«

Der Freund kapierte sofort. »Ja, sicher. Es geht ja allen laufend besser ... warum nicht auch uns.«

Als Scherwinski weg war, feixten sie. »Pech für ihn, daß er nicht gesagt hat, welche Zeiten wir laufen sollen ...«

Am Mittwoch, dem 28. Juni, traf man sich um 20 Uhr auf dem Parkplatz am Rathaus Neukölln, um die Nacht über nach Holland zu fahren. Für die Mannschaft war ein Bus gechartert worden, während Werner Scherwinski es vorzog, im eigenen Opel zu reisen. Manfred und Dirk Kollmannsperger wurden mit den Kunze-Brüdern Knut und Norbert auf den Rücksitz verfrachtet und hatten dort einen Funktionär zu ertragen, den ihnen der Vereinsvorstand mit auf den Weg gegeben hatte: Friedhelm Raff, ein enormer Fettsack. Dessen Disziplin war das Biertrinken. Da sein Oberkiefer noch ausladender war als sein Unterkiefer, ragten seine Schneidezähne weit über die Unterlippe hinaus. Er sah aus wie ein Brauereigaul, der freudig wieherte. Man nannte ihn kurz und bündig »Raffzahn«, weil er anderen ständig die Stullen und die Schokolade wegaß. Raffzahn ging den vier anderen auf der Rückbank gewaltig auf die Nerven, weil er sie über vierzehn Stunden hinweg ständig zu erdrücken drohte und gewaltige Mengen Bier soff. Das stank nicht schlecht und hatte auch zur Folge, daß er in der DDR, wo man ja unterwegs nicht halten durfte, gezwungen war, in leere Bierflaschen zu pinkeln, was beim Rütteln des Busses auf der schlechten Autobahndecke oft danebenging.

Am nächsten Mittag, endlich in Zaandam angekommen, sorgte Raffzahn sehr schnell für die erste Trübung der deutsch-niederländischen Beziehungen. Weil Manfred per Losentscheid mit ihm dasselbe Zimmer teilen mußte, bekam er dies aus nächster Nähe mit. Kaum hatten sie ihren Gastgebern, der Familie van Wattum, guten Tag gesagt, da trieb es Raffzahn mit Macht zur Toilette. Und da dieses Kabinett so klein und niedlich war wie alles in den holländischen Häusern, konnte er sich nur richtig auf der Brille niederlassen, wenn die Tür ein wenig offenblieb. Wenn Manfred das Niederländische richtig verstand, schlug Herr van Wattum seiner Frau daraufhin vor, das ganze Haus abzureißen, da es nicht mehr bewohnbar sei. Dann flohen sie auf die Terrasse, und Piet van Wattum, der beste Zaandamer Sprinter und etwa in Manfreds Alter, spekulierte darüber, ob dieser Giftgasangriff mit der Roten Armee abgesprochen sei, um die Niederlande zu erobern. Dies auf Englisch; Deutsch sprach man nicht so gerne, denn Herr van Wattum hatte keine so guten Erinnerungen an die deutschen Besatzer. »But we'll try to forget it.«

Da der große Wettkampf erst am Sonnabend stattfinden sollte, blieb genügend Zeit für das Jumelage-Rahmenprogramm. Mit Bus und Schiff ging es nach Volendam am Ijssel-Meer und zur Grachtenfahrt nach Amsterdam. Die nähere Umgebung wurde auf Rädern erkundet.

Die gab es hier wie Sand am Meer. Manfred und seine Sportkameraden staunten außerdem über die vielen Farbigen, die aus den holländischen Kolonien hergekommen waren, und amüsierten sich über die putzigen holländischen Ausdrücke.

Die Fingerabdrücke waren die vingerafdrukken, der Lichtschalter hieß lichtknopje, der Unsinn onzin, der Sarg einfach nur kist – »Die Totenkiste!«, sagte Dirk Kollmannsperger lachend – und die Nervenheilstätte gekkenhuis. In der Tageszeitung *De Zaanlander* fanden sie so schöne Sätze wie: Morgen konden ze ons hebben doodgeschoten.

Ein bißchen Holländisch hatten sie schnell gelernt – een, twee, drie ...

»Fahren wir heute nach Amsterdam?«

»Geen antwoord.«

»Waarom niet?«

»Dat is uw auto niet.«

»Schreeuw toch niet zo!«

Raffzahn kam da nicht mit. Als er an einem Haus das Schild *To huur* las, schlüpfte er schnell hinein und schilderte der erstbesten Frau, die sich blicken ließ, mit einem Fünfzigmarkschein in der Hand unter vielen eindeutigen Gesten seine speziellen Wünsche. Daraufhin bekam er kräftig eine geschallert und wurde mit einem Besenstiel auf die Straße geprügelt. To huur, erklärte ihm Mijnheer van Wattum später, hieße nicht, daß es da zur Hure ginge, sondern ganz einfach: »Zu vermieten«.

Am Sonnabend nachmittag fand schließlich der große Jumelage-wedstrijd in der Atletiek statt, wobei verspringen gleich Weitsprung und polsstok hoog gleich Stabhochsprung am schönsten klang. Die Mannschaften versammelten sich auf einem weitläufigen Sportplatz am Rande der Stadt, dessen Rasen auf so morastigem Untergrund ruhte, daß man wie auf einem großen Trampolin lief. Und als später die erste Speere flogen, hatte Manfred Angst, sie würden spurlos im Morast versinken.

Vorerst aber wurden kleine Reden gehalten. Werner Scherwinski bellte etwas ins Mikrofon, in dem viel von Mannschaftsgeist und kämpfen und siegen die Rede war. So richtig peinlich wurde es aber erst, als Raffzahn am Ende schrie: »Sport heil! Sport heil! Sport heil!« Einige der anderen Europäer hatten »Sieg heil!« verstanden.

Manfred und sein Freund Dirk konzentrierten sich voll auf das Diskuswerfen. Sie waren mit Feuereifer bei der Sache und legten für ihren Verein und ihren Bezirk Ehre ein, denn Manfred siegte mit 34,20 Metern, und Dirk wurde mit 30,41 Metern immerhin noch Fünfter.

Als dieses Ergebnis per Lautsprecher verkündet wurde, kam Werner Scherwinski auf sie zugelaufen, und sie streckten schon die Hände aus, um sich gratulieren zu lassen. Doch er blaffte sie fürchterlich an.

»Hab' ich euch erlaubt, am Diskuswerfen teilzunehmen ...!?«

»Wir sind einfach hingegangen und haben uns beim Kampfrichter angemeldet.«

»Knut und Norbert Kunze waren dafür eingeteilt!« schrie Scherwinski.

»Die kommen ja nicht mal mit Auskullern über dreißig Meter«, lachte Dirk Kollmannsperger.

»Das ist mir egal. Es wird gemacht, was *ich* sage, sonst ...«

Manfred deutete an, daß hier in den Niederlanden eine standrechtliche Hinrichtung schwer zu realisieren sein würde.

Scherwinski zeigte auf die Aschenbahn. »Los, ihr lauft jetzt. Wir sprechen uns später. Das mit dem Diskuswerfen wird ein Nachspiel haben.«

Manfred begleitete Dirk Kollmannsperger auf den Weg zum 800-Meter-Start. »Das ist ja wie bei Kleist im *Prinzen von Homburg*: Der Prinz hat zwar die Schlacht bei Fehrbellin gewonnen, aber der Große Kurfürst dankt ihm nicht dafür, sondern will ihn hinrichten lassen, weil er eigentlich gar nicht hätte ins Geschehen eingreifen dürfen. Sieg ohne Befehl – das ist offensichtlich das Schlimmste, was Kommißköppen wie Scherwinski unterkommen kann. Lieber verlieren als seine Prinzipien opfern ...«

»Du solltest Soziologie studieren«, sagte Dirk Kollmannsperger.

Dann fiel der Startschuß zum 800-Meter-Lauf, und Dirk gab sich alle Mühe, fürchterlich angestrengt zu wirken und trotzdem immer weiter zurückzufallen. Als der Sieger, ein Zaandamer, der 2:03,9 Minuten gelaufen war, schon auf dem Weg zur Dusche war, wankte er mit einer Zeit von 2:30,2 ins Ziel und brach fast zusammen, als er vor Scherwinski stand.

»Mein Kreislauf ...«

»Du Simulant!« schrie Scherwinski.

»Nein, ich ...« Dirk Kollmannsperger keuchte, stützte den Oberkörper auf die Knie und versuchte, Schleim herauszuwürgen.

Werner Scherwinski wandte sich ab und suchte Manfred. »Wenn du nicht mindestens 11,8 läufst, dann ...!«

»Ich schwöre dir, daß ich alles geben werde.«

Pech, daß Manfred zwei Fehlstarts produzierte und aus dem Wettkampf ausschied.

Scherwinski tobte. »Das hast du mit Absicht gemacht, du Lump!«

»Na, na ...«

»Du denkst wohl, weil du Student bist, bist du was Besseres und kannst dir alles erlauben. Schmarotzer seid ihr beide! Hier mitfahren, aber nichts leisten für den Verein.«

Manfred blieb gelassen. »Ich hab' das Diskuswerfen gewonnen, und Dirk ist da Fünfter geworden.«

»Schweine seid ihr: Der eine schleicht mit Absicht über die Bahn und wird Letzter, der andere macht mit Absicht zwei Fehlstarts, damit er nicht rennen muß.«

Scherwinski war so rot angelaufen, daß Raffzahn sich schon Sorgen machte. »Werner, das sind die nicht wert, daß du dich so aufregen tust.«

Doch Scherwinski war noch nicht fertig. »Solche Leute gehören nicht in unsere Mannschaft rein! Die Rückfahrt könnt ihr alleine antreten. In unseren Bus kommt keiner von euch rein, so wahr ich Scherwinski heiße.«

Ein paar Mannschaftskameraden kamen, um Scherwinski umzustimmen, und der wurde auch schon unsicher, als die Kunze-Brüder auftauchten.

»Laß dich nicht einwickeln von denen«, sagte Knut Kunze.

»Die haben schon im Bus dauernd gestänkert«, sprang ihm sein Bruder bei. »Die passen nicht zu uns.«

Da verlor Manfred dann doch die Beherrschung. »Mit solchen Arschlöchern wie euch, da ...«

Jumelage heißt Verbrüderung, und so kamen die Holländer schnell herbeigelaufen, um die aufeinander einprügelnden Deutschen zu trennen. Manfred und Dirk fuhren danach mit der Bahn und auf eigene Kosten nach Berlin zurück. Vorher hatten sie jedoch im Schutze der Dunkelheit noch die Motorhaube von Scherwinskis Opel geöffnet und das eine oder andere ausgebaut. So traf er sieben Stunden später als sie in Neukölln ein ...

Am 5. Juli versammelte sich Manfreds Mischpoke im Bethanien-Krankenhaus am Bett der Kohlenoma, die ihren 76. Geburtstag feierte. Und am Wochenende danach war er wieder mal bei Curt und Anett in Hermsdorf. Bei C & A konnte er sich so richtig ausweinen und über seine Hauptprobleme lamentieren: Wo krieg' ich endlich eine Freundin her? Soll ich etwas anderes studieren als Soziologie? Wohin soll ich in den Semesterferien verreisen?

»Willst du nicht wieder nach Schmöckwitz fahren?« fragte Curt.

»Kant ist auch nie aus Königsberg herausgekommen, aber leider bin ich nicht Kant. Höchstens verkannt – von den Frauen.«

Anett ging wieder mal die Reihe ihrer Freundinnen durch, fand aber keine, mit der sie ihn hätte verkuppeln können.

»Was kann ich denen schon bieten ...« Manfred versank in Selbstmitleid.

Unten klingelte es. Dieter Deffmers stand im Windfang.

Curt nutzte die Gelegenheit und fragte Manfred und Dieter, ob sie nicht zusammen verreisen wollten. »Manfred hat keine, du hast keine ... keine Begleitung für die Ferien, meine ich ... tut euch doch zusammen.«

Dieter Deffmers winkte ab. »Ich mach' schon 'ne geologische Exkursion nach Italien.«

Manfred geriet langsam in Panik. Alle hatten Freunde zum Verreisen, alle hatten feste Pläne. Nur er nicht. Moshe Bleibaum fuhr zu seinen Verwandten nach Jerusalem, und da konnte er als Goi nicht mit. Dirk Kollmannsperger war von der Familie seiner Schwester eingeladen worden, und die konnten ihn in ihrem Ferienhaus nicht auch noch unterbringen. Balla-Balla Pankalla, den großen Soldaten, hatte er aus den Augen verloren, und Bimbo, sein alter Klassenkamerad, wollte nicht aus Jülich raus. Gerhard hatte in seiner Frankfurter Firma eine nette Kollegin kennengelernt und wollte sich am Strand von Jesolo nicht stören lassen. Und C & A schließlich blieben in Berlin, um das Grigoleitsche Haus zu hüten.

Da hatte Dieter Deffmers eine Idee. »Versuch's doch mal mit ARTU.«

Manfred verstand »Arthur« und machte nur »...ööhh«, erfuhr dann aber, daß unter ARTU der akademische Reiseveranstalter der Technischen Universität zu verstehen sei. »Die sitzen da gleich in der Hardenbergstraße.«

Manfred zögerte. »Da muß ich ja ganz alleine fahren.«

»Ja«, höhnte Dieter Deffmers, »in einer Gruppe von dreißig Leuten.«

»Und darunter sicherlich viele schöne Studentinnen«, versuchte ihm Anett die Sache schmackhaft zu machen.

»Da ist doch bestimmt schon alles ausgebucht, jetzt ...«

»Versuch's doch einfach mal.«

»Ich weiß nicht so recht.«

»Ich aber.« Anett ließ nicht locker. »Denk an die Studentinnen.«

Dieter Deffmers stimmte einen alten Berliner Gassenhauer an: »Wenn eena eene hat und kannse jut vaknusen, dann hält er selbst ihr'n jroßen Buckel für 'n Busen ...«

So ging es noch eine Weile hin und her. Schließlich nahm Manfred seinen ganzen Mut zusammen und fuhr gleich am Montag in die Hardenbergstraße. Die Schlange am Tresen von ARTU war lang, und er hatte Zeit genug, sich im ausgelegten Katalog anzusehen, was es alles gab.

10 Tage Wolfgangsee – DM 176,–.
Vier Wochen Griechenland – DM 348,–.
Drei Wochen Mallorca – DM 384,–.
Moskau – DM 408,–.
Israel, Sammeltransporte:
Berlin–Haifa–Berlin DM 420,–.
Chicago – mit kleinem Programm
im mittleren Westen – DM 966,–.

Dies alles hätte ihn gereizt, war aber nicht mehr zu haben. Was ihm blieb, war die Reise mit dem Kurzzeichen 6404 vom 11. 8. bis 5. 9. 1961 zu DM 393,– und einer Anzahlung von DM 80,–:

Finnland – Leningrad – Stockholm – Kopenhagen
Möchten Sie unsere erste Leningradreise mitmachen und außerdem noch die Hauptstädte Helsinki, Stockholm und Kopenhagen kennenlernen? Dann sollten Sie mit uns fahren! Wenn auch als Studienreise geplant, soll doch auch der Finnlandaufenthalt einige schöne Erholungstage bieten.

Er war glücklich, denn nach Finnland hatte er schon immer gewollt – wenn auch mit dem Faltboot und als Paddler. Schuld daran war das Buch *Inari – Eine Lapplandfahrt* von Curt Biging. Seine Mutter hatte es mit der Widmung *Meinem lieben Mann für seine Mußestunden* Weihnachten 1938 seinem Vater geschenkt, und dem hatte er es schon als Zehnjähriger stibitzt. Er hatte es einige dutzendmal gelesen und bei jeder Fahrt über den Seddin- oder Müggelsee vom Inarisee geträumt, gegen den alle Gewässer um Schmöckwitz herum ja nichts als Pfützen waren. Da gab es einsame Inseln mit unaussprechlichen Namen wie Leveä Petäjäsaari, Hoikka Petäjäsaari und Silkasaari, Dörfer wie Karsikkoniemi und Ukonselkä und Flüsse wie den Pielppajärvet. Am Ende seiner Lapplandfahrt notiert der Autor den Satz: »Hinter dir bleibt eine lange, lange Nacht und eine große Sehnsucht.« Diese Sehnsucht hatte sich auf Manfred übertragen.

Als seine Eltern abends nach Hause kamen und er ihnen aufgeregt erzählte, was er gebucht hatte, war die Mutter ziemlich entsetzt.

»Die Finnen halten doch zu den Russen ... da landest du nachher in einem Lager in Sibirien. Oder sie nehmen dich als Spion, wie heißt das, Otto ...?«

»Agenten ...«

»Agenten bei uns hier.«

»Ja, als Kurier des Zaren«, lachte Manfred.

»Mit dem KGB soll man nicht spaßen«, gab der Vater zu bedenken. »Um Spione anzuwerben, tun die doch alles: Die verwickeln euch in einen kleinen Unfall oder setzen ein hübsches Mädchen auf euch an.«

Manfred stellte sich nun vor, wie er gerade mit Irina oder Natascha – oder beiden – im Bett lag und angeworben wurde. Von da an stand fest, daß er die Reise 6404 auf jeden Fall antreten würde.

Als er dann am 11. August, einem Freitag, pünktlich um 8 Uhr 30 auf dem S-Bahnhof Zoologischer Garten eintraf und seine Reisegruppe suchte, hatte er doch ein wenig Bammel. Mit Dirk Kollmannsperger, Moshe Bleibaum oder einem anderen seiner alten Weggenossen hätte er sich sehr viel wohler gefühlt. Am liebsten hätte er kehrtgemacht und wäre mit der Stadtbahn Richtung Schmöckwitz gefahren, doch sein Pflichtbewußtsein trieb ihn hinauf zum Fernbahnsteig: *Wer A sagt, muß auch B sagen. Schließlich hast du bezahlt und kriegst das Geld nicht wieder.* Bei seinen Eltern aufzutauchen und einzugestehen, daß er keinen Mumm gehabt hätte, ging einfach nicht.

So trabte er zwei anderen Kofferträgern hinterher, die irgendwie nach ARTU rochen, und erreichte seine Gruppe. Der Reiseleiter hieß Kumpf und erklärte sogleich, daß etliches schiefgelaufen sei.

»Vor allem: Leningrad ist ins Wasser gefallen. Heute morgen ist ein Telegramm gekommen, daß man uns nicht einreisen lassen will. Statt dessen werden wir ein paar Tage auf den Ålandinseln verbringen.«

Die allgemeine Enttäuschung war groß, Manfred allerdings fühlte sich eher erleichtert. Blieb ihm wenigstens Sibirien erspart. Zugleich verfluchte er sich und seine Ängstlichkeit. Im stillen hatte er gehofft, unter den dreißig ARTU-Reisenden einen alten Bekannten zu treffen, doch vergeblich. Dreiundzwanzig Jahre war er jetzt und kam sich noch immer wie ein Kind vor, das die Eltern alleine in die Ferien schicken. *Und schreib gleich, wenn du angekommen bist.* Fehlte nur noch die Plastikhülle auf der Brust, in der ein Kärtchen mit Namen und Adresse steckte.

Schweigend und sich fremd fuhr die Gruppe mit der S-Bahn zum Ostbahnhof. Pünktlich um 9 Uhr 13 setzte sich dort der Zug nach Warnemünde in Bewegung, und zunächst ging es durch das, was der Kommilitone neben Manfred als »feindliches Ausland« bezeichnete. Die »Organe« waren bei ihren Kontrollen leicht gereizt, was aber daran liegen konnte, daß der Reiseleiter die Papiere schlecht geordnet hatte und Aparicio, der aus Argentinien kam, laut gemurmelt hatte, am Ende der Finnland-Fahrt werde er ganz sicher ein Buch schreiben, Titel: *Mein Kumpf.* Das hatten sie total in den falschen Hals gekriegt.

»Äußerungen über den Faschismus unterlassen Sie bitte auf dem Boden der Deutschen Demokratischen Republik.«

Auch Kumpf machte »Pssst!«, denn daß in Argentinien viele Naziverbrecher Zuflucht gefunden hatten, war allgemein bekannt, und alle wußten, daß die DDR in solchen Dingen nicht mit sich spaßen ließ.

Aparicio hingegen lachte nur, und als während dieses kleinen Geplänkels auf dem Gegengleis ein langer Güterzug mit Panzern vorüberrollte, fragte er die Uniformierten, ob die geschickt worden seien, um ihn einzukesseln.

Jedes Mitglied der ARTU-Gruppe zuckte innerlich zusammen und hörte schon den Befehl: »Fahr'n Sie mal rechts ran.«

Doch nichts passierte, was wohl daran lag, daß Aparicio Sohn eines Diplomaten war. Auf alle Fälle war der Argentinier nun der interessanteste Mann der Gruppe, und die interessanteste der mitreisenden Studentinnen, fünf hatte Manfred gezählt, saß sofort an seiner Seite. Uta hieß sie. Auch im Kampf um die restlichen vier konnte sich Manfred kaum Chancen ausrechnen, denn schon auf dem Bahnsteig, erst recht aber im Zug, hatten die Kommilitonen sehr geschickt zu balzen begonnen. Eine kluge und witzige Bemerkung jagte die andere, und da konnte Manfred nicht mithalten. Als Einzelkind hatte er diese Wortgefechte kaum üben können. So saß er nur stumm herum, während die anderen geistvoll kommentierten, was die Welt im ersten Halbjahr 1961 zu bieten hatte.

»Mitte Juni hat Ulbricht versprochen, daß er keine Mauer bauen wird – und daran muß er sich halten.« Bernhard, der aus dem Dorf Martfeld in der Nähe Bremens kam und an der TU Chemie studierte, wußte dies genau.

Am 17. Juni war das erste Versuchskernkraftwerk Deutschlands in Kahl am Main ans Netz gegangen, und als Uta bestimmte Befürchtungen äußerte, trat Martin, ein Physikstudent mit Nickelbrille, sofort mit einer flammenden Rede für die Kernkraft ein. »Ich komm' aus Seligenstadt, das ist gleich daneben, und sag bloß, ich strahle schon …?«

»Na, ohne Geigerzähler, wie soll man das feststellen ...?«

Als das Wort Geigerzähler fiel, ließ es sich Aparicio nicht nehmen, seine Vorherrschaft auf dem Gebiet der Amore zu betonen. »Kennt ihr den: Frau Wirtin hatte einen Popen, der hatt' im Hoden Isotopen. Und immer wenn sie ...« Es reimte sich hinten darauf, daß die Geigerzähler tickten.

Ehe Manfred sich Argumente gegen den Reaktor zurechtgelegt hatte, waren die anderen schon längst beim nächsten Thema: dem Fußball. Da war der 1. FC Nürnberg mit einem klaren 3:0 über Borussia Dortmund deutscher Fußballmeister geworden. Obwohl Manfred vom Fußball weit mehr verstand als von der Soziologie, fiel ihm auch dazu nichts ein, was als halbwegs geistreich gelten konnte. Immer verzweifelter kämpfte er darum, in der kleinen Runde im D-Zug-Wagen auch einmal etwas zu sagen und, mehr noch, das Gefühl zu haben, daß die anderen ihm wirklich zuhörten. Als Aparicio von den gewaltigen Iguaçu-Fällen an der argentinisch-brasilianischen Grenze erzählte, sah er endlich eine Chance.

»Im Mai haben sie bei uns in Kreuzberg den künstlichen Wasserfall wieder in Betrieb genommen, im Viktoriapark ...«

Keiner ging auch nur mit einem einzigen Wort auf dieses Großereignis ein, und er fühlte sich noch einsamer als je zuvor. Trotzdem hatte er die Kraft zu einer zweiten Intervention. Als sie nämlich – schon weit hinter Gransee – an einer großen Schafherde vorbeikamen, fiel ihm eine Geschichte ein, die sich im April dieses Jahres ereignet hatte.

»Ein Blankenfelder Bauer – also: Blankenfelde, das ist ein Dorf in der DDR, nördlich von Berlin – ist mit fünfhundert Schafen nach Westberlin geflüchtet, nach Lübars ...«

»Ooooh ...!« stöhnte Aparicio. »Das war sicherlich ein Sodomist, und der konnte sich nicht trennen von seinen Geliebten.«

Wenigstens eine Reaktion. Manfred freute sich.

Um 13 Uhr waren sie in Warnemünde, und Kumpf führte sie auf die Dänemark-Fähre, die wahnsinnig überfüllt war. Unzählige DDR-Bürger nutzten hier die Chance, ohne jedes

Visum und ohne jede Sondergenehmigung einmal schnell ins »kapitalistische Ausland« reisen zu können. Zwar durften sie in Gedser nicht von Bord gehen, und jeder Meter Reling war streng bewacht, aber immerhin konnten sie das Gefühl genießen, in Dänemark zu sein.

Manfred hatte hinter einem Schornstein ein stilles Plätzchen gefunden, zwar ohne Aussicht auf das Meer, aber wenigstens bequem. Die ARTU-Reisegruppe hatte sich aufgelöst, nachdem Kumpf die Order ausgegeben hatte: »Treffpunkt in Gedser an der Mole. Hinter der Grenzkontrolle. Wir marschieren dann gemeinsam zum Bahnhof und fahren nach Kopenhagen.«

Als es drei Stunden später soweit war, sah Manfred ein paar Meter vor sich Uta gehen. Sie schleppte sich an einem Trumm von Koffer ab. Manfred staunte. Er hätte wetten mögen, daß Aparicio ihr den Koffer tragen würde, schien es doch im Zug schon sicher, daß sie verbandelt waren.

Da geschah es mit ihm. Plötzlich war er auf gleicher Höhe mit ihr.

»Darf ich Ihnen beim Tragen vielleicht behilflich sein ...?« Das sagte er formvollendet in schönstem Tanzstundendeutsch. Selbstverständlich duzte man seine Mitstudenten nicht sofort. Als er es gesagt hatte, war es ihm furchtbar peinlich; er hatte fast das Gefühl, ihr einen *unsittlichen Antrag* gemacht zu haben.

Sie sah ihn an, als hätte sie ihn in diesem Augenblick überhaupt erst wahrgenommen. »Wenn Sie unbedingt wollen.«

»Ja, ich will ...«

Als er ihren Koffer anhob, bereute er sein Angebot sofort, denn obwohl er in seiner Leichtathletikzeit regelmäßig Gewichte gestemmt hatte und seine Armmuskeln bei den vielen hundert Paddelkilometern auch gehörig trainiert worden waren, fiel ihm jeder Meter schwer – und bis zum Bahnhof der DSB war es ein ewig langer Weg.

»Haben Sie Steine da drin?«

»Nein, Bücher.«

»Wollen Sie in Finnland eine Buchhandlung aufmachen?«

»Nein, lernen.«

Uta Gebhardt studierte Pädagogik mit Deutsch als Hauptfach, wollte aber nicht Grundschullehrerin werden, sondern Studienrätin für Deutsch und Geschichte, hatte sich also schon vorab in die Germanistik einzuarbeiten. Darum die dicken Schwarten in ihrem Gepäck – Lenau, Willibald Alexis und Theodor Storm. Sie kam aus Bad Urach, wohnte aber in Stuttgart, wo sie auch studierte. Ihr Vater war höherer Beamter im baden-württembergischen Kultusministerium, und ihr Großvater hatte mehrere Mundartromane geschrieben.

Dies alles erfuhr Manfred, als sie im Zug nach Kopenhagen nebeneinandersaßen, deutlich getrennt vom Rest der ARTU-Gruppe, schon ganz »das junge Paar«. Manfred genoß es und fühlte sich endlich angekommen im Land der Liebe. Dabei siezten sie sich noch. Trotzdem mußte er sich öfter hinter einer Zeitung verstecken, weil sich seine Hose wieder mal ausbeulte. Vielleicht lag es daran, daß Uta Renate Zerndt sehr ähnlich war: eher mollig und etwas slawisch, was das Gesicht betraf, breite Backenknochen. Uta hatte das, was seine Mutter als »sprechende Augen« bezeichnete. Jedenfalls dachte er nur noch an das eine.

Doch es sah nicht danach aus, daß er sein Ziel erreichen würde, denn zum einen kam Uta aus einer sehr prüden, puritanischen Ecke, und zum anderen wurden ihnen im Schlafwagen Kopenhagen–Stockholm selbstverständlich Betten in streng getrennten Zonen zugewiesen. Uta wurde mit Dorothea und Helma in ein Abteil gepackt, Manfred mit Bernhard und Martin. Und außer einem eher nüchternen »Schlafen Sie gut, Frau Gebhardt« lief nichts.

In der Nacht dachte er sehr intensiv an sie, insbesondere, als sie kurz vor Mitternacht mit dem ganzen Zug über den Öresund nach Schweden übersetzten und die Fähre stampfte, hüpfte und bebte.

»Hat Aparicio doch noch eine Frau für heute nacht gefunden«, kommentierte Bernhard die Erschütterungen.

Jedes dieser Worte traf Manfred wie ein Messerstich, und als sie in der Morgendämmerung auf Stockholm zurollten, stand er schon im Gang, um Uta abzufangen, wenn sie sich auf den Weg zum Waschraum machte. Doch irgendwie verfehlte er sie und bekam sie erst wieder zu Gesicht, als es in der schwedischen Hauptstadt ans Aussteigen ging. Sie sah müde aus und hatte ziemliche Tieffliegerringe unter den Augen. Ob das auf Aparicio zurückzuführen war? Der ließ sich indes nirgendwo blicken.

Steif wie eine Marionette ging Manfred auf Uta zu und fragte sie, ob sie nicht gemeinsam Stockholm entdecken wollten, ihre Fähre nach Turku ginge ja erst um 18 Uhr 30. Seine Stimme schien aus dem Bahnhofslautsprecher zu kommen.

»Gerne.«

»Wenn wir Ihren Koffer aber im Schließfach lassen könnten ...«

»Ungerne.«

Schließlich aber trennte sie sich doch von ihren bibliophilen Kostbarkeiten, und sie konnten unbelastet durch die Altstadt schlendern. Manfred war verliebt und ausgelassen, und es war wirklich wie im Film. *Wer warten kann, zu dem kommt alles.* So hatte es ihm die Schmöckwitzer Oma vor Jahren in ein Buch geschrieben, in *Leberecht Hühnchen* von Heinrich Seidel. Da war was dran. Es gab viel zu lachen.

»Pumpa, das ist der Kürbis auf schwedisch ...«

»Und nyckel der Schlüssel. Was heißt dann wohl Pumpernickel?«

Die Lungenentzündung beispielsweise hieß lunginflammation, was an Viren und Bakterien erinnerte, die in der Lunge alles in Flammen setzten. Hübsch war auch byrå statt Büro, tunnelbana für U-Bahn und huvudkudde gleich Kopfkissen. Wenn man am Kiosk ein Eis haben wollte, mußte man »een glass« sagen. Als sie anhand von Utas Sprachführer entdeckten, was Taschenkamm und Taschenspiegel hieß – fickkam und fickspegel nämlich –, war ihnen das ein wenig peinlich, und die robust-eindeutige schwedische Vokabel für Tasche mieden sie ganz. Überall hieß es »tack«, und Manfred kam sofort eines der drei großen Berliner Schuhhäuser in den

Sinn, die Firma Tack, mußte sich aber von Uta belehren lassen, daß tack auf schwedisch danke hieß.

»Tack! Kennen Sie nicht den Scherz eines Bauern, der nach Berlin kommt und Schuhe kaufen will ...?«

»Nein ...«

»Fragt er den ersten Berliner: ›Wo krieg' ich hier Schuhe?‹ Antwortet der: ›Leiser.‹ Ah, denkt er: Hab' ich wohl zu sehr geschrien, und fragt den nächsten ganz leise: ›Wo bekomm' ich hier Schuhe?‹ Kommt die Antwort: ›Stiller.‹ Als er nun den dritten trifft, flüstert er nur noch: ›Wo gibt's hier Schuhe?‹ Und da kommt dann die Antwort: ›Bei Tack.‹ Ruft er: ›Na, bei Nacht wollt' ich ja auch keine kaufen.‹«

Doch Uta schien für diese biederen Späße kein Organ zu haben. Für eine angehende Deutschlehrerin war das nicht intellektuell genug, und so mußte Manfred sich, um sie vom Kopf her zu erobern, gewaltig ins Zeug legen. Leider hatte er von der schwedischen Literatur keinen blassen Schimmer, versuchte ihr aber damit zu imponieren, daß er den Zusammenhang zwischen Kurt Tucholsky und Schweden kannte.

»Selbstmord begangen hat er hier ... Und wenn wir auf der Rückfahrt ein paar Tage Zeit haben, sollten wir unbedingt nach Gripsholm fahren ... Kennen Sie *Schloß Gripsholm*, seinen großen Roman?«

»Ich hab' mich in letzter Zeit am meisten mit Lenau beschäftigt ...«

»Ah, da sollten Sie zu uns nach Neukölln in die Lenaustraße kommen, die geht ab vom Kottbusser Damm.«

»Lenau hieß eigentlich Nikolaus Franz Niembsch von Strehlenau und ist am 13. August 1802 in Csatád geboren worden, einem kleinen Dorf im Banat. Morgen hätte er also Geburtstag ...«

»Der Kottbusser Damm wird vorn mit K geschrieben statt mit C ... wie bei Cottbus, der Stadt, von der er seinen Namen hat, aber die Berliner sagen nicht Cottbuser Damm – mit einem einzigen s also, wie es eigentlich richtig wäre –, sondern Kottbusser Damm – mit ss, also nicht mit der SS, sondern mit zwei kleinen ss ...«

Für diesen kleinen Exkurs wäre er sogar von der gestrengen Frau Müller in der Albert-Schweitzer-Schule gelobt worden, doch Uta höhnte nur: »Wie interessant.«

»Ich dachte, daß Sie als angehende Deutschlehrerin das ganz besonders anregend finden müßten ...« Es war nicht leicht, auf Uta Gebhardts Wellenlänge zu kommen, aber Manfred genoß die kleinen Kabbeleien, gehörte doch *Der Widerspenstigen Zähmung* zum Minne-Programm eines jeden Mannes, wie er meinte.

Mit jeder Minute wurden sie vertrauter, und auf der Kungsgatan durfte er sie schon an die Hand nehmen und zurückhalten, als die Ampel zu früh auf Rot sprang. Und beim Mittagessen in der Nähe des Katharinen-Aufzugs, als sie sich an einem kleinen Tisch dicht gegenübersaßen, wäre es fast zum ersten Du gekommen, doch als Manfred sein Glas gehoben hatte, um mit ihr Brüderschaft zu trinken, war sie gerade beim Dozieren und merkte gar nicht, was er wollte.

»Auf schwedisch heißt Fahrstuhl hiss, und das alte germanische Wort hat sich im Deutschen noch in der Wendung ›die Fahne hissen‹, also nach oben ziehen, erhalten.«

Viel zu schnell verging der Tag, es war ein Traum. *Als wennste schwebst.* So hatte Tante Claire Zustände wie diesen beschrieben.

Um 17 Uhr 30 waren sie unten am Fährhafen, sahen die *Bore* am Finnland-Kai liegen und gingen an Bord. *Wie ein altes Ehepaar.* So schien es Manfred. Schade, daß seine Mutter das nicht sah, sie wäre stolz auf ihn gewesen. »Meine Schwiegertochter wird Studienrätin.« Mit einem locker hingeworfenen Satz wie diesem konnte man im Kollegenkreis viel Prestige gewinnen. Alles, was er machte, fiel schließlich auf sie zurück, und sie brauchte jeden Tag Gesprächsstoff für mindestens anderthalb Stunden, ging sie doch morgens immer mit Willy Liebetruth und einem anderen Kollegen zu Fuß zum Dienst, und von der Treptower Brücke bis zum Oranienplatz waren es knappe vier Kilometer, die meiste Zeit am Kanal entlang. Kam am Mittag die halbe Stunde in der Kantine hinzu, ganz zu schweigen von den vielen Quackelpausen bei der Arbeit selber, so daß man immer auf der Suche nach Leuten war, die man *durchhecheln* konnte. *Durch reden kommt nun mal 'ne Unterhaltung zustande.* Wer Kinder hatte, war da in der Vorhand, doch konnte sie mit Manfred nicht allzu viele Punkte machen. »Soziologie, was is'n das?« – »So was, wo sie untersuchen, was die Menschen machen.« – »Mal machen sie dick, mal machen sie dünn.« – »Damit kann man doch keine Mäuse machen.« Dialoge dieser Art hatte Manfred des öfteren mitanhören müssen, und es war ihm nicht entgangen, daß seine Mutter ziemlich darunter litt. Mit Uta hätte sie kontern können: »Dafür verdient meine Schwiegertochter so viel, daß sie sich alles leisten können. Und die Lehrer mit ihren vielen Ferien ...«

Doch als die Fähre ablegte, schien Uta jedes Interesse an ihm verloren zu haben. Dabei war die Silhouette Stockholms bei Sonnenuntergang so romantisch, als wäre sie von Caspar David Friedrich gemalt worden. Unter einer blauschwarzen Wolkenbank hingen zarte Schleier in allen Tönen zwischen Schneeweiß und Schwefelgelb, später kam Flamingorosa hinzu. Vor dieser grandiosen Kulisse gab es eigentlich nur eins: eng umschlungen an der Reling stehen und sich so innig küssen, daß um einen herum die Welt versank. Bis in alle Ewigkeit, amen. Aber Uta ließ sich so wenig fangen wie der Wind, und kaum stand er neben ihr, war sie schon wieder verschwunden, mußte dringend zu Kumpf oder auf die Toilette, hatte plötzlich etwas mit Dorothea zu besprechen oder Angst, daß man ihren Koffer mit den schweren Büchern stahl. Auch zögerte sie nicht, Aparicio hinterherzulaufen, wenn der adonisschöne Argentinier sich einmal bei der ARTU-Gruppe blicken ließ. War dies nun kokettes Spiel, um seine, um ihre Liebe richtig zu entfachen, Prüfung auch für ihn, ob er trotzdem nicht abließ von ihr – oder sollte es ihm nur klarmachen, daß er bei ihr nicht landen konnte ...? Manfred kannte die Frauen zu wenig, um es entscheiden zu können.

Als sie durch die Schären schipperten, traf er sie auf dem Achterdeck und erzählte ihr, daß hier, auf einer dieser Inseln, Herbert Wehner ein Sommerhaus hatte.

»Das ist wirklich faszinierend.«

Schon war sie auf dem Weg zur Brücke, um zu sehen, ob der Kapitän Zeit für sie hatte.

Manfred verzog sich dumpf brütend in den Warteraum für die Billigreisenden, der wie ein Kinosaal eingerichtet war, warf sich in einen der dunkelblau bezogenen Sessel und versuchte zu schlafen, was ihm aber nicht gelang, denn inzwischen gab es zu viele Finnen, die mächtig einen über den Durst getrunken hatten und gewaltig lärmten. Er hatte Angst um Uta und sprang wieder auf, um sie zu suchen. Doch keiner wußte, wo sie war, weder Prinz Bernhard noch Kumpf. Wahrscheinlich hatte Aparicio sie herumgekriegt. Er hatte die Bilder deutlich vor Augen. Wieder verfluchte Manfred seinen Entschluß, diese Reise mitzumachen.

Er kehrte in den Warteraum zurück. Total unzufrieden mit sich und der Welt schlief er schließlich ein. Gerade träumte er, daß er mit Renate im Faltboot über den Müggelsee fuhr, da wurde an seiner Schulter gerüttelt.

»Hallo, Manfred Matuschewski, wir sind kurz vor den Ålandinseln, kommen Sie schnell nach oben.«

Es war Uta, und er folgte ihr. Mariehamn, Hauptort der Insel, lag zu ihrer Linken. Sie befanden sich genau zwischen Finnland und Schweden, hoch oben im Norden also, und dennoch waren die Lichter so südlich und hell, daß Manfred meinte, auf einer kleinen griechischen Insel zu sein. Doch kaum hatte er Uta von seiner Impression erzählen können, war sie schon wieder im Innern der Fähre verschwunden. Und wieder suchte er nach ihr und fand sie gegen Morgen in der Kabine des Funkers, wo sie über Lenaus Werken eingeschlafen war. Die Seite war noch aufgeschlagen, und Manfred fand dort ein Gedicht:

Stumme Liebe

Ließe doch ein hold Geschick
Mich in deinen Zaubernähen,
Mich in deinem Wonneblick

Still verglühen und vergehen
Wie das fromme Lampenlicht
Sterbend glüht in stummer Wonne
Vor dem schönen Angesicht
Dieser himmlischen Madonne! –

Er setzte sich zu ihr auf den Boden – der Funker registrierte es mit breitem Grinsen – und wartete, bis ihr Kopf auf seine Schulter fiel.

Am Morgen, in Turku, waren sie schon von der ganzen Gruppe als Paar akzeptiert, was allerdings bedeutete, daß sich niemand anders mehr erbot, Utas sauschweren Koffer von der Fähre zum Bahnsteig und zum Zug nach Helsinki zu schleppen. Auch da saßen sie beieinander, ohne sich indes näherzukommen. Noch immer schien das Du meilenweit entfernt zu sein, und ans Küssen, geschweige denn mehr, war überhaupt nicht zu denken. Bei dieser Geschwindigkeit, so schien es Manfred, waren sie beide achtzig, bis das geschah, wonach es ihn so heftig drängte. Er referierte ihr das Buch von der Faltboottour auf dem Inarisee, sie machte ihn mit Lenau vertraut.

»An den Ufern des Inarisees gibt es keinen Sand, alles ist voller scharfkantiger Steine, so daß man immer Angst hat, daß man ein Loch im Gummi hat …« Er lief rot an und korrigierte sich sofort. »… einen Ratscher in der Gummihaut hat und daß einem das Faltboot dann sinkt.«

»Die Grundstimmung in Lenaus Poesie ist trübe Melancholie und tiefer innerer Schmerz, und so ist er denn auch am 22. August 1850 in der Irrenanstalt zu Oberdöbling bei Wien gestorben.«

»Am 22. August 1961 ist bei uns die Seenrundfahrt nach Tampere vorgesehen.«

»Kennen Sie Savonarola?« fragte Uta.

Manfred schüttelte den Kopf. »Nein, woher denn, ich war ja noch nie in Finnland.«

»O Gott!« Sie verdrehte die Augen. »Savonarola ist keine Stadt in Finnland …«

»Klingt aber so.«

»Savonarola ist der berühmte Florentiner Reformator, der 1498 unter Papst Alexander VI. den Märtyrertod gestorben ist. Nikolaus Lenau hat ihm eine große Dichtung gewidmet, mit der er einen offenen Kampf gegen das Antichristentum führt.«

»Ah, ja ...« Manfred war so verunsichert, daß er sich nur noch in eine Wendung seiner Schmöckwitzer Oma zu flüchten vermochte. »Man wird alt wie 'ne Kuh und lernt immer noch dazu.« Und wieder fühlte er sich minderwertig. Er als Neuköllner Hinterhofkind stand da wie Bolle, wenn er einer höheren Tochter wie Uta begegnete. *Gleich und gleich gesellt sich gern*, hieß es ja immer, doch wenn das wirklich stimmte, hatte ihre Beziehung auf die Dauer keine Chance. Er versuchte, ihr mit dem bißchen religionssoziologischen Wissen, das er angehäuft hatte, klarzumachen, daß auch er zu den denkenden Schichten des Volkes gehörte. »Bei Max Weber findet man eine Menge zu den Funktionen der Religion ... Ich studiere ja Soziologie ... Im Pietismus – beispielsweise bei Ihnen in Schwaben – führt ja die innerweltliche Askese zum Sparzwang und damit zur Akkumulation von Kapital ...«

»Wie das?«

Endlich, so schien ihm, fing sie an, ihn zu akzeptieren. Sie bekam große glänzende Augen.

»Arbeit ist Dienst an Gott ... Sie kennen das ja bei Paulus: ›Wer nicht arbeitet, der soll nicht essen.‹ Und wer hart arbeitet, aber sein Geld nicht ausgeben darf ... beispielsweise für leichte Mädchen, weil Fleischeslust ja Sünde ist ... der hortet automatisch immer mehr ...« Beim Aussprechen des Wortes Fleischeslust hatte er zwar hinausgeblickt in die endlosen finnischen Wälder, war sich aber sicher, ihr damit ein erhebliches Stück nähergekommen zu sein. Zum ersten Mal in seinem Leben schien es sich auszuzahlen, daß er sich der Soziologie zugewandt hatte. Von wegen, daß dies nichts bringen würde. »Während Karl Marx das Aufkommen des Kapitalismus ja primär durch die Entwicklung der Produktivkräfte gegeben sieht, ist es bei Max Weber also der Überbau, die Religion. Aber ich weiß nicht, ob Ihnen das bei Ihrer Arbeit über Lenau viel bringen wird.«

»Doch, doch …« Sie strahlte und gab Manfred klar, wenn auch verschlüsselt, zu erkennen, wie sehr sie Männer haßte, die nichts anderes im Kopfe hatten, als mit ihr ins Bett zu gehen. »Zum Glück sind Sie da anders …«

Manfred meinte plötzlich, sein Koffer könne herunterfallen. Schnell sprang er auf, um sich zum Gepäcknetz hochzurecken.

Um 12 Uhr 30 waren sie in Helsinki und wurden mit einem Charterbus ins Studentendorf Otaniemi gebracht, wo man ihnen Zweibettzimmer reserviert hatte.

»Wer will nun mit wem?« fragte Kumpf, als sie in der Eingangshalle standen.

Manfreds Blick ging scheu, aber offen und direkt zu Uta hinüber. Wie hieß es auf einer der alten Operettenplatten seines Vaters … *Wer sich die Welt mit einem Donnerschlag erobern will, der darf nicht warten, bis ein anderer vor ihm blitzt.* Doch sie ließ ihn abblitzen.

»Ich mit Dorothea zusammen!« rief sie.

Manfred sah bedrippt zu Boden. Es wäre alles so einfach gewesen. *Als Verlobte grüßen* … Er hätte als Diplomsoziologe in der Siemens-Personalabteilung sein gutes Geld verdient und sie als Oberstudienrätin am Gymnasium auch. Was hätten sie noch groß auszustehen gehabt. 1965 hätten sie geheiratet und sich drei Jahre später ein Haus in Rudow, Kladow oder Waidmannslust gekauft. Spätestens 1970 wäre das erste Kind gekommen.

So wurde er mit dem dicken Prinz Bernhard in ein Zimmer verfrachtet und hatte Mühe, ein anderes Gesprächsthema als das Wetter und die entsetzlich langen finnischen Wörter zu finden. Uta tat so, als seien sie und Dorothea siamesische Zwillinge.

Manfred fing schon an zu spotten. »Oh, ist Dorothea Ihre Gouvernante …?«

»Die Tugend eines jungen Mädchens ist nicht hoch genug zu schätzen.«

Nicht mal im Bus saß er nun neben ihr, und die anderen aus der Gruppe vermuteten, zwischen ihnen hätte es einen großen Krach gegeben. Wenn, dann wäre Manfred wohler gewesen, so aber begriff er wieder einmal gar nichts mehr.

Das ARTU-Programm lief nun erst richtig an, und Kumpf achtete streng darauf, daß alle bei der Herde blieben. Helsinki sollte gemeinsam besichtigt werden, gleich am Sonntag nachmittag startete man zur ersten Stadtrundfahrt. Am schönsten fand er den Hauptbahnhof, obwohl ...

»... der ja aussieht wie das Vorkriegs-Karstadt bei uns in Neukölln«.

Uta verzog das Gesicht und meinte, Bahnhöfe dieser Art seien keine Kaufhäuser, sondern Kathedralen der Technik.

Am Hafen unten, wo Helsinki seinen Zauber voll entfaltete, kaufte er ihr eine Schale mit Himbeeren.

»Statt Blumen ...«

»Danke, aber ich mag keine Himbeeren. Dorothea, willst du ...?«

Manfred versuchte es mit einer List und fing an, Prinz Bernhard einzureden, Dorothea würde sich verstärkt für ihn interessieren, und ob er es nicht einmal probieren wolle.

Der Mann, der ihm die Himbeeren verkauft hatte, ließ sich beim Herausgeben des Wechselgeldes alle Zeit der Welt und sagte, als er Manfreds Ungeduld bemerkte, in gutem Deutsch. »Die Finnen haben ein Sprichwort: Gott gab die Zeit, von der Eile hat er nichts gesagt.«

Helsinki war von spröder Schönheit, und Uta hätte hier gut hergepaßt. Die große Einfallstraße von Norden, der Mannerheimvaegen, schien Manfred einer Hauptstadt angemessen, ohne daß sie ihn in Entzücken versetzte, und die Alexanderskatu, die Hauptgeschäftsstraße, war zwar belebt, aber nicht quirlig. Auch im Sommer schien hier Schnee zu liegen. Sie froren immer ein wenig. So richtig in einen Rausch wurde keiner versetzt. Man sehnte sich unwillkürlich nach dem Süden.

Auch das Essen war nichts Besonders, obwohl es ihnen stets mit einem lächelnden »olkaa hyvä« serviert wurde.

Und mehr als mit einem ebenso freundlichen »kütoksia« – »Vielen Dank« – zu antworten, hatte Manfred nicht gelernt.

Im großen Vergnügungspark schlug ein angetrunkener Finne, offensichtlich Kriegsveteran und Kommunist, mit seinen Krücken auf Manfred und auf Prinz Bernhard ein, ließ eine Reihe von Flüchen ab, in denen die Worte »Perkele, Saatana, Helvetti« – Teufel, Satan, Hölle – vorkamen, und schrie: »Nazis raus aus Finnland!« Andere Finnen kamen hinzu und nahmen sie in Schutz. Nur Kumpf konnte die Leute mit einem »Hyvää päivää« richtig begrüßen und die Standardfrage stellen: »Puhuuko täällä kukaan saksaa?« Spricht hier jemand Deutsch?

Einen freudigen Höhepunkt gab es dennoch für Manfred: den Besuch des Olympiastadions. Hoch ragte der Turm auf. Mit heißem Herzen hatte er 1952 die Eröffnungsfeier verfolgt und der olympischen Hymne gelauscht: »Du, olympische Flamme, weist uns den Weg, den schmalen, zu neuem Hoffen …« Er selber hatte vergeblich gehofft: Nie würde er Olympiasieger werden. Der eine große Traum seines Lebens, der war schon ausgeträumt …

Als sie auf der Laufbahn standen, kniete Manfred nieder, um sich eine kleine Handvoll Asche mitzunehmen. Es war eine heilige Stätte für ihn. Hier war der große Emil Zatopek gelaufen und hatte drei goldene Medaillen gewonnen, hier hatten die anderen Heroen seiner frühen Jugend gesiegt: Lindy Remigino (USA), George Rhoden (Jamaica), Joseph Bartel (Luxemburg) und Harrison Dillard (USA). Warum schafften es die einen und die anderen nicht? Warum würde er zeitlebens der kleine Manfred bleiben?

Als sie sich wieder am Bus versammelt hatten, um ihre Rundfahrt fortzusetzen, kam Kumpf auf die ARTU-Gruppe zugestürzt, und man sah ihm an, daß etwas Schreckliches passiert sein mußte.

»In Berlin bauen sie eine Mauer. Panzer sind aufgefahren. Die Finnen sagen, daß es Krieg geben wird.«

Alles schoß Manfred durch den Kopf: Daß seine Eltern in dieser Sekunde schon tot sein konnten, daß es nie wieder zurückging nach Deutschland, daß die Finnen, halb ja auch Kolonie der UdSSR, sie alle internieren und dann ausliefern würden: zwanzig Jahre Sibirien. *Wäre ich doch tot!* Zugleich war er wahnsinnig wütend über alle Nicht-Berliner in der Gruppe, denn die nahmen den Mauerbau hin, als hätte der HSV knapp gegen Barcelona verloren. Auch Uta konnte nicht verstehen, wie verzweifelt er war.

Die Berliner verließen die Gruppe, um eine Taxe zu nehmen und zur Hauptpost zu fahren. Irgendwie mußte es doch möglich sein, nach Berlin durchzukommen. Aber die Telefonleitungen waren rettungslos blockiert, und Stunde um Stunde verging, ohne daß sie es schafften, mit ihren Angehörigen zu sprechen. Wen sie auch fragten, von den Finnen sprach keiner ausreichend Englisch oder Deutsch, und die, mit denen sie sich unterhalten konnten, wußten auch nicht mehr als Kumpf. Das ließ immerhin hoffen, daß noch nicht geschossen wurde.

»Die Alliierten werden den Teufel tun«, sagte Martin. »Die sind doch auch froh, daß die Mauer nun endlich da ist und wieder Ruhe herrscht. Keine Flüchtlinge mehr, eine stabile Lage in der Mitte Europas.«

Manfred hegte dieselbe Hoffnung. »Ja, und außerdem: Damit haben sie deutlich bekundet, daß sie Westberlin nicht schlucken wollen.«

Martin hob sein Cola-Glas. »Auf die Westberliner Idylle.«

»Und ich kann nicht mehr nach Schmöckwitz!« Manfred hatte Tränen in den Augen. Die Besetzung seines Paradieses durch die Polenheimkehrer war schon schlimm genug, nun aber hatte er es endgültig verloren. »Was soll ich jetzt bloß an den Wochenenden machen ...?«

»Lernen.«

Manfred machte einen neuen Versuch, Berlin 68 43 79 zu wählen – und hatte endlich Erfolg. Sein Vater war am Apparat.

»Gott sei Dank, ihr seid noch am Leben!« rief er.

»Wir hier in der Wohnung merken von nichts, es ist ein Sonntag wie jeder andere.«

»Und die Panzer?«

»Stehen da und machen nichts.«

»Grüß Mutti schön von mir.«

»Die wollte nach Schmöckwitz raus, aber am Bahnhof Sonnenallee mußte sie wieder umkehren und ...«

Damit war die Verbindung unterbrochen. Manfred hängte ein und fiel Martin um den Hals.

So kam es, daß er am Tage des Mauerbaus so glücklich war wie schon seit Jahren nicht mehr.

»Glück ist die Summe des Unglücks, dem wir entgangen sind«, meinte Dorothea, als man sich per Zufall am Hauptbahnhof wiedersah.

Zurück in Otaniemi, wagte Manfred einen neuen Anlauf und fragte Uta, ob sie mit zum Schwimmen kommen wolle.

»Wenn es Ihnen nicht zu kalt ist ...«

»In Ihrer Nähe wird mir immer heiß.« Manfred versuchte, so zu flirten, wie er es aus den alten Ufa-Filmen kannte.

Bei 13 Grad und Dauerregen in der Ostsee zu baden war der helle Wahnsinn, aber Manfred wollte sich die Chance nicht entgehen lassen, Uta im Badeanzug zu sehen und vielleicht wärmen zu dürfen. Fast hätte er einen Lieblingsschlager seines Vaters gesummt: *Laß mich dein Badewasser schlürfen und dich abfrottieren dürfen ...*

Der kleine Badestrand lag einsam und verlassen da, doch mit der erhofften Erotik wurde es nichts, denn zum einen ließ die fürchterliche Kälte jeden Trieb verkümmern, und zum anderen hatte Uta Dorothea und Prinz Bernhard gebeten, mit hinunterzukommen und ihre Sachen zu halten, während sie im Wasser waren.

Doch Uta ließ ihn wieder hoffen. »Wenn Sie mich kriegen, dürfen Sie mich retten!« Damit sprang sie ins Wasser und schwamm los.

Manfred folgte ihr und gab alles, war aber ein so lausig schlechter Schwimmer, daß er ihr nie wirklich nahe kam und schon nach hundert Metern wieder umkehrte, froh darüber, keinen Herzschlag erlitten zu haben und ertrunken zu sein.

»Jeder blamiert sich, so gut er kann«, sagte er schweratmend beim Abtrocknen.

Uta zog inzwischen draußen ihre Kreise, und Manfred versuchte zu begreifen, warum sie mit ihm spielte: um den Reiz des Ganzen zu erhöhen – oder um ihn dumm aussehen zu lassen. Das war die Frage.

Auch die nächsten Tage brachten keine Antwort, obwohl sie nun wieder öfter nebeneinander gingen oder saßen. Es wurde viel besichtigt: die Satellitenstadt Tapiola, die Festungsinsel Hämenlinna, das große Freilichtmuseum mit viel finnischer Landeskultur, die Handelskammer mit anschließender Diskussion, Arabia-Porzellan und Fazer-Schokoladen. Hier wagte er es, ihr eine Keksbüchse zu schenken, eine mit einer »Sonntags-Mischung«, wobei das finnische Wort für Mischung, groß auf den Deckel gedruckt, *koitus* hieß.

Sie ignorierte es, sie ignorierte ihn, und langsam gab er jede Hoffnung auf. Dann aber kam sie abends in sein Zimmer, als er gerade mit Prinz Bernhard beim Steckschach saß.

»Gehen wir noch ein bißchen spazieren ...?«

Manfred war nicht begeistert, geschweige denn elektrisiert, weil er endlich mal so gut stand, daß er Prinz Bernhard nach vielen Remis mattsetzen konnte. »Ja, aber ...«

»Ich komm' mit«, sagte der dicke Chemiestudent aus dem Bremer Umland.

»Gerne, aber Dorothea will mit Ihnen noch in die Stadt fahren ...«

Bernhard schnürte davon, und sie waren allein. Manfred hatte plötzlich eine Riesenangst vor dem, was er sich seit ihrer ersten Begegnung in Gedser immer wieder so überaus plastisch vorgestellt hatte. Sicherlich würde er sich dabei so dämlich anstellen, daß sie ... Das mit Renate damals war schon so lange her, daß es eigentlich nie stattgefunden hatte. In Panik lief er zur Tür.

»Wir können ja zur Kapelle runtergehen, vielleicht übt da wieder einer auf der Orgel ...«

»Wenn Sie meinen ...« In ihren Worten schien ein deutliches »Schade« mitzuklingen.

In dem Kirchlein saßen sie nebeneinander auf der letzten Bank und hörten dem Organisten beim Üben zu. Bach und

Telemann, wie sie ihm verriet. Als er fertig war und die Lichter löschte, blieben sie sitzen. Dann geschah alles wie von selbst. Sie küßten sich, und Uta setzte sich auf seinen Schoß, um sich an ihn zu schmiegen.

»Ich liebe dich, seit ich dich gesehen habe.«

»Ich dich auch.«

Mehr war nicht zu sagen. Er begann sie zu streicheln, und seine Hände entdeckten alles, was zu entdecken war. Doch als er sie entkleidet hatte, stoppte sie ihn mit einem ablehnenden Laut. Und als er es dennoch weiter versuchte, hatte sie ihn mit ein paar schnellen Handbewegungen »entschärft«, wie sie das nannte, und er hatte später Mühe, seine Unterhose so zu verstecken, daß Prinz Bernhard, der ein großes Klatschmaul war, nichts merkte.

Manfred war verliebt, Manfred war glücklich, Manfred hätte die ganze Welt umarmen können. Und so schlief er ein, ohne noch einmal an die Berliner Mauer zu denken.

Als Uta ihn am nächsten Morgen beim Frühstück sah, wollte er auf sie zugehen und sie kunstvoll küssen, doch sie stieß ihn fast von sich weg und tat so, als hätten sie sich nie gesehen. Offenbar war ihr ihre Affäre in der Öffentlichkeit sehr peinlich; sie schien um ihren Ruf als kühle Intellektuelle, als große Lenau-Interpretin zu fürchten. Manfred litt so sehr darunter, daß er nichts essen konnte. *Wer lieben will, muß leiden.* Wie wahr. Und da er sie noch ein bißchen mehr lieben wollte als gestern abend, litt er tapfer weiter.

Am Sonnabend ging es per Bahn nach Turku zurück, wo das Wetter noch schlechter war als in Helsinki. Doch Kumpf war gnadenlos, das vorgesehene ARTU-Programm mußte Punkt für Punkt absolviert werden. Schloß, Kirche, Universität, Konzerthaus, Kunstmuseum – nichts durfte ausgelassen werden. Die einzige Abwechslung war die Seenrundfahrt nach Tampere, für die 1550 Finnmark extra lockerzumachen waren. Abends wenigstens stand in Kumpfs Programm »zur freien Verfügung«. Manfred und Uta gingen ins Kino, wo es warm und kuschlig war und man ausgiebig schmusen konnte. Von dem Film kriegten sie nichts mit.

Nach dem ausgiebigen Vorspiel in der Kirche und im Kinoparkett waren sie in der Nacht zum Mittwoch beide nicht mehr zu halten. Aber wohin sollten sie gehen? Im Studentenheim ging es nicht, und für ein Hotel fehlte ihnen das Geld. So geschah es im Musikpavillon des Turkuer Vergnügungsparks, und ihr Dialog war auch nicht so schön und so lang, wie er im Kino auf der Leinwand zu sein pflegte. Ob auch nichts passieren könne? Nein.

Manfred war am Ziel, und hinterher litt er unter einer nie gekannten Leere. Wenn er das Geld gehabt hätte, wäre er auf der Stelle nach Hause geflogen. Seine Sehnsucht nach Uta war plötzlich stark abgekühlt, und er kam sich deshalb schäbig vor. Auch sie war mürrisch und verkrampft, und er wußte, daß sie sich verfluchte, weil er sie von ihrem geraden Weg abgebracht hatte: Studium und Wissenschaft und sonst gar nichts auf der Welt. Wie um sich zu strafen, mied sie ihn zwei Tage lang und saß jede freie Minute über ihren Büchern.

Erst als sie auf dem Rückweg nach Stockholm auf den Ålandinseln fünf Tage Halt machten, sprachen sie wieder miteinander. Auf ausgedehnten Waldspaziergängen gab es viel Zeit dazu. Einige Male mieteten sie ein Ruderboot und fuhren zu einer Landzunge hinüber, die man von Mariehamn aus nicht zu Fuß erreichen konnte. Auch da hatte Uta ihren Lenau im leichten Gepäck, und wenn sie neben Manfred auf der ausgerollten Decke eingeschlafen war, blätterte er in den gesammelten Werken. Melancholisch, ja depressiv erschienen ihm die Liebesgedichte, es dominierten Worte wie traurig und Trauern, Schmerz und schmerzlich, einsam und allein, und nur wenig paßte auf sie beide.

Wunsch

Urwald in deinem Brausen
Und ernsten Dämmerschein
Mit der Geliebten hausen
Möcht ich allein – allein!

Frage nicht

Wie sehr ich dein, soll ich dir sagen?
Ich weiß es nicht, und will nicht fragen;
Mein Herz behalte seine Kunde,
Wie tief es dein im Grunde.

O still! ich möchte sonst erschrecken,
Könnt' ich die Stelle nicht entdecken,
Die unzerstört für Gott verbliebe
Beim Tode deiner Liebe.

Da Uta, war sie einmal eingeschlafen, kaum wieder wachzukriegen war, hatte Manfred Zeit genug, Lenau zu lesen, und manche Verse konnte er bald auswendig.

Er küßte sie. »Aufwachen, wir müssen zur Stadtbesichtigung. Kumpf wartet auf uns.«

Sie ruderten zurück. Heftiger Wind war aufgekommen, und sie mußten sich gewaltig anstrengen, Mariehamn wieder zu erreichen, doch gemeinsam schafften sie es. Manfred hielt das für ein gutes Omen.

Kumpf hatte sich diesmal besser vorbereitet und erzählte ihnen, die Ålandinseln, finnisch Ahvenanmaa, seien überwiegend von Schweden bewohnt, gehörten aber politisch – trotz eigener Flagge – zu Finnland. Der Völkerbund hätte es 1917 gegen den Willen der Bevölkerung so beschlossen. Manfred und Uta lauschten händchenhaltend. Bei der anschließenden Bootsfahrt durch die Schären mußte er sie allerdings bei den Hüften packen, denn da hing sie seekrank über der Reling und mußte sich erbrechen.

»Sie wird doch nicht etwa schwanger sein«, kicherte Dorothea.

Manfred erschrak so sehr, daß er nahe daran war, auch zu kotzen.

Am 28. August ging es mit der Fähre nach Stockholm zurück, und wie beim ersten Mal streiften sie am nächsten Tag durch die Stadt.

»Wie zwei Verlobte«, sagte Manfred.

»Laß uns nach Drottningholm fahren«, bat Uta, »wenn es schon nicht Gripsholm sein kann.«

»Ich möchte erst noch ins Reiterstadion.« Als Sportfan mußte Manfred einfach den Ort besichtigen, wo Hans Günter Winkler bei den Olympischen Spielen 1956 auf der legendären Halla die Goldmedaille gewonnen hatte – trotz Leistenbruchs mit teilweisem Bauchdeckenriß.

Uta protestierte. »Dann wird es zu spät, um nach Drottningholm hinauszufahren.«

»Wie ein Moslem, wenn er in Mekka ist, zur Kaaba muß, muß ein deutscher Sportfan in Stockholm ins Reiterstadion.« Manfred versuchte ihr die Wichtigkeit der Sache klarzumachen, doch sie blieb hart.

»Dann fahr' ich eben alleine raus zum Schloß.«

»Schön ...« Manfred gab nach, war aber die ganze Zeit über im Zug nach Drottningholm maulig wie ein Kind. Der arme Lenau mußte als Prügelknabe herhalten.

»Hast du eigentlich Lenaus Werke mit – herausgegeben von Carl August Bloedau, erschienen im Deutschen Verlagshaus Bong ...?«

»Nein ...«

»Bloed ... au bei King Bong, wie schön ...«

»Hörst du bitte auf.«

Da ritt Manfred vollends der Teufel, und er begann, einige der Lenau-Verse, die er auf Åland gelernt hatte, mit kabarettistisch überzogenem Pathos laut aufzusagen. »Die Rose der Erinnerung ... Als treulos ich das teure Land verließ, / Wo mir, wie nirgend sonst, die Freude blühte, / Mich selbst verstoßend aus dem Paradies / Voll Freundesliebe, holder Frauengüte ...«

»Manfred, bitte!«

»Küß mich mit deiner Frauengüte!«

Sie stieß ihn zurück. »Treib es nicht auf die Spitze!«

Doch Manfred konnte sich nicht mehr halten. »Bestattung ... Schöner Jüngling, bist als Held gefallen; / Sieg und Ruhm in deiner letzten Stunde / Fächeln dir die heiße Todeswunde, /

Draus die Seele muß von hinnen wallen.« Wieder suchte er sie zu umarmen. »Bitte, Uta, laß meine Seele nicht von hinnen wallen!«

»Ich warne dich zum letzten Mal!«

Es half nichts, Manfred mußte die letzte Lenau-Zeile auch noch loswerden: »Der scharfe Geist hat euch geschwind durchdrungen ...«

Sie hielten gerade in einem kleinen schwedischen Dorf, und ehe Manfred recht begriffen hatte, was eigentlich geschah, war Uta aus dem Zug gesprungen. Er zögerte einen Herzschlag zu lange, ihr zu folgen. Als er endlich an der Tür war, hatte der Zug schon zuviel an Fahrt gewonnen, als daß er noch hätte abspringen können.

Allein lief er dann durch das Schloß Drottningholm, da aber fiel ihm ein weiterer Lenau-Vers ein, und seine Sehnsucht nach Uta wurde übermächtig: »Fort möcht' ich reisen / Weit, weit in die See, / O meine Geliebte, / Mit dir allein!«

Was nur hatte ihn dazu gebracht, Uta zu kränken ...? Die Angst, sich für immer zu binden ...? War sie doch nicht die Richtige ...? Seit Jahren hatte er sich nach einer Uta gesehnt – und nun dies. Gegen seinen Willen war es geschehen. Da wirkte eine Kraft in ihm, die sich nicht steuern ließ, die stärker war als er in Liebe und Haß. Diese zu bändigen, war Lebenskunst, und er verstand sich noch nicht darauf.

Für Uta war er in den folgenden Tagen nur noch Luft, und so zog er einsam und verlassen durch Stockholm, wurde in den Satellitenstädten Vällingby und Farsta mißtrauisch angesehen, auch in Kopenhagen, wo ihn aber wenigstens Dorothea und Prinz Bernhard, in stillem Glück vereint, mit in den Tivoli nahmen. Zum Hamlet-Schloß und hinüber nach Malmö mußte er alleine reisen.

Malmö ... Hier war er vor fünf Jahren seine Bestzeit über 100 Meter gelaufen – 11,1, elva-ett. Damals ein ganz anderer als heute. Unter dem Namen Manfred Matuschewski lebten offenbar viele Menschen.

Am 4. September, einem Montag, ging es von Kopenhagen via Gedser und Warnemünde nach Berlin zurück. Er hielt sich abseits von allen. Wo die Gruppe geschlossen antreten mußte, blieb er immer vorn direkt hinter Kumpf, um Uta nicht sehen zu müssen. Mit ihr zu sprechen, wagte er nicht, denn für das, was er dachte und fühlte, fehlten ihm die Worte. Wo man den Redefluß so glatt abspulen mußte wie auf der Bühne des Schiller-Theaters oder wie bei Thomas Mann, hatte einer vom Neuköllner Hinterhof keine Chance, dachte Manfred gequält.

In dieser Stimmung stand er am frühen Morgen an der Tür des S-Bahn-Zuges, der vom Bahnhof Friedrichstraße Richtung Westen rollte. Die Ausreise aus der DDR war problemlos abgelaufen, und noch hatten sie nichts vom 13. August und seinen Folgen wahrnehmen können. Nun aber, als Spree und Reichstag vor ihnen lagen, sahen sie zwischen Fluß und S-Bahn-Bögen die Wachtürme und die Stacheldrahtverhaue, die Grenzsoldaten und die Hunde. Es war absurd, aber wahr.

Der Abschied von der ARTU-Gruppe war eher kühl, und Manfred stand wie ein Fremder auf dem Bahnhof Zoo. Seine Eltern waren verreist, wieder nach Farchant, und nach Schmöckwitz konnte er nicht mehr.

Da sah er Uta vor sich gehen und wie vor drei Wochen in Gedser ihren schweren Lenau-Koffer schleppen. Und wieder geschah es nur mit ihm.

»Darf ich Ihnen tragen helfen?«

»Ja, gerne.«

»Sie können bei mir wohnen, meine Eltern sind nicht da.«

»Wunderbar. Aber ich muß erst zu meiner Tante nach Dahlem raus.«

»Laß doch deinen Koffer hier.«

»Gute Idee.«

»Hol' ich dich um 22 Uhr hier ab, unter der großen Uhr draußen?«

»Um zehn, ja.«

Sie küßte ihn lange, bevor sie in der U-Bahn verschwand.

Alles in Manfred jubelte, und er schwebte auf der berühmten rosaroten Wolke nach Neukölln. Da waren Blumen zu gießen und viele Telefonate zu führen, den Mauerbau betreffend. Wer von den Ostberlinern war am 13. August zufällig in Westberlin gewesen und gleich dort geblieben? Von seinen Verwandten und Bekannten keiner. Waldemar Blöhmer, der alte Freund seiner Eltern, war nach Rahnsdorf zurückgekehrt, wo er ein schönes Haus besaß, und hatte seine Studienratsstelle im Westen sausen lassen. Kaum einer konnte das verstehen.

Schon eine Stunde vor der Zeit machte sich Manfred auf den Weg zum Bahnhof Zoo, um Uta abzuholen. Er kaufte einen Riesenblumenstrauß und lief fiebernd auf und ab. Er hatte sich vorgenommen, Uta zu überreden, nach Berlin zu kommen und hier an der FU ihr Studium fortzusetzen, immer in seiner Nähe. Nun würde es keine Feier mehr geben, wo die anderen lästerten, daß er keine Freundin hatte. Am Sonnabend würde er Uta mit nach Hermsdorf nehmen, um sie C & A vorzustellen. Ohne deren Segen ging es schlecht. Und als Stuttgarterin konnte sie ja dann am Sonntag nach Schmöckwitz fahren, Grüße von ihm überbringen und sehen, wie es den Ostberlinern nach dem Mauerbau ging.

Doch es wurde halb elf, und Uta war noch immer nicht da.

Verzweifelt versuchte Manfred, sich an den Nachnamen ihrer Tante zu erinnern, kam aber nicht darauf. Wahrscheinlich war er gar nicht gefallen. Nur von Tante Hannah war die Rede gewesen.

Sicherlich hatte sie ihn mißverstanden und sich 23 Uhr gemerkt. Oder war schon eine Stunde früher hier gewesen. Nein, dann hätte sie ja bei ihm angerufen. Vielleicht war er schon fort gewesen, als sie …

So wie sie ihn geküßt hatte, da … Aber vielleicht war sie von Tante Hannah umgestimmt worden … Quatsch … Langsam verlor er die Kontrolle über sich und stürzte ins Bahnhofsgebäude, um sich im Nachtpostamt mit ihrer Mutter in Stuttgart verbinden zu lassen. »Da nimmt niemand ab.«

Punkt 23 Uhr stand er wieder an der verabredeten Stelle. Von Uta keine Spur. Was Manfred aber weiter hoffen ließ, war die Tatsache, daß solche Szenen in jedem Film ein Happy-End hatten. Irgendwann kam die Braut doch noch aus einer Taxe gesprungen.

Uta nicht. Auch um Mitternacht war sie nicht erschienen.

Jetzt konnte der Liebesfilm *Manfred und Uta* nur noch ein glückliches Ende nehmen, das nämlich, daß sie in Neukölln wartend im Treppenhaus saß. Er sprang in eine Taxe und ließ sich im schnellstmöglichen Tempo zur Treptower Brücke fahren.

Auch da keine Uta.

Neue Lose, neues Glück

Im Spätsommer 1961 hatte in Berlin die große Volksweisheit *Das Leben geht weiter* ganz besondere Konjunktur. Im Alltag der meisten Westberliner hatte sich durch den Mauerbau nichts geändert. Vielleicht mit Ausnahme derer, die kein Auto hatten.

Seit Mitte September hatte Manfred jeden Morgen zu Siemens zu fahren, denn selbstverständlich mußte er sich auch in diesen Semesterferien einen Teil des Geldes, das sein Studium verschlang, selber verdienen. Bei seiner alten Firma war er ohne weiteres als Aushilfskraft eingestellt worden, doch Siemens zahlte ihm als gelerntem Industriekaufmann nicht etwa den tariflich garantierten Lohn, sondern gerade mal ein paar Mark mehr als einer ganz gewöhnlichen Aushilfe ohne jede Vorbildung und Erfahrung, und auch das wurde noch als großer Gnadenakt verkauft. Man setzte ihn in der Inventur ein, und er hatte nichts weiter zu tun, als mit drei anderen zusammen all das zu erfassen, was im Kabelwerk nicht niet- und nagelfest war. Das war furchtbar stupide. Erschwerend kam hinzu, daß er jetzt wesentlich länger brauchte, um von Neukölln nach Siemensstadt zu kommen.

»Wenn du mit der S-Bahn nach Siemensstadt fährst, sind wir geschiedene Leute«, drohte ihm die Mutter.

Und auch der Vater, sonst immer sehr diplomatisch ausgewogen in seinen politischen Äußerungen, ließ nicht mit sich reden. »Wer als Westberliner mit der S-Bahn fährt, arbeitet Ulbricht und den Mauerbauern in die Hände. Solange du deine Beine noch unter meinem Tisch hast, werde ich das nicht dulden.«

Die Betriebsrechte der S-Bahn lagen laut Kontrollratsbeschluß bei der DDR, und in der westlichen Propaganda hieß es, mit den S-Bahn-Groschen finanziere man Ulbrichts Stacheldraht. Wer einen S-Bahnhof betreten wollte, für den wurde das – zumindest anfangs – ein wahres Spießrutenlaufen, denn gewerkschaftliche Boykottwächter standen dort zuhauf herum und waren oft nicht gerade zimperlich. Parallel zu den alten S-Bahn-Strecken hatte man neue Buslinien eingerichtet, und da die Fahrzeuge der BVG nicht ausreichten, fuhren überall im Stadtgebiet Busse aus dem Westen herum, wobei »Westen« auch Hamburg, Frankfurt am Main, Stuttgart oder München heißen konnte.

Manfred murrte zwar, fügte sich aber und versuchte es mit der Westberliner BVG, also mit Autobus sowie U- und Straßenbahn. Das hieß, daß er von der Treptower Brücke zum U-Bahnhof Karl-Marx-Straße laufen oder aber mit der 95 beziehungsweise dem neu eingerichteten 67er Bus bis zum Hermannplatz fahren mußte, um die U-Bahn, die Linie C, nach Tegel zu erreichen. Da hatte er dann an die 40 Minuten durch den Berliner Untergrund zu gondeln, wo nichts zu sehen war als schwarze Tunnelwand, zumindest bis zum Kurt-Schumacher-Platz. Von Tegel aus ging es dann mit dem A 13 zum Kabelwerk nach Gartenfeld, was abermals knappe 20 Minuten in Anspruch nahm. Da er teilweise um 6 Uhr morgens anfangen mußte, war um ¾ 4 aufzustehen und um ½ 5 von zu Hause loszugehen. Manchmal nahm er auch die Route Kottbusser Tor – Deutsches Opernhaus – Richard-Wagner-Platz, mithin die U-Bahn-Linien B und A, um dann mit der 55 nach Gartenfeld zu fahren, aber das war noch um einiges umständlicher. Seine heißgeliebte S-Bahn fehlte ihm sehr.

Mit den Eltern ging er jetzt an Wochenenden immer an der

Mauer spazieren. An ihrem nordöstlichen Ende, da, wo sie in die Kiefholzstraße mündete, war die Treptower Straße zur Sackgasse geworden. Die Mauer ragte wie ein Prellbock in den Himmel. Und gingen sie die Heidelberger Straße entlang, mußten sie sich zwischen Mauer und Häuserwänden hindurchquetschen. Die Lohmühlenbrücke war total blockiert, und wer über den Kanal hinüber wollte, mußte bis zur Wildenbruchstraße laufen. Sein Vater hatte aber im *Telegraf* gelesen, daß es hier bald einen Steg geben sollte. Ihr Zorn war grenzenlos, und wäre nicht die Angst gewesen, die östlichen Grenzposten könnten auf sie schießen, hätten sie pausenlos »Ihr Schweine!« hinübergeschrien, sein Vater auch, obwohl der nun alles andere als ein Nazi war: »Ihr Vaterlandsverräter!« Kamen die Amerikaner im Jeep vorbei, winkte man ihnen zu, und seine Mutter rief in ihrem schönsten Schulenglisch: »Zänk ju!« Die GIs, zumeist farbig, freuten sich.

Ansonsten ging das Leben eben weiter – und zwar seinen gewohnten Gang. Manfred und sein Vater wetteiferten darin, wer die besten Werbesprüche kannte.

»Frohen Herzens genießen – HB. Eine Filterzigarette, die schmeckt.«

»Vor Freude bin ick hochjeschwirrt, det endlich mal wat billjer wird. Es senkt die BVG die Preise für eine Monatskartenreise.«

»Durch Schicksein im Blick sein. LEINEWEBER, das Haus, das jeden anzieht. Neukölln, Karl-Marx-Straße.«

»ALI, der Kaffee aus der Türkendose.«

Am Elsensteg hielten sie einen Augenblick, denn hier hatte man ein paar Tage zuvor einen 74jährigen Rentner tot aus dem Kanal geborgen.

»Selbstmord«, sagte Manfred.

»Weil er seine Familie im Osten nicht mehr sehen kann«, war die Vermutung seiner Mutter.

»Es ist schon ganz schön was los in Neukölln«, bemerkte der Vater und spielte damit auf die kriminellen Geschehnisse des Monats September an. Zwei unbekannte Täter hatten in der Hertzbergstraße die Schaufensterscheibe eines Juweliergeschäftes zertrümmert und 150 goldene Uhren gestohlen. Ein 84jähriger Süßwarenhändler hatte an zwei zehnjährigen Schülerinnen unsittliche Handlungen vorgenommen, und die 68jährige Rentnerin Else Krüger war in ihrer Wohnung am Kottbusser Damm 103 vom Sohn einer Bekannten überfallen worden, einem 15jährigen Lehrling aus Kreuzberg. »Mit der Hundeleine bewußtlos gewürgt und mit dem Kartoffelmesser in den Mund gestochen.«

»Was es nicht alles für Menschen gibt«, sagte die Mutter. »Und daß der Autorennfahrer da verunglückt ist … ist das nicht schrecklich! Wie hieß er noch mal …?«

»Heinz Rühmann«, soufflierte Manfred.

»Quatsch!«

»Hans Albers …?«

»Kein Schauspieler, ein Rennfahrer.«

Der Vater wußte es. »Wolfgang Graf Berghe von Trips.«

Mit ihm waren am 10. September beim Großen Preis von Italien in Monza 13 Zuschauer ums Leben gekommen, und Manfred erinnerte sich, irgendwann in seinem langen Leben und vor ewigen Zeiten – vor vier, fünf Jahren vielleicht – bei Frau Hünicke einen Deutschaufsatz zum Thema Autorennen geschrieben zu haben.

Bei all den Alltagsplagen war es schön, daß man sich abends fröhlich vor den Fernseher setzen konnte, um Salzstangen zu knabbern und Lou van Burg zu sehen: *Sing mit mir, spiel mit mir!* Immer sonntags gab es *Guten Abend*, das heitere Fernseh-Spielmagazin mit Peter Frankenfeld. Am 12. September hatten sie im Radio ganz groß den »1000. Berolina-Gästetag« gefeiert, und Tante Trudchen hatte es geschafft, dafür eine Karte zu ergattern. *Rund um die Berolina* auf SFB I gab es seit 1948, und wenn Manfred zu Hause war, hörte er fast immer rein. Und natürlich saß er weiterhin jeden Sonntag pünktlich um 11 Uhr 45 vor seinem Siemens-Radio, um Friedrich Luft zu hören, *Die Stimme der Kritik*. Ohne die ging es nicht.

Drei weitere Sendungen wurden sozusagen zu Dreh- und Angelpunkten ihres Lebens; ihretwegen verlegte man Termine oder ging nicht ans Telefon, wenn es »mittendrin« mal klingelte. Da war an erster Stelle *Die Familie Hesselbach.* Am 15. September gab es die Folge »Das Dreckrändchen«. Weil Frau Hesselbach zu ihrer Nachbarin »Schlampe« gesagt haben sollte, drohte eine Beleidigungsklage. Zum Glück konnte das Schlimmste verhindert werden, weil Papa Hesselbach wieder einmal einen rettenden Einfall hatte. Auch *Was bin ich?*, das heitere Beruferaten mit Robert Lembke, immer mittwochs, war bei Matuschewskis sehr beliebt, und schließlich schalteten sie jeden Montag um 17 Uhr 35 den Fernseher ein, um *Lassie* zu sehen. Bald sollten zu ihren Lieblingssendungen noch *Ein Platz für Tiere* mit Bernhard Grzimek und *Zum blauen Bock* mit Otto Höpfner dazukommen.

Am 17. September saßen sie bis in die Nacht hinein vorm Flimmerkasten, verfolgten die Bundestagswahl und mußten schließlich fluchend registrieren, daß es Konrad Adenauer doch noch einmal geschafft hatte. Zwar hatte die CDU/CSU 28 Sitze verloren, was Matuschewskis ebenso erfreute wie das Ausscheiden der Gesamtdeutschen Partei (GDP) aus dem Parlament, doch ihre 45,3 Prozent plus der 12,8 Prozent der FDP reichten noch immer, um auch die nächste Regierung zu stellen. »Ihre« SPD hatte es nur auf 36,2 Prozent gebracht.

Die Wochenenden des diesjährigen September waren für Manfred voller Tristesse. Der Verlust von Schmöckwitz und der von Uta schmerzte ihn sehr. Sich mit Utas Bild ins Bett zu legen und an die lustvollen Tage von Turku zu denken, steigerte die innere Leere nur noch. Seine »märkische Sehnsucht« war dadurch zu lindern, daß er im Fahrtenbuch seines Vaters las, wie der Anfang der dreißiger Jahre mit der *Snark* durch den Spreewald und den Rhin hinabgepaddelt war.

Wir kommen jetzt in das Gebiet des Oberspreewalds. Hohe Erlen spiegeln sich in dem stillen Wasser, das wir in flotter Fahrt durchschneiden. Nach knapp einer Stunde zeigen sich die ersten Häuser von Lehde, dem sogenannten märkischen Venedig. Langsam paddeln wir auf einem breiten Graben, der hier die Dorfstraße bildet ... (...) Der Grienericksee ist zu Ende, und durch einen Verbindungskanal gelangen wir nun auf den großen Rheinsberger See. Über die weite Wasserfläche braust ein seitlicher Wind, der die schaumgekrönten grünen Wellen nach unserer Seite hin ausrollen läßt. Längst ist die Spritzdecke übergezogen, und verbissen paddeln wir durch Wind und Wellen auf die Seeausfahrt zu. Wieder folgt ein Stück ruhige Fließfahrt. Dann geht es über den kleinen waldumkränzten Schlabornsee und vorbei an der bekannten Sommerfrische Zechlinerhütte.

Manfred hatte Tränen in den Augen, eine Woge von Traurigkeit riß ihn mit sich fort. Er weinte um das, was nie mehr sein würde, um ein Stück verlorenes Leben. Im Faltboot sitzen, im *Rebell*, und durch den Spreewald fahren oder über den Rheinsberger See, das war das Eigentliche, alles andere war nur Ersatz. Und er hatte nur das eine Leben und die eine Jugend, und die verging unwiederbringlich. Vielleicht konnte man sich, je nach dem Gang der Dinge, später wieder frei um Berlin herum bewegen, wenn er fünfzig war, wenn er sechzig war, aber dann würde er halt ein alter Mann sein, grau und schlapp. Es war ein großer Fluch, Berliner zu sein, Westberliner zudem. Wer jetzt Selbstmord beging, schien die beste aller Möglichkeiten zu wählen.

Manfred betäubte sich mit dem, was er sein »AA« nannte: Arbeit und Aktivitäten, kulturelle wie politische.

Im Kino sah er mit Dirk Kollmannsperger zusammen *Das Wunder des Malachias*, und mit Gerhard und Max Bugsin erlebte er im Sportpalast den Boxsieg von Karl Mildenberger über Jack Johnson. Gerhard war zu diesem Duell der großen Schwergewichtler extra von Frankfurt nach Berlin gekommen. Mit dem Vater ging Manfred regelmäßig zu den Heimspielen von Tasmania 1900, wo inzwischen Bäsler, Talaszus, Peschke und Engler den Ton angaben, und war schließlich auch dabei, als Ende September die Straßenbahnlinien 98 und 99 zum letzten Mal fuhren. Die 98 war erst nach dem Kriege aus der 99E entstanden, davor war sie als eine von

Manfreds Lieblingslinien durch die Sonnenallee hindurch zum S-Bahnhof Baumschulenweg gefahren, wo nach Schmöckwitz umzusteigen war.

Ins Theater ging er meist mit seinen Eltern oder mit Püppi, Curts Schwester. Inge Bugsin war ihm ja nach ihrer Heirat mit Hartmut Meyerdierks abhanden gekommen. Im Schloßparktheater sah er sich ein Stück von Sternheim an, *Tabula rasa*, und bewunderte dessen geschliffene Sprache. Im Theater am Kurfürstendamm spielten sie *Ein verdienter Staatsmann*, ein Stück von T. S. Eliot, mit dessen *Mord im Dom* sie Frau Hünicke in Deutsch einstmals gehörig gequält hatte. Bei allem aber war er nur mit halbem Herzen dabei, denn was ihm fehlte, war eine Freundin, insbesondere nachts.

Was das Studium betraf, da wurde alles immer mehr bedrückende Routine. Im Wintersemester 1961/1962, sein viertes nun schon, hatte er 19 Stunden belegt und dafür 127,50 Mark zahlen müssen. Bei Otto Stammer hörte er »Familiensoziologie« und »Geschichte der Soziologie« und bei Renate Mayntz »Soziale Schichtung und Klassenstruktur«. Dazu kam eine Lehrveranstaltung beim »alten Bülow« und eine Übung zur Arbeits- und Berufssoziologie bei Günther Hartfiel. Nur ein Bonbon gönnte er sich: die Rechtssoziologie bei Ernst Hirsch nebenan in der Juristischen Fakultät. Dies war ihm von Moshe Bleibaum angeraten worden, und er nutzte die Gelegenheit, wieder einmal neben dem alten Siemens-Kameraden sitzen zu dürfen.

»Hirsch ist der größte Choleriker aller deutschen Unis ... paß mal auf.«

Und richtig, als ein Student es wagte, drei Minuten zu spät zu kommen, lief Hirsch blaurot an und tobte los.

»Wo kommen Sie jetzt her!?«

»Ich bitte um Entschuldigung, Herr Professor ...«

»Das ist keine Antwort auf meine Frage.«

»Ich habe in der Mensa angestanden und bin schon gegangen, ohne ...«

»Dann stellen Sie sich weiter an! Hier will ich Sie nicht sehen!«

Moshe Bleibaum stieß Manfred an und lachte. »Der hat noch Glück gehabt, daß Hirsch ihm nicht den Studentenausweis abgenommen hat.«

Hirsch fuhr herum. »Sie da ...! Kommen Sie her, und bringen Sie gleich mal Ihren Studentenausweis mit ...«

So kam es, daß Manfred wiederum in keiner Lehrveranstaltung neben Moshe Bleibaum sitzen konnte.

Seine Mutter kam eines Abends weinend von der Arbeit nach Hause, und Manfred fürchtete schon, in Schmöckwitz sei etwas passiert, und sie hätte auf irgendwelchen inoffiziellen Behördenkanälen vom Tod ihrer Mutter erfahren.

»Ist Oma ...?«

»Nein. Aber Liebetruths ziehn weg.«

Ganz spontan wollte sich Manfred an die Stirn tippen, konnte sich aber gerade noch bremsen. Sein Kommentar war dennoch nicht nach dem Geschmack der Mutter. »O je! Wenn die Liebe geht, truths weh.«

»Wie kannst du nur so reden, die waren doch immer so gefällig.«

Dieses antiquierte Wort für hilfsbereit und zuvorkommend reizte Manfred, wahrscheinlich, weil es ihn an den Ausdruck »Gefallen finden« erinnerte und es für die Mutter das höchste Ziel im Leben war, anderen Menschen zu gefallen. Im Aussehen wie im Verhalten. Nur dann war sie glücklich. »Außengesteuert« hieß das bei den Soziologen. Außerdem sah sie in Willy Liebetruth und seiner Familie das große Vorbild für Manfred, das Maß aller Dinge – und das ging ihm auf die Nerven. Liebetruths selber konnten nichts dafür. Jeder sollte nach seiner Fasson selig werden. Da hielt er es ganz mit der Maxime Friedrichs des Großen.

Sein Vater sah alles viel pragmatischer. »Dann gehen wir mal rauf und fragen, ob wir Ihnen beim Umzug helfen können.«

Das taten sie auch. Als die Liebetruths dann aber wirklich ihre Umzugskisten packten und sich in Richtung Halensee, Westfälische Straße, in Bewegung setzten, war Manfred viel zu sehr mit sich und seinem Studium beschäftigt, um sich das Prädikat »immer gefällig« verdienen zu können. Das lag in der Hauptsache am »Kleinen Marktforschungspraktikum«, das er am »Lehrstuhl für allgemeine Betriebswirtschaft, Handels- und Marktwirtschaft« von Prof. Dr. Karl Christian Behrens absolvieren wollte. Pflicht war das nicht, schien ihm aber dringend geboten, denn in der zweisemestrigen »Übung zur Einführung in die empirische Soziologie« bei Dieter Claessens hatte er nur ein schwaches »befriedigend« kassiert; zu Hause waren die Kommentare dafür um so stärker gewesen.

»Warum kriegt der Sohn von meinem Chef nur Einsen, du aber nie«, hatte seine Mutter gegiftet. »Du hast doch nichts anderes zu tun, als dich um die Uni zu kümmern.«

Auch bei seinem Vater war die Reaktion nicht weniger kraß. »Mit der Siemens-Lehre hattest du dich schon vergriffen – und jetzt wieder ...?«

Manfred hatte kleinlaut bekennen müssen, daß andere um einiges begabter waren als er. »Vielleicht ist das Ganze doch eine Nummer zu groß für mich ...« Hinterhofkind und Akademiker – das ging halt nicht zusammen.

»Aber über Willy Liebetruth lästern!« rief seine Mutter. »Schuster bleib bei deinem Leisten ...«

So hatte sich Manfred der alten Weisheit erinnert, daß Genie nichts weiter war als gut getarnter Fleiß, und war – quasi zur Nachhilfe – zu den Betriebswirten gegangen, in die Meinungsforschung.

Den Fragebogen bekamen er und dreißig andere Kandidaten im Institutsgebäude am Correnplatz fertig in die Hand gedrückt. Es handelte sich um eine sogenannte Omnibus-Umfrage, das heißt, die Fragen verschiedener Auftraggeber wurden nacheinander abgehandelt. Die meisten Gelder waren offenbar von einem stadtbekannten Bettenhaus und einer Großbäckerei nach Dahlem geflossen, denn deren Fragebatterien waren am umfangreichsten.

»Wann haben Sie zum letzten Mal Bettwäsche gekauft?«

»Wann haben Sie zum letzten Mal Inletts gekauft?«

»Wann haben Sie zum letzten Mal Federbetten und -kissen gekauft?«

»Beabsichtigen Sie, in nächster Zeit Bettwäsche, Inletts oder Federbetten und -kissen zu kaufen?«

»Wenn ja: Wo würden Sie diesen Kauf lieber tätigen – a) in einer kleinen Filiale gleich um die Ecke oder b) in einem großen Bettenhaus in der Tauentzienstraße?«

»Nun einmal ganz etwas anderes: Backen Sie in regelmäßigen Abständen selber Kuchen?«

»Wenn ja: Welche Sorte bevorzugen Sie da?«

»Haben Sie schon einmal Kuchen gegessen, der in einer Fabrik gebacken worden ist?«

»Wenn ja: Wie hat Ihnen dieser Kuchen geschmeckt?«

»Wie müßte der Kuchen aus der Fabrik beschaffen sein, damit Sie nicht mehr selber backen?«

Dem Bettenhändler ging es um die Frage der Zentralisierung, also der Schließung verschiedener und über das ganze Stadtgebiet verteilter Filialen zugunsten eines großen Hauses, und dem industriellen Großbäcker um das Problem, wie man die Hausfrauen dazu bringen konnte, nicht mehr selber zu backen, sondern Fabrikkuchen zu kaufen.

Fünfzehn Interviews hatte jeder zu machen, wobei ihm bei der Auswahl der Befragten im Hinblick auf Geschlecht, Alter, Schulbildung, Beruf und Wohnbezirk Quoten vorgegeben waren, innerhalb derer er sich seine Gesprächspartner selber suchen konnte beziehungsweise suchen mußte. Das schien einfach zu sein, doch wenn man nicht aufpaßte, bekam man nicht die passenden Kandidaten zusammen.

Am einfachsten schien es Manfred, sich zu Hause an den Schreibtisch zu hocken, sich in die Befragten hineinzuversetzen und die fünfzehn Bögen selber auszufüllen.

Der Assistent, der die Einführung leitete, schien die Gedanken der meisten Anwesenden erraten zu haben und grinste.

»Damit keiner auf die Idee kommt, die Kreuze alle selber zu machen, möchten wir Sie bitten, uns die Adressen der Befragten auf einer Extraliste mitzuteilen ... Wir werden die

Betreffenden dann anschreiben und fragen, wie sie mit Ihnen als Interviewer zufrieden waren. Das dient nicht etwa Ihrer Kontrolle, sondern nur der Notenfindung ...«

Als Manfred nach Hause kam, war er ziemlich verzweifelt. Es kam ihm schier unmöglich vor, die passenden Leute finden zu können. Jemanden einfach auf der Straße anzusprechen, war undenkbar, und die meisten Menschen hatten einen ziemlichen Horror davor, sich über ihre Intimsphäre – etwa ihr Bett – ausfragen zu lassen. Blieb ihm nur, auf die Hilfe seiner Eltern zu hoffen. Wenn die ihre vielen Kolleginnen und Kollegen ansprachen ... Das wollten sie auch tun, wie sie ihm abends versicherten, hatten aber auch sonst einige Ratschläge parat.

»Ruf doch die Eltern deiner alten Schulkameraden an, die von Bimbo und Balla, da hast du gleich zwei Polizeibeamte.«

»Und Fräulein Krahl im Milchladen kannst du fragen, da hast du 'ne Selbständige.«

»Geh doch zu Liebetruths, da kannst du gleich zwei Fliegen mit einer Klappe schlagen: Willy und Oma Schmieder.«

Schließlich erwies sich die Sache als machbar, überwiegend jedenfalls, und Manfred kam viel herum in dieser Zeit.

Bimbos Eltern, Herr und Frau Stier, erzählten viel von ihrem Sohn in Jülich. Er sei sehr glücklich in seinem Postamt, habe auch schon ein Frauchen gefunden – Anita heiße sie, und man sei entschlossen, in Kürze die Verlobungsringe auszutauschen –, nur seine Herzklappen machten ihm zu schaffen. Zum Abschluß des Interviews setzte sich Vater Stier an Bimbos Harmonium und spielte Bach.

Die Eltern von Balla-Balla wohnten nicht mehr in Neukölln, sondern waren im letzten Jahr nach Lankwitz gezogen, damit es Herr Pankalla nicht mehr so weit zur Polizeikaserne hatte, wo er als höherer Führungsoffizier weiterhin wacker und zackig seinen Dienst versah. Da er auf alle Fragen wie aus der Pistole geschossen nur mit »Ja« oder »Nein« antwortete, wurde es das kürzeste aller Interviews. Auch der *Small talk* danach geriet militärisch-knapp.

»Und wie geht es Ihrem Sohn?«

»Danke, meinem Sohn geht es gut.«

»Wo ist Peter jetzt stationiert?«

»Peter ist derzeit in Karlsruhe stationiert. Kaserne Neureut. Haus 22.«

Von Lankwitz fuhr Manfred mit der S-Bahn nach Neukölln zurück. Fräulein Krahl in ihrem Milchladen in der Ossastraße stand als nächste auf der Liste. Bevor er das Geschäft betrat, ging er durch das Vorderhaus hindurch zum Hof.

Eine Zeitmaschine trug ihn wie von allein ins Jahr 1946 zurück – fünfzehn Jahre, eine Ewigkeit.

»Brennholz für Kartoffelschalen.« Der Bauer mit der großen Glocke kam gerade auf den Hof.

Manfred rannte nach oben, um den Eimer mit den Kartoffelschalen zu holen. Als er wieder unten war, stand der Wagen mit der Bauersfrau, die den Tausch vornahm, schon hinten an der Ecke Fuldastraße.

»Manni, kommste spiel'n, Schlachball oder Klimpern ...?«

Nein, durfte er nicht, denn wie immer hatte er die Stimme seiner Mutter im Ohr.

Das Brennholz bringst du gleich in den Keller, hörst du!?

Diesem Befehl war unbedingt Folge zu leisten.

Er ging in den Keller hinunter und machte sich vor Angst fast in die Hosen, denn nicht nur die fetten Ratten lauerten hier, sondern auch der Kindermörder, der ihn schon lange holen wollte.

Manfred, nun wieder im Hier und Heute, blickte zu den Fenstern im dritten Stock hinauf, zum Balkon, der wie ein Schwalbennest an der Fassade hing, und konnte trotz aller Erinnerungen, so intensiv sie waren, nicht wirklich glauben, daß er sechzehn Jahre seines Lebens – von 1938 bis 1954 – hier zugebracht hatte. Der Manfred Matuschewski von heute war ein ganz anderer als der Manfred Matuschewski von damals. Der Name war nur eine Äußerlichkeit, die sie zusammenhielt. Er hatte nicht nur ein Leben, er hatte viele, je nachdem, auf welcher Bühne er gerade welche Rolle spielte.

War das Interview in der Ossastraße, was die soziologische und philosophische Erkenntnis betraf, aber auch das

Sentimentale, besonders ergiebig, so war das aufregendste das bei einer 34jährigen und sehr alleinstehenden Sekretärin in der Pannierstraße, die ihm von Bimbos Eltern vermittelt worden war. Sie hieß Hella Lohmann und war allein zu Hause.

»Wann haben Sie zum letzten Mal Federbetten und -kissen gekauft?« fragte Manfred mit festem Blick auf seinen Fragebogen.

»Letzte Woche erst … Die können Sie sich gerne mal ansehen …«

Am längsten dauerte das Interview mit einer 81jährigen Rentnerin in einem Altenheim am Schulenburgpark, denn die litt unter Logorrhoe, also krankhafter Geschwätzigkeit.

»Backen Sie in regelmäßigen Abständen selber Kuchen?«

»Also, als mein Mann noch lebte, wissen Sie, da habe ich jeden Sonnabend Kuchen gebacken. Am liebsten, wissen Sie, hat er Kirschkuchen gegessen. Das hat daran gelegen, wissen Sie, daß er von der Weichsel gekommen ist, aus Thorn, wissen Sie, und die Weichselkirschen sind ja die besten, wissen Sie. Bevor er gefallen ist, kurz vor Kriegsende in Kattowitz, wissen Sie, bei seinem Heimaturlaub, da hat er noch gesagt: ›Minna‹, hat er gesagt, ›back mir einen Kirschkuchen mit Streuseln drauf.‹ Ja, und als er das letzte Stück verputzt hatte, wissen Sie, da hat er mich so angesehen, daß ich weinen mußte, wissen Sie, denn ich habe gedacht, daß das sein letztes Stück Kuchen war in seinem Leben. Aber denkste, das hat er 'n Tag später bei seiner Geliebten gegessen, wissen Sie, und raten Sie mal, wie die gehießen hat? Da komm' Sie nie drauf, junger Mann: Kirsch hat die gehießen, Ida Kirsch. Und an der hat er sich verschluckt, wissen Sie, denn wegen der ist er zu spät an die Front zurückgekommen … und da hat es seinen Waggon getroffen. Bombe rein und aus, wissen Sie …«

Zum Schluß blieben ihm, damit seine Quoten aufgingen, nur Willy Liebetruth und Oma Schmieder. Richtig euphorisch war er, als er die vier Treppen zu ihrer neuen Wohnung Westfälische, Ecke Joachim-Friedrich-Straße nach oben stieg.

Ende gut, alles gut. Dreizehn plus zwei gleich fünfzehn – es waren seine letzten beiden Interviews. Und bei guten Freunden war das alles ein Klacks.

Er erkannte die alten Neuköllner Namensschilder wieder und drückte auf den Klingelknopf. Es dauerte, bis sich drinnen etwas regte, und er staunte ein wenig. Eigentlich müßten sie auf seinen Besuch vorbereitet sein, denn seine Mutter, die mit Willy Liebetruth in derselben AOK-Filiale arbeitete – sie am Wochenschalter, er an der Kasse –, hatte den Termin vorher abgesprochen.

Endlich öffnete Elvira Liebetruth, mindestens einen Kopf größer als er, die Tür. Ein ganz spezifischer Duft schlug ihm entgegen. Da hatte sich vieles vermischt: das Kohlenmonoxyd der Kachelöfen mit dem Kot von Ännchen, dem Wellensittich, und der Kampfer vom Einreibemittel Oma Schmieders mit dem Urin der beiden Meerschweinchen. Vielleicht hätte sich die Benutzung einer Gasmaske bei kräftigem Lüften gerade noch umgehen lassen, das Lüften aber ließ Willy Liebetruth der hohen Heizkosten wegen nur sehr selten zu. Einmal die Woche vielleicht.

»Manfred, du ...« Man duzte sich schon seit einiger Zeit. Frau Liebetruth war sichtlich verlegen.

»Ja, ich komm' wegen der Interviews ...«

»Ach so ... Na, dann ...«

Manfred bekam einen Schreck. »Ist was bei euch passiert?«

»Nein, das nicht, aber ... Mutti und Willy wollen sich nicht interviewen lassen.«

»Das ist mir peinlich«, sagte Willy Liebetruth, aus dem Schlafzimmer kommend. »Daß ich mich so ausfragen lassen muß. Man hat ja so seine Intimsphäre, nich ... Mit den Betten und so.«

Oma Schmieder eilte aus der Küche herbei. »Man weiß ja nie, was dabei herauskommt, nachher hat man noch die Polizei im Haus.«

Manfred stand wie versteinert da. Mit allem hatte er gerechnet, nur damit nicht. *Liebetruths sind doch immer so gefällig.* Jetzt hätte er argumentieren und das Lehrbuchkapitel »Der Umgang mit Verweigerern« abspulen müssen, doch er stammelte nur wirres Zeug: daß die Anonymität gesichert sei und die Polizei ja nichts mit der Wissenschaft zu tun hätte.

Die beiden Kinder kamen herbei, Thomas und Sabrina. Der Junge, Manfreds Patenkind, war fast dreieinhalb Jahre alt, und Sabrina, während seiner Lehrzeit in Hannover zur Welt gekommen, schon über zwei. Er hatte ihnen etwas zu naschen mitgebracht, und sie zogen bald wieder ab.

»Am liebsten esse ich Treuselkuchen«, verriet ihm Thomas noch. »Tante Tührmann in Pandau hat uns welchen mitgegeben.«

Den Liebetruths war es sichtlich peinlich, daß ihr Ältester, sonst so intelligent und den anderen Kindern in allem voraus, ein kleines Sprachdefizit hatte.

»Wir üben dauernd mit ihm«, sagte Elvira.

»Ich konnte als Dreijähriger das Wort Elektrizitätswerk nicht richtig aussprechen – und jetzt kann ich's fließend«, versuchte Manfred sie zu trösten.

»Es wäre schön, wenn du den Weihnachtsmann machen würdest«, warf Oma Schmieder ein. »Nichts geht doch über einen richtigen Weihnachtsmann, wenn der zu den Kindern kommt.«

»Jeder Student muß in seinem Leben mindestens einmal als Weihnachtsmann gearbeitet haben«, fügte Willy Liebetruth hinzu, als Manfred zögerte.

»Und jeder Student muß beim Marktforschungspraktikum fünfzehn Interviews gemacht haben«, entgegnete Manfred.

»Dann man los, ihr beiden!« rief Elvira Liebetruth und schob ihren Mann in die Küche. »Erst du, dann Mutti.«

So bekam Manfred seine letzten beiden Interviews zusammen und erhielt von Professor Behrens, nachdem er noch an einer zweitägigen Auswertung teilgenommen hatte, die Note 2.

Ob er sein Weihnachtsmannspraktikum mit derselben Note abschließen würde, stand in den Sternen.

Am 24. Dezember galt wieder einmal: *The same procedure*

as every year. Das heißt, am Nachmittag ging es zu der Kohlenoma ins Bethanienkrankenhaus, wo er mit den anderen Frauen im Zimmer und den Schwestern Weihnachtslieder sang. Er war am Heiligabend dran, seine Eltern am ersten und Onkel Helmut, Tante Irma und Peter am zweiten Weihnachtsfeiertag, so hatten sie sich das Ganze aufgeteilt. Die Oma bestand nur noch aus Haut und Knochen, hatte die Hände gefaltet und sagte in einem fort: »O du, mein himmlischer Herrgott, hol mich heim.« Dann sprach sie von ihrer Jugend an der Oder, wie es nachts schaurig geklungen habe: »Fährmann, hol über.« Wo nur der große Fährmann bleibe, sie überzuholen.

»Das hat noch Zeit, Oma.«

»Bis du heiratest, Mannilein. Wann heiratest du denn?«

»Bald, Oma.«

»Warum hast du deine Braut nicht mitgebracht?«

Er dachte an Uta. »Sie wohnt in einer anderen Stadt und kann hier keine Wohnung finden.«

»Soll sie doch in meine Wohnung ziehen. Wenn ich hier rauskomme, kann sie auch bei mir bleiben.«

»Danke, Oma, das ist lieb von dir.«

Schon seit Jahren lebte eine andere Frau in ihrer Wohnung, und alle ihre Möbel waren längst verkauft oder im Ofen gelandet, doch man ließ sie in dem Glauben, daß ihre alte Wohnung nur auf sie wartete.

Manfred küßte die Pergamenthaut auf ihrer Wange, da, wo es am wenigsten piekte, wünschte ihr einen schönen Heiligabend, nahm die Tüte mit den Geschenken für die Liebetruth-Kinder und seine Weihnachtsmannverkleidung und ging in den Abend hinaus. Er rechnete. Im Jahr 2014 war er so alt wie seine Kohlenoma jetzt. Und lebte dann ganz sicher nicht mehr. Der Dritte Weltkrieg würde das verhindern, die Atombomben, die man über Deutschland abwerfen würde ...

Von der Waldemarstraße in Kreuzberg mußte er zur Westfälischen Straße in Wilmersdorf, fast nach Halensee hinauf. In vielen Fenstern brannten die Kerzen, überall dachte man an die Verwandten und Freunde im Osten. Es war das erste Weihnachtsfest nach dem Bau der Mauer. In Schmöckwitz würde jetzt seine andere Oma stehen und zu den Sternen hinaufschauen. Manfred liefen Tränen übers Gesicht.

Er marschierte zum Kottbusser Tor, um mit der Hochbahn zum Fehrbelliner Platz zu fahren. Es saßen erstaunlich viele Leute im Zug. Sie schwiegen alle. Man konnte von der Hochbahn aus in die Wohnungen sehen. Die meisten Weihnachtsbäume waren mit elektrischen Kerzen geschmückt. Viele Paare sah er und fragte sich zum soundsovielten Mal, warum ausgerechnet er noch immer »keine« gefunden hatte.

Am Fehrbelliner Platz hatte er Glück: Der 4er Bus kam gerade von der Blissestraße her, und so mußte er die vier Haltestellen bis zu Liebetruths nicht auch noch laufen.

Den Kellerschlüssel hatte er eingesteckt, und er ging hinunter, um sich umzuziehen. Die Mutter hatte ihm ihren roten Bademantel mit einem weißen Pelzbesatz zünftig hergerichtet. Die schwarzen Schaftstiefel stammten von einem Kollegen seines Vaters, dessen Bruder pensionierter Förster war. Die Pudelmütze war selbstgebastelt, ebenso der Wattebart. Mit Hilfe eines kleinen Taschenspiegels schminkte er sich tüchtig. Als »Das große Himmelsbuch«, auf das Oma Schmieder großen Wert gelegt hatte, fungierte das *Wörterbuch der Soziologie* von Bernsdorf und Bülow, immerhin 640 Seiten dick. Der Sack mit den Geschenken stand verabredungsgemäß in Liebetruths Bretterverschlag. Bis jetzt war alles planmäßig gelaufen.

Dennoch war er ziemlich aufgeregt, als er oben stand und klingelte. Irgendwie kam er sich als Hochstapler vor und fürchtete den Zorn der höheren Mächte, weil er das Gefühl hatte, hier mit einer heiligen Sache Schindluder zu treiben. Wie auch immer …

»Der Weihnachtsmann ist da!« rief Elvira Liebetruth und führte ihn ins Wohnzimmer. »Nun kommt mal …« Der große Baum war mit bunten Kugeln und viel Lametta reizend geschmückt. Oben brannten vier echte weiße Kerzen, darunter glimmten elektrische Lichter. Räuchermännchen aus dem

Erzgebirge pafften Weihrauchdüfte in den Raum. Bunte Teller mit Apfelsinen, Äpfeln, Schokoladenherzen, Dominosteinen und Nüssen standen neben der Hutsche des Tannenbaums.

Elvira Liebetruth läutete mit einem silbernen Glöckchen, und nun kamen alle aus dem Kinderzimmer, in dem sie die Bescherung erwartet hatten. Zuerst erschienen die Gäste, Onkel Ferdinand und Tante Elli sowie die Witwe Nolte, deren Nachbarin aus der Pankstraße im Wedding, dann Willy Liebetruth und Oma Schmieder.

Die beiden Kinder nahmen eine demütige Haltung ein, als der Weihnachtsmann so mächtig vor ihnen stand, und Manfred fühlte sich ein wenig als Erziehungshilfe mißbraucht.

»Seid ihr auch immer schön artig gewesen?« fragte er mit seinem tiefsten Baß.

»Ja«, kam es wie aus einem Mund.

»Und könnt ihr auch ein Gedicht aufsagen?«

»Ja.«

»Dann fängt der große Junge einmal an.«

Thomas machte eine kleine Verbeugung und begann: »Lieber guter Weihnachtsmann, tecke deine Rute ein, ich will auch immer artig sein.«

»Sehr schön«, lobte ihn Manfred. »Und nun du, Heike.«

»Ich heiße Sabrina.«

»Ach so, ja ...« Manfred begann zu schwitzen. Das zweite Liebetruth-Kind hatte während der Schwangerschaft Heike heißen sollen. »Ja, weißt du, der Weihnachtsmann muß an so viele Kinder denken ...«

»Lieber guter Weihnachtsmann, stecke deine Rute ein, ich will auch immer artig sein.«

»Die Kleine kann es richtig!« rief Oma Schmieder.

Manfred überhörte es und schlug, bevor er den Sack mit den Geschenken aufmachte, erst noch sein großes Himmelsbuch auf.

Zwischen den Seiten 280 und 281 lag der Zettel mit Thomas' kleinen Sünden.

»Lieber Thomas, versprichst du mir, daß du, wenn du Aa gemacht hast, immer gleich spülst?«

»Ja, ich püle immer gleich.«

»Und nie wieder aus dem Klobecken trinkst, wenn dir die Mutti verboten hat, aus der kalten Wasserleitung zu trinken?«

»Ja, ich verpreche es.«

So ging es ein Weilchen weiter.

»Nun ist Sabrina dran«, hörte er Elvira Liebetruth wie aus weiter Ferne.

»Ja, natürlich ...« Deren Sündenregister fand sich zwischen den Seiten 538 und 539. »Sabrina, ja ... Du willst bestimmt dein Zimmer immer schön aufräumen ...?«

»Nein.«

»Das ist vernünftig, denn Ordnung ist nur das halbe Leben, aber die andere Hälfte ist viel schöner.«

Die drei erwachsenen Liebetruths husteten im Chor und fanden, daß es nun für den lieben Weihnachtsmann Zeit sei, die Geschenke aus dem großen Sack zu holen und zu verteilen.

»Aber so ein praller Sack ist doch auch was Schönes«, meinte Willy Liebetruth und bekam von seiner Frau einen heftigen Tritt vors Schienbein.

Manfred tat seine Pflicht und wurde, bevor es ans Auspacken ging, feierlich verabschiedet.

»Bis zum nächsten Jahr«, sagte Oma Schmieder.

»Solange bleib' ich aber nicht im Keller«, brummte Manfred.

»Pssst!« machte Elvira Liebetruth.

Nach einer guten Viertelstunde kam er als Onkel Manfred nach oben und wurde freudig begrüßt. Die Kinder merkten nicht, daß er eben den Weihnachtsmann markiert hatte.

Alle waren fröhlich, und man setzte sich zum Kaffeetrinken an den großen runden Tisch. Willy Liebetruth freute sich über seine Geschenke. SOS – Schlips, Oberhemd und Socken – waren dabei und ein elektrischer Rasierapparat. Dazu eine Flasche After-shave.

»Riecht er immer so aus dem After?« fragte die Witwe Nolte, eine massiv gebaute Frau mit einem Humor, den Oma Schmieder sehr volkstümlich fand.

Elvira Liebetruth hatte als Hauptgeschenk ein Mixgerät bekommen und war sehr froh darüber, Oma Schmieder nicht minder über eine Nachttischlampe.

»Tatsache ist ja mal, daß man im Dunkeln schlecht lesen kann«, kommentierte sie das Präsent.

Thomas spielte mit seiner batteriegetriebenen Handbohrmaschine und bohrte, im Spiel natürlich nur, Löcher in die Wände.

»Ins Sofa geht dein Bohrer wirklich rein«, sagte Manfred.

»Das schafft er nicht. Der prüht schon keine Funken mehr.«

»Dann ist die Batter*je* leer«, stellte Manfred fest.

»Die Batte*rie*«, verbesserte Oma Schmieder.

Doch Thomas vertraute seinem Patenonkel mehr als seiner Oma. »Wenn man eine Batterje hat, braucht man keine Teckdose.«

»So ist es, mein Junge.«

Man legte eine Platte mit Weihnachtsliedern auf, und die Stimmung wurde so rührselig, daß Witwe Nolte zu weinen anfing.

»Daß mein armer Hannes das nicht mehr erleben kann.«

»Denken wir an alle unsere Lieben im Erzgebirge«, mahnte Oma Schmieder. »Im Osten.«

Es wurde sehr still, und es wäre noch andächtiger gewesen, wenn nicht Sabrinas Puppe, ein Geschenk von Onkel Ferdinand, beim Drücken auf den Bauch einen Laut von sich gegeben hätte, der sich sehr nach einem Furz anhörte. »Puup«, machte Sabrina auch prompt.

»Nante!« rief Tante Elli. »Hast du die Puppe umgebaut?«

»Nur ein bißchen ...«, mußte Onkel Ferdinand bekennen.

Manfred lachte sich halbtot. Es war urgemütlich hier, zumal Elviras selbstgebackener Weihnachtskuchen wunderbar schmeckte.

»Fröhliche Weihnachten!« riefen alle, und angestoßen wurde mit einem Gläschen Sekt vom Typ »Hausmarke«.

Onkel Ferdinand, der auf die Achtzig zuging, erzählte denselben Weihnachtswitz wie seit mindestens fünf Jahren. »Herr Matuschewski, habe ich Ihnen eigentlich schon erzählt, was ich mit meiner ersten Verlobten mal erlebt habe, der Bianca?«

»Nein, Herr Vollert ...«

»Das war Weihnachten 1901, da spaziere ich mit ihr über die Schloßbrücke, und wir sind ganz allein. Da fragt sie mich: ›Soll ich Ihnen mal zeigen, wo ich am Blinddarm operiert worden bin?‹ – Ich zittere vor Erregung und stoße hervor: ›Ja, bitte, Fräulein ...‹ – Da zeigt sie in Richtung Humboldthafen. ›In der Charité da hinten.‹«

Bald hieß es Abschied nehmen, und Manfred fuhr mit dem 4er Bus nach Neukölln zurück. Als er an der Wildenbruchbrücke ausgestiegen war und einsam am Kanal entlang nach Hause stiefelte, war er gar nicht mehr fröhlich. Schön, man konnte über die Familie Liebetruth wunderbar lästern, aber im Grunde war es doch das, wonach auch er sich sehnte: eine Ehefrau zu haben, zwei Kinder dazu und ein warmes Nest für alle. Dies alles nicht zu groß, sondern schön bescheiden. Der Liebetruthsche Weg durchs Leben war vielleicht der beste Weg, ohne akademische Würden, ohne eine große Karriere irgendwo.

Alle schafften es, eine Frau fürs Leben zu finden, nur er nicht. Auch diesmal saß wieder keine unterm Weihnachtsbaum und wartete auf ihn ... *Sei nicht so undankbar!*

Er riß sich zusammen. Als er an der Treptower Brücke angekommen war und zu seinem Fenster hinaufsah, war die Mutter gerade dabei, die abgebrannten Kerzen zu ersetzen. Seine Eltern und Tante Trudchen warteten schon.

»Du kommst zu spät, das Gänseklein ist mir angebrannt.«

»Fröhliche Weihnachten.«

Neben dem »Kleinen Marktforschungspraktikum« stand das Wintersemester 1961/62 ganz im Zeichen der Statistik. Zweimal hatte Manfred Münzner gewählt – »Statistik II« und »Übung zur Statistik II« – und einmal Mertsch, »Wirtschaftsstatistik«. Das Damoklesschwert, das drohend über allen Studierende der WiSo-Fak. hing, war nämlich der Statistikschein. Für viele der angehenden Diplomkaufleute, Soziologen und Volkswirte war er die unüberwindliche Hürde, so gut sie auch in ihren Fächern waren. Ohne diesen Schein ging nichts, und er ließ in diesem Semester alles andere zur Nebensache werden. Alle fanden es idiotisch, fügten sich aber ins Unvermeidliche.

Manfred lernte zusammen mit Moshe Bleibaum und Immanuel Tieck, einem Kommilitonen, den er bei Siemens kennengelernt hatte, während der Inventur im September und Oktober. Tieck war Mittelfeldregisseur eines stadtbekannten Fußballvereins, behauptete, aus der Familie des großen Romantikers und Shakespeare-Übersetzers Ludwig Tieck zu stammen und wäre am liebsten Schauspieler geworden. Er war so schön und kraftvoll, so geistreich und schlagfertig, daß er sich bei seinen ersten Theaterkontakten vor Avancen lüsterner Männer kaum hatte retten können. Erzählte er jedenfalls. Und berühmte Namen nannte er auch. »Nee, so hintenrum will ich keine Karriere machen.«

Vorläufig drohte Tieck – wie Manfred – an der Statistik zu scheitern. Nicht einmal Moshe schien allzuviel begriffen zu haben.

Münzner war ein unheimlich sympathischer Mensch, und wenn Tieck seinen Sprachfehler nachmachte, galt das nicht ihm, sondern der Materie, die er vermitteln sollte.

»Kommen wir zu den Streuungßmaßzen ... zisch ... Für den Fall der Häufigkeitsverteilung wird die Varianzß ... zisch ... wie folgt definiert ...«

Es folgte ein Ungetüm von Formel, wie es Manfred nicht einmal in den schlimmsten Mathe-Zeiten bei Frau Mickler kennengelernt hatte.

»Das kapier' ich nie ...«

»Wer nie was kapiert, sollte Politiker werden«, stellte Moshe fest.

»Danke für den guten Rat«, sagte Manfred und kündigte an, der SPD beitreten zu wollen.

»Komm lieber zu uns in die FDP«, riet ihm Tieck. »Wir sind nur ganz wenige – da macht jeder Karriere.«

»Kann ich nicht«, stöhnte Manfred. »Schon mein Urgroßvater war in der SPD, Großvater Quade.«

»Dann fang mal im SHB an«, warf Moshe ein. »Ein alter Schulfreund von mir ist da der Chef, der Lehmann ...«

Der Sozialdemokratische Hochschulbund (SHB) hatte sich, wie man Manfred berichtete, vor nicht allzu langer Zeit vom Sozialistischen Deutschen Studentenbund (SDS) abgespalten, als der den SPD-Oberen zu links geworden war und zu oft von Revolution die Rede gewesen war. Sein Domizil hatte der SHB nicht etwa in den roten Hochburgen Wedding oder Neukölln, sondern im erzbürgerlichen Zehlendorf, was man damit begründete, daß es in den besagten Bezirken kaum Studenten gab, aber hier in der Sven-Hedin-Straße die FU gleich vor der Haustür war. Als Kaderschmiede der Partei gedacht, brachte der SHB, was Berlin betraf, mit Dietrich Stobbe immerhin einen Regierenden Bürgermeister und mit Klaus Riebschläger einen Senator hervor, dazu noch den langjährigen NRW-Minister Christoph Zöpel sowie etliche bundesweit bekannte Professoren und einen Parteioberen wie Wolfgang Roth. Insofern war Manfreds Beschluß, auf die Karte SHB zu setzen und mehrmals im Monat den langen Weg von Neukölln nach Zehlendorf auf sich zunehmen, gar nicht so falsch, nur ...

Manfred war entsetzt, als er so viele Junggenossen auf einem Haufen sah – Genossinnen gab es kaum welche. Entsetzt war er auch über den hier herrschenden Konformismus. Jeder mußte jedem zu jeder Minute beweisen, daß er zumindest vom Godesberger Programm an alle offiziellen SPD-Thesen in- und auswendig kannte und voll und ganz teilte. So erzählten sie sich stundenlang das, was sie eh schon lange wußten. Auf diese Weise schälten sich wenigstens die heraus, die sich am besten artikulieren konnten und auf spätere Breitenwirkung hoffen ließen. Nicht kreativ und originell mußte man sein, schon gar nicht aufmüpfig, um bei dieser Führerauswahl Erfolg zu haben, sondern sich als der begabteste Verkäufer jener geistigen Produkte erweisen, die von der Bonner SPD-Baracke oder der Berliner Parteizentrale in der Müllerstraße fertig angeliefert wurden.

Manfred begriff schnell, daß er in diesem Wettbewerb schlechte Karten hatte. Einmal haßte er es, nachzuplappern, was andere ihm vorgekaut hatten, und zum zweiten war es nicht gerade seine Stärke, komplizierte Sachverhalte blitzschnell und rhetorisch glanzvoll auf den Punkt zu bringen. Zu viele Ähs und Denkpausen gaben denen mit der schnelleren Zunge Gelegenheit, ihm in die Parade zu fahren. Zu grüblerisch war er, zu langsam und zu genau, und auch die Gabe, alles durch die rote Brille zu sehen, besaß er nicht. Zum berühmten Parteisoldaten fehlte ihm also vieles, vor allem aber das Vermögen, sich einem Führer oder einer Idee dienend unterzuordnen. *Ich bin ich – und ihr könnt mich alle mal am Arsche lecken.* Mit dieser Devise ließ sich weder im SHB noch später in der SPD Karriere machen. Menschen wie er würden es in der Politik nie weiter als bis zur Karteileiche bringen.

So kam es, daß seine SHB-Zeit ihm nur ein großes Erlebnis bescherte: eine Parisreise im März 1962. Und dies auch nicht der ideologischen Erbauung, sondern der Liebe wegen. Wobei der Witz an der Sache war, daß er, der unbegabte Rhetoriker, seine erste Eroberung ausgerechnet einer spontan vorgetragenen Rede verdankte.

Sie hatten sich im Frühstücksraum ihres alten und vergammelten Hotels irgendwo in der Nähe der Gare de l'Est versammelt und diskutierten, die ganze Busladung voll, ob sie zu einer gemeinsamen Veranstaltung mit der KPF gehen sollten oder nicht.

»Nur über meine Leiche!« rief Lehmann, der Vorsitzende. »Nicht mit Leuten, die den Mauerbau gutheißen. Ich hoffe nicht, daß jemand anderer Meinung ist ...«

Das war der Moment, wo Manfred, der sich gerade zum Dösen zurückgelehnt hatte, Ricarda entdeckte, eine weizenblonde Wildkatze. Ihn, den vermeintlichen Langweiler, schien sie anderthalb Tage lang überhaupt nicht wahrgenommen zu haben, und auch er hatte nicht einmal im Traum daran gedacht, sie anzusprechen. Lag es wirklich an Paris und seinem Zauber, oder war es nur die Vorstellung, zum Frauenheld avancieren zu können, gleichviel, Manfred mutierte in wenigen Sekunden vom stotternden Schweiger zum Meister des geschliffenen Wortes.

»Doch, ich!« Manfred war hochgefahren.

Lehmann sah ihn böse an. »Bist du überhaupt Mitglied bei uns?«

»Nicht nur das!« fuhr Manfred ihn an. »Meine Vorfahren waren schon Sozialdemokraten, als deine noch Deutschnationale waren und später Obernazis.« Das wußte er von Moshe Bleibaum.

»Lügner!«

Manfred wurde nun ganz ruhig und gab ein paar Einzelheiten preis. Lehmann wurde immer kleinlauter.

»... aber das ist es nicht, was mich so wütend macht, sondern daß hier alle sofort weggebissen werden, die die feinen Leute stören, alle die, die in der SPD nur Karriere machen wollen, nichts weiter ...« Damit hatte er zumindest diejenigen auf seiner Seite, die nur als Gäste mitgefahren waren, aber auch jene SHB-Mitglieder, die von den dumpfen rechten Keulenriegen der Berliner SPD angeekelt waren. »Natürlich habe ich etwas gegen kommunistische Diktaturen, wie ihr alle ... aber der Kampf der Linken kann nur im Diskurs ausgefochten werden, im Dialog, und nicht durch Schüsse und auch nicht dadurch, daß man nicht mehr miteinander redet. Getrennt marschieren, ja, aber gemeinsam schlagen – den blutsaugerischen Kapitalismus!«

»Bravo!« rief Ricarda und umarmte ihn.

Bei der Abstimmung waren über siebzig Prozent dafür, der Einladung der kommunistischen Gewerkschaft zu einem Diskussionsabend Folge zu leisten. Manfred war der große Sieger, was Ricarda betraf, doch im Hinblick auf seine Karriere im SHB bedeutete dies mehr oder weniger das Aus; denn keiner kam zu ihm und sagte: ›Du bist großartig, komm, laß dich beim nächsten Mal zum Vorsitzenden wählen – mit dir gewinnen wir die Mehrheit im Studentenparlament.‹ Keiner von den Drahtziehern unterstützte ihn, denn alle hatten Angst, daß einer sie von ihren Posten verdrängen konnte. Manfred war das alles ebenso scheißegal, wie es ihn gewaltig ärgerte.

Ricarda, Studentin der Kunst und Kunstgeschichte, himmelte ihn an und schrieb Manfreds Wandlung durchaus auch ihrer Wirkung zu. Auf dem Weg zum Invalidendom schlüpfte sie schnell an seine Seite. Sie nutzten die erstbeste Gelegenheit, der SHB-Truppe verlorenzugehen. Manfred war im Rausch. Verliebt in Paris – das göttlichste aller Vergnügen.

Seite an Seite, sich immer wieder wie aus Versehen berührend, streiften sie zwischen Notre-Dame und St-Germain-des-Prés umher, und manchmal sagte sie »Mon petit« zu ihm, ließ sich »Rica« nennen und aß das Eis aus seinem Becher. Manfred dachte: Welch ein Unterschied zu Uta. Gegen die kapriziöse Rica wirkte Uta wie eine schwerfällige Bauersfrau.

Ricarda küßte ihn. »Du bist so süß.«

Später dann, die übrige Gruppe war noch draußen in Versailles, lagen sie in Ricardas Bett, und sie zerbiß ihm in ihrer Wildheit die Brust. Hinterher war sie so frei, ihren Verlobten in Berlin anzurufen. Und als der gar nicht mehr auflegen wollte, animierte sie Manfred dazu, sie während des Telefonats noch einmal zu lieben.

»Du stöhnst ja so ...?« kam es aus dem Telefonhörer.

»Ich denke ganz intensiv an dich, wie du gerade ...«

Manfred war schockiert, aber auch einem Lachanfall nahe. Ricarda konnte ihm gerade noch den Mund zuhalten.

Sie war schon eine Marke für sich. Am nächsten Tag hatte sie die Nase voll von ihm und suchte sich in den Montmartre-Kneipen einen Franzosen.

Manfred fand das in Ordnung. So war das Leben eben. Alle hatten mitbekommen, daß Ricarda und er sich nicht nur zurückgezogen hatten, um Postkarten zu schreiben. Das imponierte den anderen, und auf dem Eiffelturm stand plötzlich Jo neben ihm, eine Medizinstudentin. Jo stand für Jolanthe, was für sie stets gewisse Probleme mit sich brachte, denn mit diesem Vornamen assoziierte man in Berlin durchweg ein glückliches Schwein, hatte es doch einmal einen Schwank mit dem Titel *Krach um Jolanthe* gegeben, eben die »Swienskomödie« von August Hinrichs. Manfred hatte sie einmal im Fernsehen als Aufführung des Hamburger Ohnsorg-Theaters gesehen. Erschwerend kam hinzu, daß Jo, freundlich gesagt, vollschlank war und die rosige Haut eines Marzipanschweinchens hatte. Manfred hatte bei Ricarda eine gewisse Übung erworben, doch als er Jo abends an der Place de Concorde zärtlich küssen wollte, stieß sie ihn von sich.

Das verstand er nicht, denn ihre Körpersprache war ganz klar »hingebungsvoll« gewesen.

»Was ist denn, hab' ich Mundgeruch oder ...?« Ob er noch zu sehr nach Ricarda roch?

»Nein, es ist etwas anderes ...«

Manfred lachte. »Du als Medizinerin, meinst du denn wirklich, daß man vom Küssen schwanger wird?«

»Haha, wer kommt wohl leichter an die Pille ran als wir?«

»Was dann ...?«

»Es ist mir peinlich ...«

»Sich hier in aller Öffentlichkeit zu küssen? Komm, wir sind in Paris und nicht in Bayerisch-Eisenstein.«

»Da wär's genauso.«

»Was?«

Erst nach einer gemeinsam geleerten Flasche Beaujolais sollte Manfred hinter Jos Geheimnis kommen. Als er sie stürmisch küßte, hatte er plötzlich einen Teil ihres Gebisses im Mund.

Außer sich vor Schreck, im Glauben, ihr mit der Kraft seines Kusses das Gebiß ramponiert zu haben, schrie er auf.

Bald war alles aufgeklärt. Als Folge eines Autounfalls, der ihr den Unterkiefer zertrümmert hatte, war sie zur Gebißträgerin geworden. Und ihr »Teil« neigte leider dazu, sich beim Küssen zu lösen.

Über Reims ging es nach Berlin zurück, und Manfred sollte beide, Ricarda wie Jolanthe, nachdem die SHB-Gruppe in der Sven-Hedin-Straße aus dem Bus gestiegen war, niemals wiedersehen.

Ein Freund, ein guter Freund, das ist das Schönste, was es gibt auf der Welt ... Manfred hatte eine Schwäche für Filme und Schlager aus den Vorkriegsjahren und summte sie oft vor sich hin; singen konnte er nicht. Von den alten Freunden war ihm nur Dirk Kollmannsperger geblieben, aber der hatte sich übermäßig stark um seine vielen Schwestern, Schwäger, Nichten und Neffen zu kümmern und studierte so eifrig, daß sie sich nur noch selten sehen konnten. Die anderen waren weit weg vom Schuß.

Gerhard Bugsin verlebte seine Lehr- und Wanderjahre weiterhin am Main und versuchte, hinter die letzten Geheimnisse des erfolgreichen Büromöbelhandels zu kommen. Letzte Woche hatte er auf schmucklose Art angezeigt, daß er soeben in Hanau geheiratet hatte ... eine gewisse Roswitha, geb. Hippler. Manfred war zutiefst gekränkt. Gerhard hatte ihn weder eingeladen noch vorher eingeweiht.

Balla-Balla Pankalla wagte sich als pflichtgetreuer Bundeswehrsoldat und NATO-Krieger kaum noch nach Berlin, wo die bösen Ostagenten hinter jeder Straßenecke lauerten, und Bimbo Stier reiste wegen seiner vielen neurotischen Ängste nicht in die »Frontstadt«.

Manfred fehlte also eigentlich das Schönste, was es gab auf der Welt, und da kam es ihm gerade recht, daß sich aus der Bekanntschaft mit Moshe Bleibaum langsam eine echte Freundschaft zu entwickeln schien. Sie kannten sich ja seit 1957, als sie in der Siemens-Lehrwerkstatt gemeinsam an Drehbank und Schraubstock geformt, gefeilt und gelitten hatten, und trafen sich fast jeden Tag in der Garystraße in der WiSo-Fak. oder nebenan in der Mensa der FU. Aber erst im Frühjahr 1962 fingen sie an, sich gegenseitig zu Hause zu besuchen, und auch das hatte nur mit einem Zufall begonnen.

Vor dem Boykott war Manfred selbstverständlich mit der S-Bahn zur FU gefahren, was auch von Sonnenallee bis Lichterfelde West mit einmal Umsteigen in Schöneberg absolut am schnellsten ging. Nun aber war er gezwungen, mit dem 4er Bus bis zur Hauptstraße zu tuckern und dort in den 48er umzusteigen. Von der Haltestelle Thielallee/Dahlemer Weg waren es trotz der Abkürzung über die Breisacher und die Eppinger Straße noch knappe zehn Minuten bis zu den Hörsälen in der Garystraße.

An der 48er Haltestelle Richtung Innenstadt stand Manfred im Nieselregen und wartete auf seinen Bus. Die Fahrt war lang. Seit er aber André Gides *Falschmünzer* gelesen hatte, wußte er, wie er die Langeweile bekämpfen konnte, denn er machte es wie der Graf Passavant im Buch: Er hielt vom Oberdeck herab Ausschau nach mindestens drei Frauen, mit denen er gern geschlafen hätte. Auch war während dieser Fahrten viel Zeit, den *Spiegel* und literarische Neuerscheinungen zu lesen.

Am 6. März war er mit einer Stunde Verspätung nach Dahlem gekommen, denn es hatte mit neun Zentimetern Neuschnee und viel altem Matsch den tollsten Wintertag des Jahres gegeben. Die Stadtreinigung hatte hundert Schneepflüge eingesetzt, doch selbst das hatte das Verkehrschaos nicht so recht verhindern können.

Da kam Moshe Bleibaum in seinem grauen VW-Käfer angerollt und hielt mit einem spektakulären Bremsmanöver genau vor Manfreds Nase.

»Kann ich dich ein Stück mitnehmen?«

»Wo fährste denn hin?«

»Nach Neukölln.«

»Laß mich mal in meinem Ausweis nachsehen ... ich glaub, ich wohn' da irgendwie ...«

»Los, steig ein!«

Moshe stieß ihm die Tür auf. Er trug durchbrochene Lederhandschuhe, wie sie zu einem Jaguar-Fahrer gepaßt hätten. Sein Herrenparfüm, in dem er, wie es Manfred schien, vorher gebadet haben mußte, ließ auf den Baron von Bleibaum schließen. Nun, Kohle hatte er, nicht nur wegen der erhaltenen Wiedergutmachungsgelder, sondern auch, weil er einer seiner Tanten, die in Berlin mehrere Drogerien besaß, die Bücher führte. Und zu einer dieser Drogerien war er nun unterwegs.

Als sie die Dudenstraße entlangfuhren und dort mehrere Bars und Kneipen sahen, offenbar von den GIs der nahen *US Air Force Base Tempelhof* reichlich frequentiert, fragte ihn Moshe, ob er nicht mit ins Geschäft einsteigen wolle.

»Was'n, willste 'ne Bar aufmachen?«

»Nein, aber meine Tante sucht zwei Studenten, die in die Lokale gehen und die Kondom-Automaten auffüllen.«

»Ich weiß nicht so recht ...«

»Geld stinkt nicht.«

»Meinetwegen.«

Zwei Jahre klapperten sie mehrmals im Monat Berlins Kondomautomaten ab, dienten auf diese Weise der Volksgesundheit wie der Verhinderung unerwünschten Nachwuchses und verdienten sich so manche Mark. Das schweißte sie zusammen.

Bis sie an diesem Tag an der Treptower Brücke angekommen waren, gab es eine Menge zu bereden. Moshe Bleibaum schwärmte von der Wiedereröffnung des Schiller-Theaters und Manfred davon, daß Marika Kilius und Hans-Jürgen Bäumler nun schon zum vierten Male Europameister im Paarlaufen geworden waren. Dann machten sich beide über den neuen Maßhalteappell Ludwig Erhards lustig. Im Fernsehen hatte »der Dicke« vollmundig getönt: »Noch ist es Zeit, aber es ist auch höchste Zeit, Besinnung zu üben und dem Irrwahn zu entfliehen, als ob es einem Volke möglich sein könnte, für alle öffentlichen und privaten Zwecke ... mehr verbrauchen zu wollen, als das gleiche Volk an realen Werten erzeugen kann.« Moshe hatte diese Passage aus der Zeitung ausgeschnitten.

»Spare in der Not, dann hast du Zeit dazu«, sagte Manfred, sich an eine alte Weisheit seines Urgroßvaters August Quade erinnernd.

Dann kommentierte Manfred den 2:1-Auswärtssieg von Tasmania bei Hertha BSC und die Tatsache, daß seine Neuköllner Mannschaft nun eindeutig die Nummer eins des Berliner Fußballs war, während Moshe eine Laudatio auf Thomas Manns Sohn Golo hielt, der gerade den Literaturpreis der Stadt Berlin, den Fontane-Preis, erhalten hatte. Auch die große Rede des amerikanischen Justizministers Robert F. Kennedy wurde durchgesprochen.

»180 000 Zuhörer vor dem Schöneberger Rathaus, du meine Güte!« Manfred fiel dazu José Ortega y Gasset ein, dessen *Der Aufstand der Massen* er gerade als rde-Bändchen Nummer 10 erworben hatte. »Obwohl dies ja hier – im Gegensatz zu den faschistischen Massen – eine sozusagen positive Masse war ...«

Moshe Bleibaum hatte eine angeborene wie anerzogene Abneigung gegen Volk, Pöbel, Plebs. Was ihn im Augenblick faszinierte, war der Gedanke, eine kommerzielle Fluchthilfeorganisation zu gründen und die Leute massenhaft aus dem Osten nach Westberlin zu schleusen. »Was man damit verdienen könnte!« Angeregt hatte ihn die erste Flucht von 28 Männern, Frauen und Kindern durch einen Tunnel unter der Mauer hinweg im Januar. Darauf waren sie gekommen, als sie bei der Suche nach einem Parkplatz an der Heidelberger, Ecke Treptower Straße die Mauer gesehen hatten.

Manfreds Mutter war von dem neuen Freund sehr angetan, obwohl es bei dessen erstem Besuch bei Matuschewskis einen kleinen Eklat gegeben hatte.

»Guten Tag, Frau Matuschewski!« hatte Moshe ausgerufen. »Ich habe durch Ihren Sohn schon viel von Ihnen gehört und freue mich riesig, Sie endlich einmal leibhaftig vor mir zu sehen.« Formvollendet küßte er ihr die Hand.

Die Mutter schmolz dahin, sie war so selig wie lange nicht mehr. »Ganz meinerseits, Herr Bleibauch.«

»Wie ...?«

»Sie sind doch der Bernhard Bleibauch, mit dem mein Sohn schon bei Siemens ...«

Die Sache war schnell geklärt. Moshe fühlte sich in der Neubauwohnung an der Treptower Brücke bald wie zu Hause, hörte immer wieder gerne, wie Manfreds Vater gegen die Nazis gekämpft hatte und daß Margot Matuschewski 1931 mit einem jüdischen Vetter namens Julius fast nach New York gegangen wäre. Auch von ihrem Onkel Salomon war die Rede und von den Wolfssohns, die, sehr wohlhabend, in Oberschlesien gelebt hatten.

Manfreds Mutter war ganz aufgedreht und erzählte Moshe an diesem Tag, wie sehr sie Lou van Burg schätzte und wie sehr ihr neulich die Tanzeinlage von Marika Rökk gefallen habe. Der Vater sang dazu in der Tonlage der Rökk: »Sing mit mir, lach mit mir, tanz mit mir um die Welt, warte nicht, zögere nicht, wenn mein Lied dir gefällt ... Willst du gerne wissen, was die Zukunft dir noch bringt, dort steht in den Sternen, daß das Glück uns beiden singt: Drum sing mit mir, lach mit mir, tanz mit mir in das Glück!«

Es war urgemütlich bei Moshes erstem Besuch, und wenig später erhielt Manfred die Einladung zu einem Gegenbesuch.

Moshe Bleibaum lebte mit Mutter und Tante in einer bescheidenen Mietwohnung in Charlottenburg, deren einziger Luxus eine Ölheizung war. Die Adresse – Gardes-du-Corps-Straße – machte zwar viel her, der Kiez selber aber war trotz der Nähe des Schlosses nicht gerade feudal zu nennen.

Sie saßen in Moshes Arbeitszimmer, das bis unter die Decke mit Büchern und Schallplatten, alles Klassik, vollgestopft war. Auf den ersten Blick sollte man sehen, daß hier Geist und Gelehrsamkeit zu Hause waren.

Manfred sah Moshe an und sprach: »Ich bin allhier erst kurze Zeit, / Und komme voll Ergebenheit, / Einen Mann zu sprechen und zu kennen, / Den alle mir mit Ehrfurcht nennen.«

Moshe nickte ihm zu. »Eure Höflichkeit erfreut mich sehr! / Ihr seht einen Mann wie andre mehr. / Habt Ihr Euch sonst schon umgetan?«

»Ich bitt' Euch, nehmt Euch meiner an! / Ich komme mit allem guten Mut, / Leidlichem Geld und frischem Blut ...«

Moshe sprang auf. »Du darfst das nicht so leiern ...«

Sie waren nämlich gerade dabei, einen Teil des *Faust* einzuüben, um bei einem Amateurwettbewerb der Firma Philips mitzumachen. Manfred hatte unter anderem den Schüler zu sprechen, während Moshe Mephistopheles, Faust, Regisseur und Produzent in einem war. Brigitta, seine Verlobte, sollte das Gretchen sprechen.

Sie waren wirklich gut, doch das Projekt scheiterte schließlich daran, daß Moshe eine andere kennenlernte – Gisela respektive Leah – und prompt gemäß seiner Devise »Verloben heißt, sich die eine Frau sichern, während man nach einer besseren sucht« handelte.

So kam es, daß Manfred im April 1962 feierlich zur Verlobung von Bernhard und Gisela – beziehungsweise Moshe und Leah – in die Schöneberger Wartburgstraße eingeladen wurde.

»Kommst du solo?«

»Ja, leider ...«

»Ein Gag wär' ja, wir würden dir 'ne Braut vom Stuttgarter Platz besorgen ... und die macht sich dann für 'n paar Mark mehr über meinen Onkel Herschl her ...« Moshe hatte einen Riesenspaß an solchen Sachen.

Manfred winkte ab. »Laß mal lieber ...«

Es war an einem Sonnabend, als Manfred in einem schönen dunkelblauen Anzug, erstanden bei der Firma Helmut Schmidt in der Karl-Marx-Straße nahe der Passage, im 4er Bus zur Verlobungsfeier fuhr. Nun war er schon vierundzwanzig Jahre alt und hatte noch immer keine *feste Freundin*, während sie sich ringsum reihenweise verlobten oder gar vor den Traualtar traten, wie etwa Gerhard Bugsin. Erst letzte Woche hatte Bimbo Stier aus Jülich seine Verlobung gemeldet. Mit Anita. Nur ihn, Manfred, wollte keine auserwählen. Als hätte er den Aussatz. Er war alles andere als häßlich, er war sportlich, er hatte Humor, er war handwerklich begabt, er war auf dem Wege zum Diplom, er hatte auch als Liebhaber – siehe nur Ricarda, die äußerst Anspruchsvolle – nicht versagt ... Und dennoch, nie schien eine für länger bei ihm bleiben zu wollen. Es war zum Heulen.

In dieser Stimmung klingelte er bei Gisela in der Wartburgstraße. Die meisten Gäste waren schon eingetroffen und warteten auf das Essen.

Bis zum Dinner waren Gisela und eine ihrer Freundinnen, eine schöne Stewardeß mit dem Namen Bea, voll damit beschäftigt, Onkel Herschl, den Patriarchen der Familie, zu verwöhnen. Er saß auf einem reich verzierten Lehnstuhl, und sie hockten neben ihm, jede auf einer Seite, um ihm die Handrücken zu kraulen. Es war ein faszinierender Anblick, wie die schlanken Finger der beiden über Gold und Altersflecken glitten.

»Na ...?« flüsterte Moshe Manfred ins Ohr, ganz in der Rolle des Schadchens, des alten jüdischen Heiratsvermittlers. »Wenn ich nicht gezwungen wäre, eine von meinen Leuten zu heiraten, würde ich glattweg Bea nehmen. Wär' das nicht 'ne Braut für dich?«

»Sie ist zu schön, um wahr zu sein.«

»Im Gegensatz zu Gisela: Die ist zu wahr, um schön zu sein.«

Manfred fand, daß Gisela – zumal mit ihrer Farah-Diba-Frisur – recht ansehnlich war. »Deine Verlobte ist doch auch ...«

»Aber ihre Familie, fürchterlich!« Moshe zog Manfred in die Küche. »Ihr Vater ist als Kleiderjude durch die Stadt gezogen. Meiner war Oberstaatsanwalt. Ihrer konnte nicht mal richtig lesen, während meiner Talmud-Gelehrter war.«

»Spielt denn das so 'ne große Rolle?«

»Na sicher. Euer Oberkamerad, den ihr da von uns ausgeborgt habt ...« – er meinte Jesus Christus – »... der war doch auch ganz stolz darauf, daß er aus dem Hause Davids gekommen ist.« Moshe seufzte. »Meine liebe Schwiegermutter kriegt beim Kreuzworträtsel nicht mal ›Hauptstadt Frankreichs‹ raus, wenn sie ›ris‹ schon hat.« Seine eigene Mutter war dagegen Geschäftsführerin eines großen Berliner Autohauses.

Manfred wollte das alles nicht so recht in den Kopf. »Und warum dann gerade Gisela?«

»Die jüdische Gemeinde ist so klein geworden, daß du keine große Auswahl mehr hast ...«

Das Essen ließ man sich aus dem Hotel Kempinski kommen. *Da ist Kies hinter.* Manfred dachte es mit den Worten seiner Mutter. Er saß neben Bea, und er stellte sich vor, wie sie in einer taubengrauen PAN-AM-Uniform aussehen würde. *Stewardessen – gehen in die Luft. Vögeln gleich.*

Als Tatar – auf Berlinisch Schabefleisch – serviert wurde, schrien alle auf. »Hoffentlich ist das nicht aus Ostberlin!« Dort war nämlich Anfang April die Ruhr ausgebrochen, und wer aus dem Osten kam, dem wurden beim Betreten Westberlins Tabletten verabreicht. Einreisende in die DDR bekamen Zettel mit den wichtigsten Verhaltensmaßregeln in die Hand gedrückt: Hände waschen und keine rohen Lebensmittel essen, insbesondere Fleisch.

»Die Epidemie soll durch Gefrierfleischimporte aus China verursacht worden sein«, wußte Onkel Herschl zu berichten.

»Wie gut und fürsorglich von Ulbricht, daß wir Westberliner nicht in den Osten dürfen«, sagte Manfred.

Moshe Bleibaums Mutter lachte. »Bei diesem Wetter hätte mich das auch ohne Viren umgebracht ... bei meinem Kreislauf.«

Sie spielte auf den heißesten 22. April seit 1835 an. Am 1. Osterfeiertag war das Thermometer in Berlin auf 28,4 Grad geklettert, und Tausende waren mit dem Dampfer über die Gewässer geschippert. So auch Manfred mit seinen Eltern. Doch nicht darüber unterhielt er sich mit Bea Reinicke, sondern über Louis Armstrongs Auftritt im Berliner Sportpalast und den neuen Brigitte-Bardot-Film, »*Privatleben* mit Marcello Mastroianni ...«

Nach dem Essen wurde getanzt, und Manfreds größte Schwäche brachte ihm nun plötzlich einen unschätzbaren Vorteil ein.

»Nicht mit Manfred tanzen!« rief Moshe Bea zu. »Der hat nichts in den Beinen. Nimm lieber mich.«

Doch Bea hielt an Manfred fest. »Bei mir lernt er's schon.«

Was nun folgte, war der zärtlichste Tanzunterricht, der sich denken ließ. Insbesondere der langsame Walzer bot ihr Gelegenheit, sich eng an Manfred zu schmiegen und ihn mit Schenkeln und Hüften zu führen.

»Heh, kein Petting hier!« grunzte Moshe, der seine Braut vor sich herschob wie eine Schaufensterpuppe.

Manfred und Bea sanken aufs Sofa und sahen sich an. Sie war wunderbar. Er nahm Salzstangen aus der Schale, um sie ihr in den Mund zu stecken. Sie goß Champagner ein. Auf der Flasche las Manfred das Wort Brut, und das schien ihm ein gutes Omen zu sein. Die alten Calderon-Verse, da waren sie wieder: *... denn ein Traum ist alles Leben.* Dies war der größte seiner Träume, der Traum von der großen Liebe, und er war nun wahr geworden. Sie küßten sich, und es geschah genau das, worüber er, wenn sie es in den deutschen Schlagern sangen, stets spottete: Um sie herum versank die Welt.

»Ich bin so glücklich ...«

»Ich liebe dich ...«

Am nächsten Morgen um elf rief Bea ihn an. Sie hatte ihn frühmorgens in ihrem VW nach Hause gefahren, aber hinten im Wagen hatten noch Moshe Bleibaum und dessen Mutter gesessen.

»Können wir uns heute sehen?« fragte sie.

»Ja, ich warte schon darauf. Soll ich zu dir rauskommen?« Bea wohnte Unten den Eichen, nicht weit von der Uni entfernt.

»Nein, ich komm' zur dir. Ich hab' ja das Auto.«

»Komm doch zum Kaffee. Ich hab meinen Eltern schon von dir erzählt.«

»Okay.«

Wie nicht anders zu erwarten, war seine Mutter von Bea Reinicke entzückt, sein Vater noch viel mehr. Manfred fühlte sich angekommen am Ziel. *Per aspera ad astra.* Nun war alles gut geworden.

Nach dem Kaffeetrinken saßen sie auf seinem Sofa, das ebenso taubengrau war wie ihre Uniform. Und schon tat er das, was er sich bei seinen Flügen beim Anblick der Stewardessen schon immer vorgestellt hatte: Er fuhr ihr mit der Hand unter den Rock. Doch sie wehrte ihn ab.

»Ist was?«

»Ja ...«

»Versteh ich nicht ...«

Da brach es aus ihr heraus. »Ich bin noch nicht mal geschieden ... Ich leb' getrennt von meinem Mann, aber in derselben Wohnung noch. Weil ... Ich hab' auch noch einen Sohn, Cläuschen ... Drei Jahre ist er jetzt alt ...«

Manfred war, als hätte Dr. Eck ihm gesagt, er habe Krebs. Er wehrte ihre Worte ab, wollte sie nicht wahrhaben. Nur ganz automatisch sagte er das, was Männer auf der Leinwand in solcher Situation halt sagten: »Du, das macht doch gar nichts. Ich liebe dich so sehr, das reicht für zwei ...«

Sie umarmte ihn, doch als er sich, um der weiteren Diskussion aus dem Wege zu gehen, geradezu auf sie warf und ihr die Bluse aufzuknöpfen suchte, drückte sie ihn in seine Sofaecke zurück.

»Ich liebe dich wie noch nie einen Mann ... Du bist der einzige, mit dem man wirklich eine Familie gründen kann ... Nestwärme, Vertrauen, Geborgenheit ... Und deine Eltern sind wirklich wunderbar. Solche Großeltern brauchen die Kinder.«

»Dann ist ja alles bestens ...«

Sie zögerte. »Wenn ich mich scheiden lasse und dich heirate, dann möchte ich aber, daß du 'n bißchen Geld verdienst und mich und Claus ernähren kannst.«

»Ich kann bei Siemens in den Semesterferien arbeiten ...«

»Hör auf, das ist doch albern. Die paar Pfennige. Und später als Soziologe, da gehst du auch nur zum Arbeitsamt stempeln. Nein, ich kenn' da eine Menge Menschen ... vom Schalter her, von meinem Mann ... und einer von denen ist ein hohes Tier bei Siemens. Ich hab' vorhin mit dem gesprochen: Du kannst am nächsten Ersten als Direktionsassistent anfangen bei ihm.«

Sie nannte eine Gehaltssumme, die Manfred astronomisch vorkam. Doch er war noch immer unfähig, einen klaren Gedanken zu fassen, und flüchtete sich in eine Floskel aus den Ratespielen mit Heinz Maegerlein: »Ich bitte um Bedenkzeit.«

Die nächsten Tage waren die Hölle für ihn. *Soll ich, soll ich nicht ...?* Ein Leben ohne das Dr. vor dem Namen war unvorstellbar für ihn – ein Leben ohne Bea aber ebenso. Einen Kompromiß gab es nicht. Sie wollte auf alle Fälle, daß er mit der Soziologie Schluß und bei Siemens Karriere machte. Entweder – oder.

Manfred hatte Durchfall, Manfred hatte so hohen Blutdruck, daß er das Gefühl hatte, die Adern an den Schläfen würden ihm platzen, Manfred schlief kaum noch. Dr. Eck verschrieb ihm jede Menge »Omca«, doch das brachte ihm auch keine Lösung seiner Probleme. Mit seinen Eltern sprach er nicht darüber, und Moshe Bleibaum hatte keinerlei Verständnis für seine Entscheidungsnöte, er war voll auf Beas Seite. Also fuhr Manfred immer wieder zu C & A nach Hermsdorf hinaus.

Anett verwies auf ihr eigenes Schicksal. »Weißt du, was meine Mutter gesagt hat, als ich vor der Frage stand: Bettina zur Welt bringen und Ende der Schule oder Abtreibung und Abitur ...?«

Manfred zeigte auf die Kleine. »Unschwer zu erraten ...«

»Sie hat gesagt: ›Was dein Herz spricht, das tue, alles andere gereicht dir nicht zum Segen.‹«

Manfred stöhnte auf. »Wenn das so einfach wäre ... *Das Herz ist ein einsamer Jäger* ... das ist ein Roman von Carson McCullers ... und es jagt mich in das Gefängnis zurück, aus dem ich gerade erst entwichen bin: zu Siemens, ins bürgerliche Heldenleben.« Nur dort bekam er Bea, und Bea war die Frau, nach der er sich seit Jahren so verzweifelt gesehnt hatte, eben die große Liebe. *Das kann das Leben nur einmal geben ...* »Aber Schluß mit dem Studentenleben, Schluß mit Diplomurkunde und Doktorhut ...« Da war er nun aufgebrochen aus dem Neuköllner Hinterhaus, um Akademiker zu werden, das Unglaubliche zu schaffen, wenn man quasi aus dem Ghetto kam, auf daß sich *der Väter Traum* erfüllte vom Leben *da oben*, vom Aufstieg aus dem Nichts. Es wollte ihn schier zerreißen. »Am besten, ich werf' mich vor'n S-Bahn-Zug.«

Curt und Anett bestürmten ihn, doch abzuwarten, und flößten ihm so viel Rotwein ein, daß er völlig abkippte und im Gästezimmer der Grigoleits übernachten mußte. Im Keller, hinter vergitterten Fenstern und stets unter Kontrolle.

Anett rief am nächsten Morgen bei Bea im Flughafen an und bat sie, Manfred doch noch etwas Zeit zu lassen. Und ob sie nicht einmal – mit Cläuschen zusammen – nach Hermsdorf rauskommen wolle. »Zu viert sollten wir dann alles noch einmal besprechen. Manfred ist ganz durcheinander und bleibt erst mal 'n paar Tage hier bei uns.«

»Gut, ja ...«

Doch Bea kam nicht. Manfred setzte sich in Tegel in die U-Bahn, um zum Zentralflughafen Tempelhof zu fahren und am PAN-AM-Schalter nach ihr zu fragen. Es waren 21 Stationen, davon fünf Geisterbahnhöfe im Ostsektor, an denen nicht gehalten wurde. Mehringdamm war umzusteigen. Über eine halbe Stunde war man unterwegs. Zeit genug für ihn, zu einer Entscheidung zu kommen. Und die hieß, als er am Flughafen wieder nach oben stieg: Bea.

Er fühlte sich wie ein Herkules, der die Erdkugel nun nicht länger halten mußte, und eilte froh und überglücklich im besten Sprintertempo in die Abflughalle. Seit sie ihren Sohn hatte, mußte sie nicht mehr fliegen, sondern konnte am Boden, am Schalter hier, ihr Geld verdienen. Ihr Mann war ein reicher Großhändler – Fleisch, Schlachtvieh und dergleichen –, und Manfred hatte nicht begriffen, warum Bea trotzdem zur Arbeit gehen mußte. »Weil er als Ehemann beim Fliegen fünfzig Prozent Ermäßigung bekommt. Und da er andauernd unterwegs ist – in England, in Irland, in Argentinien – da rechnet sich das schon. Was meinste denn, warum er mich damals geheiratet hat? Aber jetzt muß mal Schluß damit sein!«

Manfred war ein wenig enttäuscht, als er Bea nicht sah, aber oft saß sie ja hinten und stellte irgendwelche komplizierten Tickets aus. Er wandte sich an eine Kollegin.

»Ich hätte gern Frau Reinicke gesprochen ...«

»Sind Sie der Manfred Matuschewski?«

»Ja.«

Die Bodenstewardeß griff unter ihren Tresen und holte einen Brief hervor. »Frau Reinicke ist für ein paar Tage nach Barbados geflogen. Ich soll Ihnen das hier geben.«

»Danke.« Manfred lief zur nächsten Bank, setzte sich und riß den Brief von Bea auf. Seine Erregung war so groß, daß er, bevor er zu lesen begann, eine »Omca« schlucken mußte.

Schon die ersten Zeilen zeigten ihm, daß es ein Abschiedsbrief war.

Moshe Bleibaum hatte nicht nur das Große Latinum, sondern auch das Große Graecum, was in Berlin sehr selten war. Er trug es quasi wie einen Orden, und hin und wieder schrieb er sogar Briefe auf Griechisch an seinen alten Lehrer. Die Tragödien des Euripides kannte er in Teilen auswendig, und wenn die regierenden Barbaren wieder einmal ein Berliner Denkmal dem Erdboden gleichmachten, dann hörte man ihn die Worte des Poseidon sprechen: »Ein Tor der Mensch, der Städt' und Tempel niederreißt / Und Gräber, heil'ge Stätten Hingefahrener. / Denn wer zerstört, schafft spät'ren Untergang sich selbst.« Seine humanistische Bildung gab Moshe das Gefühl, allen seinen Freunden geistig weit überlegen zu sein – und seiner Verlobten, einer Fremdsprachensekretärin, erst recht. Als Begünstigung empfand er auch, daß er Angehöriger des auserwählten Volks war. Manche hielten Bernhard Bleibaum sogar für hochmütig und hochnäsig, doch Manfred störte das wenig, im Gegenteil, er fand es ebenso putzig wie anregend und hatte nun schon soviel Psychologie intus, um zu wissen, daß das ganz bestimmte Überlebensmechanismen waren.

Mitte Mai, als er den Schmerz um Bea zu verkraften begann und wenigstens wieder zur Uni gehen konnte, hielt ihm Moshe einen Zettel hin, auf dem folgender Satz festgehalten war: Ιχη μχητε γερνε ιμ Σομμερ ναχη Γριεχηενλανδ φαηρεν, κομμστ δυ μιτ? Nun konnte Manfred zwar kein Wort Griechisch, erriet aber schnell den Inhalt und tat ganz gleichmütig.

»Schön, daß wir beide nach Griechenland fahren wollen. Komm' ich wenigstens über Bea hinweg.«

»Sie wird immer unter uns sein.«

»Du Sau!« Manfred überlegte einen Augenblick. »Griechenland ... So verlockend der Gedanke ist, aber: Ich hab' kein Geld für 'ne Griechenlandreise ...«

Moshe breitete die Arme aus: »Bei den Göttern, halt stand und verlasse mich nicht! / Bei den Kindern, die du zu Waisen machst, / Sammle Kraft, fasse Mut! Was wär' ich denn noch, / Wenn du nicht mehr bist? Ich bin nur in dir ...«

»Geistig wär mir das ganz lieb, vor allem im Hinblick auf meine BWL-Klausur ... aber körperlich, meinst du wirklich ...?«

»Ha, ha. Das war Admetos, König von Pherai in Thessalien, Gemahl der Alkestis. Das Land der Griechen mit der Seele suchend.« Moshe schwenkte um auf Goethe. »Das ist die Iphigenie auf Tauris, bei Euripides ist sie auf Aulis.«

»Ich denke, *Aulissis* ist von James Joyce ...?«

Moshe ließ sich nicht beirren und schwärmte weiter. »Auf den Spuren Schliemanns nach Tiryns und Nauplia.«

»Da kann ich auch ins Kino gehen ...«

Manfred hatte Angst vor einer solchen Reise. Wohl, weil er zuviel Karl May gelesen hatte. Zwar hätte Moshe Bleibaum von der Figur her einen herrlichen Hadschi Halef Omar abgegeben, aber er, Manfred, war leider kein Kara Ben Nemsi.

Zwei Stunden später hatte Moshe Bleibaum ihn weichgeklopft, und sie eilten ins ARTU-Büro. Die Pauschalreisen waren allesamt schon ausgebucht, doch sie bekamen noch zwei Plätze in den Studentensonderzügen, von München nach Athen und zurück von Saloniki nach München.

Am 3. August sollte es losgehen. Vorher hatten sie jedoch noch die große Statistikklausur zu schreiben, die über ihre Zukunft entschied. Sein oder Nichtsein. Am 25. Juni hatten sie beim Prüfungsamt zur vorherigen Kontrolle 20 Blatt Papier abzugeben, und vier Tage später gab es im Hörsaal 104 ein großes Colloquium zur »letzten Ölung«. Am 7. Juli, einem Sonnabend, hatten sie sich zehn Minuten vor der Zeit im Hörsaal 102 einzufinden und die zugewiesenen Plätze einzunehmen. Von 8 Uhr 30 bis 13 Uhr 30 wurde geschrieben, und Manfred gab sein Bestes, war sich aber nicht sicher, ob das auch reichen würde. Vieles bekam er nicht hin, und sein großer Trost war nur, daß die anderen – Moshe Bleibaum einmal ausgenommen – auch nicht besser waren als er. Man würde ja wohl auch nicht gleich einen ganzen Jahrgang durchrasseln lassen.

Mit der Planung der Griechenlandreise war alles das schnell verdrängt. Auch hatte er getreu der Devise »Wenn schon, denn schon« Moshe überreden können, »die Türkei ranzuhängen«, und zwar mit dem Schiff von Athen nach Istanbul zu fahren.

Vor der Abreise ging er mit Dirk Kollmannsperger zusammen ins Olympiastadion, um Bubi Scholz gegen Harold Johnson kämpfen und – leider – verlieren zu sehen. Es war die erste Box-WM auf deutschem Boden, und da hatte man dabeizusein.

Was sie beide noch mehr beschäftigte als die Niederlage des Berliner Helden, war die Verurteilung von Vera Brühne in München. Hatte sie nun zusammen mit ihrem Freund den Arzt Otto Praun und dessen Haushälterin Elfriede Kloo aus »hemmungsloser Gewinnsucht« umgebracht, oder hatte sie nicht ...? Nach dem Krieg hatte kaum ein Kriminalfall die Deutschen so beschäftigt wie dieser.

»Alles ist vergänglich«, sagte Dirk, »auch lebenslänglich.«

»Indizien sind kein Geständnis«, stellte Manfred fest.

Zu diskutieren war außerdem der erste Absturz eines Starfighters und die Fußball-WM in Chile, wo die ruhmreiche deutsche Mannschaft im Viertelfinale mit 0:1 an Jugoslawien gescheitert war.

Bald nach dem Boxkampf begann aber schon das Packen, und endlich ging es los ...

Freitag, 3. August 1962

Pünktlich um halb neun standen sie, Moshe und Manfred, auf dem Busbahnhof am Stuttgarter Platz. Gisela war nicht erschienen, um von ihrem Verlobten Abschied zu nehmen. Als kinderlose und unverheiratete Frau hatte sie keinen Urlaub bekommen, also nicht mitfahren können. Es ärgerte sie, daß Moshe ohne sie fuhr. Ihn kümmerte das weniger. Manfred stellte sich vor, wie schön es gewesen wäre, wenn Gisela und Bea, ihre Freundin, hier nebeneinander gestanden und ihnen nachgewunken hätten.

Um 9 Uhr startete der Bus Richtung Dreilinden, und um 14 Uhr hielten sie auf dem ZOB in Hannover. Manfred dachte an seine alten Siemens-Zeiten zurück und zeigte Moshe die Stadt einschließlich der ZN am Rathaus. Am Steintor nahmen sie feierlich Abschied von der deutschen Küche, indem sie Eisbein mit Sauerkraut aßen. Nach einem ausgedehnten Verdauungsspaziergang erholten sie sich im »aki«, dem Aktualitätenkino, von den Strapazen ihrer ausgedehnten Wanderung durch die Landeshauptstadt. Um 0 Uhr 12 ging ihr Zug nach München, ein ganz normaler D-Zug. Moshe Bleibaum hatte ganz genau gerechnet und herausgefunden, daß es so am billigsten war.

Sie fanden in der gesamten 2. Klasse kein leeres Abteil und mußten sich schließlich den engen Raum mit zwei dicken Handlungsreisenden teilen, die beide penetrante Gerüche verströmten. Der eine roch mehr nach Schweiß, der andere mehr nach Alkohol. Moshe, der auf proletarische Gerüche sehr allergisch reagierte, rang immer wieder nach Luft und riß, um nicht zu ersticken, bei jedem Halt das Fenster auf. Als man die Sitze ausgezogen hatte und sich zum Schlafen niederlegen wollte, bat er um den Platz ganz außen. Es wurde eine endlose Fahrt.

Sonnabend, 4. August 1962

Als sie um 9 Uhr 02 München erreichten, fühlten sie sich wie gerädert und waren furchtbar schlecht gelaunt.

»Wenn das so weitergeht ...« Manfred rieb sich den Schlaf aus den Augen. »Wär' ich bloß zu Hause geblieben.«

»Studentenreisen ...« Moshe kratzte seine dünnen Waden und fürchtete, sich im Armeleuteabteil der Bahn einen Floh eingefangen zu haben. »Wär' ich bloß nach Athen geflogen.«

Um in München umherzustreifen, waren sie zu müde. So verbrachten sie die Zeit bis zur Abfahrt des Studentensonderzuges nach Athen im Wartesaal II. Klasse, tranken Kaffee und dösten vor sich hin.

»Mir ist langeweilig«, jammerte Moshe Bleibaum.

»Dann paß auf unser Gepäck auf, wenn mir die Augen zufallen.« Manfred hatte sich an einen Standarddialog mit seinem Vater erinnert: *»Vati, ich hab' Langeweile ...«* – *»Dann geh auf die Straße runter, zieh deine Sachen aus und paß auf, daß sie dir keiner klaut.«*

Um 12 Uhr 08 sollte es losgehen, so ihr ARTU-Fahrplan, aber als sie Punkt 12 auf dem Bahnsteig standen, war der Zug schon so überfüllt, daß Manfred unwillkürlich an die Berliner S-Bahn der Jahre 45/46 denken mußte, aber auch an die Hamsterfahrten nach Groß Pankow. Da es keine Platzkarten gab, sahen sie schwarz.

»Wenn ich stehen muß, fahr' ich gleich wieder nach Hause«, sagte Manfred.

»Wir haben schon ganz was anderes durchgestanden«, erwiderte der Freund.

Als der Zug in den Bahnhof rollte, gab es Szenen, die Moshe zu der Bemerkung veranlaßten, seit dem letzten Flug aus dem eingeschlossenen Stalingrad hätten die Deutschen nicht mehr so heftig um einen freien Platz gekämpft. Er als Fliegengewicht war hier absolut ohne jede Chance, und Manfred hatte zwar ansatzweise den Körperbau und die Schnelligkeit eines American-Football-Spielers aufzuweisen, war aber viel zu zach, um in diesem Kampf zu den Gewinnern zu zählen. So standen sie beide gottergeben in der Mitte des vor ihnen zum Halten gekommenen Wagens, genau zwischen beiden Türen, bereit, sich in ihr Schicksal zu fügen.

Doch das Schicksal meinte es gut mit ihnen, denn als ihr Blick nach oben ging, entdeckten sie ein offenes Fenster, eine vergleichsweise schmale Luke nur, aber immerhin ...

»Da paßt du durch!« rief Manfred.

»Nein!« schrie Moshe, dem sein ausgeprägter Stolz verbot, das, was Manfred vorhatte, auch nur zu denken. Er, der Sproß eines der angesehensten Geschlechter der jüdischen Gemeinde zu Berlin, zudem – wie er meinte – ein erlesenes

Mitglied der geistigen Elite, er, der das Geld hatte, in der 1. Klasse der PAN AM mehrmals um die Welt zu fliegen, er sollte sich nun wie der letzte Prolet hochhieven lassen: völlig ausgeschlossen!

»Doch!« Manfred hob ihn so elegant in die Höhe wie ein russischer Eiskunstläufer seine Partnerin, und Heinz Maegerlein hätte garantiert hinzugefügt: »Wie ein federleichtes Püppchen.«

Während er nach oben schwebte, sah Moshe Bleibaum ein, daß dies der einzige Weg war, einen guten Sitzplatz zu ergattern, gab seinen Widerstand auf und widmete seine ganze gewaltige Verstandeskraft der Frage, wie er es vermeiden konnte, sich bei der Landung im Abteil, kopfüber, beide Arme zu brechen. Er schaffte es, indem er sich mit den Knien erst einmal am Fensterrahmen einhakte – Schweinebaumeln nannten Kinder das – und sich dann in ein Gepäcknetz krallte, um schließlich elegant wie Tarzan auf einem der Sitze zu landen. Manfred reichte ihm das Gepäck hinauf, und nun eilte Moshe an die Abteiltür, um zu entscheiden, wer zu ihnen durfte und wer nicht. Natürlich ließ er eine junge Französin eintreten und hoffte, daß ihr vier andere folgen würden. Auch Manfred malte sich schon Orgien aus.

Doch als er dann, sich alle Zeit der Welt lassend, eingestiegen war, natürlich durch die Tür am Wagenende, war seine Enttäuschung ziemlich groß, denn Manou, die Französin, war nicht solo, sondern mit ihrem Verlobten unterwegs, einem Schweizer namens Hürlimann. Auch war es Moshe nicht gelungen, zwei andere Studenten abzuwimmeln: Robert Közle aus Stuttgart-Degerloch, geboren auf der Schwäbischen Alb, und Albrecht Zeyer aus Birkenfeld im Hunsrück.

Bald hatte man Platz genommen und sich miteinander bekannt gemacht. Manou war eine Deutschlehrerin aus Colmar, Hürlimann studierte wie Moshe BWL, allerdings in St. Gallen, Közle war dabei, Maschinenbau-Ingenieur zu werden und Zeyer evangelischer Pfarrer. Viel Zeit mußte totgeschlagen werden. Manou und Hürlimann taten das, indem sie pausenlos an der Petting-Grenze schmusten. Zeyer informierte sich in gelehrten Monographien über die griechischen Klöster, und Moshe, Robert Közle und Manfred spielten Skat.

Salzburg, Bad Gastein, der Tauerntunnel, Villach ... Manfred nahm das alles zwischen verlorenen Grands und gewonnenen Null ouverts nur schemenhaft wahr. Die jugoslawische Grenzkontrolle war so problemlos wie die der Österreicher, niemand verhielt sich so verbissen und so albern wie die DDR-»Organe«. Als sie durch Jugoslawien rollten, wurden sie nacheinander in den Speisewagen geführt, wo ihnen das übliche Kantinenessen aufgetischt wurde.

Erstes Gesprächsthema beim Essen waren die Ferienjobs, und Manfred erzählte, daß er nach ihrer Heimkehr bei Siemens arbeiten würde.

»Wenn Sie heimkehren werden«, sagte Hürlimann lachend und verwies darauf, daß im Basar von Istanbul immer wieder Touristen spurlos verschwänden. »Hinter einem Vorhang stehen welche ... ein Griff – und aus ...«

Ob das Fiktion oder Wirklichkeit sei, wurde nun des längeren diskutiert.

»Und wo arbeiten Sie?« wurde Közle schließlich von Manou gefragt.

»Wo ich *schaffen* geh' ...«, korrigierte der Älbler die Französin. »Ich bin bei der Firma Hungerbühler und Vögele.«

Alle brachen in schallendes Gelächter aus.

Hürlimann erging sich, während er seine Hühnersuppe löffelte, in langen Ausführungen über die Wehrkraft des Schweizer Bürgerheeres. »Ich habe ein Gewehr im Schrank und ein Militärfahrrad im Schuppen, und wenn uns der Russe wirklich angreifen sollte, dann haben wir in unseren Felsen so viele schwere Geschütze versteckt, daß er bis Solothurn nicht einen einzigen Panzer durchbringt.«

Moshe fühlte sich persönlich gekränkt. »Und nun sagen Sie bloß, Sie schätzen die Effektivität Ihrer Schweizer Amateursoldaten höher ein als die der israelischen Armee ...?«

Die Antwort war ein klares Ja.

Das konnte Moshe Bleibaum nicht auf sich sitzen lassen.

»Wissen Sie eigentlich, was Adolf Hitler über die Schweizer Armee gesagt hat?«

»Nein.«

»Um sie zu besiegen und die Schweiz zu besetzen, reicht der Einsatz der Berliner Feuerwehr an einem Wochenende aus.«

Daß sich der Freund ausgerechnet Hitler zum Verbündeten nahm, um in diesem Wortgefecht zu siegen, fand Manfred ein wenig makaber.

Der nächste Streit entspann sich, als Robert Közle, Bauerssohn aus Lönsingen auf der Schwäbischen Alb, nacheinander sechs Brötchen aus dem Gemeinschaftskorb nahm und prüfte, welches wohl ganz besonders kroß gebacken war.

»In manchen Teilen Deutschlands scheint die kulturelle Entwicklung seit der Wanderung der Sueben weiter nach Süden nicht so recht vorangekommen zu sein«, merkte Moshe an. Er hungerte lieber, als ein Brötchen zu essen, das ein anderer vorher angetatscht hatte.

»Was haben Sie gegen Berlin?« fragte Közle, denn die Sueben oder Sweben, die späteren Schwaben, waren ursprünglich aus dem Brandenburger Raum gekommen.

Das brachte Moshe erst recht in Rage, denn natürlich hielt er Berlin für den kulturellen Nabel der Welt. »Nichts, denn Bauern, die alles anfassen, bevor sie's essen, sind ausgestorben bei uns.«

»Was man anfäßt, muß man auch essen«, sagte Manou. »So ist es in Deutschland.«

»Anfaßt«, korrigierte Moshe sie, »aber ansonsten stimmt es schon.«

»Bitte ...« Nun häufte Közle alle zuvor angefaßten Brötchen vor sich auf, worauf es zu einem kurzen Handgemenge zwischen ihm und Hürlimann kam, in das auch Manfred eingriff, um sich sein Brötchen zu sichern.

Da begann Albrecht Zeyer, so als stünde er vorn in der Kirche, ein Lied von Johann Heermann zu singen: »Laß mich mit jedermann in Fried und Freundschaft leben, soweit es christlich ist ... Gib, daß ich meinen Feind mit Sanftmut überwind' ...«

Bald vertrugen sie sich wieder. Das lag aber weniger an Zeyers christlicher Botschaft als an seinem Sprachfehler, der sie alle mehr oder weniger heimlich amüsierte. Albrecht Zeyer konnte nämlich kein richtiges *sch* sprechen, sondern brachte nur ein t-ch heraus, bei dem er den Mund weit aufriß und die Zunge schnalzend an den Gaumen zog. Ähnliches vollzog sich beim *ch*. Auch beim *str* und beim einfachen *c* hatte er so seine Schwierigkeiten, wobei er jedesmal zischte wie ein aufgeregter Ganter.

»Wollen wir doch bitte in Freund-*t-ch*aft nach Athen fahren«, bat er. »Dieser *Ch-ch*-treit muß doch ni*ch*t sein.«

»Nein, nein«, pflichtete Manfred ihm bei und zog seine Suppe ein Stück zur Seite, denn die Ausläufer von Zeyers Sprühnebel aus Luft und Speichel drohten, auch seinen Teller zu treffen.

Zeyer freute sich, daß es ihm so schnell gelungen war, Frieden zu stiften, und gerne erklärte er, der schon im letzten Sommer Athen besucht hatte, den anderen, wie sie am leichtesten zu einem billigen Quartier kommen konnten. »I*ch-ch* kenne da einen Pfarrer, bei dem Sie umsonst wohnen können. Nur müssen Sie ihm ein biß-*ch*-en im Haushalt helfen. Er hat nämli-*ch* ganz dünne Ärm-*tch*en.«

»Wieso denn das?« fragte Manfred.

»Wegen seiner Tb-t*ch*e.«

Damit ging es dann ins Abteil zurück. Als um Mitternacht die Mehrheit schlafen wollte und man die Sitze und Rückenlehnen in Liegen verwandelt hatte, traf Moshe Bleibaum der nächste schwere Schlag, denn die Toiletten waren derart verdreckt, daß er – empfindlich wie die Prinzessin auf der Erbse, was die Hygiene betraf – mit einem Aufschrei zurückfuhr, als er die Bescherung sah. Doch ungewaschen einzuschlafen war für ihn eine qualvolle Sache. Seine zarte und fast milchig weiße Haut, mit Sommersprossen reichlich gesprenkelt, war Babyseife gewohnt und fing an zu jucken, wenn sie ohne blieb. Auch Manfred konnte trotz des monotonen Fahrgeräusches nur schwer einschlafen, denn über ihm ruhte Hürlimann – und der hatte Manou zu sich geholt.

»Mann, ihr brecht ab und knallt mir auf den Kopf!« schrie er, als sie allzu heftig wurden.

Schließlich aber war er trotz allem eingeschlafen.

Sonntag, 5. August 1962

Am nächsten Morgen wagte sich Manfred auf die Toilette, weil seine Gedärme schrecklich zu rumoren begannen, watete durch zentimeterhohes Abwasser und schaffte es schließlich aufs Klo, hatte aber anschließend das Pech, daß sein Waschlappen, als der Zug über eine Weiche fuhr, herunterfiel. Hin war er.

Tagsüber ging es durch Jugoslawien hindurch, über Belgrad und Niš fuhren sie in Richtung Skopje, und es war so unerträglich heiß in ihrem Zug, daß ans Skatspielen nicht mehr zu denken war. Manfred stand meistens auf dem Gang und preßte seine Stirn gegen Közles Wassersack, der dort aufgehängt war. Kühlendes Kondenswasser hatte sich auf seinem Filzüberzug gebildet. Erst am späten Nachmittag, als sie zwei Stunden in Skopje hielten und sich auf dem Bahnhof die Beine vertraten, erholte Manfred sich.

Weiter ging es, und Manfred mußte bei der Fahrt durch Mazedonien oft an Karl Mays Romane denken. Hier in diesen Landschaften soll Kara Ben Nemsi mit seinem Halef geritten sein, durch die Schluchten des Balkans, beständig auf der Suche nach dem Schut, dem Oberschurken.

Sie hatten Zeit genug, ihre Finanzplanung durchzugehen, und verabschiedeten schließlich folgendes Budget (in DM):

Fahrt (ohne Ermäßigung)		90,–
Übernachtungen in Griechenland		195,–
Frühstück 320 Drachmen (16 x 20)		45,–
Mittagessen 640 Drachmen (16 x 40)		90,–
Istanbul	3 x Frühstück	9,–
	3 x Mittagessen	15,–
	3 x Übernachtung	40,–
(1 DM = 7,20 Drachmen)		484,–

Das war trotz ihrer spartanischen Ansprüche eine ganz hübsche Summe, mehr, als Manfreds Mutter im Monat verdiente, aber durch seine Arbeit bei Siemens wie durch gewisse Subventionen seiner Eltern hatte er sie zusammenbekommen.

Abends passierten sie die letzte Grenze, die zwischen Jugoslawien und Griechenland, und hielten kurz in Saloniki. Leider war es Nacht, als sie am Olymp und an den Thermophylen vorbeifuhren, auch von Lárisa und Theben sahen sie nichts. Um sich frische Luft zu zuzuführen, hatten sie das Fenster weit geöffnet, und als sie am Parnassos durch einen engen Tunnel fuhren, quoll der Rauch der Dampfloks in derartigen Mengen in ihr Abteil, daß sie fast erstickt wären. Manfred mit seinen empfindlichen Bronchien hustete sich fast die Lungen aus dem Halse.

Montag, 6. August 1962

Um 9 Uhr 30 hatten sie die griechische Hauptstadt erreicht. Die Reisegenossen hatten schnell Abschied voneinander genommen, und als man kofferschleppend auf den staubigen Bahnhofsvorplatz trat, war die Frage natürlich die: »Was nun, in welches Hotel?« Beim Zeyerschen Tbc-Pfarrer hatten Manfred und Moshe nun doch nicht wohnen wollen, und in ihrem Reiseführer – Kurt Schroeder, Griechenland, Bonn 1960 – waren nur Hotels aufgelistet, die sie sich nicht leisten konnten.

Er war überwältigt von allem: der flirrenden Luft, der trockenen Hitze, die seinen Körper im Nu in eine Art Backobst verwandelte, der Sinfonie der Farben mit allen Nuancen von Gelb und Braun, Ocker und Umbra, den fremden Gerüchen. Einerseits war es wie ein Traum, schon der Gedanke, sozusagen auf kulturell geheiligtem Boden zu stehen, andererseits fühlte er sich wie ein ausgesetztes Kind: *Mutti, ich will wieder nach Hause!*

»Nehmen wir 'ne Taxe?« fragte er den Freund.

»Siehst du eine?«

»Nee ...«

Plötzlich hielt ein schwarzer Vorkriegs-Mercedes vor ihnen

und ein junger Grieche sprang heraus. »You come from the Unites States?«

»Nein, aus Deutschland ... jerma'nia ...« Moshe Bleibaum, der sich mit seinem Großen Graecum bestens gerüstet fühlte, führte die Unterhaltung. »We are jerma'nos ...«

»Ah, gut. Ich Pavlos, ich in Wolfsburg gearbeitet. VW-Auto gut. Ich auch gutes Hotel für euch, ich mache gute Preis.«

Und ehe sie sich versehen hatte, saßen sie auch schon in Pavlos' Auto. Die Türen hinten wurden mit dicken Strippen zugebunden, und dann ging es in so hohem Tempo durch die Stadt, daß beide fürchteten, Opfer einer Entführung geworden zu sein.

Schließlich aber, gleich hinter dem Vathis-Platz, hielten sie vor einem kamelbraunen Kasten.

»Hier Hotel *Heräon*!« rief Pavlos. »Gutes Hotel.« Und schon hatte er ihre Koffer genommen und ins Foyer getragen.

Der Wirt hieß Chochlakias und umarmte sie zur Begrüßung. Dann nahm er ihre Koffer und schleppte sie in den ersten Stock hinauf. Sie wollten sich noch bei Pavlos bedanken, aber der war schon wieder verschwunden. Bei der Frage nach dem Preis ihres Zimmer verstand Chochlakias weder Deutsch, Englisch noch Französisch, noch das, was Moshe für Neugriechisch hielt. »Preis ... ti'mi ...? Preisliste ... tim'lojon ...?«

Chochlakias wies nur mit großer Geste in den Raum, als würde er ihnen die Präsidentensuite eines Grandhotels offerieren wollen, und drückte ihnen einen taschenbuchgroßen Zettel in die Hand, auf dem vorn in verwaschenem Blau sein Hotel abgebildet war. »Paraka'lo ...«

»Danke ... efxari'sto.«

Die Tür fiel zu, sie waren allein und saßen schweigend auf der Bettkante. Irgendwie hatte Manfred das Gefühl, einem internationalen Verbrechersyndikat in die Hände gefallen zu sein. Er selber war sicher herzlich uninteressant für diese Leute, aber Moshe Bleibaum ... Der hatte Verwandte in Israel, die zur Elite des Landes gehörten, und wer weiß ... *Du hast sie ja nicht mehr alle!* Aber auch Moshe schien der Sache nicht zu trauen.

Das Zimmer war riesig, ein halber Saal. An der Decke hing an zwei nackten Drähten eine elektrische Glühbirne von maximal 15 Watt. Der Fußboden aus naturbelassenem Beton war mit Teppichen belegt, die schmuddlig und stark ausgeblichen waren. Zwei Feldbetten, ein windschiefer Schrank, ein wackliger Stuhl, ein niedriger Tisch und fünf Garderobenhaken waren die gesamte Einrichtung. Irgendwie roch es nach Kampfer und erinnerte Manfred an die Gerüche im Zimmer der Schmöckwitzer Oma. Er las Moshe Bleibaum vor, was im Hotelprospekt geschrieben stand:

das hotel HERÄON liegt im zentrum von Athen und ist BILLIG.
Es ist aus den modernen hotels, laufendes wasser, bad, dusche, zentrale
heizung in hundert zimmer usw.
Im falle eines aufenthalts fuer mehrere tage macht die direction eine entsprechende preiserniedrigung wenn sie sich verstaendigen.

»Können wir uns dahin verständigen, daß ich als erster auf die Toilette gehe?« fragte Moshe Bleibaum.

»Tu, was du nicht lassen, äh: was du Wasser lassen kannst«, antwortete Manfred im Tonfall Dirk Kollmannspergers.

Moshe ging auf den Flur hinaus, und Manfred fing an, seinen Koffer auszupacken, zumindest die Hemden. Das hatte ihm die Mutter sehr ans Herz gelegt. *Ordnung ist das halbe Leben.* Er sah auf die Armbanduhr. Moshe brauchte ziemlich lange. *Haste Glück, machste dick.* So ein Spruch seines Vaters. Manfred trat ans Fenster und beobachtete das Treiben unten auf der Straße, das er schon sehr »orientalisch« fand.

Plötzlich aber ließ ihn ein fürchterlicher Schrei zusammenfahren. Moshe Bleibaum! So schrie nur ein Mensch, der gerade erwürgt oder abgestochen wurde. Im Film jedenfalls.

Manfred riß, ohne sich weiter zu besinnen, die Zimmertür auf, stürzte auf den Flur und bummerte gegen die Toilettentür.

»Bernhard, was ist!?«

Von drinnen kam nur ein unterdrücktes Wimmern, fast ein Weinen, und Manfred sah Moshe Bleibaum schon sterbend in einer Blutlache liegen. Er riß an der Klinke, doch die Tür war von innen verriegelt.

»Soll ich die Tür aufbrechen?«

»Nein ...« drang es stöhnend nach draußen.

»Was ist denn passiert?«

»Ich hab 'n Krampf ...«

Wie sich herausstellte, hatte Moshe zu lange auf den beiden fußgerechten Trittstufen gehockt, die sich links und rechts des nicht eben großen Loches befanden, in das zu zielen war. Da er gemäß des Churchillschen Mottos *No sports* jede Art von Leibesübungen haßte, war seine Beinmuskulatur hochgradig unterentwickelt und für südländische Toiletten gänzlich ungeeignet. Als Manfred dann später selber in die Hocke ging, fand er sich schon besser zurecht.

Wie auch immer, beide überlebten ihren ersten griechischen Toilettenbesuch und machten sich nun auf, die Stadt zu erkunden. Daß sich an fast jeder Ecke die Fremdenpolizei aufgebaut hatte, machte sie stutzig. Ob das Karamanlis-Regime jeden Tourist beschatten ließ?

»Ich hab' Hunger«, stöhnte Manfred, als sie vom Omonion-Platz kamen und durch die Venizelou-Allee gingen.

Da auch Moshe etwas essen wollte, beschloß man, das nächstbeste »Kafeneion« aufzusuchen. Dieses war riesengroß und erinnerte Manfred mit seinen leeren grünlichblauen Wänden an Berliner U-Bahnhöfe wie Gesundbrunnen oder Rehberge.

Der Ober, der etwas Englisch sprach, empfahl ihnen, als er merkte, daß sie nicht viel ausgeben wollten, etwas vom »donkey«.

Manfred war erschrocken. Kein Eselsfleisch, bloß nicht. Und kopfschüttelnd rief er im schönsten Berlinisch: »Nee, danke!«

Wenig später hatten sie zwei Teller mit großen Portionen Esel vor sich stehen, und erst da ging ihnen ein Licht auf: »Ne« hieß in Griechisch nämlich »ja«. Sie würgten die Mahlzeit hinunter.

Danach schlenderten sie durch die glutheiße Stadt, um die ersten Blicke auf die Akropolis zu erhaschen. Und auf den Lykabettos, einen hohen Berg mit spitzer Felsenkuppe und einer weißen Kapelle. Zwischen Lykabettos und Akropolis streckte sich fern und hoch der Hymettos, wie Moshe ausführte. Er kannte das alles vom Griechischunterricht her. Manfred war wie chloroformiert: Hitze, gleißendes Licht, Lärm, Hupen, stinkende Busse, kreischende Bremsen, rennende und schreiende Menschen.

»Stille Einfalt, edle Größe«, höhnte er.

Besonders witzig waren die Verkehrsschutzleute. Sie standen auf einer bunten Tonne hoch über den Straßenkreuzungen. Über ihnen war mit Hilfe eines Metallgestells ein Sonnensegel aufgespannt, um sie zu schützen. Bekleidet waren sie mit Tropenhelm und Khakiuniform.

Als sie per Zufall an einer U-Bahn-Station vorbeikamen, beharrte Manfred darauf, nach Piräus zu fahren. Sie lösten zwei Fahrscheine und gingen auf den Bahnsteig hinunter, der nicht im Tunnel, sondern tief in einem Einschnitt lag. Der Wagenkasten ihres Zugs war aus Holz und wirkte wie eine Mischung aus Kleiderschrank und Sommerlaube. Manfred war entzückt. Die Athener kämpften noch viel erbitterter um einen freien Sitzplatz als die Berliner, und insbesondere die jungen griechischen NATO-Soldaten schienen dem Zusammenbruch nahe, wenn sie einmal mehr als eine Station lang stehen mußten.

»Wenn die Russen das wüßten«, sagte Moshe.

Manfred schlug vor, den griechischen Kriegern einen Klappstuhl auf den Tornister zu binden.

Der Hafen von Piräus war nicht im entferntesten so schön und pittoresk, wie sie erwartet hatten. Überall standen Schuhputzer, alte Männer mit verwitterter Haut, und Moshe Bleibaum zögerte nicht, seine braunen Slipper wienern zu lassen. Manfred wäre das irgendwie peinlich gewesen, der Freund dagegen genoß es, daß ein anderer vor ihm kniete.

Weit kamen sie bei ihrem Rundgang nicht, denn die Backofenhitze ließ bald nur noch einen Gedanken zu: ins nächste Straßencafé, sitzen, die Beine ausstrecken und trinken, trinken und nochmals trinken. Zu jeder Limonade, die sie bestellten, gab es gratis ein Glas mit frischem (?) Wasser.

»Woher das wohl kommt?« fragte sich Moshe. »Und wieviel Bakterien da wohl drin sein mögen?«

»Man kann nur einen Tod sterben.« Manfred war schon alles egal.

Sie schlichen zur U-Bahn zurück und begriffen, daß es Wahnsinn war, im Hochsommer nach Griechenland zu reisen, zumindest in die Städte. Was half's.

Ganz schlimm wurde es nachts in ihrem Zimmer. Ihr Durst wuchs ins Unermeßliche, und die mitgebrachte Brause war bald ausgetrunken.

»Wo kriegen wir bloß Wasser her?« stöhnte Manfred.

»Aus der Leitung.«

»Meinste, ich will Typhus kriegen?«

Moshe Bleibaum stand auf und griff sich seinen aus Berlin mitgebrachten zusammensteckbaren Camping-Becher. »Ich geh' mal nachsehen.«

Wenig später kam er zurück und schlürfte mit leuchtenden Augen etwas, das er »als köstliches Naß« bezeichnete.

»Wo hast'n das her?« wollte Manfred wissen. »Aus'm Automaten?«

»Aus Chochlakias' Privatbeständen ...« Der Freund führte ihn zu einem großen Blechkasten, der ganz hinten auf dem Flur aufgestellt war und an einem Ende unten einen Hahn aus Messing hatte. »Da hat er seine geheimen Trinkwasservorräte untergebracht ...«

Manfred klappte den Kasten auf. »Denkste, das ist sein Gefrierschrank ... Da liegen Melonen, Fleischstücke und tote Fische drin. Auf Eis ... Und was du da trinkst, ist das Schmelzwasser davon ...«

Moshe Bleibaum stürzte zur Toilette, um sich zu erbrechen.

»Laß mich bitte im Zinksarg nach Deutschland überführen ... Meine Mutter zahlt das alles ...«

Sie waren todmüde, konnten aber nicht schlafen. Moshe wegen des Lärms unten auf der Straße, wo das Leben gegen Mitternacht erst so richtig begann und die Familien, Kinder eingeschlossen, bei Klatsch und Tratsch und viel Retsina auf den Bürgersteigen saßen, Manfred, weil sein Körper wie im hohen Fieber kochte. In immer kürzeren Abständen ging er auf die Toilette, um sich die Haut mit viel Wasser zu netzen – doch bald war alles wieder verdampft.

Erst gegen drei Uhr morgens fielen ihnen die Augen endlich zu, doch schon um sechs wurden sie von lärmenden Müllmännern und Händlern wieder geweckt.

Dienstag, 7. August 1962

Nach dem Frühstück war es endlich soweit: Sie stiegen zur Akropolis hinauf. Mühsam ging es durch die Plaka, die Altstadt, hindurch. Mehrfach verloren sie im Labyrinth von ineinander verschachtelten Straßen und Höfen jede Orientierung, obwohl das wegen des Gefälles ja eigentlich unmöglich war, landeten in Sackgassen und standen vor unüberwindlichen alten Mauern. Manfred hatte mit dem Kreislauf zu kämpfen, Moshe dagegen konnten Hitze und Staub kaum etwas anhaben.

»Ich bin ja vom Stamme Benjamin«, erklärte er. »Und meine Leute waren die letzten, als es aus der ägyptischen Gefangenschaft wieder nach Hause ging ... die haben den meisten Staub geschluckt, und das hat mich abgehärtet bis auf den heutigen Tag.«

Erst als sie durch einen Hain von frisch angepflanzten Ölbäumen kamen, ging es Manfred besser. Dann stiefelten sie an einer Art Abfallhalde vorbei und weiter durch steinige Öde. Endlich erreichten sie in weitem Bogen das Beulé-Tor.

Schwer atmend sank Manfred auf die Stufen und sah auf die Stadt hinab. Doch die Leichtigkeit, die er sich erhofft hatte, wollte sich nicht einstellen. Wohl, weil keine Frau an seiner Seite ging.

Moshe erklärte ihm die Burg, wo die Propyläen waren, der Marmortempel der Athena Nike, der Parthenon und das Eréchtheion, von den Türken einst zum Harem umfunktioniert. Touristen aus aller Herren Länder wuselten herum, und Manfred verknipste mehr Dias, als im Etat eingeplant war. Er schaffte es nicht, sich die alten Griechen vorzustellen, wie sie hier ihren Alltag verbracht hatten. Theseus, Sokrates, Platon, Aristoteles … Er konnte nicht glauben, daß sie jemals gelebt hatten, und hielt sie eher für Phantasieprodukte späterer Bildungsbürger. Es war ihm auch egal, er wollte nur noch eins: irgendwo im Schatten sitzen und trinken, trinken und nochmals trinken – und er sehnte sich nach Schmöckwitz und dem Seddinsee. Jetzt mit dem Faltboot um den Seddinwall biegen, irgendwo am Berliner Ufer anlegen und sich kopfüber ins Wasser stürzen, alles leertrinken, was es gab. Untertauchen. Wasser, Wasser, Wasser.

»… ne'ro!« rief der Wasserverkäufer, als sie wieder durch die Plaka stiegen, und das rettete Manfred.

»Da träumt man nun von der Akropolis, und wenn man da ist, hat man nur den einen Gedanken: Bloß weg von hier.«

Moshe sah ihn böse an. »Die alten Griechen hatten schon recht, wenn sie die Leute aus dem Norden allesamt Barbaren schimpften.«

Manfred schleppte sich weiter und beneidete die Alten, zumeist schwarz gewandet, die im Schatten vor den Häuschen sahen und ihre Kombolois durch die Finger gleiten ließen, bernsteinfarbene Steine mit abgerundeten Kanten. Wenn sie gegeneinander prallten, klang das wie beim Billard.

»Das sind keine Rosenkränze«, erklärte ihm Moshe, »die beten nicht, sondern spielen nur damit und versuchen so, ihre innere Ruhe zu finden.«

Bis sie das Hotel erreichten, mußten sie noch zweimal einkehren. Sechs Brausen, ein Bier und vier Glas Wasser trank Manfred an diesem Tag.

Nach einer kurzen Pause zogen sie weiter, kauften sich einen Berg billiger Honigmelonen und zogen sich zur Siesta – oder wie immer das auf Griechisch hieß – ins Hotel zurück.

Moshe hatte irgendwo eine in Griechenland erscheinende deutschsprachige Zeitung gefunden und amüsierte sich über die Meldung, daß im Zypernkrieg drei Soldaten »getütet« worden waren.

Nach zwei Stunden Pause war das Zimmer von einem so penetranten Melonenduft erfüllt, daß Manfred rief: »Ich halt's hier nicht mehr aus, ich will zum Baden ans Meer!«

»Nur wenn wir morgen den ganzen Tag über in die Museen gehen, komm' ich mit«, sagte Moshe.

»Na schön.«

Abermals fuhren sie mit der U-Bahn nach Piräus hinaus, doch was sie da anstelle eines Meeres vorfanden, war die reinste Kloake. Dreck und Fäkalien schaukelten träge auf den Wellen.

»Dagegen ist ja das Becken des Westhafens noch klares Badewasser«, stellte Moshe fest. »Da geh' ich nicht rein.«

Manfred zögerte noch. »Wenn ich schon mal hier bin ... Du hast deine Ruinen und deine Vasen – ich will doch auch was von Griechenland haben.«

»Weißt du eigentlich, was ›Peiraieus‹ heißt?«

»Nein ...«

»Jenseits ... Jenseits der einstigen Sümpfe vor Athen. Viel Spaß also, wenn du nach dem Bad ins Jenseits eingehen wirst.«

Manfred wagte es dennoch. Trotz allem war es ein Riesenspaß und die ersehnte Erfrischung. Als er wieder an Land ging, war Moshe Bleibaum von einer Schar einheimischer Jungen umlagert. Sie hielten ihm die Fotos leicht bekleideter Mädchen hin und bestürmten ihn. »Meine Schwester, du billig ficki-ficki.«

Moshe tippte sich an die Stirn. »Ich bezahl' doch nicht dafür. In Deutschland geben mir die Frauen was dafür. Meine Erbmasse ist ein Vermögen wert.«

Die Jungen waren nicht abzuwimmeln. Es half auch nichts, daß Manfred Moshe Bleibaum umarmte, um ihnen klarzumachen, daß der an Frauen kein Interesse hatte, denn da packten sie Fotos hübscher Knaben aus. Erst ein anrückender Polizist machte der Werbekampagne ein Ende.

Die beiden Freunde fuhren wieder nach Athen zurück und zogen am Abend durch die Straßen am Syntagma-Platz. Diesmal tranken sie in der Taverne *Hellas* soviel Retsina, daß sie schon einschliefen, als sie ihr Zimmer im *Heräon* gerade betraten.

Mittwoch, 8. August 1962

Nach dem Frühstück pilgerten sie zum Archäologischen Nationalmuseum, aber während Moshe beim Anblick einer jeden attischen Amphora einen kulturhistorischen Orgasmus bekam, wurde Manfred von allergischen Abwehrreaktionen geschüttelt.

»Guck dir doch bloß mal diese Amphora mit dem Flötenspieler an!« rief Moshe voller Verzückung.

»Die einzige Vase, die mich jetzt interessiert, wäre eine Mitternachtsvase«, grantelte Manfred. »Zu deutsch Nachttopf. Ich muß nämlich dringend mal.«

»Banause!«

Da eine Nessos-Amphora, dort eine Terrakotta-Metope, links eine Vase mit Sagenbildern und roten Figuren, rechts eine gewaltige Grabvase, vorn ein attischer Pithos, hinten ein Gefäß mit dem Wagenkampf der Griechen und der Troier. Wie aufgezogen hetzte Moshe Bleibaum von einem Standort zum anderen, Manfred immer hinterher. Und dies bei einer Temperatur von über 35 Grad im Schatten.

»Wenn ich jetzt 'n Luftgewehr hätte ...« Manfred dachte ans olympische Tontaubenschießen, wo die Objekte in der Luft zerplatzten wie Feuerwerkskörper in der Silvesternacht.

Er sehnte sich abermals nach seinem Boot in Schmöckwitz und einem Bad im Seddinsee. Aber da war ja jetzt die Mauer.

Mit letzter Kraft kam er ins *Heräon* zurück, aber bei ihnen im Zimmer stank es derart penetrant nach den überall herumliegenden Honigmelonen, daß ihm speiübel wurde. *Ich will wieder nach Hause!*

Doch auch am Nachmittag trieb ihn der Freund gnadenlos durch den großen Backofen mit Namen Athen. Manfred fühlte sich wie ein schlecht trainierter Marathonläufer bei

Kilometer 35: Er bekam keine Luft mehr, jeder Schritt wurde zur Qual. So viele Restaurants, Tavernen und Cafés, wie er gebraucht hätte, gab es gar nicht.

»Müssen wir denn das alles abklappern?«

»Ja.«

So wurden nacheinander abgehakt: das Denkmal des Philopappos, der Hügel Pnyx, der Areiopagfelsen, die Agorá, der Hadrianbogen, das Dionysos-Theater, das Königsschloß mit den Evzonen, der Leibgarde davor und der Tempel des Olympischen Zeus. Lediglich beim Besuch des Olympiastadions von 1896 lebte Manfred wieder etwas auf, denn der erste Sieger über die 100 Meter war 12,3 gelaufen.

»Wäre ich da schon am Start gewesen, hätte ich mit zehn Metern Vorsprung gewonnen ...«

»Hätte ich mit meinem Wissen zur Zeit Platons gelebt, wäre ich oberster Gott aller Griechen geworden«, sagte Moshe Bleibaum.

Donnerstag, 9. August

Um 7 Uhr saßen sie im Touristenbus nach Delphi und zockelten vier Stunden lang durch die griechische Landschaft.

»Attika. Böotien. Phokis.« Immer wieder berauschte sich Moshe Bleibaum am Klang dieser Namen.

Manfred sah eher den Fluch der alten Götter auf den grauen, braunen und blauschwarzen Landstrichen liegen, die von der unerbittlich brennenden Sonne versengt waren. Steine und Geröll, Felsen und Höhlen. Ab und an steinumhegte Baumwollfelder, Schafe und Maulesel. Dörfer mit halbfertigen Betonskeletten. Was würde aus einem werden, wenn man hier lebte: ein glücklicher Philosoph à la Diogenes oder ein potentieller Selbstmörder?

»Delphi war die glorreichste Orakelstätte des Altertums«, las Moshe aus Kurt Schroeders Reiseführer vor, »mit einem Kulte Apollons, der hier durch die Pythia Orakel gab.«

Genau zur Mittagszeit weilten sie im großen Theater am Hange des Parnaß, und zum ersten Mal auf griechischem Boden hatte Manfred das Gefühl, ein junger Gott zu sein, war berauscht von Landschaft und Leben, von einem Augenblick, der groß und einmalig war. *Werd' ich zum Augenblicke sagen: / Verweile doch! du bist so schön! / Dann magst du mich in Fesseln schlagen, / Dann will ich gern zugrunde gehn!* Dies war wohl so ein Augenblick, wie ihn Goethe im Sinn gehabt hatte, als Manfred ganz oben auf den Rängen stand und Moshe Bleibaum unten Homer zitierte, Worte des Zeus: »Welche Klagen erheben die Sterblichen wider die Götter! / Nur von uns, wie sie schrein, kommt alles Übel; und dennoch / Schaffen die Toren sich selbst, dem Schicksal entgegen, ihr Elend …«

Dann wiederholte der Freund das Ganze auf Altgriechisch. In dieser Sekunde, wo Manfred die Stimme des Vaters der Menschen und Götter selber zu vernehmen schien, sah er ein Mädchen, wie er so schön noch nie in seinem Leben eins gesehen hatte, mit broncebraunem Körper und einem leichten Kleid von erlesener Lavendelfarbe. Sie war mit ihren Eltern hergekommen, und ihr Vater sprach Französisch mit ihr. Manfred verstand nur das eine Wort »Bisou«, und so wurde die junge Schöne in diesem Augenblick Bisou für ihn.

Ihr Götter, ich flehe euch an, laßt mich mit Bisou zusammenkommen! Zwanzig Jahre meines Lebens will ich geben für zwanzig Minuten allein mit ihr. Verzaubert sie, laßt sie auf mich zukommen!

»Ich sehe, daß du kein Französisch sprichst. Das macht aber nichts, denn ich komme aus Strasbourg und spreche gut deutsch. Du bist Berliner?«

»Ja.«

»Mein Vater kommt nächstes Jahr nach Berlin, als französischer Stadtkommandant, und ich werde in Frohnau wohnen.«

»Da hat meine Tante Lolo ein Haus.«

»Schön, dann können wir uns jeden Tag sehen.«

»Nur am Tage …?«

»In der Nacht auch, du Schlingel.«

»Bisou …«

»Manfred …«

Er trug sie in den Heiligen Bezirk, wo sie hinter den umgestürzten Säulen des Gymnasions endlich alleine waren.

So vollzog es sich in seiner Phantasie, während er in Wirklichkeit sieben Stunden lang Bisou immer wieder zu begegnen suchte, wo immer sie in Delphi waren, in etwa so, wie er vor zehn Jahren auf dem Schulhof der Albert-Schweitzer-Schule in den Pausen seiner Ingeborg hinterhergelaufen war. Bisou im Museum, Bisou am Apollontempel, Bisou an der Korykischen Grotte, Bisou im Restaurant.

Doch immer waren mindestens fünfzig Meter Abstand zwischen ihnen, und er war schier am Verzweifeln, daß die Götter seine Stoßgebete nicht erhören wollten.

Dann aber, als sie am Randes des Heiligen Hains standen, um auf den Bus zu warten, der sie wieder zurück nach Athen bringen sollte, kam plötzlich Bisou auf ihn zugelaufen, ihre Eltern im Schlepp.

»Isch abe ge-ört, daß ihr sprecht Griek ...«

Manfred lief rot an und zeigte auf Moshe Bleibaum. »Er ...«

Da war auch Bisous Vater heran, machte »Sch ... Sch ... Sch ...« und bewegte die angewinkelten Arme rhythmisch vor und zurück, genauso wie sie als Kinder immer Lokomotive gespielt hatten, den Schulranzen auf den Bauch geschnallt.

»You mean ... Gare, station, Bahnhof ...« stammelte Manfred.

»Stasmos«, sagte Moshe Bleibaum und zeigte in die Richtung, in der er hier einen Bahnhof vermutete.

»Vielleicht gibt es hier gar keinen«, sagte Manfred schnell. »Kommen Sie doch mit in unserem Bus.«

Dies jedoch wollte Madame nicht, und deutete dies ganz dezent an, indem sie sich eine imaginäre Kotztüte an die Lippen preßte.

Kairos ... Dies, Ihr Götter, ich weiß es, ist bei Euch der Augenblick, in dem sich alles im Leben entscheidet. Laßt Bisous Eltern ihre Zustimmung geben zur gemeinsamen Rückfahrt nach Athen. Ich will diese Frau fürs Leben und keine andere!

Und was machte Bisous Vater? Er nahm Frau und Tochter an die Hand und ging mit ihnen in Richtung Ebene.

Beschissene Götter seid Ihr! Kein Wunder, daß Ihr abdanken mußtet.

Freitag, 10. August 1962

Vormittags: Archäologisches Museum. Nachmittags: nichts.

Sonnabend, 11. August 1962

Für 35 Drachmen hin und zurück sollte es zur Insel Ägina gehen, und um 8 Uhr begaben sie sich in Piräus an Bord eines stattlichen Motorbootes, Kurt Schroeders Reiseführer im Gepäck.

»Das Schiff nimmt südwestl. Kurs in den Saronischen Golf, westl. bleibt das öde Relief der Insel Salamis, rückschauend haftet der Blick auf der Bucht von Phaleron, der Akropolis und dem Nymphenhügel, sodann breitet sich die einförmige Strandfläche dar, die sich bis an die Ausläufer des Hymettos erstreckt. Das Eiland Hydrussa taucht auf, und der Golf entfaltet nun seine prächtige Fülle der Formen und Farben, ein poetisches Kernstück hellenischer Natur, ein Inselchor im Rahmen der attischen Berge, der Landenge von Megara und der Landschaft Argolis. Man steuert sein zentrales Glied ÄGINA (85 qkm, 11 000 Einw.) an, das kahle, schluchtenreiche Berge (540 m) einnehmen, eine Vulkanruine ohne fließendes Wasser, von vielen Klippen umgeben. Die steile Felsenküste gestattet nur auf der Westseite einen Zugang. Hier liegt ungefähr an der Stelle der bedeutsamen antiken Siedlung die Stadt Ägina ...«

In Manfred stieg das Gefühl auf, daß es ein viel schöneres Erlebnis gewesen wäre, zu Hause auf der Couch zu liegen, dies zu lesen und sich vorzustellen, wie es wäre, wenn man an Bord eines Schiffes stünde, um nach Ägina hinüberzufahren. ... *denn ein Traum ist alles Leben.* Und er ergänzte Calderón um die entscheidende Zeile: ... *und als Traum ist es am schönsten.* Sein Wunsch, heimzukehren nach Berlin, wurde immer dringender.

Scheiße, noch lagen 22 lange Tage vor ihm.

Ägina, o Gott, noch 'n Tempel. Diesmal der Aphäatempel, in weiten Teilen erhalten.

In der Sahara hätte es nicht heißer sein können. Mit dem Bus ging es hinunter zu einem Badestrand. Das Wasser war wie farbiges Glas. Alle Blau- und Grüntöne gab es, je nach Tiefe, türkis und smaragdfarben leuchteten die Flächen. So etwas Herrliches hatte Manfred nie zuvor gesehen, Ost- und Nordsee waren dagegen grau, finster und abstoßend. Draußen dümpelte eine Yacht. Hinter ihnen schrie ein Esel. Es war wie im Bilderbuch.

»Hast du eine Badehose mit?« fragte Moshe.

»Nein.« Doch Manfred war das egal, er ging mit seiner Unterhose ins Wasser und schwamm Richtung Yacht. Das Baden war lustvoll wie ein Liebesakt. Er war gar nicht mehr aus dem Wasser herauszukriegen, obwohl Moshe drohte, ihm die Freundschaft aufzukündigen, wenn er noch länger drinbleiben würde.

»Ich will noch Ägina besichtigen, ich will noch ins Museum«, quengelte und drängelte er.

Manfred hörte nicht hin, schwamm abermals hinaus, ließ sich treiben und dankte Poseidon für das Geschenk dieser Stunden im Wasser des Saronischen Golfs.

Sonntag, 12. August 1962

Vormittags: Byzantinisches Museum. Nachmittags: Hephaistostempel.

Montag, 13. August 1962

Sie nahmen Abschied von Chochlakias und dem *Heräon* und machten sich mit all ihrem Gepäck auf zur Rundreise durch den Peloponnes.

»Vor einem Jahr haben sie in Berlin die Mauer gebaut«, stellte Manfred fest, als sie an der Bushaltestelle standen und warteten.

»Ohne Mauer wärst du nicht hier, sondern würdest in Schmöckwitz hocken.«

Nichts wünschte sich Manfred mehr, als sie dann im Bus saßen und nach Verlassen des Stadtgebiets an der Bucht von Salamis entlang nach Süden fuhren. Serpentinen waren in den Felsen geschlagen, und tief unten lag nicht nur das Meer, sondern in regelmäßigen Abständen auch ein Autowrack. Den Fahrer schien das wenig zu stören, er verließ sich voll und ganz auf die Ikone und die rote Lampe links über ihm. Pro halbe Stunde sahen sie sich mindestens dreimal hinunterstürzen.

Moshe Bleibaum bekämpfte seine Angst, indem er Schillers *Kraniche des Ibykus* rezitierte. »Zum Kampf der Wagen und Gesänge, / Der auf Korinthus' Landesenge / Der Griechen Stämme froh vereint, / Zog Ibykus, der Götterfreund. / Ihm schenkte des Gesanges Gabe, / Der Lieder süßen Mund Apoll, / So wandert' er, an leichtem Stabe, / Aus Rhegium, des Gottes voll. / Schon winkt auf hohem Bergesrücken / Akrokorinth des Wandrers Blicken ...«

Ehe es soweit war, überquerten sie auf hoher Brücke den Isthmus von Korinth, wie mit dem Messer schmal in gelbbraune Buttercremetorte geschnitten. Tief unten im grünlichen Wasser zog ein Frachtschiff seine Bahn.

Um 13 Uhr 30 waren sie in Neukorinth und fanden nach einiger Suche eines jener Hotels der Null-Sterne-Kategorie, das in keinem deutschen Reiseführer aufgeführt war. Es hieß *Lord Byron* und wurde von einer wuchtigen griechischen Domina geleitet, die sofort, als sie die beiden total erschöpften Berliner Studenten eintreten sah, auf sie zustürzte, die Arme ausbreitete und Bewegungen machte, die sie erst deuten konnten, als sie immer wieder »Schwimm-schwimm« rief und zum Strand hinüber zeigte.

Sie buchten also bei »ki'ria kolim'vo« gleich »Frau Schwimm-Schwimm« ein Doppelzimmer für eine Nacht und stiegen nach oben.

Moshe mußte dringend auf die Toilette und verspürte zudem ein zwanghaftes Bedürfnis, sich stundenlang heiß zu duschen, fürchtete aber auf der anderen Seite verdreckte Toiletten, so daß er Manfred, der in dieser Hinsicht ziemlich unempfindlich war, erst einmal vorschickte, um alles zu prüfen.

Was Manfred hier fand, war wirklich hübsch. Die Dusche sonderte nicht mehr als einen Tropfen Wasser pro Minute ab, und die Abflußrohre waren so dünn, daß man kein Toilettenpapier in die Kloschüssel werfen durfte, weil sie sonst rettungslos verstopft worden wäre. Also hing für das benutzte Papier ein Drahtkorb neben dem Klo, auf dem in schönem Englisch PAPER INTO THE BASKET stand. Das alles war so eklig, daß er nur mit angehaltenem Atem zu Werke gehen konnte.

»Na, wie war's?« fragte ihn Moshe, als er zurück ins Zimmer kam.

»Wunderbar!« Manfred geriet direkt ins Schwärmen. »Hättest du nie erwartet hier. Wie im *Kempinski.*«

Moshe Bleibaum stürzte los ... um nach zehn Sekunden mit dem gefüllten Korb zurückzukommen.

»Den schütt' ich dir jetzt ins Bett.«

Sie kämpften solange, bis Frau Schwimm-Schwimm kam, um sie zu trennen.

»Du schmutzig, du ins Meer, schwimm-schwimm.«

»Nein, erst zu den Ausgrabungen.«

Da kannte Moshe nichts, gnadenlos schleifte er Manfred zu den acht Tempeln, fünf Thermen, drei Theatern, zwei Basiliken, drei Friedhöfen ... und, und, und. Seine Rache war schrecklich.

So war schon die Dämmerung hereingebrochen, als sie endlich mit ihrem Badezeug in der tristen Hotelhalle standen.

»Du doch schwimm-schwimm!« Die Wirtin freute sich gestenreich. »Hier Ihr Schlüssel, ich weg.«

»Danke ...« Moshe steckte ihn ein.

Sie hatten den ganzen Strand für sich, und sogar Moshe, der seinen nicht eben athletischen Körper vor anderen nur ungern zur Schau stellte, zog sich aus und wagte sich ins Wasser. Es war herrlich.

Dann aber, als sie wieder vor dem Hotel standen, schrie er auf: »Der Schlüssel ist weg! Beim Anziehen aus der Hose ...«

Der Strand war lang, der Sand war tief. Dort einen Schlüssel wiederzufinden, erschien Moshe noch viel unwahrscheinlicher, als sechs Richtige im Lotto zu haben.

»Warten wir, bis Frau Schwimm-schwimm nach Hause kommt ... oder ein anderer Gast.«

»Es gibt derzeit keine anderen Gäste außer uns.« Diese Illusion mußte Manfred ihm rauben.

»Was wird so 'n Schlüssel hier kosten?«

»Du wirst das schon bei ihr abarbeiten müssen ...«

»Ich habe Gisela schwören müssen, daß ich ...« Er drückte es sehr drastisch aus.

»Dann laß uns an den Strand zurückgehen und den Schlüssel suchen.«

Moshe tippte sich an die Stirn. »Im Mondschein jetzt.«

»Na sicher.« Manfred sah einen abgebrochenen Zweig neben der Hoteltür liegen. »Mit dieser Wünschelrute schaff' ich es ...«

»Nie und nimmer. Da könnt' ich hundert Mark drauf wetten«, lachte Moshe.

»Bitte.« Manfred schlug ein.

Dann gingen sie zum Strand zurück. Manfred hielt seine Wünschelrute dicht über den Boden. Sie näherten sich langsam der Stelle, an der sie ihre Sachen abgelegt hatten.

»Halt!« rief Moshe. »Da such' ich erst mal selber.«

Er tat dies gute zehn Minuten lang und pflügte mehrere Quadratmeter korinthischen Sandes mit Händen und Füßen um und um, ohne indes den Schlüssel zu finden. Erst dann gab er Manfred eine Chance.

Manfred sah zum Mond hinauf und deklamierte pathetisch: »Guter Mond, du gehst so stille durch die Abendwolken hin ... zeige mir des Schlüssels Platz, belohne meinen kühnen Sinn!«

Und kaum hatte er seine Wünschelrute wieder in Stellung gebracht, da sah er etwas blitzen. Schnell tat er so, als würde sein Instrument durch einen wahnsinnig starken Erdmechanismus nach unten gerissen.

»Da liegt er!« schrie er. »Nimm ihn auf!«

Und tatsächlich: Es war der Schlüssel.

Ungläubig, aber glücklich hielt der Freund ihn in der Hand und starrte abwechselnd auf die Wünschelrute, auf den Mond und auf seinen wiedergefundenen Schlüssel. »Das gibt's doch nicht!« Und er hatte, da er nicht an übersinnliche Kräfte glaubte, nur eine Erklärung parat. »Du hast ihn mir vorher aus der Tasche gezogen und hier versteckt, um an mein Geld zu kommen.«

Manfred war gekränkt. »Nimmst du das bitte zurück.«

»Wie hast du's dann geschafft? Doch nicht mit deinem Hokuspokus hier.«

»Schon mal was vom reinen Zufall gehört?« Es war wirklich nichts anderes gewesen. Moshe, der starke Brillengläser brauchte, mußte den Schlüssel bei seinen Grabungsarbeiten glattweg übersehen haben. »Zufall«, wiederholte Manfred, »purer Zufall ... oder unverschämtes Glück, ganz wie du willst.«

»Das kannst du mir doch nicht erzählen!«

Manfred streckte seine Hand aus. »Ich will mein Geld. Wette ist Wette.« Das Geld hätte er niemals genommen, er wollte es nur nicht auf sich sitzen lassen, daß ihm der andere unterstellte, gemein und hinterlistig gehandelt zu haben.

»Ich werd' dir was husten«, brummte Moshe und machte sich auf den Weg ins Hotel.

Da verlor Manfred seine Beherrschung. Er riß Moshe den Schlüssel wieder aus der Hand und warf ihn in weitem Bogen zurück in den Sand. »Bitte, such ihn doch selber.«

Das mißlang natürlich, und sie mußten nicht nur einige Drachmen für einen neuen Schlüssel lockermachen, sondern auch die Nacht im Freien verbringen, denn Frau Schwimm-Schwimm kam erst gegen acht Uhr morgens ins Hotel zurück.

Dienstag, 14. August 1962

Total übermüdet und mit schmerzenden Gliedern machten sie sich, als sie endlich ihre Koffer aus dem Zimmer holen konnten, auf den Weg zum Bahnhof, um über Argos nach Nauplia zu fahren. Zu allem Überfluß war der Dieseltriebwagen, der um 9 Uhr 10 von Korinth abging, so voll, daß sie auch noch stehen mußten. Erst ab Argos, als es mit einem wunderschönen Dampfzug weiterging, bekamen sie Sitzplätze.

»Nauplia«, meldete ihr Reiseführer, »die Hauptstadt von Argolis, nimmt eine felsige Landzunge von 400 Meter Breite und doppelter Länge im innersten Argolischen Meerbusen ein, ist wichtiger Hafenplatz, von Befestigungsmauern umfaßt, mit der Zitadelle Akronauplia im Südwesten, landein durch das Fort Palamidi (216 m) überragt, einer venezianisch-türkischen Anlage mit prächtigem Panorama (850 Stufen) ...«

Auf diesen Stufen sollte Moshe, konditionsschwach wie er war, am frühen Nachmittag fast einen Herzanfall bekommen.

Den Rest des Tages hockten sie auf dem Balkon und sahen auf die Bucht hinaus und zum Berg der Argonauten hinüber. Es gab immer etwas zu sehen. Im Hafen lag ein Frachter aus Rostock.

»Die sind bestimmt gekommen, um ihre kommunistischen Brüder zu befreien«, sagte Manfred und hoffte auf ein großes Ereignis, von dem man später viel erzählen konnte.

Doch nichts passierte. Spannender waren da schon die Pendelfahrten eines weißen Motorbootes zur vorgelagerten Insel Burzi, fast ganz ausgefüllt von einem großen Kastell. Wo sie früher Menschen gehenkt hatten, stand heute ein berühmtes Nobelhotel.

»Ob wir auch einmal so reich sein werden, daß wir uns Burzi leisten können?« fragte Manfred.

»Ich als Diplomkaufmann schon, du als Soziologe weniger.«

Sie spielten Schach, und Moshe gewann, was er auf seine ethnisch-genetische Nähe zu Albert Einstein zurückzuführen versuchte.

»Es wird wohl eher meine Blödheit gewesen sein«, brummte Manfred, »daß ich deinen Läufer übersehen habe.«

Mittwoch, 15. August 1962

Vormittags: Ausflug nach Epidaurus, Besichtigung von Museum und Theater. Nachmittags: nichts.

Donnerstag, 16. August 1962

Gleich nach dem Frühstück machten sie sich per Bahn auf nach Argos, weil man von dort aus besser nach Tiryns und Mykenä kam.

Gleich an der Hauptstraße fanden sie ein geradezu feudales Hotel und wurden an der Rezeption von einer blonden Griechin, die der großen Melina Mercouri zum Verwechseln ähnlich sah, freudig begrüßt.

»In Argos liegt nichts im argen«, stellte Manfred fest.

Als Moshe Bleibaum am Ende ihres Flures in einem Extrazimmer die große Badewanne sah, überkam ihn der unwiderstehliche Drang zu einer quasi rituellen Reinigung. Während es Manfred nichts ausgemacht hätte, wochenlang ungewaschen durch die Welt zu laufen, litt der Freund Höllenqualen, wenn er auch nur einen halben Tag lang ohne Dusche oder Badewanne war.

»Eh' wir nach Mykenä fahren, geh' ich noch mal in die Badewanne!« rief er mit leuchtenden Augen, doch Sekunden später schon war sein Traum zerplatzt, denn es fehlte der schwarze, runde Gummistöpsel, um das einlaufende Wasser auch in der Wanne zu halten. »Komm' hilf mir mal! Du bist doch handwerklich begabt ...«

Manfred eilte herbei, konnte aber auch nichts ausrichten. Ein Tempotaschentuch als Stopfen hielt nicht, und auch das Abkleben des Abflußloches mit Tesafilm mißlang trotz verzweifelter Versuche. »Dann geh zur Rezeption und frag Melina Mercouri. Donnerstags immer.«

Moshe eilte wieder nach unten, und Manfred setzte sich auf die Bettkante, um in Kurt Schroeders Reiseführer zu blättern.

»Tiryns ... die älteste Burg Europas ... galt schon den Alten als ein Wunderbau der Kyklopen aus Kleinasien ...«

»Mykenä ... die berühmte Grabungsstätte Schliemanns ... Mykenä wird als Gründung des Perseus (2. Jahrtausend

v. Chr.) gedeutet, der die lykischen Kyklopen als Maurer verwendet haben soll. Seine Nachkommen waren die Perseiden, die den Platz zur höchsten Blüte förderten, zumal durch König Agamemnon, der nach seiner Rückkehr aus Troia von dem Buhlen seiner Gattin Klytämnestra ermordet, von Orestes, seinem einzigen Sohn, gerächt wurde ...«

Gerade überlegte Manfred, in welchem Film er das schon mal gesehen hatte, da flog die Tür auf, und Moshe Bleibaum stürzte herein, wimmernd und eine Hand aufs rechte Auge pressend.

Manfred sprang auf. »Was ist denn los ...?«

»Sie hat mir eine runtergehauen ...«

»Wer?«

»Na, wer wohl: Melina Mercouri unten.«

»Warum denn das?«

»Mann, weil ich den Stöpsel haben wollte ...«

»Das ist doch kein Grund, dir ... Zeig mal ...« Manfred zog die Hand des Freundes vom Auge. Es war mächtig gerötet und begann schon zu schwellen. Ein ziemliches Veilchen stand zu erwarten. »Nun erzähl doch mal, wie ...«

Moshe Bleibaum berichtete. Ganz arglos war er an die Rezeption getreten, um der Dame seinen Wunsch nach einem Badewannenstöpsel vorzutragen. Dabei hatte er die linke Hand in Bauchhöhe gehalten und mit Zeigefinger und Daumen das Abflußloch geformt und gleichzeitig versucht, diese Öffnung mit der rechten Hand abzudecken, war dabei aber offensichtlich mit Zeige- und Ringfinger aus Versehen etwas hineingefahren. Jedenfalls hatte die stolze Griechin diese Zeichensprache gründlich mißverstanden und ihm mit voller Kraft eine runtergehauen.

Nun ja, zwar konnte Moshe kein Vollbad nehmen, das fließende Wasser aus dem Badewannenhahn aber immerhin zur Kühlung seines Auges nutzen.

In Tiryns und Mykenä indessen wollte sich Moshe wegen seines dicken Auges und der Angst vor seiner Verlobten weder vor dem Schatzhaus des Atreus noch vor dem berühmten Löwentor ablichten lassen.

Freitag, 17. August 1962

Um 9 Uhr 50 steigen sie in den Zug, um nach Tripolis zu fahren. In ihrem Waggon war es so stickig heiß, daß Manfred schon nach zehn Minuten am Verdursten war. Der griechischen Familie neben ihm – Mann, Frau und Opa – erging es ebenso, aus welchem Grund aber die Ehefrau dabei den römischen Kaiser Nero anflehte, blieb Manfred lange ein Rätsel. Bis er Moshe Bleibaum fragte.

»Mann, ne'ro heißt auf Griechisch Wasser. Die lechzt nach Wasser.«

»Ich lechze mit.«

Der griechische Ehemann blieb indessen den Leiden seiner griechischen Ehefrau gegenüber völlig unempfindlich, denn er war voll und ganz mit seinem neuen Fotoapparat beschäftigt. Pausenlos knipste er seine Familie, die anderen Fahrgäste im Abteil und die eintönige griechische Landschaft. Zum Schluß riß er den Apparat auf und zeigte allen mit kindlicher Fröhlichkeit, daß er gar keinen Film eingelegt hatte.

Der griechische Opa bohrte indessen, den Blick wie Aristoteles in die unendliche Ferne gerichtet, mit vollendeter Hingabe in seinen riesengroßen Nasenlöchern, förderte die schönsten Popel zu Tage und schmierte sie in seinen ansonsten eindrucksvollen grauweißen Bart.

Manfred grinste und sagte einen berühmten Berliner Abzählreim auf: »Eene meene Mopel, wer frißt Popel, süß und saftig ... für eene Mark und achtzig, für eene Mark und zehn ... und du kannst geh'n.«

Als der Zug auf einem größeren Bahnhof etwas länger hielt, kam draußen ein Wasserverkäufer angerannt. Der Grieche im Abteil winkte ihn herbei und kaufte sich ein Glas voll. Während er bezahlte, bewegte seine verdurstende Gattin schon heftig die Lippen. Doch was geschah? Ihr Mann trank das Wasser selber aus. Das Gesicht der Griechin erstarrte zum Lehrbuchfoto: grenzenlose Enttäuschung.

Moshe aber freute es. »Jetzt weiß ich endlich, wie ich mit Gisela umspringen muß.«

Sonnabend, 18. August 1962

Nachdem sie am Vortag in Tripolis nichts weiter getan hatten, als zu essen und ihre Hemden zu waschen, setzten sie sich um 9 Uhr 30 in den Bus nach Sparta. Manfreds Versuch, mit einer jungen Griechin, die in seiner Reihe auf der anderen Seite des Ganges saß, ins Gespräch zu kommen, scheiterte schnell. »Laß es«, warnte ihn Moshe. »Die Mädchen hier leben abgeschlossen wie im Mittelalter. Ein Spaziergang zu zweit ist schon ein Eheversprechen. Und wenn du die hier einmal geküßt hast, ist schon die ganze Sippe da, um dich anzuketten.«

Manfred schüttelte sich und ließ die Griechin von da an in Ruhe. »So sehr ich Bea geliebt habe, aber ...«

In Sparta, so verriet der Reiseführer, hatte während des Trojanischen Krieges Menelaos geherrscht, Agamemnons Bruder. »Alle Güter gehörtem dem Staate und wurden von ihm dem Volke zugewiesen. Dabei war man auf eine möglichste Gleichschaltung der Individuen mit ständiger Kampfbereitschaft bedacht. Diese war der Zweck der staatlichen Erziehung; man vernachlässigte das Familienleben, die Männer aßen gemeinsam, und der Krieg galt ihnen als Fest, der Tod fürs Vaterland als die höchste Ehre. Auch den Frauen brachten sie ihren derben Patriotenstil bei ...«

»Klingt ganz nach Nazizeit«, sagte Manfred.

»Und nach DDR«, fügte Moshe hinzu.

Das neue Sparta war langweilig, und sie machten sich nach Mistrá auf, wo Moshe Bleibaum unbedingt die byzantinische Peribleptos-Kirche sehen mußte.

»Ohne die gesehen zu haben, kann ich nicht weiterleben. Das ist ein absolutes Muß jedes Griechenlandfahrers. Die kuppligen byzantinischen Kirchen haben etwas Bergendes, aber auch Verbergendes, etwas Schützendes, aber auch Abwehrendes ...«

»Ich kann nicht mehr, und ich will nicht mehr.«

Nach drei Kilometern Fußmarsch sank Manfred am Rande eines lichten Kiefernwaldes nieder. Ein Thermometer in der Stadt hatte vorhin 42 Grad Celsius gezeigt – im Schatten.

»Schwächling!« rief Moshe und berief sich dabei auf Adolf Hitler. »Und das will nun ein deutscher Mann sein: hart wie Kruppstahl, zäh wie Sohlenleder.«

Nach einigem Hin und Her ging er allein zur Kirche. Manfred blieb zurück und besah sich die ländliche Szenerie. Unweit von ihm hatten Bauern Planen ausgebreitet, auf denen Weintrauben trockneten und zu Korinthen werden sollten ... oder zu Rosinen, so genau wußte er das nicht. Diese ausgebreiteten Köstlichkeiten hatten auch einige Hühner angelockt, die fleißig pickten und ... Manfred, dem der Gedanke an Winter und Kälte das Überleben sichern half, dachte an den nächsten Weihnachtsstollen und die vielen Rosinen darin.

Als Moshe Bleibaum seinen kulturellen Durst endlich gestillt hatte, kehrten sie in einem Landgasthaus ein. Der Wirt führte sie in die Küche, wo sie sich ihr Menü selbst zusammenstellen konnten: Fasuli, faki, moskaraki, chirino, kotopulo, lasania und dazu peponi und metallikón idor. Hinterher zwei Ouzo. Schöner konnte das Leben nicht sein.

Der Bus zurück nach Tripolis war zwar völlig ausgebucht, aber Moshe Bleibaum als Weltmann wußte mit solchen Situationen spielend umzugehen. Er steckte dem Fahrer einige Geldscheine zu – und der zögerte nicht, zwei seiner Landsleute zu bitten, wieder auszusteigen und auf den nächsten Bus zu warten.

»Das ist mir aber peinlich«, sagte Manfred.

Moshe grinste. »Die Griechen hier haben doch Zeit en masse und können noch ein bißchen im Café sitzen und Backgammon spielen.«

Doch bald verging ihm das Lachen, denn während der wilden Fahrt durch die Berge begannen in der Wahnsinnshitze des späten Nachmittags die Fahrgäste, fürchterlich zu reihern – die Touristen wie die Einheimischen. Und auch Moshe Bleibaum wurde davon angesteckt.

Sonntag, 19. August 1962

7 Uhr 30 Abfahrt mit dem Bus nach Olympia, Ankunft 11 Uhr 30. Endlich wurde die Landschaft wieder etwas grüner.

»Olympia … Sitz eines uralten Heiligtums und Schauplatz des bedeutendsten griechischen Nationalfestes, der Olympischen Spiele, ruht in der Flußgabelung des Alpheios und Kladeos, von sanften Hügeln umgeben …«

Im Hotel *Metroon* fanden sie ein Zimmer, wie sie bisher noch keines gehabt hatten: Die beiden Betten standen etwa einen Meter weit auseinander, und zwischen ihnen klaffte in den Dielen ein so großer Spalt, daß man in die darunterliegende Rezeption schauen und alles, was dort geschah, genau sehen konnte. Besonders imposant war der Hotelier, ein Mann von vielleicht fünfzig Jahren. Er war kahlköpfig und trug eine Brille, bei der links das Auge durch ein rundes Stück Milchglas abgedeckt war. Allein das ließ ihn ziemlich skurril erscheinen, vollends wie der aus dem Krieg heimkehrende Soldat in Wolfgang Borcherts Theaterstück *Draußen vor der Tür* wirkte er aber durch seine Hose, die ganz ohne Zweifel aus altem deutschen Wehrmachtstuch geschnitten war. Hinzu kam eine weitere Eigentümlichkeit: die Ähnlichkeit des Mannes mit Otto Matuschewski aus Berlin-Neukölln.

»Was denn …!?« rief Moshe auch sofort. »Dein Vater hier … und dazu noch in dieser Verkleidung … Otto der Zweite.«

Das war die passende Assoziation, denn einen Otto – den Prinzen Otto von Bayern – hatten die Griechen ja im Jahre 1832 zu ihrem ersten neuzeitlichen König gewählt.

Nach dem Essen wurde Manfred sofort in das örtliche Museum geschleppt, das laut Reiseführer »hochbedeutend« war. Dies vor allem wegen der Nike des Päonios und, noch berühmter, des Hermes, von Praxiteles geschaffen.

Nach diesem erbaulichen Bildungserlebnis schrieben sie Postkarten im Dutzend, Manfred an seine Eltern, die Schmöckwitzer, die Kohlenoma im Hospital, an Gerhard Bugsin, Bimbo, Dirk Kollmannsperger, Neutigs, Liebetruths, Tante Trudchen, Onkel Helmut und seine Familie, Tante Eva und last not least an Curt und Anett in Hermsdorf.

In einer alten deutschen Zeitung, die Manfred im Rinnstein aufgelesen hatte, lasen sie, daß es am 13. August zum Gedenken an den Mauerbau in Westberlin und in der Bundesrepublik eine dreiminütige Arbeits- und Verkehrsruhe gegeben hatte und daß der Ost-Berliner Bauarbeiter Peter Fechter beim Fluchtversuch über die Mauer angeschossen worden und dann elendig verblutet war.

»Diese Schweine!«

Dann lagen sie auf den Betten, um durch den Spalt im Fußboden in die Eingangshalle zu schauen.

Abends schlenderten sie durch die Stadt, tranken Retsina und lauschten den Gitarrenspielern am Straßenrand, die alle immer wieder eines spielten: »Ein Schiff wird kommen ...« Ihres kam erst am Mittwoch.

Montag, 20. August 1962

»A faint cold fear thrills through my veins«, spottete Moshe Bleibaum, als Manfred, ehemals einer der schnellsten Sprinter Berlins, andächtig und voll heiligem Erschaudern die Zehen in jene Rillen grub, von denen aus die Kurzstreckenläufer im alten Griechenland gestartet waren. Er hätte sie alle geschlagen und sah sich auf der Athener Agorá, wie sie ihn als Helden feierten.

Dienstag, 21. August 1962

Um 5 Uhr 30 schon ging es im Bus nach Athen zurück, und auch diese Fahrt überlebten sie.

Als sie ins *Heräon* zurückkehrten, umarmte sie der dicke Chochlakias voller Freunde und sprudelte los.

»I have my best rooms for you, the price is very low. Only for you. Come and see. Another than before.«

Das neue Zimmer war wirklich wunderschön und billig, hatte aber den großen Nachteil, daß sie es noch mit einem anderen Gast teilen sollten. Und der saß auf seinem Bett, litt offenbar an offener Tbc, hustete markerschütternd und sonderte viel Schleim in eine Messingschale ab.

Sie ergriffen die Flucht und verlangten ein anderes Zimmer.

»All full«, radebrechte Chochlakias. »Only the room of my father is free, but I must give him a lot of money, when he must sleep together with his brother in the same bed.«

»Du Schlitzohr!« rief Moshe Bleibaum, schließlich aber ließen sie sich doch auf den Deal mit dem Griechen ein, es war ja nur für eine Nacht.

Nachdem sie ihr Gepäck abgeladen hatten, bummelten sie durch Athen und kauften noch ein paar Andenken und Geschenke, Manfred für seine Mutter und seine Schmöckwitzer Oma je eine nachgemachte griechische Vase.

Mittwoch, 22. August 1962

Um 17 Uhr gingen sie im Hafen von Piräus an Bord der *Marmara,* und um 19 Uhr legten sie ab. Anfangs waren noch die bunten Schriftzüge der Leuchtreklamen zu lesen, dann verschmolzen sie zu einem langen weißen Band. Eine halbe Stunde später waren nur noch die Lichter der Küste zu sehen. Irgendwann versanken auch sie im dunklen Meer. Am Himmel standen die Sterne zwischen dünnen Wolken. Das Schönste aber waren die Feuer, die auf den Inseln ringsum loderten.

»483 Inseln soll es in der Ägäis geben«, sagte Moshe Bleibaum, als sie an der Reling standen.

»Wenn man auf einer von diesen Inseln leben würde, was dann ...« Manfred fand, daß er sich kein Leben außerhalb Berlins vorstellen konnte.

Als sie Hunger hatten und etwas essen wollten, stellten sie fest, daß es ein türkisches Schiff war, auf dem man nur mit türkischer Lira zahlen konnte. Die hatten sie zwar, aber nur in Form eines einzigen großen Scheines, den man ihnen im Fast-food-Restaurant nicht wechseln konnte ... und in den vornehmen Speisesalon ließ man sie in ihrem Aufzug nicht. Moshe Bleibaum war empört, schließlich mußten die Schiffsoffiziere doch merken, daß er nicht nur ein Angehöriger der deutschen Oberschicht war, sondern ...

»... ich zudem noch dem auserwählten Volk entstamme«, wie er nicht hinzuzufügen vergaß.

Schließlich fanden sie den Zahlmeister, der ihnen versprach, den Schein ohne Abzug kleinzumachen. Leider war der Mann plötzlich verschwunden, und sie sollten einen großen Teil ihrer Zeit auf der *Marmara* damit verbringen, ihn zu suchen und an sein Versprechen zu erinnern.

Im Augenblick war er jedenfalls nirgendwo zu finden, und für den heutigen Abend war somit Fasten angesagt. Sie zogen sich alsbald in ihre Betten zurück. Die standen in einem Riesenraum mit so winzigen Bullaugen, daß es, soff der Kasten ab, nicht einmal Moshe geschafft hätte, sich hindurchzuwinden.

»Eher ersticken wir hier«, war Manfreds Vermutung.

»Da hilft denn nur noch beten. Du zu deinem Gott, ich zu meinem.«

Und das half in der Tat.

Donnerstag, 23. August 1962

Zwischen Chíos und Lesbos hindurch hielten sie auf Izmir zu, von Moshe Bleibaum als Anbeter des Griechentums weiterhin Smyrna genannt.

Beim Verlassen der griechischen Hoheitsgewässer kam ein großgewachsener Türke auf sie zu und fragte sie in gutem Deutsch, ob sie ihm einen kleinen Gefallen tun könnten.

»Ich habe eine große Familie zu Hause und wenig Geld ... Und habe mir in Athen Anziehsachen gekauft, die dort viel billiger sind als bei uns in der Türkei. Gleich wird der türkische Zoll an Bord kommen und mich kontrollieren. Da muß ich dann viel, viel Geld bezahlen. Und ich bin ein armer Mann mit einer großen Familie. Wenn Sie diese Sachen aber in Ihren Koffer stecken, dann ... Sie kontrolliert man nicht.«

Da konnten sie nicht nein sagen, und Moshe brachte den schwarzen Anzug des Türken in seinem Koffer unter, Manfred ein grell geblümtes Kleid, das für dessen Frau bestimmt war.

Moshe Bleibaum war schon vorab ein wenig schadenfroh. »Wenn du das anziehen mußt.«

»Ich bin Transvestit, was soll's ...«

Dann aber verging ihnen das Lachen, denn der türkische Zoll kam nicht etwa schlicht und einfach an Bord, nein, er besetzte das Schiff mit einem eindrucksvollen militärischen

Manöver. Beide fingen sie regelrecht zu zittern an, denn wie es in den türkischen Gefängnissen zuging, grausam und mittelalterlich, wußten sie nicht nur aus den Büchern Karl Mays, sondern auch aus dem *Spiegel* und der *Zeit*. Jetzt ging ihnen natürlich auch ein Licht auf: Der Türke, dessen Sachen sie im Koffer hatten, war natürlich kein armes Schwein, sondern ein mit allen Wassern gewaschener Schmuggler. Um alles wieder aus den Koffern zu nehmen, war es zu spät.

Ein gestrenger Zollbeamter ging auf ihre Koffer zu.

»Deiner ...?« fragte er und zeigte auf den, der Manfred gehörte.

»Ja ...« *Jetzt ist es aus mit mir.*

Doch der Türke beließ es dabei, mit einem Stück weißer Kreide ein großes Kreuz auf den Koffer zu machen.

Gerettet!

»Du ... Aufmachen!«

Jetzt ging es Moshe Bleibaum an den Kragen. Und obwohl er sein bestes Türkisch aus dem Polyglott-Sprachführer in Anwendung brachte – »jä'lnis schach-ßii' äschjaala'r« (»Nur persönliche Dinge«) –, mußte er seinen Koffer öffnen.

»Was das da ...!?« Mit schnellem und geübtem Griff hatte der Zöllner das Schmuggelgut herausgerissen und hielt es Moshe vor die Nase. »Was das da!?«

»Mein guter Anzug. Wir sind beim deutschen Konsul in Istanbul eingeladen, zum Galaempfang, und da muß man schließlich ...«

Aber all seine Chuzpe nutzte ihm nicht viel, denn gnadenlos befahl der Türke: »Du anziehen!«

Was blieb Moshe weiter übrig, als dem Folge zu leisten. Als er dann in dem schwarzen Anzug des türkischen Schmugglers zwischen den doppelstöckigen Betten stand und vor Angst noch kleiner war als ohnehin schon, konnte sich Manfred, so ernst die Lage auch war, das Lachen kaum verkneifen. Denn dieser Anzug war ihm viele, viele Nummern zu groß, und er sah genauso aus wie die Vogelscheuche, die Manfreds Onkel Leszek letztes Jahr in Schmöckwitz aufgestellt hatte.

Alles schien verloren, eine hohe Geldstrafe, wenn nicht gar

der Knast schien Moshe Bleibaum sicher. Er war so bestürzt und verzweifelt, daß er keinen Ton mehr hervorzubringen wußte. Da hatte Manfred einen Einfall.

»Er ist sehr krank ... He is very sick, because he has spent his holidays in Greece ...« Manfred wußte von der traditionellen Feindschaft zwischen den beiden Völkern, und es mußte den Türken doch freuen, wenn man ihm hier vorführte, wie krank Griechenland die Menschen machte. »Greece is very bad. We want to go to Turkey for survival.« Mehr wollte sein Schulenglisch nicht hergeben.

Doch es wirkte. Aus welchen Gründen auch immer: Der türkische Zöllner fing zu lachen an und malte auch auf Moshe Bleibaums Koffer sein Freigabekreuz. Als er außer Sichtweite war, fiel der Freund Manfred um den Hals.

Um 16 Uhr gingen sie in Izmir an Land und vertraten sich in der Gegend des Hafens kurz die Beine.

Wieder an Bord, trafen sie den Zahlmeister endlich in seiner Kabine an.

»Welcher Geldschein?« fragte er, als sie ihn darauf ansprachen.

Sie drohten, zum Kapitän zu gehen.

»Kommen Sie am Abend wieder.«

Ein gutherziger Hilfskoch reichte ihnen etwas Essen, das Passagiere der 1. Klasse auf den Tellern zurückgelassen hatten, aus der Küche heraus, sonst hätten sie weiter hungern müssen, denn Bargeld hatten sie keines mehr, und ihre Reiseschecks waren an Bord nicht einzulösen.

Freitag, 24. August – Sonntag, 2. September 1962

Von da an fuhr die *Marmara* dicht unter Land, und bei dem Gedanken, noch eine Nacht unter Deck verbringen zu müssen, war den beiden Reisenden nicht ganz wohl zumute.

Manfred formulierte seine Ängste: »Wenn die gegen einen Felsen kracht und in Sekundenschnelle sinkt, dann ...«

Moshe lachte. »... dann sind wir in einer Luftblase eingeschlossen, und in den zwei Stunden, die mir noch bleiben, kann ich's endlich mal mit Hedda und mit Helga treiben.«

Das waren zwei sehr attraktive Studentinnen aus Berlin, die sie bei ihrer Suche nach dem türkischen Zahlmeister auf der Kapitänsbrücke entdeckt hatten. Sie waren von Kopf bis Fuß auf Liebe eingestellt und hatten von den beiden Freunden den Namen »Nympho-Sisters« bekommen, fanden es aber leider Gottes, nachdem man sich kurz beschnuppert hatte, reizvoller, mit zwei australischen Jünglingen loszuziehen. Einer hieß Steve, der andere Omar.

»Omar schlägt Homer«, stellte Manfred fest, weil er fand, daß der Freund die beiden knackigen Mädchen mit seinen gelehrten Reden vergrault hatte.

So mußten sie, noch immer ohne Geld, in dieser zweiten Nacht an Bord der *Marmara* nach so vielem hungern.

Am nächsten Morgen passierten sie die Dardanellen und sahen schließlich Byzanz / Konstantinopel / Istanbul vor sich liegen.

»Spürst du nicht den hehren Atem der Geschichte?« rief Moshe Bleibaum aus.

Manfred fand, daß Istanbul mit seinem vielen Grün und den roten Ziegeldächern viel europäischer wirkte als Athen, von den aufragenden Minarettspitzen einmal abgesehen.

Als sie von Bord gingen, stand der türkische Zahlmeister an der Gangway und hielt ihnen grinsend ihre Lirascheine hin.

So waren sie keine Bettler mehr, als sie türkischen Boden betraten. Der Taxifahrer, dem sie sich am Hafen anvertrauten, gab sich aber alle Mühe, ihren Liravorrat schnell dahinschmelzen zu lassen, denn zum Fahrpreis hatte er ganz offensichtlich noch das Datum wie die Geburtstage von Frau und Kindern dazugezählt.

»Mit mir nicht!« Moshe weigerte sich, mehr zu zahlen, als der Reiseführer empfahl. Einschließlich des Trinkgeldes.

»Polis!« rief der Taxifahrer. »Polis karakolu.« Und meinte mit Polis sicherlich keine Versicherungspolice.

Sie standen vor dem *Bristol,* einem Hotel wie aus dem Berlin der Kaiserzeit, und pokerten mit dem Taxifahrer. Schließlich sprang Moshe Bleibaum aus dem Wagen, zerrte Manfred mit auf die Straße und brachte ihn dazu, ihr

Gepäck aus dem Kofferraum zu hieven und zum Hoteleingang zu schleppen.

Der Taxifahrer stieß wüste Drohungen aus und raste davon. Manfred war ein wenig bange, denn insgesamt machte Istanbul einen sehr martialischen Eindruck, und es wimmelte geradezu von Militärpolizisten. Überall sah man ihre weißen Stahlhelme, teilweise mit selbstgemalten breiten roten Streifen verziert.

Doch nichts passierte. Wie überhaupt ihr ganzer Aufenthalt am Bosporus nichts an kleinen Szenen brachte, die sich auf Dauer eingeprägt hätten. Außer vielleicht, daß Moshe Bleibaum – bräsig mit Strohhut und Sonnenbrille – in einem Slumgebiet hinter dem Valens-Aquädukt mit Dreckklumpen und Steinen beworfen wurde und sie das Gefühl hatten, um ihr Leben laufen zu müssen. Ansonsten aber lief das ganz normale Touristenprogramm ab, und sie hakten ab, was abzuhaken war: die Hagia Sophia, die Blaue Moschee, die Süleymaniye-Moschee, das Archäologische Museum, den Topkapi Serayi, die Theodosianische Landmauer, die Festung Yedikule, den Galataturm, die Galata Köprüsü, die Brücke über das Goldene Horn mit ihrem unvorstellbaren Menschengewusel, die Istiklâl Caddesi und den Dolmabahçe Sarayi.

Im Großen Bazar, dem Kapali Çarsi, wurde mehrmals eingekauft, und einmal konnte Moshe nicht widerstehen und verbrachte zwei Stunden im Çagaloglu Hamami, dem bekanntesten alttürkischen Bad. Manfred fuhr derweil mit der Fähre zum asiatischen Teil Istanbuls hinüber, nach Üsküdar.

Oft hörten sie den Ruf des Muezzin, und Moshe hatte bald soviel Arabisch gelernt, daß er ihn übersetzen konnte: »Allâhu akbar, Gott ist groß! – Ich bekenne, daß es keinen Gott gibt außer Allah! – Ich bekenne, daß Mohammed der Gesandte Allahs ist! – Erhebe dich zum Gottesdienst! – Erhebe dich zum Wohlergehen! – Allah ist groß! – Es gibt keinen Gott außer Allah!«

Meistens aßen sie im *Izmir,* einem Restaurant, das Manfred sehr an die kleine Halle des Neuköllner Schwimmbades in der Ganghoferstraße erinnerte, und schaufelten riesige Mengen an baklava und muhabelli in sich hinein. Moshe ließ sich danach eine Nargile, eine Wasserpfeife, kommen und fühlte sich ganz wie ein Pascha alter Schule. Das ging solange, bis sie kein Geld mehr hatten und Schmalhans wieder Küchenmeister war.

Am letzten Tag fuhren sie noch mit einem Sammeltaxi, dolmus, nach Kilyos am Schwarzen Meer hinauf, um ausgiebig zu baden. Der endlose Strand war menschenleer. Auf der Rückfahrt im normalen Linienbus gab es einigen Ärger, als sich Manfred nichtsahnend auf den freien Platz neben einer jungen Türkin setzte. Das durfte man nicht.

Am Mittwoch, dem 29. August, stiegen sie pünktlich um 17 Uhr 30 auf dem Sirkeci-Bahnhof in den ganz normalen D-Zug nach Saloniki. Erst von dort sollte es im Studentensonderzug zurück nach München gehen.

Im Abteil saßen sie neben zwei Türken, »Vati und Mutti«, wie sie schnell das ältere und ungemein gemütliche Ehepaar aus Hamburg nannten. Er hatte einen wahnsinnigen Bierbauch und war eingefleischter HSV-Fan, sie sammelte Kaffeelöffel und Speisekarten aus aller Welt. Beide waren von gewaltiger Leibesfülle und führten, da sie andauernd etwas mampfen mußten, wie sie das ausdrückten, zwei Extrakoffer mit Nahrungsmitteln im Gepäck. Davon etwas abzugeben und mit anderen zusammen zu tafeln machte ihnen große Freude. So ließen sie es sich nicht nehmen, Moshe und Manfred wieder etwas aufzupäppeln. Da Vati Hausmeister an der Uni Hamburg war, hatte er es irgendwie eingefädelt, auch mit seinen 56 Jahren noch als Student durchgehen zu können und den Sonderzug ab Saloniki benutzen zu dürfen.

Um Mitternacht erreichten sie die türkisch-griechische Grenze und mußten nun, nach glücklich überstandenen Kontrollen im alten Zug, in griechische Waggons umsteigen. Kaum aber hatte der Zug der hellenischen Bahn die Grenzstation verlassen, schrie Manfred auf.

»Ich hab' meine Jacke im anderen Zug hängen lassen!« Und dies mit allem Geld, allen Schlüsseln und Papieren, Fahrkarten und dergleichen. Es war die absolute Katastrophe, denn ohne Reisepaß kam er nie und nimmer durch das kommunistische Jugoslawien hindurch nach München zurück. *Ich komm' nie mehr nach Hause ...*

Alle waren bestürzt, nur Moshe Bleibaum nicht. Seelenruhig zog er die Notbremse und setzte sich, als der Zug mit kreischenden Bremsen angehalten hatte, mit einer unnachahmlichen Mischung von Arroganz und Pfiffigkeit mit dem tobenden griechischen Zugbegleiter auseinander, während Manfred zusammen mit Vati durch die Nacht zurück zum Bahnhof lief. Wenn man die Jacke gestohlen hatte, wenn der Zug längst auf ein fernes Abstellgleis rangiert worden war ...

War er aber nicht, und die Jacke hing noch am Haken.

»Alles drin?«

»Ja.«

Herr, ich danke dir!

In Saloniki bezogen sie das von ARTU vorgesehene Hotel. Ihr Zimmer lag im vierten Stock, und tief unten wälzte sich der Verkehr durch eine breite Straße. Ihr Balkon war so schmal und zierlich, daß Manfred eine Heidenangst hatte, er würde abbrechen, wenn sie ihn beide zu gleicher Zeit betraten.

Manfred mußte dringend auf die Toilette. Als er sie gefunden hatte, prallte er zurück. So etwas Entsetzliches hatte er nie zuvor gesehen. Das Loch im Boden, der Abfluß, mußte schon seit Tagen verstopft sein ... und trotzdem hatten sich viele Studenten aller Herren Länder immer wieder an dieser Stelle entleert, Haufen auf Haufen gesetzt. Die vielen grünschillernden Fliegen und Brummer feierten es wie ihren Reichsparteitag. Manfred suchte nach einer Alternative, fand aber im ganzen Hause keine. So steckte er sich schließlich Fetzen eines Tempotaschentuches in die Nasenlöcher und trug seinen Teil zur Vergrößerung der Salonikischen Kotsäule (1962 n. Chr.) bei.

Am nächsten Morgen war es auf dem Bahnsteig noch voller als auf der Hinreise in München, doch sie vertrauten wieder auf ihr Glück und ein offenes Fenster, durch das Manfred Moshe Bleibaum hindurchschieben konnte.

Und in der Tat, es glückte abermals. Als Manfred dann nachgekommen war und mit dem Freund in der Abteiltür stand, um andere abzuschrecken, kamen von links Hedda und Helga und von rechts Vati und Mutti auf sie zu, jeweils in der Hoffnung, in dem überfüllten Zug doch noch einen schönen Platz zu finden.

Unvorstellbar, welche Genüsse sie erwarteten, wenn sie mit den beiden liebestollen Mädchen nachts allein waren und nicht nur die Sitze auszogen ... Ausgehungert wie sie waren.

Unvorstellbar, welche Genüsse sie erwarteten, wenn Vati und Mutti ihren Delikateßkoffer öffnen und sie ihre Münder ... Ausgehungert wie sie waren.

Sie sahen sich an. Es war eine ungeheuer schwere Entscheidung. Entweder, oder. Beides ging auf keinen Fall. Man hätte stundenlang darüber diskutieren müssen, hatte aber nur knappe zehn Sekunden.

Schließlich siegte Bertolt Brecht, leicht variiert: Erst kommt das Fressen, dann die Unmoral.

So ging es mit Vati und Mutti durch Griechenland, Jugoslawien, Österreich und Bayern hindurch, und alle waren ebenso brav wie satt.

Bis Hannover ging es gemeinsam mit der Bahn, dann nahm man Abschied voneinander. Manfred und Moshe setzten sich in den Bus nach Berlin.

Am Sonntag, dem 2. September, hielten sie um 14 Uhr auf dem Busbahnhof am Stuttgarter Platz. Gisela stand da, um ihren Moshe in die Arme zu nehmen, fuhr aber zurück, als er neben sie trat.

»Gott, du stinkst ja fürchterlich, dich faß' ich nicht an. Alle deine Sachen kommen in den Müll!«

So hielt sich Manfreds Schmerz, von keiner Verlobten, Ehefrau oder Geliebten abgeholt zu werden, in Grenzen. Seine Eltern waren wieder einmal in Farchant.

Der Abschied von Moshe Bleibaum war kurz und schmerzlos, fast so, als wären sie nicht gerade eben einmal vier Wochen lang zusammen durch dick und dünn gegangen. Es war schon komisch.

Müde und zerschlagen, wie Manfred war, gönnte er sich eine Taxe. Schließlich mußte das letzte Geld auch noch ausgegeben werden.

Otto Matuschewski hatte die Sache wieder mal auf den Punkt gebracht: »Von nichts kommt nichts.« Was hieß, daß Manfred auch in diesem Spätsommer die Semesterferien im Hause Siemens verbringen durfte – und zwar diesmal im Selbstkostenbüro des Kabelwerks. Sie waren eine Fünfertruppe, darunter auch Immanuel Tieck, per Zufall im KW gelandet. Sie waren sich jubelnd in die Arme gefallen, Manfred und der Nachkomme des großen Romantikers Ludwig T., denn beide hatten sie die Statistikklausur bestanden. Manfred mit einem »befriedigend«, Tieck mit einem »ausreichend«.

Als Vorarbeiter hatten die Siemens-Leute nicht etwa Manfred ernannt, ihren Stammhauslehrling, sondern einen älteren BWL-Studenten mit Namen Reinhard Barsch.

»Großes B, kleiner Arsch«, sagte Manfred zu Immanuel Tieck.

»So lang wie er ist, so dämlich ist er auch«, lautete das harte Urteil des anderen.

Barsch war völlig unfähig, seine eigenen Grenzen auch nur annäherungsweise zu erkennen. Spätestens seit eine kleine Fachzeitschrift seinen Artikel über »Lineare Gesamtkostenverläufe in deutschen Industriebetrieben« aufgrund eines redaktionellen Irrtums abgedruckt hatte, hielt er sich für den Größten überhaupt.

Der vierte Mann im Bunde war Karl-Otto Fock, ein Gemütsathlet von nahezu zwei Zentnern Lebendgewicht, so wortkarg, daß ihn manche für taubstumm hielten. Er studierte sinnigerweise Publizistik und wollte beim Hörfunk unterkommen.

Die einzige Frau in ihrem Kreis war Gudrun Runge, die dicke Brillengläser hatte und im RCDS, dem Ring Christlich-Demokratischer Studenten, eine Führungsrolle spielen wollte, aber nie so recht aus den Startlöchern kam. Ständig war sie übermüdet, weil sie bis in den frühen Morgen Standortpapiere erarbeitete.

Der »Verbindungsoffizier« zum Kabelwerk war Herr Nix, der stellvertretende Leiter des Selbstkostenbüros, und pausenlos fielen Aussprüche wie »Ich sehe nix« oder »Von nix kommt nix«. Nix ließ sie am langen Zügel laufen, weil er wußte, daß die Einstellung so vieler Studenten eigentlich nur als soziale Maßnahme zu verstehen war.

Als Büro hatte man der studentischen Hilfstruppe ein großes Besprechungszimmer zugewiesen, und so saßen sie nun unter der Aufsicht von Reinhard Barsch an einem Riesentisch und kalkulierten Kabel. Jeder hatte eine jener alten mechanischen Rechenmaschinen zur Verfügung gestellt bekommen, die wie miniaturisierte Registrierkassen aussahen und mit einer Kurbel zu bedienen waren. Mit kleinen Hebelchen zog man die Zahlen, die man multiplizieren wollte, und drehte dann entsprechend an der Kurbel, bis die richtige Lösung in einer Art Display erschien. Manfred war zum Teil von dieser Arbeit befreit, denn man hatte herausgefunden, daß er Aktendeckel und Ordner so sauber wie kein zweiter beschriften konnte. Aus allen Teilen des Kabelwerkes kamen deshalb Anrufe ins Konferenzzimmer, er möge sich doch bitte Nachschub holen. »Und lassen Sie sich Zeit dabei.« Was er auch tat. Irgendwann brachte er dann seine kleinen kalligraphischen Kunstwerke wieder zurück. Er dachte an Kuno, seinen alten Kunstlehrer an der Albert-Schweitzer-Schule ... Wie er es gehaßt hatte, für den diese Buchstaben zu pinseln.

Jedenfalls kam er viel herum im Gartenfelder Siemensreich und traf auch auf etliche Ex-Stammhauslehrlinge.

Nix direkt gegenüber saß Friedrich-Wilhelm von Zauchwitz. Manfred hatte ihn beim ersten Wiedersehen für den Büroboten gehalten.

»Wie geht's dir, Mauruschat?« fragte FWZ, als er Manfred sah.

»Danke ... Und dir, von Bauchschwitz?«

Nein, auch jetzt verstanden sie sich nicht besser als damals bei Frantz, der Kanaille, und in der Werkschule an der Nonnendammallee. Immerhin verriet ihm FWZ, daß Hannelore Mirau in der Personalstelle säße.

Manfred erschrak. *Neue Lose, neues Glück.* Vielleicht war Hannelore *sein* Glückslos. Fast schien es ihm aber, als hätte der Herr, dessen Wege ja als unerforschlich galten, ganz etwas anderes mit ihm vor, denn geradezu mit Entsetzen registrierte er, daß es Gudrun Runge auf ihn abgesehen hatte. Für die RCDSlerin schien er die optimale Besetzung auf ihrer Bühne des Lebens zu sein. Pausenlos stellte sie ihm nach und ließ sich keine Gelegenheit entgehen, neben ihm zu sitzen. So auch mittags in der Kantine.

Er hatte gerade in der für Angestellte reservierten Zone Platz genommen, um auf seine Brühnudeln zu warten, als Gudrun nahte. »Vorsicht!« rief er und zeigte auf den freien Stuhl an seiner rechten Seite. »Da ist 'n großer Teerfleck drauf.« Das kam hier öfter vor, denn die Arbeiter trugen ja dieselben Sachen wie in den Werkhallen unten und setzten sich manchmal auch zu den Angestellten.

»Das macht nichts.« Ohne Rücksicht auf ihr Kleid nahm Gudrun Platz.

Manfred wurde siedendheiß. Von den vielen Dutzend weiblichen Vornamen fand er nur einen absolut scheußlich: Gudrun. Aber nicht das ließ ihn zurückschrecken, sondern ihre Ähnlichkeit mit jenen molligen Tanten, die fürchterlich aufgedreht waren, unerträglich nach Schweiß und *Tosca* rochen, kleine Jungen fest an ihre Brüste drückten und energisch aufforderten, auf ihrem Schoß Hoppe-hoppe-Reiter zu machen ... Trotzdem war er freundlich und hörte aufmerksam zu, als sie erzählte, daß sie bald ihre Diplomarbeit in Psychologie zu schreiben beginnen würde.

»Ich will sehen, ob ich auf empirischer Grundlage eine Mitglieder-Typologie von Organisationen entwerfen kann ... mit Beispielen hier aus dem Kabelwerk.«

Manfred nickte. »Gut, ja ... Haben Sie schon mal bei Goffman nachgesehen ... *Asylums* heißt das wohl, sein Buch, gerade erschienen ...«

»Nein ...«

»Oder lesen Sie mal Robert Presthus ... *The Organizational Society.*« Er hatte bei Renate Mayntz »Organisationssoziologie« gehört und sich, fasziniert von der jungen Professorin, mehr gemerkt als sonst. »Der unterscheidet den Indifferenten, den Aufsteiger und den Ambivalenten – idealtypisch gesehen.« Mit diesen Ausführungen, das begriff er sofort, war er in Gudruns Wertschätzung deutlich gestiegen.

Gudrun strahlte. »Schön, daß Sie mir das ... Danke ... Aber ich will die Sache sozusagen von unten angehen, meine Typen so bilden, wie es die Mitarbeiter tun. Da sagt Frau Meyer nicht über Herrn Müller, daß er ambivalent sei, sondern: Das ist ein fürchterlicher Schleimer.«

Jetzt war Manfred beeindruckt. Was Gudrun erzählte, war hochinteressant, war wirklich originell. »Da gibt es den Drückeberger, der jede Arbeit vermeiden will, die Ulknudel, die dauernd Witze erzählt, den Schleimer oder Radfahrer, den ›Hetzmops‹, den Hypochonder, den Unsichtbaren, das Arbeitstier ... und, und, und. Abstempelungen finden statt, Stigmatisierungen ... und die große Frage ist, ob solche Rollenzuweisungen dann auch wirksam werden, das heißt, ob einer wirklich immer witziger wird, wenn die Kollegen sagen, daß er ein Witzbold sei, oder aber versucht, ernster zu werden und von seinem Image loszukommen.«

»Das hängt sicher von anderen Faktoren ab: seinem Aufstiegswunsch zum Beispiel, denn ab einer bestimmten Stufe der Hierarchie haben Witzbolde keine Chance mehr, da braucht man ernsthafte Männer. Das ist ein guter Ansatz.«

Gudrun wirkte nun auf einmal gar nicht mehr so abstoßend auf Manfred, und so sagte er auch nicht nein, als sie ihn fragte, ob er mit ins Theater kommen würde, ihre Eltern hätten zwei Karten, könnten aber nicht gehen, da ihr Vater, ein hoher Senatsbeamter, zu einer Konferenz nach Bonn zu fliegen habe.

»Und können Sie mir noch einen kleinen Gefallen tun?«

»Ja ...«

»Ich bin auch an dem interessiert, was die Männer hier im

Kabelwerk so an die Toilettenwände schreiben und in der Kabine innen an die Türen. Und da ich schlecht in die Herrentoiletten gehen kann … Aber bitte keinem was davon erzählen …«

So kam es, daß Manfred in den nächsten Tagen öfter über Durchfall klagte und Reinhard Barsch ihn sogar zum Werksarzt schicken wollte. Es gab da eine ganze Menge aufzuschreiben, zum Beispiel:

Wer hier kein Schwein ist, wird schnell zur Sau gemacht
Wir sitzen alle im selben Kot
Grüße jeden Dummen, er könnte morgen dein Chef sein
Ich denke, also bin ich falsch hier
Die Frau eines Schichtarbeiters ist eine Witwe, deren Mann noch lebt

Diese Liste überreichte er Gudrun im Foyer des Schloßparktheaters, wo Peter Ustinovs *Endspurt* gegeben wurde.

»Herzlichen Dank.«

»Bitte, gern geschehen.«

Jetzt, im »kleinen Schwarzen«, sah selbst Gudrun Runge ganz passabel aus, und Manfreds Widerstand schmolz immer mehr dahin. Daß sie CDU-Mitglied war, andersgläubig also, und daß sie bei Siemens ein wenig hausbacken und ältlich wirkte, war nun nicht mehr so wichtig.

Es war unheimlich entspannend, erst im Theater und danach in einem kleinen Café neben ihr zu sitzen und nicht nur immer an das eine zu denken: wann, wo und wie. Gudrun brachte Manfred das Aha-Erlebnis, daß die »Frau fürs Leben« auch intelligente Unterhaltungen bieten können sollte.

Es brauchte zwei Wochen, bis sie beide ganz brav und mit verschränkten Armen Brüderschaft tranken.

»Manfred …«

»Gudrun …«

Anfang Oktober wurde er ganz förmlich ihren Eltern vorgestellt, die sich gerade ein Eigenheim gebaut hatten, unten in Rudow, im Federvieh-Viertel, wo die Straßen Zwerghuhnweg, Kapaunenstraße, Geflügelsteig und ähnlich hießen. Ihr Vater war Jurist und Oberregierungsrat beim Senator für Inneres, ihre Mutter Grundschullehrerin. Beim Sonntagsnachmittagskaffee kam man sich näher.

»Soziologie«, bemerkte Herr Runge, »erinnert mich immer an die SJ, die Societas Jesu, wo wir ja mit dem Pater Oswald von Nell-Breuning einen Soziologen und führenden Vertreter der modernen katholischen Soziallehre besitzen. Was ist Gerechtigkeit?«

Frau Runge spann den Faden weiter und meinte, Gerechtigkeit zu schaffen sei die zentrale Aufgabe der gesellschaftlichen Ordnung. »Jedem das Seine, das, was er sich durch Tugend und Leistung individuell verdient hat.«

»Und wie will man das messen?« fragte Manfred.

»Was die Tugend betrifft, da haben wir ja ganz sicher so etwas wie ›ewige Werte‹«, merkte Gudrun an. »Wenn du einmal an die Todsünden denkst, wie sie in der Bibel formuliert worden sind, oder an die zehn Gebote: Du sollst nicht ... Da steht doch alles.«

Für Manfred war dieses Milieu neu und ziemlich verwirrend. Wie anders ging es doch in der Familie Matuschewski zu oder bei Bugsins, Onkel Helmut oder in Schmöckwitz. Da gab es keinen gelehrten Diskurs mit geordneter Gedankenführung, da wurde munter durcheinandergeschnattert, und jeder schrie das in die Runde, was ihm gerade eingefallen war. Möglichst spritzig und witzig mußte es sein.

Was ihn am meisten erstaunte, war die Tatsache, daß ihn die bürgerlich-konservativen Runges so schnell akzeptierten, ja, sich große Mühe gaben, ihn auf ihre Seite zu ziehen.

»Was meinen Sie, Herr Matuschewski, wie schnell Sie vorankommen, wenn Sie nach Abschluß Ihres Studiums – am besten noch als der Herr Dr. – in die CDU eintreten und wieder bei Siemens anfangen.«

Manfred hörte das gerne. Endlich war da jemand, der nicht darauf herumhackte, daß das Soziologiestudium bloß brotlose Kunst sei. Gudrun, nahm man die Eltern mit ihren vielen Kontakten zu denen ganz oben hinzu, war die Fahrkarte in eine sichere Zukunft. Mit ihr als Ehefrau war er ein gemachter Mann. Sie gehörten zusammen – und das alles ohne Kuß und Bett und Liebesschwur. So ging das also auch, und er kam sich vor wie ein Paddler auf dem Rhein: Man brauchte sich nur treiben zu lassen, um ans Ziel zu kommen. Ihre Verlobung schien nur noch eine Sache von Tagen zu sein.

Auch die *Spiegel*-Affäre löste bei Runges keine Krise aus, obwohl Manfred ihre Haltung, die Staatsraison über alles zu stellen und die Verhaftung etlicher Redakteure nach dem Bundeswehrartikel »Bedingt abwehrbereit« als Landesverrat zu sehen und gutzuheißen, fürchterlich fand.

Was Manfred und Gudrun doch noch auseinanderbrachte, war Immanuel Tieck. Nicht als Mann, sondern als Spieler, das heißt, als Manfreds Spielgefährte. Beide nämlich hatten eine solche irre Lust an Wettkampf und Spiel, daß sie durch nichts zu bremsen waren, weder durch Reinhard Barsch und Gudrun Runge noch durch Herrn Nix.

Es begann damit, daß sie in ausgedehnten Mittagspausen zum Testgelände des Kabelwerks hinuntergingen, das zwischen Kanal und Hausgerätewerk gelegen war. Manfred kannte es noch von seiner Lehrzeit her, wo er sich hier mittags manchmal mit Lord Lothar und anderen Siemens-Indianern entspannt hatte. Zwischen jeweils zwei Betonblöcken, nicht ganz einen Meter hoch, hatte man auf fast fünfzig Meter Länge armdicke Kabel gespannt, um deren Belastbarkeit zu prüfen. In der Mitte hingen sie fast bis zum Boden durch. Auf diesen Kabeln ließ es sich wunderbar balancieren.

»Wer am schnellsten hinten ist!« rief Tieck und hatte sich schon seine goldene Armbanduhr vom Handgelenk gerissen und den dicken Fock gebeten, den Zeitnehmer zu spielen.

»Okay, fang an.« Manfred war sofort Feuer und Flamme. »Wer runterfällt, ist draußen. Alles oder nichts.«

»Soll mir recht sein.«

»Hört doch auf damit!« rief Gudrun Runge. »Wenn die Kabel kaputtgehen, schmeißen sie uns raus.«

»Die reißen nicht mal, wenn ein Elefant drauftritt«, stellte Manfred fest.

»Bitte, spiel hier nicht den Clown«, bat sie ihn.

Manfred ließ sich nicht beirren. »Balance zu halten ist die höchste Kunst des Menschen, insbesondere in der Politik. Also darf man sie in keiner Sozialisation vernachlässigen.«

Gudrun fühlte sich vergackeiert und vermerkte grollend, daß Manfred nicht gehorchte.

Viel verärgerter reagierte sie, als Manfred und Tieck in einem vergessenen Archivkeller Dutzende von leeren Papprollen entdeckten und für ihre Zwecke mißbrauchten. Mit diesen Requisiten konnte sich Tieck, verhinderter Schauspieler, der er war, erst richtig entfalten.

»Ha, Verruchter!« schrie er, packte eine der Papprollen wie ein Schwert und stürzte Manfred entgegen. »Du hast die Dame meines Herzens entehrt. Hier ... stirb!«

Manfred parierte den Hieb. »Deine Kunigunde ist schon immer eine Dirne gewesen, wohlfeil für einen jeden Ritter – an der gibt es nichts mehr zu entehren.«

»Elender Bube!«

»Stinkender Bastard!«

Sie hieben solange aufeinander ein, bis die Pappröhren barsten und ihnen die Einzelteile um die Ohren flogen.

Gudrun fand, daß ein solches Verhalten werdenden Honoratioren nicht angemessen war. »Ihr solltet euch was schämen – wie die Kinder!«

Die »Kinder« gerieten völlig außer Rand und Band, als Manfred entdeckte, daß man die Rechenmaschinen auch für sportliche Wettbewerbe nutzen konnte. Mit jeder Kurbelumdrehung nämlich sprang das Zählwerk oben auf die nächste Ziffer um – weiß auf schwarz. 1, 2, 3, 4, 5 ...

»Mal sehen, wer schneller drehen kann. Zehn Sekunden ...« Er wartete, bis Immanuel Tieck startklar war. »Auf die Plätze, fertig, los ...«

Sie kurbelten »wie die Besengten«, und als sich Manfred auf den Kurzstrecken – zehn Sekunden, zwanzig Sekunden und eine halbe Minute – als der Bessere erwies, sein Vorsprung auf längeren Distanzen aber deutlich abnahm, drängte Tieck auf immer längere Kurbeldrehzeiten, so daß sie nach einer Woche bei der Marathondistanz von zehn Minuten angekommen waren.

Währenddessen ruhte natürlich die Arbeit im Aushilfsbüro. Barsch wurde immer unruhiger, denn sank die Arbeitsleistung seiner Gruppe, drohte ihm der Verlust der von Nix zugesagten Erfolgsprämie. So fiel er Immanuel Tieck in den Arm, als der das Startzeichen zum Wettbewerb über eine halbe Stunde geben wollte, dem »Wasa-Kurbeln«, wie er es in Anlehnung an den schwedischen Skilanglauf nannte.

»Kommt nicht in Frage!« schrie er. »Die Maschinen quietschen ja schon.«

Auch Manfred mußte stoppen, denn Gudrun versuchte, ihm die Maschine wegzunehmen.

»Jetzt reicht's mir aber mit deinen Kindereien!« schnaubte sie. »Du bist schließlich ein erwachsener Mensch.«

Da sah Manfred rot. »Hör endlich auf, mich zu bevormunden! Weil ich ein erwachsener Mensch bin, kann ich mich auch wie ein Kind aufführen, wenn ich will. Und außerdem solltest du dich auch mal wie ein Kind benehmen und nicht vorzeitig vergreisen.«

Ein Wort gab das andere. Gudrun und Barsch stürzten aus dem Zimmer.

Wenig später erhielt Manfred zwei Briefe, einen von der Firma Siemens, den anderen von Gudrun Runge. Siemens verzieh ihm voll und ganz, bestätigte ihm gute Leistungen sowie einwandfreies Verhalten und wünschte ihm abschließend alles Gute für den ferneren Lebensweg, während Gudrun einen Schlußstrich zog und mehrmals hervorhob, daß er sie zutiefst enttäuscht habe und für sie ein Lebenspartner ohne die »nötige sittliche Reife« undenkbar sei.

Manfred war ebenso bestürzt wie belustigt. Einerseits, andererseits ... Sowohl, als auch ... Er war froh, Gudrun entgangen zu sein – und zugleich war er den Tränen nahe, weil er Gudrun nicht bekommen hatte, denn Gudrun stand für Aufstieg und Erfolg.

Alle finden eine Frau fürs Leben, nur du nicht!

Daß ich das noch erleben durfte

»Das ist der Weltuntergang«, stöhnte Manfreds Vater, als das Fernsehen die zwölf russischen Schiffe zeigte, die mit ihrer Raketenfracht Kurs auf Kuba nahmen. »Die Amerikaner bombardieren Kuba, die Russen kassieren Berlin ... und der Atomkrieg ist da.«

»Ich hab' eine Flasche Champagner in der Kammer«, sagte die Mutter. »Die machen wir vorher noch auf ...«

»Nobel geht die Welt zugrunde ...« Tante Trudchen wollte lachen, doch die Tränen waren stärker. »Ich hab' ja mein Leben gelebt, aber du ...« Sie sah zu Manfred hinüber.

In Manfred stiegen die alten Bilder auf ... Wie die Bomben auf Berlin gefallen waren ... Wie sie versucht hatten, durch die Trümmerwüste von Neukölln nach Kreuzberg zu laufen, um nach der Kohlenoma zu suchen ... Wie er im Luftschutzkeller gesessen hatte ... Wie die Russen einmarschiert waren, in Groß Pankow, und die Frauen vergewaltigt hatten, seine Mutter direkt neben seinem Bett ...

Knappe sechsundzwanzig Jahre war er alt und hatte noch so viel erleben wollen ...

»Auf Berlin werden sie keine Atombombe werfen, weil sie damit doch auch ihre eigenen Leute treffen ...« Das war Manfreds einzige Hoffnung.

»Aber die Strahlung, das weht doch alles vom Westen herüber«, sagte sein Vater. »Und wenn nicht: Euch Studenten sperren sie alle in Umerziehungslager. Gehirnwäsche.«

Die Kuba-Krise hatte die Welt an den Rand des Atomkrieges gebracht. Heimlich hatten die Russen vor Amerikas Haustür Raketen stationiert, und die Amerikaner hatten mit ihrer Kriegsflotte den Seeweg nach Kuba blockiert. »Kriegs-Alarmstufe eins« hieß es für die US-Streitkräfte.

»Ich danke euch für alles«, sagte der Vater. »Für alles, was ihr für mich getan habt.«

»Du doch auch für uns«, sagte Manfred.

Sie tranken ihren Champagner aus und schmeckten doch nur ihre Tränen.

The rest is silence. Was sollten sie noch tun, als darauf warten, daß das Ende kam. So schnell wie in Hiroshima.

Dann kam die Erlösung.

Kennedy hatte einen Funkspruch erhalten: »Sowjets drehen ab – jetzt auf Heimatkurs.«

Wir sind noch einmal davongekommen!

Als diese Nachricht kam, fielen sie sich in die Arme, fühlten sich wie neugeboren, und mit diesem überschäumenden Gefühl tranken sie eine weitere Champagnerflasche aus.

Dann begann das Wintersemester 1962/63, und Manfred war 18 Stunden in der Woche draußen in Dahlem. Zumindest laut Studienbuch, wo er sein Gesamtprogramm fein säuberlich eingetragen hatte: *Hörmann,* Allgemeine Psychologie II; *Holzkamp,* Sozialpsychologie II; *Mayntz,* Soziale Integration und sozialer Konflikt; *Hartfiel,* Übung: Soziologie des Gewerkschaftswesens; *Stammer,* Gesellschaft und Staatsauffassung bei Karl Marx; *Paulsen,* Wirtschaftstheorie II (dies sogar vierstündig); *Schultz, B.*, Geschichte der Volkswirtschaftslehre; *Bellinger,* Grundbegriffe der Betriebswirtschaftslehre. Alles in allem waren 158,10 Mark Studiengeld zu berappen.

Es wurde immer voller an der FU, und manche Lehrveranstaltungen mußten schon per Lautsprecher in einen zweiten Hörsaal übertragen werden. Schon lange kannte Manfred nicht mehr alle Studentinnen und Studenten seines Faches, und ebenso wie die Solidarität aller abnahm, nahm das Imponiergehabe einzelner zu. Sie redeten altklug daher und schleppten immer zwei, drei schwerverständliche Bücher mit sich herum, die sie zu Beginn der Lehrveranstaltungen unüberhörbar auf die Tische fallen ließen. Manfred durchschaute dies zwar, war aber dennoch stark beeindruckt und wurde selber immer kleiner, traute sich allmählich gar nichts mehr zu. Das Zusammensein mit Moshe Bleibaum verstärkte seine Leiden noch, denn der kam mit allem glänzend zurecht, war bereits wissenschaftliche Hilfskraft seines Ordinarius, schrieb in den Klausuren nur Einsen und sah einem glänzenden Examen entgegen.

Alles an der Uni schien darauf ausgerichtet zu sein, Manfred kleinzukriegen. *Dein Diplom – das schaffst du nie.*

Wenn er einen Blick ins *Colloquium* warf, die bemüht ambitionierte Studentenzeitschrift, erschien ihm alles, was da stand, so hochgestochen, daß seine Verzweiflung noch wuchs. *Ich bin nichts, ich habe nichts – und ich werde nie etwas sein.* Das war sein Lebensgefühl. »Studenten entwerfen die Hochschule von morgen«, »Die Liberalen drängen zur Bildungsreform« – die Überschriften ließen ihn völlig unberührt. Das Deckblatt zeigte eine Demonstration im Anschluß an die *Spiegel*-Affäre. »Schützt die Pressefreiheit« und »Bankrotterklärung einer Demokratie« stand auf den Transparenten. Wolfgang Neuss hatte einen Text geschrieben, den Manfred auch nach dreimaligem Lesen nicht verstand.

Wie schön für dich ... Am liebsten wäre er Tag um Tag in seinem kleinen Zimmer an der Treptower Brücke geblieben. Er wollte nur noch im Bett liegen, lesen und schlafen. Die Welt brauchte ihn nicht – und umgekehrt konnte auch er existieren, ohne sich um sie zu kümmern. Nur unter Aufbietung aller Kräfte schaffte er es, zum Semesterbeginn nach Dahlem zu fahren und sich zur Übung »Soziologie des Gewerkschaftswesens« einzufinden.

»Wenn du nicht mehr studieren willst, dann gehst du wieder zu Siemens zurück!« hatte seine Mutter gedroht. So wie früher mit der Erziehungsanstalt.

Bei Dr. Günter Hartfiel saßen etwas über zwanzig Studenten im Saal, darunter leider auch drei, die alles besser wußten und stundenlang über alles schwätzen konnten: Behnke, Furtok und Hilgert. In deren Gegenwart den Mund aufzumachen wagten nur die wenigsten. Manfred hatte feuchte Achselhöhlen, und seine Augen brannten. Sein Blutdruck schien so heftig zu werden, daß jeden Augenblick die Adern platzen mußten. Denn eben war die Frage gestellt worden, wer daran dächte, ein Referat zu halten. »Bitte, die Arme hoch.«

Er wollte nicht, doch seine rechte Hand schoß steil nach oben.

Sein sechstes Semester war es nun schon, und noch immer hatte er kein Referat gehalten, es ganz einfach nicht gewagt. Wie ein Alptraum war ihm der Gedanke erschienen, vor fünfundzwanzig Kommilitonen zu stehen, die allesamt besser waren als er und das, was er ihnen mitzuteilen hatte, längst schon wußten oder aber selber viel brillanter vorgetragen hätten.

Neun Themen waren vorgegeben, fünfzehn Studenten aber wollten Scheine erwerben. Zudem waren manche Themen doppelt und dreifach besetzt, andere wieder gar nicht.

»Warum will uns denn keiner etwas über die Gewerkschaften in den USA erzählen?« fragte der Dozent.

»Englisch lesen dauert länger«, brummte einer.

»Na, dann schließe ich mal die Augen und tippe mit dem Bleistift auf ...« Hartfiel ließ ihn niedersausen. »Matuschewski, Manfred ... Ah, ein älteres Semester schon ... Und warum kennen wir uns nicht ...? Sie sind ein Zuwanderer aus ...?«

»Nein, ich bin schon seit 1960 hier«, hörte Manfred sich sagen.

»Dann wird's ja langsam Zeit, daß Sie sich mal regen. Also: Wie sieht's aus mit den amerikanischen Gewerkschaften?«

»Ja ...«, hauchte Manfred, und es war ihm furchtbar peinlich, daß sich alle zu ihm hingedreht hatten.

Kaum hatte sich Hartfiel Namen und Thema notiert, durchlitt Manfred eine schwere Nervenkrise. *Da hast du doch keine Ahnung davon, das schaffst du nie. Gib es wieder zurück.* Dazu aber fehlte ihm der Mut.

»Geh doch erst mal in die Bibliothek, und guck nach, was sie darüber haben«, riet Moshe Bleibaum.

Doch Manfred ging in eine Bibliothek so ungern wie zum Zahnarzt. Hier lauerte ein ganz besonderer Schmerz, einer, den er mehr fürchtete als alle anderen: der Schmerz, Letzter zu sein. Alle anderen, die hier saßen und Seite um Seite exzerpierten, schienen ihm klüger zu sein als er selber, verstanden all das, was zu hoch für ihn war. Dazu kam, daß ihm die Lektüre englischer Texte große Mühe machte, denn was er in der Schule gelernt hatte, war für die Katz.

Was blieb ihm also, als auf ein Wunder zu hoffen. Daß Hartfiels Übung ausfiel, daß er selber schwer erkrankte, daß er jemanden fand, der sein Referat für ihn schrieb, so daß er es dann im Hörsaal nur noch abzulesen brauchte.

Natürlich geschah keines dieser Wunder, dafür aber ein anderes. Als er nämlich das erste Buch über die amerikanischen Gewerkschaften entdeckt hatte, da war seine Freude so groß wie früher als Kind beim Ostereiersuchen. »Kohle, Kohle – Feuer!« *Suchet, so werdet Ihr finden!* Plötzlich fand er es ungeheuer spannend, Bücher und Aufsätze zum Thema Gewerkschaft aufzustöbern. Denn ohne sie kein Diplom, ohne Diplom keine Arbeit, ohne Arbeit keine Chance, angemessen zu leben. So fuhr er gern nach Dahlem hinaus, um zu suchen und zu finden, und war sich sicher, ein Referat zu halten, von dem alle sagen würden: »Hut ab!«

Er steigerte sich in eine solche Arbeitswut hinein, daß es ihm gar nicht paßte, als seine Mutter ihn Anfang November beim Abendbrot fragte, ob er denn zur Taufe fahren wolle.

»Zu welcher Taufe …?«

»Na, der von Gerhard.«

Manfred staunte, bis ihm einfiel, daß der Sohn seines ältesten Freundes gemeint war und er Patenonkel werden sollte.

»Da mußt du unbedingt hin«, sagte sein Vater.

»Kein Mensch muß müssen.«

»Du kannst dich doch nicht so abkaspeln!« rief seine Mutter, in ihrer jähen Erregung über seine Unbotmäßigkeit das Wort abkapseln verdrehend.

Sein Vater stieß ins gleiche Horn. »Ja, und von der Taufe aus kannst du gleich weiterfahren zu deinem Schulfreund Bimbo. Der wartet auch schon lange auf deinen Besuch.«

»Das Fahrgeld kriegst du von uns.«

Manfred spürte, daß sie irgendwie recht hatten, und fügte sich ins Unvermeidliche, obwohl es ihn im Hinblick auf sein Referat mindestens fünf Arbeitstage kostete.

Nach Frankfurt war es mit dem Bus fast eine Tagesreise, drei Stunden brauchten sie allein an den innerdeutschen Grenzen. Zeit genug für ihn, über alles nachzudenken. Beide Freunde – Gerhard wie Bimbo – schienen ihm im großen Rennen des Lebens meilenweit davongelaufen zu sein, ja, durften ihn wohl schon mehrfach überrundet haben. *Die haben sich schon eine sichere Existenz aufbauen können.* Er dachte es in den Worten seiner Mutter. Beide hatten die Frau fürs Leben gefunden, beide hatten einen Brotberuf, beide waren – diesmal formulierte er es im inneren Monolog mit einer Sentenz seines Vaters – *nützliche Mitglieder der menschlichen Gesellschaft* –, und der eine von ihnen war nun sogar schon Vater geworden, hatte also seinen Beitrag zur biologischen Reproduktion der Gesellschaft geleistet. Er aber, Manfred, hatte nichts von alledem vorzuweisen. Was war er damit am Gesellschaftskörper? Ein Parasit. *Soziologen – wozu braucht man denn die?*

So kam es, daß er mit sehr gemischten Gefühlen nach Langen, wo Gerhard und Roswitha wohnten, und nach Jülich zu Bimbo und Anita fuhr.

Na schön ... *Glücklich ist, wer vergißt, was doch nicht zu ändern ist ...*

Gerhard holte ihn in Frankfurt vom Busbahnhof ab. Sie umarmten sich mit großem Hallo.

»Du bist ja nun ein ganz berühmter Mann geworden!« rief Gerhard. »Überall hab' ich deinen Namen in der Zeitung gelesen.«

»Wie ...?« Manfred staunte, bis der Groschen fiel. »Ach so, ja ...«

Im September hatte es bei den Leichtathletik-Europameisterschaften in Belgrad über 800 Meter einen Sieger aus der DDR gegeben: Manfred Matuschewski (Erfurt). Der alte Fuchs Paul Schmidt aus Hörde (BRD) hatte als Geheimtip gegolten, doch auf der Zielgerade war Manfred Matuschewski, der sich anfangs sehr zurückgehalten hatte, an die Spitze gestürmt, um mit langen und raumgreifenden Schritten einem souveränen Sieg zuzustreben. Paul Schmidt war mit viel Mühe noch Dritter geworden. Manfred Matuschewski (Berlin-Neukölln) hatte gefürchtet, nun andauernd auf seinen berühmten Namensvetter aus Erfurt angesprochen zu werden, doch im Westen verdrängte man die Erfolge der Athleten aus dem Osten so ziemlich, und Gerhard war eigentlich der erste, dem die Namensgleichheit aufgefallen war.

Gerhard fuhr jetzt einen eigenen Wagen, einen gebrauchten, aber noch sehr ansehnlichen Mercedes. Schmerzlich wurde Manfred bewußt, daß er selber weder Wagen noch Führerschein hatte, ja, nicht einmal ein eigenes Fahrrad, seit Schmöckwitz unerreichbar war. Er kam sich nicht nur als *armer Schlucker* vor, er war auch einer. *Haste was, dann biste was.* Weil er nichts hatte, war er also auch nichts.

Roswitha alias Rosi, Gerhards Frau, kam aus einer hessischen Kleinstadt und war so zierlich und schüchtern wie ein Schulmädchen. Herr Hippler, Rosis Vater, schlug vor, am Abend vor der Taufe durch Sachsenhausen zu ziehen und Äppelwoi zu trinken. Gerhard mochte seinen Schwiegervater, der Vertreter war und auch in der Büromöbelbranche sein Geld verdiente, und so wurde es ein sehr feuchtfröhlicher Abend, zumal sie vorher noch Inge, Gerhards Schwester, vom Flughafen abgeholt hatten. Roswitha, Rosi, war beim »Kloinen« zu Hause geblieben. Sie hatte einen Hang zum Höheren und näselte ein wenig, weil sie das für vornehm hielt. Ihr Traum war es, mit Gerhard nach Berlin zu ziehen und dort mit den satten Gewinnen der Bugsinschen Büromöbelhandlung einen Salon nach Art der Rahel Varnhagen zu gründen, sich mit Künstlern und Literaten zu schmücken.

Ziemlich berauscht vom Äppelwoi sank Manfred ins Bett. Dies stand in einem kleinen Hotel zwischen Langen und Frankfurt, denn bei Gerhard zu Hause war kein Platz mehr gewesen.

Als er am nächsten Morgen von Herrn Hippler abgeholt wurde, um pünktlich in der Kirche »Gevatter zu stehen«, hatte er noch immer einen fürchterlichen Brummschädel.

Bei der Fahrt zur Kirche gab es schon die erste Panne.

Knappe vierhundert Meter vor dem Ziel blieb Herrn Hipplers Wagen stehen, und Manfred mußte schieben. Obwohl es schon winterlich kalt war, kam er dabei gehörig ins Schwitzen.

Als sie endlich in der Kirche angekommen waren, hatten die Glocken schon zu läuten begonnen. Das stolze Elternpaar saß vorn. Inge, die Patentante werden sollte, hielt den Täufling im Arm.

Manfred schlich zu seinem Platz und wunderte sich, daß Gerhard die Theweleits aus Hannover nicht eingeladen hatte, zur Taufe nach Langen zu kommen. Schließlich galt Werner Theweleit als Gerhards großes Vorbild, und Roswitha hatte sich sogar damit einverstanden erklärt, ihrem Sohn seinen Vornamen zu geben. Manfred war nun aber am Abend beim Äppelwoi darüber informiert worden, daß das Kind nun doch nicht Werner, sondern Philip heißen sollte, weil das halt moderner sei. Er fragte Inge nun, weshalb die Theweleits nicht da waren.

»Weißt du das denn nicht ...?« flüsterte sie.

»Nein.«

»Theweleit war sauer, daß er nicht Patenonkel werden sollte, sondern du ... Und da ist er gar nicht erst gekommen.«

Manfred war gerührt, daß man ihn, den armen Schlucker, dem Erfolgsmenschen aus Hannover vorgezogen hatte. Er hatte Mühe, dem Pfarrer zuzuhören, zumal er sich auch noch die Frage stellte, warum nicht Inge und er ... Warum sie diesen Meyerdierks, diesen Kloschüsselfabrikanten, genommen hatte und nicht ihn ... Welcher Fluch lag da auf ihm? *So wie du die Dinge anpackst, wirst du niemals Vater werden ...*

»Gott, unser Vater, nirgends sonst erfahren wir das Wunder deiner Schöpfung so unmittelbar wie bei der Geburt eines Kindes. Wir können nur staunen über dieses Wunder, das nun so lebendig in unseren Armen liegt. Dir, Vater im Himmel, wollen wir von Herzen danken, daß du uns dieses Kind schenktest. Und dir, Gott, unser Vater, wollen wir auch unser Kind heute in der Taufe anvertrauen ...«

Als sie dann vorn am Taufbecken standen, wurde Manfred von einer Woge der Rührung erfaßt und überwältigt. Er verlor jede Orientierung. Zu allem Überfluß fing der Täufling auch noch fürchterlich zu schreien an. So kam es in Manfreds Gehirn zu einer folgenschweren Fehlschaltung.

Der Pfarrer besprengte den Säugling, der sich in Inges Armen aufbäumte und blaurot anzulaufen begann, mit dem geweihten Wasser und wollte, selber gehörig genervt, die Sache schnell zu Ende bringen.

»... und so taufe ich dich auf den Namen ... auf den Namen ...« Er hatte ihn, o Gott, total vergessen. In seiner Not wandte er sich nun flüsternd Manfred zu. »... wie heißt denn das Kind ...?«

»Werner!« schrie Manfred in die Kirche hinaus, so laut, daß es auch noch in der letzten Reihe deutlich zu hören war.

»... und so taufe ich dich auf den Namen Werner.«

»Nein!« schrie Gerhard von unten. »Philip!«

Auch Roswitha war aufgesprungen. »Philip ... mit einem p hinten ... wie der französische Schauspieler Gérard Philipe, aber ohne e ... Philip ... wie der Herzog von Edinburgh, nicht wie Philipp der Schöne, der mit zwei pp's hinten.«

»Sie müssen mich hier nicht belehren wollen«, raunzte der Pfarrer.

»Monatelang sollte das Kind doch Werner heißen.« Manfred fühlte den Zwang, sich irgendwie verteidigen zu müssen. »Bis gestern abend war es Werner. Da muß man doch ...«

Roswitha sprang ihm bei und griff den Pfarrer an. »Schließlich werden Sie dafür bezahlt, daß Sie sich den Namen merken: Philip!«

»Ihr Mann ist doch gar nicht in der Kirche drin!« rief der Küster in der Absicht, seinen Chef zu verteidigen. »Von wegen Kirchensteuer.«

»Wo sind wir denn hier?« fragte Inge, der es gelungen war, den kleinen Werner-Philip zum Schweigen zu bringen.

Schließlich aber kehrte Friede ein am Tisch des Herrn, und Bugsin Junior wurde nun zum zweiten Mal getauft, diesmal auf den Namen Philip.

Am nächsten Morgen kam Gerhard zu Manfred ins Hotel, um ihn abzuholen und zur Bahn zu bringen.

Von Langen aus ging es über Frankfurt und Bonn nach Köln, wo er in den Bus nach Jülich umzusteigen hatte. Flach und trübe war das Land, und Manfred fragte sich, ob man als Berliner hier jemals glücklich werden könnte. Wohl kaum. Aber Peter Stier, sprich: Bimbo, war es offensichtlich. Schon wie er im Fenster seines Postamtes stand und zu ihm hinunterwinkte, Anita neben sich.

Nach der kurzen, aber herzlichen Begrüßung wurde Manfred in Bimbos VW geladen und durch die Stadt kutschiert. Aufregend war die Fahrt nicht, denn nach den Verwüstungen des Krieges hatte man alles zu schnell und zu kostensparend wiederaufbauen müssen. Schön war nur die Jülicher Bastion.

Zum Kaffeetrinken fuhren sie zu Bimbo nach Hause. Er besaß eine Zweieinhalb-Zimmer-Neubauwohnung mit Blick auf einen Friedhof. Das Wohnzimmer war vollgestellt mit Dutzenden von Stieren: aus Ton und Porzellan, aus Stein und Stoff. Dazu kamen Fotos von Stierkämpfen und Stierkampfarenen und Utensilien wie die *capa* – der Umhang des Toreros – und die *muleta*, ein von rotem Tuch umwickelter spitzer Stock.

»Ich bin ein richtiger Tauromane geworden«, erklärte ihm Bimbo. »Nomen est omen.«

Anita Stier dagegen liebte die Harfe. Ihr Instrument stand im Schlafzimmer.

»Was gibt's denn Neues in Berlin?« fragte Bimbo.

»Im Schwimmbad in der Ganghoferstraße gibt es jetzt eine moderne Ozonanlage ... Auf dem Bahnhof Sonnenallee ist ein S-Bahn-Wagen explodiert, drei Jugendliche sind es gewesen ... Und wir sind jetzt nicht mehr Berlin-Neukölln, sondern Berlin 44 ...«

»Vergißmeinnicht – die Postleitzahl!«

Damit spielte Bimbo auf die Fernsehsendung mit Peter Frankenfeld an, durch die den Deutschen dieser Fortschritt vermittelt werden sollte.

»Dann hatten wir noch die Vernichtung von über 17 000 wilden Tauben mit Blausäure ... *Manche mögen's heiß* im

Astor ... Und in Neukölln gibt's neue siebenstellige Telefonnummern, aus 68 vorn wird 686 ...«

Es war erstaunlich, wie schnell ihnen der Gesprächsstoff ausging. Sie kamen zum beliebten Spiel »Was macht denn ...?«, aber von ihren alten Klassenkameraden wußten sie wenig Neues, man hatte sich weitgehend aus den Augen verloren. Bis zum Abend blieb es deswegen bei dem Ritual »Weißt du noch?«.

Nach dem Abendessen machten sie einen Spaziergang durch die Stadt, und Manfred bekam *komische Anwandlungen*, als er auf dem kleinen Bahnhof einen Triebwagen Richtung Pufendorf abfahrtsbereit warten sah. Er verspürte die tiefe Sehnsucht, einzusteigen und in die dunkle Nacht hineinzufahren ... an einen Ort, wo er alleine war mit sich und der Welt und nichts anderes mehr wollte, als den spirituellen Weg zu gehen, eins zu werden mit dem Kosmos und Gott. Beten, fasten und auf die Erlösung warten, vergessen, daß es Berlin gab, die Uni, Siemens und alles Streben nach Geld, Erfolg und Liebe.

Es ging vorbei.

Am nächsten Morgen sagte er den beiden Lebewohl und fuhr mit dem Bahnbus nach Köln. Bis Hannover ging es dann mit dem Zug, aber irgendwie scheute er davor zurück, mit der Bahn durch die DDR zu fahren, und setzte sich lieber in Hannover in den Berlin-Bus. Da blieb man vom Gefühl her auf Westberliner Boden und konnte sich, wenn man Schwierigkeiten mit den DDR-»Organen« hatte, auf die Unterstützung des Fahrers verlassen.

In Dreilinden kam der DDR-Grenzer auf ihn zu und musterte ihn mehr als mißtrauisch. Furchsam reichte ihm Manfred seinen Ausweis hin und hörte ihn schon sagen: »Dann stehen Sie mal auf und kommen Sie mit.«

Und richtig, das Gesicht des milchbärtigen Grenzers verfinsterte sich. »Sieh mal einer an ... Unser Europameister will in den Westen rübermachen ...«

Jetzt ist alles aus. Der sieht so dämlich aus, daß er wirklich glaubt, ich bin der ...

Doch da grinste der junge Polizist und gab Manfred den Ausweis zurück. »Viele Erfolge noch, Herr Matuschewski. Auf Wiedersehen.«

»Auf Wiedersehen …«

Wenn Manfred weiterhin zu Hause wohnte, dann nicht nur, weil er keine Alternative hatte, sondern auch, weil es ihm an der Treptower Brücke weiterhin gefiel. Zwar war es zur Uni nach Dahlem ein ganzes Stück zu fahren, und er beneidete die Kommilitonen aus Steglitz oder Zehlendorf, doch machte er sich in der Regel höchstens dreimal in der Woche auf den Weg. Die Schülermonatskarte für zwei Busse – den A 4 und den A 48 brauchte er ja – war mit 9,50 Mark nicht sonderlich teuer. Zu seinen Eltern hatte er ein gutes Verhältnis. Beide ergänzten sich hervorragend, wenn auch in totaler Umkehrung dessen, was im Soziologielehrbuch stand: Seine Mutter verkörperte »Fleiß, Ordnung, Anpassung und Leistung« und sein Vater »Wärme, Verständnis und Einfühlungsvermögen«. Manfreds Pflichtenkatalog war lang: Einholen der schweren Sachen wie Flaschen und Kartoffeln, Heizen einschließlich Kohlen aus dem Keller holen und Asche wegtragen, Staubsaugen, Fensterputzen und Ausführen kleinerer Reparaturen. So konnte man eigentlich nicht sagen, wie es seine Mutter immer tat, daß er umsonst zu Hause wohnte.

Gingen seine Eltern morgens zur Arbeit und brauchte er die Wohnung nicht zu verlassen, dann genoß er die Ruhe, las seine Bücher und tippte sein Referat auf der neuen *Triumph Gabriele*.

»Die erste dauerhafte Gewerkschaft entstand 1886 mit der ›American Federation of Labor‹ (AFL). Sie setzte sich überwiegend aus Fachgewerkschaften zusammen (vertikal). Erst ab 1939 wurden die gelernten und ungelernten Arbeiter eines Industriezweiges im ›Congress for Industrial Organization‹ (CIO) erfaßt (horizontal) …«

Er kam, insbesondere vormittags, gut voran. Sein Lieblingsgericht waren zu dieser Zeit die gerade in Mode gekommenen Fischstäbchen. Sie waren schnell gebraten, und er brauchte sich mittags nur hinzusetzen und Kartoffeln zu schälen. Wenn er die aufgesetzt hatte, konnte er noch zwanzig Minuten lang etwas in die Maschine tippen.

»... so faßte der neue Präsident George Meany kurz vor der Vereinigung von AFL und CIO 1955 die Ziele der Gewerkschaften wie folgt zusammen: ›Wir streben nicht danach, die amerikanische Demokratie nach einem speziellen doktrinären oder ideologischen Leitbild umzuformen. Wir erstreben einen ständig sich hebenden Lebensstandard. Sam Gompers hat das einmal ganz kurz und bündig formuliert. Als man ihn fragte, was die Arbeiterbewegung fordere, antwortete er: Mehr‹.«

Meist ging es bei Matuschewskis recht harmonisch zu, obwohl die Mutter ständig für Unruhe sorgte und der Vater öfter ausrief: »Margot, du hast ja wieder mal Hummeln im Hintern!« Sonnabends mußte sie immer auf Achse sein. Mal ging es zu Bugsins nach Wilmersdorf und mal zu Neutigs in die Afrikanische Straße, dann wieder nach Halensee zu Liebetruths. Nur dorthin fuhr Manfred mit, denn einmal war er ja der Patenonkel des Sohnes, und zum anderen brauchte man ihn beim Kartenspiel als Partner von Oma Schmieder. Zählte man noch die Kollegen seines Vaters hinzu, die ab und an besucht wurden, Herbert Sommer zum Beispiel, oder alte Freundschaften wie die Krauses, Erwin und Erna, dann reichten die Wochenenden nie aus, und die Eltern mußten auf den Freitagabend ausweichen, obwohl sie da nach des Tages Arbeit immer sehr ermattet waren. Kamen die Freunde zur Treptower Brücke, dann geriet die Mutter spätestens gegen Mittag in einen hyperaktiven Zustand. Der Vater hingegen murmelte nur: »Gott, bist du wieder aufgedreht heute.« Beide Männer mußten Fenster putzen und Staub saugen, und lag auch nur ein kleiner Fussel auf dem Teppich, kriegten sie schon ihr Fett ab.

»Was sollen denn die anderen von uns denken!«

Was das Essen betraf, legte die Mutter sich sehr ins Zeug. Kaßler oder kleine Filetstückchen wurden angebraten, Salate angerichtet, Schabefleisch gab es, Schillerlocken und Lachs, etliche Sorten Käse, Hühnerbrust, hartgekochte Eier, mit einer speziellen kleinen Maschine sauber geschnitten, Radieschen, Spargel, rohen und gekochten Schinken, Fleisch- und Leberwurst, Brötchen, Schrippen und Brot. Der Tisch konnte gar nicht alles fassen. Leider war er etwas niedrig, an sich nur als Couchtisch gedacht, und wer auf einem Stuhl zu sitzen kam, mußte sich immer so weit nach unten beugen, daß er sich den Magen eindrückte. Aber da der Verkäufer öfter »... aber natürlich, gnädige Frau« gesagt hatte, war die Mutter nicht davon abzubringen gewesen, ihn dennoch zu kaufen.

»Greift zu, genötigt wird nicht.«

Mitunter wurde auch nach den Preisen gefragt, worüber Margot Matuschewski mit den einleitenden Worten »Ihr müßt nicht denken, daß das billig war« gerne Auskunft gab. Deutsche Suppenhühner kosteten 1,45 Mark pro Pfund, kalifornischer Stangenspargel mit Köpfen 1,98 Mark die Dose.

Zum Essen gab es Weißwein und Bier, nachher wurde reichlich Weinbrand getrunken. Große Schalen mit Salzstangen und Erdnußlocken standen herum.

Der Vater erzählte immer gern von der Arbeit bei der Post. »Wir hatten mal einen Amtsvorsteher, den Hayn ...«

»Hayn, du Schwein!« rief Manfred.

»Ja, der war wirklich eins. Eines Tages kommt er mit seinem Hund in die Störungsstelle ... So ein Dobermann ist das gewesen ... Und plötzlich ...«

»Otto, nimm die Hand vom Mund, man versteht ja gar nichts«, unterbrach ihn seine Frau.

Der Vater war verstimmt.

Manfred fand diese Interventionen seiner Mutter fürchterlich, obwohl sich nicht abstreiten ließ, daß sein Vater beim Erzählen gern mit Daumen und Zeigefinger der rechten Hand die Oberlippe zwirbelte, was zu einer undeutlichen Aussprache führte.

»Nun red schon weiter, Otto!« drängelten die anderen. »Was hat der Hund gemacht?«

»Einen großen Haufen ... mitten in den Saal. Und der Hayn steht da und sieht uns der Reihe nach an. ›Na, kommt denn endlich einer mit Schippe und Besen und macht den Hundedreck weg ...?‹«

»Und ... ist einer gekommen?«

»Ja, der Lange ... und der ist als erster Hauptsekretär geworden.«

»Arschkriecher.«

War Manfred zu Hause, durfte er mit den Gästen seiner Eltern zu Abend essen, mußte sich aber dann, wenn sie Karten zu spielen begannen oder Dias angeguckt wurden, wieder zurückziehen. Beim Hinausgehen hörte er öfter, wie sie sich darüber unterhielten, daß er noch immer keine Freundin hatte. »In seinem Alter sitzt man doch sonnabends nicht allein zu Hause ...«

»Ich würde auch lieber zu zweit liegen als alleine sitzen«, murmelte er und warf die Tür seines Zimmers ins Schloß. Was sollte er machen? *Mit Gewalt läßt sich kein Bulle melken.* Sein Vater hatte schon recht. So spielte er Billard gegen sich selbst, schrieb weiter an seinem Referat oder las alles, was ihm an Taschenbüchern in die Hände fiel, das heißt, was bei Elwert & Meurer in der Hauptstraße oder bei Hertie in der Karl-Marx-Straße in den Drehständern steckte.

Oft auch wurden, bevor Bugsins, Neutigs oder Liebetruths kamen, die Möbel umgestellt oder neue Schränke, Lampen und anderes gekauft, und die Mutter wartete dann mit klopfendem Herzen darauf, ob die anderen das sofort bemerken würden. »Ich bin ja mal gespannt, ob Gerda meine neue Vasenlampe sieht und wie sie die findet.« Kamen dann die Ahs und Ohs, war sie glücklich und den ganzen Abend über mächtig aufgekratzt. Solche Inszenierungen waren sehr wichtig für sie, und immer wieder fiel ihr Neues ein.

»Gerda hat sich ihre Küche mit Linoleumplatten auslegen lassen ... Zweifarbig, immer so gegeneinander versetzt.«

»Bei mir ist auch was versetzt«, knurrte der Vater. »Meine Blähungen.«

»Ich weiß nicht, ob ihr das selber könnt ...?«

Doch, sie konnten ... und so lag Manfred bald auf dem Küchenboden, um die Platten, die sein Vater oben am Gasherd vorwärmen mußte, mit aller Kraft anzudrücken. Es war eine Sauarbeit, zumal an den Rändern viel zugeschnitten werden mußte. Doch die Mutter war selig und strahlte über das ganze Gesicht, als Herbert Neutig später sagte, in ihrer Küche sehe es vornehmer aus als im Schloß Sanssouci.

Das war am selben Sonnabend nachmittag, an dem sie ihren neuen Wohnzimmerteppich vorführen konnte, einen falschen Perser aus den Adoros-Werken in Spandau. Der war so flauschig, daß sie sich – bis auf Gerda Neutig, die das albern fand – alle hinlegten und ankuschelten.

Seine Mutter zitierte die letzten Verse des *Schatzgräbers*: »Grabe hier nicht mehr vergebens. / Tages Arbeit, abends Gäste! / Saure Wochen, frohe Feste! / Sei dein künftig Zauberwort.«

Herbert Neutig erzählte, wie sie letzte Woche den Kollegen Koss beigesetzt hatten. »... auf dem St.-Thomas-Friedhof oben an der Hermannstraße. Ein Suffkopp ersten Ranges ist das gewesen, schon ganz blaurot im Gesicht. Und seine Frau hat er auch immer geschlagen, jede Woche ist da die Polizei bei ihm gewesen. Ja, und als wir da nun ans Grab getreten sind, da ist deiner Mutter vielleicht was passiert ...«

»Nein!« schrie Margot Matuschewski. »Wenn du das erzählst, Herbert, dann red' ich kein Wort mehr mit dir!«

»Bitte, Mutti, bitte!« bat Manfred. »Ich erzähl's auch keinem weiter.«

»Ja, Margot, raus mit der Sprache.« Auch der Vater wollte wissen, was geschehen war.

»Sie ist nun mal aufs Lyzeum gegangen«, wagte sich Herbert Neutig ein wenig vor. »Und da sagt man zur trauernden Witwe nicht: ›Ich darf Ihnen mein Beileid aussprechen‹, sondern ... na, Margot ...?«

»Da sagt man: ›Ich kondoliere.‹«

»Was ist denn daran so schlimm ...?« Manfred verstand es nicht.

Nun war seine Mutter soweit, ein Geständnis abzulegen. »Ich war so aufgeregt, daß ich gesagt habe: ›Ich gratuliere Ihnen.‹«

Sie lachten alle schallend, und Manfred meinte, das sei wohl eine der berühmten Freudschen Fehlleistungen gewesen, da sie sicher klammheimlich gedacht habe: »Schön für die Frau, daß sie von diesem Ekel erlöst ist.«

»Mir war das so peinlich, daß ich fast selber ins Grab gefallen wäre.«

Manfred fand es immer schön, wenn sie Besuch hatten und jeder etwas zu erzählen wußte, schließlich lebten die Menschen durch ihre kleinen Geschichten.

An den wochentäglichen Abenden waren sie zumeist nur eines: müde, und vor allem der Vater schlief regelmäßig ein, wenn der Fernseher lief. Nun war es schon ihr zweiter Apparat, mit einem wesentlich größeren Bildschirm als der erste, den Manfred während seiner Lehrzeit bei Siemens billiger organisiert hatte. Von Blaupunkt war er. Herbert Neutig dagegen schwor auf Metz, und man lieferte sich bei jedem Treffen regelrechte Wortgefechte, welche Firma und welche Marke denn nun die bessere sei. Was das Programm anging, so stand diesen Herbst und Winter eine Sendung ganz oben: *Ein Platz für Tiere* von und mit Prof. Dr. Bernhard Grzimek, den Tante Trudchen, die noch immer mittwochs zum Saubermachen kam, nicht »Schimmeck« nannte, sondern »Gritzimeck«. Auch Robert Lembkes *Heiteres Beruferaten* sahen sie jedes Mal, wie auch immer noch *Die Familie Hesselbach*, aber auch Fernsehspiele wie *Rose Bernd* von Gerhart Hauptmann oder *Vor Sonnenaufgang* mit Ernst Deutsch als Geheimrat Clausen. Viel Spaß hatten sie mit Ernst Stankowski *(Spaß mit Ernst)*, Heinz Maegerlein *(Zwischen Sommer und Winter. Plaudereien um den Sport)* und Michael Pfleghars *Lieben Sie Show?*, wo es Juliette Gréco, Silvio Francesco, Bill Ramsey, Milva, Siv Malmquist, Georges Guetary, Alice und Ellen Kessler und das Hazy-Osterwald-Sextett zu sehen und zu hören gab. Neue Serien wurden Eckpunkte ihres Alltags, so etwa *Stahlnetz*, *Bonanza* und *Perry Mason*, aber sie ließen auch alles andere sausen, wenn es hieß *Das Fernsehgericht tagt* oder *Vorsicht, Kamera!* mit Chris Howland.

Aber trotz des Fernsehens gingen sie weiterhin mindestens

alle vierzehn Tage einmal ins Kino. Die Mutter konnte sich nicht sattsehen an O. W. Fischer *(Der Arzt von San Michele* und *So lange Du da bist)*, während sich der Vater mehr auf Heinz Rühmann freute *(Er kann's nicht lassen)*. Manfred selber zog es mehr zu Brigitte Bardot *(Das Ruhekissen)*. Zu dritt gingen sie in den Sportpalast zur *Wiener Eisrevue* mit Ingrid Wendl, wohingegen die Mutter natürlich zu Hause blieb, wenn der Vater und er die Heimspiele von Tasmania 1900 im Neuköllner Stadion besuchten. Leider war in dieser Saison Hertha BSC dabei, den Neuköllnern den Rang abzulaufen. Wenn sie zum Catchen wollten, brauchten sie nicht mehr lange zu fahren, denn jetzt wurde nahebei in der *Neuen Welt* um die Europameisterschaft gekämpft, und zusammen mit Dirk Kollmannsperger schrien sie sich die Kehlen wund, wenn René Lasartesse, der blonde Franzose und Bösewicht vom Dienst, Michael Nador in den Ringstaub warf.

Lag nichts Besonderes an, sortierte der Vater mit Hilfe eines *Leuchtturm*-Albums Briefmarken, und die Mutter löste Kreuzworträtsel ... Dies zwar zur eigenen Entspannung, jedoch nicht, ohne »ihren beiden Männern« im Laufe des Abends Löcher in den Bauch zu fragen.

»Otto ... die amtliche Bezeichnung für Briefmarken ...?«

»Weiß ich nicht!«

»Warum weißt du das denn nicht: Du bist doch bei der Post.«

»Aber nicht bei der Briefpost.«

»Manfred ... die amtliche Bezeichnung für Briefmarke ...?«

»Weiß ich nicht! Ich muß mich konzentrieren, ich sitz' an meinem Referat.«

»Wozu hat man euch denn, wenn einem keiner hilft ...«

»*Du* sollst doch raten, nicht wir.«

Als sie dann glücklicherweise »Postwertzeichen« gefunden hatte, ging es weiter. »Eine europäische Hauptstadt mit ›da‹ ...?«

»Dublin!« rief Manfred.

»Dann muß ich mir eben 'n Lexikon kaufen, wenn man von euch keine Unterstützung bekommt ...«

Ein wenig später meinte sie: »Ich geh' jetzt turnen. Wer bringt mich?«

Seit es oben in der Glasower Straße, unweit ihrer Turnhalle, einen grausigen Doppelmord gegeben hatte, mochte sie im Dunkeln nicht mehr alleine zur TuS-Turnhalle gehen.

»Ich ...« Was blieb Manfred weiter übrig.

Als er wieder zu Hause war, sagte ihm sein Vater, daß C & A angerufen hätten. »Du sollst dich mal melden ...«

Curt & Anett wohnten jetzt nicht mehr bei den Grigoleits in Hermsdorf, sondern in der Marzahnstraße in Tegel bei Tante Martha, also Curts Großmutter, der Schwester von Manfreds Schmöckwitzer Oma. Onkel Erich war ja schon im März 1961 gestorben, und nun lag Tante Martha todkrank mit Darmkrebs in ihrer Wohnung und bedurfte ständiger Hilfe und Pflege. Diese zu leisten hatte sich Anett bereit erklärt, und da ihr der tägliche Weg von Hermsdorf nach Tegel zu weit geworden war, sie die Kranke aber auch nachts nicht mehr alleine lassen wollte, war man schließlich umgezogen. Ein weiterer Grund war auch, daß sie, die immer mit dem Pfennig rechnen mußten, hier keine Miete zu zahlen brauchten.

»Komm doch mal nach Tegel«, sagte Anett, als Manfred zurückrief. »Wir haben uns ja schon ewig nicht mehr gesehen.«

»Gerne, ja, heißen Dung, äh: Dank.«

C & A holten ihn am U-Bahnhof Tegel ab. Tante Martha hatte eine Spritze bekommen und konnte zwei Stunden lang allein gelassen werden, zumal das Telefon auf ihrem Nachttisch stand.

Es hatte nicht geschneit, und so hatte Manfred wenig Mühe, den Sportwagen mit der kleinen Bettina über die Wege an der Malche zu schieben. Curt schwärmte von der Autobahnbrücke über Spree und Eisenbahn, Manfred berichtete von einer sensationellen Neuerung der BVG.

»Bist du schon über die neue Nordwestbogenbrücke gefahren ...?«

»Nein. Wie denn: mit 'nem Tretroller ...«

»Fast einen Kilometer lang, 15 Millionen Mark.«

»Ich hab' gerade meine letzte Mark verloren ...«

»Wo denn: auf der Trabrennbahn Mariendorf?«

»Nein, am Nollendorfplatz. Da steht jetzt der erste Sammelkartenautomat der BVG. Ein Markstück und ein Fünfzigpfennigstück einwerfen ... zweimal die Kurbel rumdrehen ... und die Sammelkarte fällt raus. Bei mir aber nicht.«

»Und: Hast du bei der BVG Krach geschlagen?«

»Nein, es war ja eigentlich die Mark von meinem Vater ... ich selber hab' ja 'ne Monatskarte und ...« Manfred stutzte und hielt Curt und Anett am Ärmel fest. »Psst! Bleibt mal stehen ...«

»Was ist denn?«

»Da auf der Lichtung ...«

Dort standen die Liebetruths – Willy, Elvira, Thomas und Sabrina sowie Oma Schmieder – im Halbkreis, hatten die Hände gefaltet und beteten. Sabrina weinte, und auch alle anderen sahen furchtbar traurig aus. »Bei denen muß jemand gestorben sein«, vermutete Anett.

»Onkel Ferdinand vielleicht ...« flüsterte Manfred.

»Den werden sie wohl kaum hier verscharrt haben«, bemerkte Curt in seiner trockenen Art.

»Vielleicht ist das hier sein Lieblingsplatz gewesen ...«

Das klang logisch, und als die Liebetruths ihr Gebet beendet hatten, ging Manfred zu ihnen hin, um zu kondolieren.

»Tut mir leid ... Hoffentlich hat er nicht so lange leiden müssen?«

»Freitag hat ihm Mutti noch welche von ihren Tabletten gegeben«, seufzte Elvira Liebetruth, »und da ist es ihm wieder besser gegangen.«

»Und da hat er Tante Elli noch ein Stück Käse aus der Hand gefressen«, erzählte Thomas Liebetruth, und Manfred freute sich, daß Thomas nun auch das *St* richtig sprechen konnte.

»Aber Tante Elli hat ihn in den Mülleimer werfen wollen, als er tot gewesen ist!« rief Sabrina.

»Das ist ja entsetzlich!« Anett fand, daß die Menschen

immer mehr verrohten und konnte nicht fassen, daß Manfred nun loslachte.

»Ihr Hamster ist gestorben – der August.« Dabei verschwieg er aber, daß auch ihm dies erst sehr spät klar geworden war.

Als sie in die Marzahnstraße kamen, ging es Tante Martha schon wieder so schlecht, daß sie die Ärztin holen mußten, Frau Dr. Bauch. Und trotz einer weiteren Spritze begleitete sie Tante Marthas Stöhnen den ganzen Abend und die ganze Nacht hindurch. Als Manfred an ihr Bett trat, fiel ihm auf, wie ähnlich sie seiner Mutter sah. Da waren die breiten slawischen Backenknochen, wie man sie von den Spreewälder Ammen kannte, aber auch dieselbe »Himmelfahrtsnase«, wie sein Vater das nannte, und beide hatten eine helle Haut, mit unzähligen Sommersprossen gesprenkelt. Aber auch auf ihrem Sterbebett, nur noch Haut und Knochen, war Tante Martha ganz Dame, eine Mischung von preußischer Prinzessin und englischer Gouvernante, und fragte mit spitzen Mündchen, wie es ihm denn ginge.

»Danke, Tante Martha, ich habe zwar kein Ziel vor Augen, bemühe mich aber mit aller Kraft, es zu erreichen.«

»Du hast so eine nette Art, da kommst du ganz nach deinem Vater. Du wirst deinen Weg schon finden.«

»Gute Besserung für dich.«

»Ja, bald wird es mir besser gehen, da werd' ich Erich wiedersehen ... Erich hat mich schon gerufen.« Sie schloß die Augen und rief, als würde sie in ihrem geliebten alten Ruderboot am Steuer sitzen und ihren Mann anspornen, sich noch stärker in die Riemen zu legen: »Erich, zieh durch!«

Sie hatten alle Tränen in den Augen, als sie Tante Marthas Zimmer verließen. Trotzdem saßen sie danach fröhlich bei Rotwein und Kerzenschein zusammen und aßen Würstchen mit Kartoffelsalat.

Weihnachten 1962 verlief für Manfred genau wie Weihnachten 1961. Wieder fuhr er erst zur Kohlenoma ins Krankenhaus und dann zu Liebetruths nach Halensee, wieder mußten sie ohne ihre Schmöckwitzer Oma feiern und stellten, um ihrer zu gedenken, Kerzen in die Fenster. Anfang Dezember hatten sie ein großes Paket für seine Oma, Tante Gerda, Leszek, Lucie und Anieszka gepackt – Anziehsachen, Süßigkeiten und Kaffee, das Übliche –, und jetzt stand das Gegenpaket aus Schmöckwitz unterm Weihnachtsbaum, und auch diesmal enthielt es wieder kunstgewerbliche Arbeiten aus dem Erzgebirge – einen Kerzenständer, einen Nußknacker und ein Räuchermännchen.

»Wenn die deutsche Teilung noch zwanzig Jahre anhält«, sagte der Vater, »können wir 'n Laden aufmachen und damit 'n schwunghaften Handel betreiben.«

Manfreds Stimmung bewegte sich im Moll-Bereich, denn wieder gab es nicht das, wovon er das ganze Jahr über so intensiv geträumt hatte: die Verlobung unterm Weihnachtsbaum.

Silvester verbrachte er bei C & A in Tegel, doch glich ihr Beisammensein eher einer Trauerfeier, denn Tante Marthas Zustand hatte sich weiter verschlechtert.

Nicht viel fröhlicher ging es am 12. Januar zu. Eigentlich hätten sie ja da in Schmöckwitz sein wollen, um den 78. Geburtstag der Oma zu feiern, doch die Mauer ließ dies auch dieses Jahr nicht zu. Ihnen war nur geblieben, sich gleich zu Jahresbeginn an eine spezielle Abteilung im RIAS zu wenden, und so saßen sie denn am Sonnabend um 15 Uhr 30 atemlos vor dem Radioapparat im Wohnzimmer, um auf die Durchsage zu warten.

»Achtung, liebes Geburtstagskind Marie Schattan in Berlin-Schmöckwitz. Zum 78. gratulieren Ihnen ganz herzlich aus Neukölln Margot, Otto, Manfred und Tante Trudchen. Wachse, blühe und gedeihe! Alles Liebe und Gute im neuen Lebensjahr, vor allem Gesundheit, und daß wir uns endlich alle wiedersehen können.«

Sie hatten noch immer Tränen in den Augen, als sie sich aufstellten, die Gesichter in Richtung Schmöckwitz drehten und mit einem Glas Champagner anstießen. »Mutti, Oma, hörst du uns ...!?«

Am Donnerstag der darauffolgenden Woche hielt Manfred endlich sein Referat über die amerikanischen Gewerkschaften.

»... so konnten die Gewerkschaften nicht zum Instrument einer Ideologie werden, die die Arbeitgeber vernichten wollte, sondern sie wurden geschaffen als Gegengewicht zur Verhandlungsstärke einiger Arbeitgeber, als Mittel zu einer evolutionären sozialen Veränderung ...«

Er stand draußen vor dem Fenster und sah in den Hörsaal hinein, wo sein Doppelgänger saß und ein Referat verlas. Und die Stimme des Manfred Matuschewski kam nicht aus seinem eigenen Mund, sondern aus dem Lautsprecher über der Tafel. Was ihn aber am allermeisten verblüffte, war die Tatsache, daß die zwanzig Kommilitonen vor ihm nicht aufsprangen, ihn auslachten und zur Tür liefen, auch nicht Zeitung lasen oder sich ungeniert unterhielten, sondern still saßen und aufmerksam zuhörten. Ihm, einem Nichts.

»Besonders bedeutungsvoll für die Erhaltung und Erweiterung der gewerkschaftlichen Macht ist das vielumstrittene Prinzip des *closed shop*. Hier wird mit dem Unternehmer vereinbart, daß niemand eingestellt werden darf, der nicht Mitglied der betreffenden Gewerkschaft ist ...«

Nach genau 41 Minuten und 20 Sekunden war er fertig, und die Kommilitonen klopften anerkennend. Auch Stammer und Hartfiel lobten ihn, gaben ihm auf dem Schein allerdings nur eine Zwei, was ihn etwas enttäuschte. Aber immerhin, nun kannte man ihn, und er war aus dem Schatten der Anonymität herausgetreten, endlich. Euphorie kam auf, und sie steigerte sich noch, als sich am Ende der Lehrveranstaltung ein baumlanger Mensch vor ihm aufbaute.

»Mein Name ist Volker Gellert, und ich bin zweiter Vorsitzender der GSG.«

Manfred sah ihn fragend an: »Die GSG ... Was is'n das?«

»Die Gewerkschaftliche Studentengemeinschaft. Wir haben unser Büro beim DGB in der Bernburger Straße, versammeln uns aber immer in einer alten Baracke oben an der Clayallee ... und da wollte ich dich fragen, ob du dein Referat über die amerikanischen Gewerkschaften bei uns auch mal halten kannst.«

»Ja, gerne ...« Manfred freute sich, auf diesem Weg nun endlich aus seiner Isolation herausgerissen zu werden. Mit dem SHB war das ja irgendwie schiefgegangen.

Mit Volker Gellert hatte er sich schnell angefreundet. Der neue Freund machte einen verarmten Eindruck und sah aus wie jene ausgemergelten Spätheimkehrer, die vor Jahren an den Wohnungstüren geklingelt und um ein Glas Wasser zu trinken sowie eine Scheibe trockenen Brots gebeten hatten. Tagelang lebte er nur von Brot und Billigmarmelade, bewohnte aber eine Studentenbude im teuren Dahlem, am Bachstelzenweg. Sein schwarzer Mantel war fadenscheinig, vielfach geflickt und beim Trödler gekauft, hatte aber vor dem Krieg einmal einem Sanitätsrat gehört. Sein Stockschirm verlieh ihm, sah man ihn aus einiger Entfernung, das Aussehen eines englischen Konservativen. Er kam aus einem kleinen Ort im Weserbergland. Sein Vater war ein streng deutschnationaler Mensch, und wohl aus seinem lebenslangen Widerstand gegen diesen kantigen und prinzipientreuen Mann erklärte sich seine Liebe zur SPD und zur Gewerkschaftsbewegung. Eigentlich aber hätte er, wie Manfred fand, viel eher in die Junge Union und die CDU gepaßt. Auch Volker Gellerts Hang zur Soziologie war nicht eben groß, eher ein Irrtum beziehungsweise das Fach, über dessen Wahl sich sein Vater am meisten ärgerte, und eigentlich hoffte er, bald als Impresario seiner Verlobten ans große Geld zu kommen, denn Erdmuthe, so hieß sie, wurde nachgesagt, eine begnadete Sopranistin zu sein. Noch arbeitete sie in Hannover bei der Bahn, studierte aber in jeder freien Minute Gesang und hoffte auf ein baldiges Engagement an der Deutschen Oper Berlin.

Natürlich wurde Volker Gellert Anfang Februar auch zu Manfreds Geburtstag eingeladen. Von den Älteren kamen Max Bugsin und Irma, seine Patentante, sowie Tante Trudchen, von seinen anderen Freunden Dirk Kollmannsperger, Moshe Bleibaum und Gisela und von den Verwandten C & A und Tante Eva. Zusammen mit seinen Eltern waren das immerhin elf Personen, und das kleine Wohnzimmer konnte sie kaum alle fassen.

Anfangs führte Moshe Bleibaum das große Wort. Er hatte Manfred ein Buch von Heinrich Böll geschenkt – *Billard um halb zehn* – und setzte nun zu einem längeren Vortrag über die deutsche Nachkriegsliteratur an. »Böll kommt ja von der sogenannten Trümmerliteratur her und bezieht eine eindeutige Gegenposition zur Restauration.«

»Ich bin immer für die Restauration!« rief Max Bugsin dazwischen. »Nichts geht über 'ne Molle mit Korn. Mein Schwiegervater hatte sogar 'ne eigene Kneipe.«

Doch Moshe gab noch nicht auf. »Der mit den Mächtigen paktierenden katholischen Kirche stellt Böll einen anderen Katholizismus entgegen, und der lebt von dem schlichten Glauben, daß das Arme schon von sich aus gut ist, aber auch von rheinischer Volkstümlichkeit und ...«

Max Bugsin, der nur auf das nächste Stichwort gewartet hatte, begann sofort zu singen: »Wenn das Wasser im Rhein goldner Wein wäre, ei, was könnten wir da saufen ...«

Und ehe Moshe Bleibaum noch einmal Luft holen konnte, war Tante Eva am Erzählen. »Max, wenn du vom Wasser redest: Warst du eigentlich mal in Lychen, als ich da Krankenschwester gewesen bin ...? Nein? Schade. Da gibt es ja Seen noch und nöcher. Und als wir jung waren, haben wir da immer viel Wasser geschluckt ... das hat auch wie Wein geschmeckt.«

»Wer möchte denn Weißwein zum Essen und wer Rotwein? Manfred kümmere dich doch mal um deine Gäste.« Seine Mutter war wieder einmal mächtig aufgedreht.

Es gab Kaßler mit Nudelsalat, ihre absolute Spezialität. Da sie dafür jedesmal in den höchsten Tönen gelobt wurde, sah sie keinen Anlaß, bei Festlichkeiten aller Art etwas anderes zu servieren. So wurde Kaßler mit Nudelsalat für alle Gäste geradezu ein kulinarischer Mythos, zumal sich Margot Matuschewskis Nudelsalat dadurch auszeichnete, daß er eine wunderbare Fähigkeit besaß: die der selbsttätigen Vermehrung. Wurde eine zur Hälfte geleerte Schüssel in die Küche getragen, so war sie nach einer Stunde wieder bis zum Rand gefüllt.

Diesmal war das auch nötig, denn Volker Gellert, in seinem Dahlemer Domizil total ausgehungert, erwies sich als ein besonders starker Esser vor dem Herrn. Mit offenen Mündern starrten sie ihn alle an, wie er sich immer neue Berge auf den Teller häufte.

Nach dem Essen wurde das Roulette, das Manfred von seinen Eltern geschenkt bekommen hatte, zünftig eingeweiht. Moshe riß sich um die Rolle des Croupiers und schummelte dann derart zugunsten Anetts, daß Gisela immer wütender wurde.

»... und diesmal ... die 18!« rief er. »Den fünfunddreißigfachen Einsatz für Madame Anett.«

»Der rote Chip liegt doch gar nicht auf 18«, rief Gisela. »Die hat doch auf sechs Felder gesetzt.«

»Ruhe, ich bin hier der Croupier, und ich weiß, was gesetzt worden ist.«

»Zwerg Allwissend bist du.«

Es ging so laut zu, daß sich Max Bugsin demonstrativ die Zipfel seiner beiden Taschentücher in die Ohren steckte.

Nachdem das Roulette abgehakt war, zeigte Manfred Dias von ihrer Griechenlandreise. Danach wollten sich alle bewegen, und es wurde getanzt. In Ermangelung einer gleichaltrigen Partnerin mußte Manfred mit seiner Mutter tanzen.

»Ist die Anett nicht süß«, flüsterte sie ihm ins Ohr. »So eine Schwiegertochter wünsch' ich mir auch.«

»Was meinst du, was ich mir wünsche«, knurrte Manfred.

Daß Anett in ihrem weißblauen Kleid wirklich süß war, hatte auch Moshe erkannt, und je mehr sich Gisela über seine Zuneigung erregte, desto heftiger flirtete er mit Curts Frau.

»Wenn ich beim nächsten Mal in der Synagoge bin, werde ich mal Arthur Brauner ansprechen ... Ob er nicht eine Hauptrolle für Sie hat ... im nächsten Film ... Sie als die neue Lilian Harvey.«

»Und du als Willy Fritsch!« Gisela, von maßloser Eifersucht erfüllt, wurde immer giftiger. »Wenn du sie küssen willst, mußt du aber 'ne Trittleiter nehmen, um ranzukommen.«

»Ich schaff' das auch so ...« Moshe setzte an, wurde aber von seiner Verlobten gerade eben noch so weggerissen.

Alle brüllten vor Lachen und gerieten dann – der Wein tat seine Wirkung – völlig aus dem Häuschen, als Moshe – war es nun Absicht oder nur Versehen, keiner wußte es genau – einige Erdnüsse in Anetts Ausschnitt fallen ließ.

»Entschuldigung. Aber ich entferne Sie gerne wieder – siehe das Verursacherprinzip.«

»Untersteh dich!« schrie Gisela. »Wenn du das tust, sind wir geschiedene Leute.«

»Champagner!« Moshe riß die Arme hoch. »Das muß gefeiert werden.«

»Dabei lieben sie sich doch heiß und innig«, merkte Tante Eva an. »Meine Kinder sind genauso.«

»Ich geh' mal schnell ins Bad«, sagte Anett, denn die Erdnüsse kitzelten nun doch.

Da sank ihr Moshe Bleibaum zu Füßen und krähte dabei: »Laß mich dein Badewasser schlürfen und dich abfrottieren dürfen ...«

»Da hast du dein Badewasser!« Gisela kippte ihm eine Ladung Selterswasser über den Kopf.

Der Abend hatte seinen Höhepunkt erreicht, und Tante Trudchen mußte so sehr lachen, daß sie sich in die Schlüpfer machte. Als sie das kundtat, um das Recht zu erwirken, noch vor Anett ins Bad zu dürfen, knöpfte Max Bugsin seine Hosenträger ab, ließ seine dunklen Hosen hinunter, präsentierte allen seine noch trockene Unterwäsche und tanzte, indem er sein Hemd wie ein Röckchen hob, eine Art Cancan, begleitet von einem Marlene-Dietrich-Song.

»Ich bin die tolle Lola, der Liebling der Saison, ich hab' ein Pianolo ... und da lass' ich niemand ran.«

Plötzlich, mitten in den rasenden Beifall der Menge hinein, wurde draußen an der Wohnungstür Sturm geklingelt, und alle fuhren zusammen, war doch nicht daran zu zweifeln, daß sich der Nachbar unter ihnen wieder aufregte.

»Hoffentlich holt der Brunow nicht die Polizei«, jammerte die Mutter schon.

»Gib ihm 'ne Flasche Cognac«, schlug Manfred vor, »um die geht's ihm doch nur.«

»Die will ich noch selber trinken!« Max Bugsin hielt die Flasche fest.

Die Klingel wollte nicht verstummen, und endlich faßte sich Manfreds Vater ein Herz, schwang seinen Stock wie ein Schwert und machte sich auf den Weg zur Tür.

»Vorsicht, Otto!« rief Tante Trudchen. »Mach dich nicht unglücklich.«

»Da hätte ich nicht zur Post gehen sollen«, brummte der Vater und riß die Tür auf.

Dann ein Schrei der Überraschung. »Was denn: Ihr ...!?«

Draußen standen Gerhard und Rosi, die den kleinen Philip im Wickeltuch eng an sich gepreßt hatte. Als Manfred sie so vor sich sah, mußte er unwillkürlich an die Schulaufführung vom Winter 1946 denken, wie da in seinem Krippenspiel Maria und Josef mit dem Jesuskind vor der Herbergstür gestanden hatten.

Auch Max und Tante Irma stürzten nun auf den Flur hinaus und staunten. Es entstand ein derartiges Gedränge, daß Gerhard und Rosi keine Chance hatten, die Wohnung zu betreten. Die junge Mutter war am Ende ihrer Nerven und brach in Tränen aus.

»Was ist denn passiert?« fragte Tante Irma ihre Schwiegertochter.

»Die Firma, wo Gerhard gearbeitet hat, ist in Konkurs gegangen ... und nun will er zu euch ins Geschäft ...«

»Ich will auf alle Fälle wieder nach Berlin zurück ...«

»Und die Wohnung in Langen ist uns auch zu teuer geworden ...«

»Können wir nicht bei euch in der Koblenzer Straße wohnen, bevor wir was Eigenes gefunden haben ...?«

»Ja, natürlich«, sagte Tante Irma.

»Dann kommt man erst mal rein und gratuliert mir.« Manfred bahnte ihnen den Weg.

»Zu essen ist auch noch was da«, sagte seine Mutter.

»Das glaube ich nicht«, bemerkte Moshe mit Blick auf Volker Gellert.

Einige Tage danach fuhr Manfred noch spätabends nach Zehlendorf raus und suchte in der Nähe des Stadtbades an der Clayallee nach der GSG-Baracke. Gegen 19 Uhr 30 gab es hier keinen Menschen, den er nach dem Weg fragen konnte, und so war er froh, auf einem schlecht beleuchteten Parkplatz weit von der Straße einen Rollstuhlfahrer zu entdecken. Daß der ihn überfallen würde, war kaum anzunehmen.

»Hallo, entschuldigen Sie ... Wie komme ich zur GSG?«

»Die GSG bin ich.«

»Sie ...?« Manfred staunte, denn trotz des funzligen Lichtes ließ sich erkennen, daß der Mann mindestens fünfzig Jahre alt war. Für einen Studenten etwas viel.

»Ich bin der Rudi Schuchardt, sozusagen der Generalsekretär in diesem Verein, die einzige konstante Größe. Ihr Studenten, ihr seid ja alle so furchtbar schludrig und könnt nichts richtig organisieren. Darum haben die Freunde in der Zentrale mich beauftragt, euer Büro zu sein. Du bist der, der uns was von den amerikanischen Gewerkschaften erzählen soll?«

»Ja ...«

»Dann folge mir unauffällig.«

Der Mann hatte das, was Max Weber charismatische Autorität genannt hätte. Er wohnte am Brauerplatz in Lichterfelde-Ost und war mit dem Rollstuhl hergefahren, gut und gern sechs Kilometer, wie Manfred schätzte. Er konnte sich nur fortbewegen, indem er mit den Armen die hochragenden Hebel zu beiden Seiten seines Sitzes nach vorne stieß und wieder zu sich zog. Als er in die GSG-Baracke gerollt war, nahm er seine Krücken heraus und schwang sich vom Sitz. Manfred sah, daß ihm beide Beine amputiert worden waren, und zwar direkt unterhalb der Hüfte. So entsetzlich das war, so komisch sah dieser Torso doch wieder aus, besonders, als sich Rudi Schuchardt behende auf ein Sofa schwang. Sofort hatte er sich eine starke französische Zigarette angezündet. Er rauchte wie ein Schlot, obwohl ihn alle warnten.

»Was wollt ihr denn: Habt ihr Angst, daß sie mir ein Raucherbein abnehmen?« Dabei lachte er so tief und kehlig wie ein Generalfeldmarschall. Und in der Tat hatte er seine Beine im Spanischen Bürgerkrieg verloren, auf seiten der Franco-Gegner natürlich. Er war eine Figur aus Hemingways *Wem die Stunde schlägt*, Manfred glaubte es fest.

War nun Rudi Schuchardt der große Organisator und ruhende Pol der GSG, so hatte sie in Hans-Gert Kohlhaas, dem ersten Vorsitzenden, ihren Chefideologen. Er studierte Politikwissenschaft, war verweichlicht und schwabblig und trug eine dicke Brille. Zwar sah man ihn nicht oft mit Walter Sickert zusammen, dem Berliner Gewerkschaftsvorsitzenden, oder mit lokalen SPD-Größen wie Kurt Matthei, doch konnte er in unnachahmlicher Weise den Eindruck erwecken, mit diesen Männern so dicke verbrüdert zu sein, daß er alles wußte, was in der Frontstadt Sache war und hinter den Kulissen vor sich ging. Vor allem ließ er immer wieder durchblicken, daß sie ihn längst für höchste Ämter ausersehen hatten und er vielleicht auch den einen oder anderen Kumpel aus der GSG mit nach oben nehmen konnte. Je nachdem, wie sie sich hier bewährten, vor allem im Kampf gegen den SDS, den Sozialistischen Deutschen Studentenbund, der für den SPD-Geschmack viel zu weit linksaußen stand.

Außer Rudi Schuchardt, Hans-Gert Kohlhaas und Volker Gellert saßen etwa zwanzig Studenten und fünf gestandene Gewerkschafter in der kargen Baracke, als Manfred sein Referat noch einmal vortrug, diesmal gekürzt und in einer mehr volkshochschulhaften Fassung. Bei dem Satz »... ab und zu gibt es einen schnellen improvisierten Streik, auch *quickie* genannt« wurde gelacht, ohne daß Manfred den Grund verstand, ansonsten aber war er mit seinem Publikum durchaus zufrieden. Umgekehrt schien es ebenso gewesen zu sein, denn nach der Veranstaltung, als sie beim Bier in einer Kneipe saßen, stellte Hans-Gert Kohlhaas Manfred die Frage, ob er denn nicht sofort in die GSG eintreten und bei der nächsten internen Wahl als Finanzsekretär kandidieren wolle.

»Ich weiß nicht ...«

»Du mit deiner Siemens-Lehre, du schaffst das doch.«

»Na schön ...«

Zwar hatte Manfred bei der Jahreshauptversammlung sofort alle SDSler in der GSG gegen sich, als er seine Vorstellung mit dem Goethe-Zitat »Ich bin erst kurze Zeit allhier ...« begann und sich dafür Zwischenrufe wie »Was soll denn diese bürgerliche Scheiße?!« einhandelte, doch Rudi Schuchardt und Hans-Gert Kohlhaas hatten die Fäden hinter den Kulissen schon so profihaft gezogen, daß seine Wahl mit 31:11 glatt über die Bühne ging.

»Nu biste also Funktionär«, stellte der Vater fest. »Gratuliere.«

Moshe Bleibaum hatte Bedenken. »Wie heißt es bei Beaumarchais in *Die Hochzeit des Figaro* ... ›Mittelmäßig und kriechend, so gelangt man zu allem.‹ Aber meinst du wirklich, daß du dich so sehr verstellen kannst?«

Manfred wußte darauf nicht viel zu erwidern. Für mittelmäßig hielt er sich schon, aber mit dem Kriechen würde er so seine Mühe haben, siehe Siemens.

Der Februar 1963 war für Manfred mit einer Menge Arbeit verbunden, denn es galt, mit Rudi Schuchardt, Hans-Gert Kohlhaas und Volker Gellert zusammen etliche Flugblätter und Presseerklärungen zu verfassen, in denen es um die Abwahl von Eberhard Diepgen ging:

Die Freie Universität wurde im Kampf für die geistige Freiheit geschaffen. Voran ging eine politisch wissende Studentenschaft, die aus der nationalen Katastrophe von 1945 gelernt hatte. Die Freie Universität sollte nach dem erklärten Willen ihrer Gründer als Neugründung Neubeginn sein.

Die verderblichen Traditionen im deutschen Hochschulraum sollten ebenso wie der Ungeist des kommunistischen Totalitarismus von ihr ferngehalten werden.

Es ist unvorstellbar, daß die Studenten dieser Universität, an der bis heute schlagende Verbindungen verboten sind, von einem Angehörigen einer schlagenden Verbindung geleitet werden. Der derzeitige 1. AStA-Vorsitzende, stud. jur. Eberhard Diepgen (Burschenschaft Saravia), muß seines Amtes enthoben werden.

Bei der Urabstimmung vom 13., 14. und 15. Februar wurde Diepgen abgewählt. Bei der GSG brach Jubel aus. Wie auch bei Manfred zu Hause, als Willy Brandt der SPD am 17.2. bei den Wahlen zum Abgeordnetenhaus mit 61,9 Prozent der Stimmen einen haushohen Wahlsieg bescherte. Die CDU war auf kümmerliche 28,8 Prozent gekommen, die FDP auf 7,9 Prozent.

Dann aber, als der Frühling gekommen war, wurde an der Treptower Brücke mehr getrauert als gelacht ...

Zuerst war der Tod Tante Marthas zu beklagen, die auf dem Tegeler Friedhof neben Onkel Erich ihre letzte Ruhe fand, und bald darauf kam die nächste Hiobsbotschaft.

Onkel Helmut rief an. »Ich geh' Mittwoch ins Krankenhaus.«

Manfred dachte, er meinte einen Besuch bei seiner Mutter – der Kohlenoma also – im Bethanienkrankenhaus und scherzte noch. »Geh mal gleich für mich mit ... ich bin Sonntag dran und kann diesmal nicht.«

»Ich selber muß ... ich hab' Darmkrebs.«

»Mein Gott ...!« Mehr brachte Manfred nicht heraus.

»Hoffentlich stirbt er nicht vor Kohlenoma«, meinte die Mutter. »Daß die nicht noch erleben muß, wie ihr Sohn vor ihr ...«

Sie versuchten sich abzulenken, gingen öfter ins Theater, etwa in Rolf Hochhuths *Stellvertreter*, erlebten aber auch den 6:3-Sieg des 1. FC Köln gegen die abwehrschwache Hertha im Gruppenspiel um die deutsche Fußballmeisterschaft mit. Mehrmals besuchten sie Onkel Helmut im Krankenhaus und dann, als er mit einem künstlichen Darmausgang entlassen worden war, auch zu Hause in der Manteuffelstraße.

Das mit dem Anus praeternaturalis funktionierte nicht immer, und Onkel Helmut sagte dann zu seinem Bruder: »Ach, Otto, sie haben mich zu einem Schwein gemacht.« Er wäre so gerne dabeigewesen, als man gegenüber der Gedächtniskirche den Grundstein für das *Europa-Center* legte. »Sich noch einmal so richtig sattessen an Eisbein mit Sauerkraut ... und 'n großes Bier dazu ...«

Manfred fiel es schwer, sein Studium konsequent weiterzuführen. Offiziell hatte er im Sommersemester 1963 aber 20 Wochenstunden im Studienbuch vermerkt: *v. Friedeburg*, Einführung in die empirische Sozialforschung I; *Mayntz*, Lektüre und Interpretation der Schriften Theodor Geigers; *Hartfiel*, Klassengesellschaft und soziale Schichtung; *Stammer*, Oberseminar: Die soziologischen Staatstheorien; *Bendix*, Das soziologische Werk Max Webers; *Paulsen*, Wirtschaftstheorie III; *Kosiol*, Theorie der Kosten und der Kostenrechnung; *Hörmann*, Grundzüge der Psychologie des Lernens.

Trotz aller emotionalen Belastungen – teils auch nur durch vieles *Omca*-Schlucken – schaffte Manfred immerhin drei Scheine: Den einen bekam er für seine Hausarbeit über »Die Betriebs- und Arbeitssoziologie von Theodor Geiger« bei Renate Mayntz-Trier, den zweiten für ein Referat über »Klassengesellschaft und soziale Schichtung« bei Stammer/ Hartfiel und den dritten für ein Protokoll über eine Sitzung des Stammer-Oberseminars zum Thema »Soziologische Staatstheorien«. Die Note 1,5 bei Renate Mayntz freute ihn mächtig, verehrte er sie doch wie eine Göttin, bei den anderen beiden war er auf ein »gut« abonniert.

Am 6. Juni kam aus dem Bethanien-Krankenhaus die Nachricht, daß seine Kohlenoma verstorben sei, »sanft entschlafen«, und am 12. Juni, einen Tag nach dem Geburtstag seiner Mutter, fand die Trauerfeier im Krematorium Wilmersdorf statt.

Am Abend davor suchte sein Vater die Abstammungspapiere heraus, die er ab 1935 komplett zur Hand gehabt hatte, um den Behörden seine arische Abstammung hieb- und stichfest zu beweisen, wenigstens seine, wo doch Margot Matuschewskis Vater – wenn man etwas mogelte – »Viertel-«, eigentlich aber doch »Halbjude« war.

»Mal sehen, ob wir die Geburtsurkunde und den Taufschein von Mutter noch finden.« Manfreds Eltern bezeichneten die Schmöckwitzer Oma als »Mutti« und die Kohlenoma als »Mutter«, was Manfred auch für eine gerechte Abstufung ihrer jeweiligen Herzenswärme hielt.

Die Geburtsurkunde der Kohlenoma fanden sie nicht, dafür aber die des *Wilhelm* Johann Friedrich Schwalbe, dem »Erzeuger« des Vaters. Manfreds Opa war am 15. Januar 1876 in Glauchow (Kreis Züllichau-Schwiebus) geboren worden – unter etwas merkwürdigen Umständen, wie es schien, denn in seiner Geburtsurkunde hieß es in der Rubrik »Vater«: »nicht genannt«. Offensichtlich hatte sich Manfreds Urgroßmutter – die »verehelichte Johanna Eleonore Schwalbe, geb. Petras« – außerehelich mit einem oder mehreren Männern eingelassen. Hatte sie nicht mehr gewußt, von wem sie geschwängert worden war? Hatte sie ihren Liebhaber schützen wollen – oder hatte sie sich seiner geschämt? Manfred fand die Sache außerordentlich spannend. Was war da im April, vielleicht auch noch Anfang Mai 1875, im Dorfe Glauchow passiert, in der Neumark jenseits der Oder? *Ist der Mai kühl und trocken, kann man schon im Freien bocken.* Über den entscheidenden Vorgang gab es eine gesiegelte Urkunde des Amtsgerichts Berlin, Abteilung 500, vom 30. März 1939, in dem die Kohlenoma an Eides Statt erklärt hatte:

Am 24. Januar 1906 habe ich in Unterweinberge ein Kind geboren, das die Vornamen Wilhelm Paul Otto *erhalten hat (Standesamt Züllichau Nr. 19/1906). Der Erzeuger dieses Kindes ist der am 15. Januar 1876 in Glauchow Kreis Züllichau-Schwiebus geborene* Wilhelm *Johann Friedrich Schwalbe. Er war von Beruf Maurer und wohnt in Glauchow. Ich habe mit ihm in der gesetzlichen Empfängniszeit wiederholt geschlechtlich verkehrt. Ich versichere, daß ich in der Empfängniszeit mit keinem anderen Manne Geschlechts-*

verkehr hatte. Wilhelm Schwalbe hat die Vaterschaft im Jahre 1906 anerkannt, und im Jahre 1907 zahlte er als Abfindung für die Unterhaltsansprüche einen Betrag von 900,– Mark …

Mit dieser Abfindung hatte sich die Oma später, nach ihrer Zeit als Dienstmädchen, ihren Kohlenkeller in Kreuzberg gekauft, in der Manteuffelstraße 33.

Nun lag die »verwitwete Johanna *Anna* Agnes Matuschewski, geb. Walter« vor ihm im braunen Kiefernsarg, nicht größer als ein zwölfjähriges Mädchen, in den letzten Lebenstagen wieder gefüttert und gewindelt wie ein Säugling. In Manfred lebte sie fort, er war ein Teil von ihr, aber mit ihr war auch ein Teil von ihm gestorben. Er hatte den Geruch ihrer schwarzen Kittelschürze in der Nase: Braunkohle und Mottenpulver. Und den von Mohnpielen und Pfannkuchen. Er sah sich mit ihr »Mensch ärgere dich nicht!« spielen und hörte sich lachen, wenn sie es nicht schaffte, Knochen und Omnibus zu sagen, sondern immer wieder nur … *nochen* und *Onnibus*. Wie sie von Hans Albers und Johannes Heesters schwärmte und – nach einem Streit mit seinem Vater – theatralisch ausrufen konnte: »Ich habe nur noch einen Sohn!«, damit Helmut meinend.

»Sie hat kein leichtes Leben gehabt«, hörte Manfred den Pfarrer vorne sagen.

Nein, gewiß nicht. Ihr Mann – jener Friedrich Matuschewski, dem Manfred seinen ungeliebten Nachnamen verdankte – war ein »Suffkopp« gewesen, hatte alles mit Fuhrgeschäft und Kohlenkeller verdiente Geld auf der Rennbahn durchgebracht und war früh an Krebs gestorben. Mit ihrem Kohlenkeller war die Oma ausgebombt worden, und in ihrer neuen Wohnung war es im Winter so kalt gewesen, daß ihr Gebiß morgens eingefroren im Wasserglas gelegen hatte.

Wenn man Glück hatte, blieb von einem eine Handvoll Erinnerungen.

»Herr, unser Vater, wir bitten dich: Laß uns nicht immer nur wie gebannt in das Dunkel des Nichts starren. Führe uns,

Herr, die wir traurig sind, hinein in das Licht deiner Zukunft, in der das Nein des Todes überwunden ist durch das Ja deiner Liebe.«

Die Orgel begann zu spielen, und der Sarg glitt hinab zu den Feueröfen des Krematoriums.

Sie gingen schweigend hinüber ins Café ... Kinder, Verwandte, Freunde, Nachbarn und Bekannte. Und für Manfred war es unfaßbar, daß nun alle wieder lachten und so fröhlich wie bei einer Hochzeit oder Taufe waren.

»Das Leben geht weiter«, meinte sein Vater, und am 26. Juni, einem Mittwoch, hatten sie schon alle wieder etwas ganz anderes im Kopf. An der FU fielen die Lehrveranstaltungen aus, und wer immer konnte, nahm sich frei oder wurde ganz direkt von seinem Arbeitgeber zum Jubeln abgestellt, denn John F. Kennedy war nach Berlin gekommen, und für die meisten Berliner war die Sache klar: Je frenetischer sie ihm zujubelten, desto größere Chancen hatten sie, daß Amerika sie vor dem Kommunismus rettete.

Manfred war dieser Zwang zum Kollektiven zuwider, doch als er leise anmerkte, daß er keinen so großen Unterschied zum Osten sehe, wo man auch zum Jubeln abkommandiert würde, waren seine Eltern fürchterlich erbost.

»Was, du willst nicht dabeisein, wenn Kennedy kommt!?« fragte seine Mutter in inquisitorischem Ton.

»Ob ich dabei bin oder nicht: Am Verlauf der Weltgeschichte wird sich nichts ändern.«

Sein Vater sah ihn tadelnd an. »Wenn nun alle so denken würden.«

»Tun sie ja nicht. Morgen steht garantiert in der Zeitung, daß anderthalb Millionen Berliner Kennedy zugejubelt haben ... auch wenn ich nicht dabeigewesen bin.«

Da stellte ihm die Mutter ein Ultimatum. »Wer nicht auf die Straße geht, der ist für Ulbricht. Und wer für Ulbricht ist, den will ich hier nicht haben.«

Manfred überlegte kurz, ob er eine Alternative hatte. Für ein möbliertes Zimmer reichte sein Geld bei weitem nicht, und bei C & A in Tegel zu wohnen, wo Tante Martha Tag und Nacht so schrecklich gestöhnt hatte, war auch nicht das Gelbe vom Ei.

Also gab er nach und stand am späten Vormittag Linden-, Ecke Oranienstraße, um dem US-Präsidenten zuzujubeln. Zusammen mit Bundeskanzler Adenauer und Willy Brandt, dem Regierenden Bürgermeister, stand John F. Kennedy im offenen Wagen. Und wenn Tante Claire immer davon erzählte, daß sie Kaiser Wilhelm II. leibhaftig gesehen hatte, so konnte er jetzt seinen Kindern und Kindeskindern etwas von Kennedy vorschwärmen. Aber dessen unvergänglichen Ausspruch »Ich bin ein Berliner« bekam Manfred nur im Fernsehen mit.

Kennedy war also abgehakt, und das nächste Großereignis war wieder innerfamiliärer Art, jedenfalls, wenn man die Bugsins mit zur Familie zählte.

Gerhard, Roswitha und Philip waren zu Tante Irma und Onkel Max nach Wilmersdorf gezogen, in die Koblenzer Straße, Nähe Bundesplatz. Von Neukölln kam Manfred ganz bequem und ohne umzusteigen mit der S-Bahn hin. Es war Sonnabend, und Manfred wollte Gerhard und seine Frau abholen und mit ihnen zum 1. Deutsch-Französischen Volksfest fahren, hoch zum Kurt-Schumacher-Damm. Roswitha liebte von ihrer Heimat her alles, was nach Kirmes und Schützenfest roch.

Als Manfred klingeln wollte, hörte er drinnen in der Wohnung wüstes Geschrei, insbesondere Max tobte fürchterlich.

»Ich kann überhaupt nicht mehr schlafen, dauernd schreit das Balg.«

»Der Kloine ist nun mal so.« Roswitha hatte sich, weil sie meinte, es würde vornehmer klingen, angewöhnt, das ei wie oi zu sprechen.

»Ich halt' das nicht mehr aus, ich geh' in die Kneipe!«

Max, der auf dem Balkon gestanden hatte, wollte durch das große Zimmer zur Wohnungstür laufen, übersah aber – so sehr war er im Brast – daß Tante Irma gemütlich im Sessel saß und ihre Beine ausgestreckt hatte. Sie liebte es, Tee mit Rum zu trinken, und hatte den Kessel mit heißem Wasser neben sich stehen, um nachgießen zu können, ohne in die Küche gehen zu müssen. Auf diesen Kessel fiel Max, als er über ihre Beine stolperte. Er wog über zwei Zentner und walzte den Kessel, der aus dünnem Alublech war, ziemlich platt. Der Sturz sah schlimmer aus, als er tatsächlich war, nur die Lippe schlug Max sich ein wenig an der Sessellehne auf. Um die Sache aber für seine Zwecke auszunutzen, nämlich Gerhard und Familie schnellstmöglich wieder loszuwerden, schrie er schlimmer als ein schwerverwundeter Soldat. Er war als Schauspieler ebenso begnadet wie als Hypochonder.

»Die Feuerwehr, schnell ... ehe ich sterbe ... ein Blutsturz. Meine Rippen sind durch die Lunge gedrungen ...«

Manfred, der draußen im Treppenhaus stand, nahm das furchtbar mit. Erst zusammen mit dem Arzt wurde er in die Wohnung gelassen. Das alles hatte nur knappe zwei Minuten gedauert, denn der Internist wohnte gleich im Nebenhaus. Max Bugsin lag reglos im Wohnzimmer. Philip, der im Bett lag, schrie aus voller Kehle, und Tante Irma machte dem Arzt ein Zeichen, daß ihr Mann wieder einmal simulierte.

»So ... Was schreiben wir denn auf den Totenschein?«

Max fuhr hoch. »Ich lebe noch, Herr Doktor.«

»Dann zeigen Sie mal ...« Puls und Herz waren natürlich in Ordnung und die Rippen nicht mal angebrochen. Auch die blutende Lippe brauchte nicht genäht zu werden. »Alles in Butter, Herr Bugsin.«

»Und Sie verschreiben mir gar nichts ...?« Max Bugsin war sichtlich enttäuscht.

»Höchstens einen neuen Wasserkessel ...«

»Wenigstens ein Schlafmittel.«

»Unterstützen Sie Ihren Sohn, daß er 'ne eigene Wohnung findet.«

Das klappte dann auch bald, und Gerhard, Rosi und Philip zogen nach Steglitz in die Muthesiusstraße. Es mußte viel renoviert werden, und in der nächsten Zeit erreichten Manfred immer wieder Hilferufe.

»Kannst du mal kommen, wenn wir die Decke rollern, kommt die alte Farbe immer in großen Flatschen runter.«

Vierzehn Tage später war es wieder etwas anderes. »Du, wir sind da an die Leitung gekommen und haben kein Licht mehr. Du bist doch 'n halber Elektriker, kannst du nicht mal kommen und den Kurzschluß beseitigen.«

In einer knappen Stunde war Manfred zur Stelle und machte sich an die Arbeit. Es war eine alte Wohnung, und die Prinzipien und Normen, nach denen man 1870/71 die Leitungen verlegt hatte, waren ihm als Elektroamateur nicht ganz klar. Jedenfalls hatte er, als es Abend wurde, mit viel Glück erreicht, daß in Küche, Korridor und Zimmer das Licht wieder brannte ... allerdings nur, wenn man vorher den Kühlschrank öffnete und wartete, bis sein Motor angesprungen war.

Als er nach dieser Reparaturaktion nach Hause kam und, sich ausschüttend vor Lachen, dem Vater von diesem Reichspatent erzählen wollte, mochte der seine Fröhlichkeit nicht teilen.

»Was ist denn passiert?«

»Onkel Helmut ist gestorben ...«

Manfred war bestürzt: erst Tante Martha, dann die Kohlenoma, und jetzt sein Onkel Helmut.

»So ist das immer«, sagte seine Mutter. »Wenn einer mit dem Sterben anfängt, folgen ihm zweie hinterher. Als bei uns in der Kasse die Schnurpfeil gestorben ist, sind wenig später auch der Lange und der Adomatis von uns gegangen.«

So lachten sie Tränen und vergossen sie Tränen, und auch den Sommer 1963 mußte Manfred ohne Schmöckwitz auskommen. Mit dem Verreisen klappte es wieder einmal nicht. Tante Elisabeth und Onkel Fritz in New York hatten sich schon auf seinen Besuch gefreut, und mit Moshe Bleibaum zusammen wollte er die USA erobern, doch Gisela hatte sich quergelegt und darauf bestanden, mit ihrem Verlobten in die Camargue zu fahren. Auch die anderen Freunde konnten nicht: Gerhard hatte weder Geld noch Urlaub, und Dirk Kollmannsperger büffelte für seine Klausuren. C & A hüteten das Haus der Grigoleits in Hermsdorf, und so saß Manfred entweder zu Hause auf dem Balkon oder in Hermsdorf im Garten, bei alldem nicht sehr glücklich. Es war vertane Zeit. Viel lieber hätte er mit einer schicken Braut am Strand von Jesolo gelegen und ... Aber: *Mit Gewalt läßt sich kein Bulle melken.* Oder: *Du kannst nicht gegen die Klistierspritze pupen.* Je länger er existierte, desto mehr begriff er, wie die skurrilen Weisheiten seines Vaters sein Leben steuerten.

Es war ein melancholischer Sommer. Ab und an ging er mit seinen Eltern ins Kino, sah im *Primus* in der Hasenheide Die *Meuterei auf der Bounty* und im 2. Programm den *Hexer*, freute sich, daß Borussia Dortmund mit einem 3:1 gegen den 1. FC Köln deutscher Fußballmeister wurde, und fieberte natürlich dem 24. August entgegen, dem ersten Spieltag der neuen Bundesliga.

Selbstverständlich war er beim ersten Heimspiel von Hertha BSC dabei. Mit seinem Vater und Gerhard Bugsin. 60 000 Zuschauer sahen mit ihnen zusammen das 1:1 gegen den 1. FC Nürnberg. 0:1 hieß es in der 40. Minute, und der Torschütze für die Franken war kein anderer als der legendäre Maxl Morlock. Zum Glück glich Schimmöller nach einer Stunde aus, indem er einen Elfmeter sicher verwandelte.

Eine Freundin war nach wie vor nicht in Sicht, und so blieb Manfred nichts weiter als das, was bei Freud »sublimieren« heißt: die Umwandlung des Sexualimpulses in Handlungen, die zur Erreichung höherer Ziele führen. Mit anderen Worten, er studierte heftig und belegte im Wintersemester 1963/64 wieder eine ganze Reihe von Seminaren und Kursen.

Doch so fleißig er war: Seine Noten blieben eher durchschnittlich. Der begnadete Soziologe war er also nicht. Seine Existenzängste wurden so stark, daß er unter Magenschmerzen, Bluthochdruck und Schlaflosigkeit zu leiden begann. *Wie willst du es bloß schaffen, dir eine Existenz aufzubauen? Du mußt doch irgendwann mal Frau und Kinder ernähren.* Nicht nur die Weisheiten seines Vaters bestimmten sein Fühlen und Denken, sondern auch die bürgerlichen Vorstellungen seiner Mutter.

Das Jahr schien dahinzudümpeln, erst im Oktober wurde

es interessanter. Die Eröffnung der Berliner Philharmonie, von Hans Scharoun entworfen, war Manfred wurscht, und in ein Konzert von Herbert von Karajan wäre er nur gegangen, wenn man ihm hundert Mark Schmerzensgeld geboten hätte. Aber es war ein wunderbarer Bau, und er freute sich immer, wenn er ihn vom Oberdeck des 29er Busses goldgelb in der Sonne funkeln sah. Mehr Aufmerksamkeit fand da schon der Rücktritt Konrad Adenauers. Wie die meisten Berliner hatten die Matuschewskis den Rhöndorfer nie geliebt, und Manfred und sein Vater gaben auch ihm die Schuld an der Teilung Deutschlands und dem Elend Berlins. Allerdings erhofften sie sich auch von Ludwig Erhard nichts. Wenn sie den auf dem Bildschirm sahen, machten sie sich nur über ihn lustig. Was sie wirklich berührte, war das Unglück in der Eisenerzgrube *Mathilde* im niedersächsischen Lengede. 29 Menschen waren ums Leben gekommen, und als man die letzten Überlebenden mit einer sogenannten »Dahlbusch-Bombe«, einer torpedoähnlichen Kapsel, aus einem Rettungsschacht zog, freuten sie sich sehr über die gelungene Bergung.

Drei Prominente starben. Nach Gustaf Gründgens erst Theodor Heuss und dann Erich Ollenhauer. Manfred hatte Heuss nie so recht ausstehen können; er hielt ihn für einen großen Heuchler. Wer Hitlers Ermächtigungsgesetzen zugestimmt hatte, war für ihn ganz schlicht »ein Schwein«. Und an Ollenhauer hatten sich der Vater und er schon lange festgebissen, hielten sie ihn doch für einen unendlich langweiligen und griesgrämigen Menschen, einen »Gurkendoktor«, auf dessen Konto die ewigen Niederlagen der SPD gehen würden.

Anders war es mit John F. Kennedy. Als der am 22. November in Dallas erschossen wurde, war ihre Trauer groß.

Doch das alles wurde zur Nebensache, als Senatsrat Horst Korber und der DDR-Staatssekretär Erich Wendt am 17. Dezember ein Protokoll über die Ausgabe von Passierscheinen an die West-Berliner unterschrieben.

»Wir können Weihnachten nach Schmöckwitz rüber!«

Seit August 1961 hatten sie ihre Schmöckwitzer und die

anderen Ostberliner Freunde und Verwandten nicht mehr gesehen.

»Ich kann's nicht fassen«, sagte die Mutter.

Mit feuchten Augen hörten sie Willy Brandts Rede.

»Wir alle haben lange genug auf diese Nachricht warten müssen. Nun wissen wir, daß das Weihnachtsfest für Hunderttausende Berliner in beiden Teilen der Stadt schöner werden kann. Es wird für sie ein echtes Fest der Familie sein.«

Im RIAS begann ein hektisches Sonderprogramm nur mit Informationen über das Passierscheinabkommen. Wann, wie und wo man seinen Passierschein beantragen konnte, wer dies für jemanden, der selber nicht konnte, per Vollmacht tun durfte, ob man Hunde mit »rüber« nehmen konnte, wie mit Rollstuhlfahrern und ihrer Begleitperson zu verfahren war und vor allem, ob und inwieweit östliche »Verwandte um drei Ecken herum« zum Empfang des begehrten Dokuments berechtigten. Die Stadt geriet in einen kollektiven Wahn. Würde man wirklich an Passierscheine herankommen? An welchen Tagen sollte man rüberfahren? Wie konnte man herauskriegen, wann es den Ostberlinern paßte, wie ihnen mitteilen, wann man kommen würde? Für Briefe war es zu spät, Telefon hatte kaum einer, und selbst bei Telegrammen mußte man wegen der völligen Überlastung der Ämter und Boten mit tagelangen Verzögerungen rechnen.

»Wir fahren am ersten Weihnachtsfeiertag«, beschloß Manfreds Mutter. »Da sind sie bestimmt zu Hause. Und dann zu Silvester.«

Und schließlich: Was sollte man mitnehmen, wenn man in den Ostsektor fuhr, und vor allem: Was durfte man mitnehmen?

Am 18. Dezember um 13 Uhr sollten die Passierscheinstellen ihre Schalter öffnen, doch als Manfred um 9 Uhr die für sie als Ausgabestelle vorgesehene Schule am Richardplatz betrat, hatte sich vor ihm schon eine Schlange von vielen hundert Menschen gebildet. Es war ein Mittwoch, und viele Berufstätige hatten sich extra frei genommen. Obwohl stundenlange Warterei in Aussicht stand, herrschte auf den Fluren und Gängen Volksfeststimmung. Man teilte Schokolade und Bonbons, organisierte Bier und Buletten für die Mitwartenden, erzählte Lustiges von sich und seinen Verwandten und hielt sich gegenseitig die Plätze frei, wenn man auf die Toilette oder kurz nach Hause mußte. Der Rentner neben Manfred drückte die ganze Sache so aus: »So jerne wie heute hab' ick mir noch nie die Beene in'n Bauch jestanden.«

Manfred hatte sich etwas zum Lesen mitgenommen, und zwar sinnigerweise *So weit die Füße tragen*, einen Roman von Josef Martin Bauer, in dem ein deutscher Kriegsgefangener aus einem Lager in Sibirien ausbricht und zu Fuß nach Deutschland will. Für jeweils zwanzig Leute gab es einen Stuhl, und etwa alle zwei Stunden konnte Manfred zehn Minuten sitzen und sich vom Stehen erholen.

Auch der Gang zur Toilette war stets eine willkommene Abwechslung, und er ging öfter Austreten, als er eigentlich mußte. Als er wieder mal an der Pinkelrinne stand und wartete, daß der Strahl sich endlich sehen lassen würde, schrak er zusammen, denn der ältere Mann dicht neben ihm musterte ihn mit einer Neugier, die eigentlich nur auf eines schließen ließ ...

»Darf ich Sie mal etwas fragen ...?«

»Nein.«

Der Nachbarpinkler ließ sich nicht abschrecken. »Wir kennen uns doch irgendwie ...?«

»Nicht, daß ich wüßte.« Manfred versteckte schnell das, worauf sich die Begierde des anderen zu richten schien.

»Doch ... Aus der Albert-Schweitzer-Schule ...«

»Ich kann mir nicht vorstellen, daß wir mal zusammen in einer Klasse waren ...« Der andere war gute fünfundzwanzig Jahre älter als er

»Sie haben direkt neben mir gesessen ...« beharrte der andere und knöpfte grinsend den Hosenstall zu.

»Versteh' ich beim besten Willen nicht ...«

»Sie wären doch fast mein Schwiegersohn geworden ...«

»Herr Zerndt!« rief Manfred. »Renas Vater. Wie geht's ihr denn ...?«

»Sie ist jetzt bei Bahlsen in Hannover, als Sekretärin ...«
»In der Keksfabrik?«
»Ja ...«
Und mit pochendem Herzen stellte Manfred die Frage, ob er denn schon Enkelkinder habe. »... sie war doch mit dem Zahnarzt damals ...«
»Ach«, lachte Herr Zerndt, »der ist längst passé. Und Sie?«
»Ich hatte leider nie eine Zahnärztin. Grüßen Sie Renate schön von mir!«
»Mach' ich.«
»Und sie soll sich mal melden bei mir, wenn sie wieder in Berlin ist.«
Herr Zerndt eilte zurück an seinen Warteplatz, und Manfred machte sich wieder an die Lektüre seines Romans. Aber Renates Bild legte sich immer wieder über die sibirische Landschaft. Im Mai 1957 hatte er sie zum letzten Mal gesehen, vor einer Ewigkeit, und dennoch ... Ob er ihr mal schreiben sollte: c/o Bahlsen, Hannover. Womöglich hatte sie schon in seiner Hannoveraner Siemens-Zeit dort gearbeitet ... und sie waren sich nie über den Weg gelaufen.
»Früher oder später trinken alle ›Wurzelpeter‹.« Der Rentner neben ihm nahm einen Schluck aus der Pulle und versprach Manfred, auf seinen Platz aufzupassen, er solle nur sein Buch als Stellvertreter zurücklassen, und so konnte er sich eine halbe Stunde auf der Karl-Marx-Straße die Füße vertreten und etwas zu essen kaufen, ein Wiener Würstchen, eine Cola. Überall standen die Weihnachtsbaumhändler.
»Jreift zu, Freunde! Komm' Se und sehn Se, Herrschaften: jrün und jut jewachsen. Jeder Baum det reinste Naturwunda. Vier Mark der Stamm mit alle Zweije dran. Det sind Friedenspreise, wa. Jestan noch in Holstein, heute schon in Neukölln und morjen uff'm Balkon. Jnädige Frau, treten Se näher und sichern Se sich det Schmuckstück für die jute Stube.«
»Brauch ick nich, ick fahr' bei meine Verwandten in'n Osten.«
Als Manfred zurück war, kam die Kolonne endlich in Bewegung. Sie standen im zweiten Stockwerk, und unten im

Parterre war endlich das Passierscheinbüro aufgemacht worden. In Schüben wurden die Leute eingelassen, und in regelmäßigen Intervallen konnte man nun weiterrücken. Aber die Schlange wand sich zu viele Gänge und Treppen entlang, als daß man hoffen konnte, noch vor Einbruch der Dunkelheit an der Reihe zu sein.

Gegen 17 Uhr kam langsam Panik auf, denn um 18 Uhr sollte Schluß sein für heute, und viele konnten sich ausrechnen, daß sie kaum noch Chancen hatten, wenn es im selben Tempo weiterging. Sollten sie neun Stunden umsonst gewartet haben ...? Die ersten Protestrufe hallten durch das Schulgebäude.

»Det könnt ihr doch mit uns nich machen!«

»Wenn ick keen Passierschein kriege, schlag ick hier allet zusammen!«

»Geben Sie uns wenigstens Wartemarken, daß wir morgen früh als Erste rankommen und nicht wieder umsonst hier stehen müssen.«

Ein Westberliner Beamter kam und versicherte ihnen, daß er sich alle Mühe geben werde, die Ostberliner Kollegen zum Überstundenmachen zu überreden.

»Die doch nich, die sind doch stur wie Panzer.«

Manfred hatte unendliches Glück. Er kam noch ins Passierscheinbüro. Nur zwei Reihen hinter ihm war Schluß. Auch mit den Personalausweisen und den Vollmachten war alles in Ordnung, und seine Anträge für die Gesamtfamilie Otto Matuschewski wurden von den roboterhaft wirkenden Ostbediensteten kommentarlos angenommen. Freudestrahlend kam er mit den Abholbelegen nach Hause und wurde von seinen Eltern endlich einmal so richtig gelobt.

Das Abholen dauerte einen zusätzlichen halben Tag, und er fing noch einmal an zu zittern, als der DDR-Administrator in seiner strengen schwarzbraunen Uniform – ein bißchen wie Willi Stoph sah er aus – ihre drei Passierscheine in seinem Karteikasten nicht gleich finden konnte. Manfred fragte sich, ob es einen Grund gab, ihm die Einreise zu verweigern ...? Nein, es sei denn, man hätte seine Kommentare nach dem Mauerbau gehört ... oder nach den Todesschüssen auf Peter Fechter ... wie der an der Mauer verblutet war. Aber dann hätten sie ja kaum einen Westberliner reinlassen dürfen. Da waren die Scheine. Wie eine Beute schwenkte er sie, und als er zu Hause war, schickten sie gleich ein Telegramm nach Schmöckwitz.

»Ich würde nie in den Osten fahren«, gestand Herbert Neutig. »Jeden Augenblick die Angst, daß die Stasi einen verhaftet ...«

Dennoch machten sie sich am ersten Weihnachtsfeiertag auf den Weg nach Schmöckwitz. Heiligabend war genauso verlaufen wie in den letzten Jahren: Zuerst war Manfred bei Liebetruths gewesen, dann hatten sie zu Hause mit Tante Trudchen gefeiert. Nur war er vorher nicht bei seiner Kohlenoma im Krankenhaus gewesen ...

Ihr Grenzübergang war Sonnenallee, und sie fuhren mit der 95 hin. In einer langen Karawane bewegten sich die Westberliner Richtung Grenze, die meisten vollbepackt wie in einem Flüchtlingstreck. Zwar war es kalt, aber daß manche dicker angezogen waren als bei einer Polarexpedition, hatte andere Gründe. Manfred beispielsweise trug eine Strickjacke für die Oma unter dem Jackett seines neuen dunkelblauen Anzugs und die Mutter ein Kleid für Tante Gerda über ihrem Kostüm.

»Das kontrollieren die nicht so genau«, meinte der Vater, »die sind doch froh, daß ihre Versorgungsengpässe auf diese Weise beseitigt werden.«

In der Mauer war ein schmaler Durchlaß, nicht viel größer als eine Zimmertür, und durch diese Öffnung wurden sie nach Ostberlin geschleust. Nach der Vorkontrolle von Ausweis und Passierschein ging es in eine Baracke hinein. Die Grenzer guckten so starr wie Zinnsoldaten. Zollkontrolle, Geldumtausch ... Im Handumdrehen hatte sie die Kontrollmaschinerie auch schon wieder ausgespuckt, und sie standen in Baumschulenweg. Hinter den Sperren hatten die Ostberliner ein dichtes Spalier gebildet, um ihre Lieben in Empfang zu nehmen.

»Uns hätten sie ja auch abholen können«, beschwerte sich die Mutter, spürbar gekränkt.

Bezirk Treptow, Ortsteil Baumschulenweg ... Knappe hundertfünfzig Meter waren sie gegangen und schon in einer ganz anderen Welt gelandet. Sogar die Luft schien anders zu riechen, nach Hausbrand und billigem Benzin. Die Fassaden waren grauer und verwitterter, das Straßenpflaster war holpriger, die Menschen waren ärmlicher gekleidet. Ihre Kleidung erinnerte, was Schnitt und Farben betraf, an Moskau und die Taiga. Statt der Limousinen von Mercedes und VW, Ford und Opel, BMW und Audi rollten kleine Stullenbüchsen, Wartburgs und Trabis, auf den Straßen. Auch der Bus der BVG-Ost zum Bahnhof Baumschulenweg sah wenig prachtvoll aus, wirkte eher wie ein Truppentransporter. Er war so voll, daß sie keinen Platz mehr fanden.

»Laufen wir eben.«

Manfred hatte das Gefühl, durch vermintes Gelände zu gehen. Es war die diffuse Angst, sofort verhaftet zu werden, weil man ein falsches Wort gesagt oder auch nur etwas gedacht hatte, das hier als staatsfeindlich galt: daß die DDR ein großes Gefängnis war und ihre Führer Speichellecker Moskaus. Daß der Himmel sie lieber heute als morgen wieder verschwinden lassen sollte. Um ihre innere Ablehnung zu kaschieren, lächelten sie alles an, was eine Uniform trug, und lobten die Errungenschaften des Sozialismus, wo immer sie gefragt wurden, wie sie's denn in Ostberlin so fänden.

In der S-Bahn roch es so sehr nach Desinfektionsmitteln, daß Manfred den Eltern zuflüsterte, die Staatsführung der DDR befürchte wohl Westberliner Untergrabungsbakterien. Vorbei ging es am Friedhof Baumschulenweg, wo nun auch die Kohlenoma lag. Auch im geteilten Berlin war die Beerdigung »drüben« noch möglich. Onkel Helmut war auf einem Friedhof an der Hermannstraße beigesetzt worden. Tante Irma, seine verwitwete Ehefrau, hatte ihn jede Woche besuchen wollen.

Manfreds geliebte 86 kam genau wie früher um die Kurve herum, als sie am Bahnhof Grünau ausgestiegen waren. Und noch immer wurden die alten umgebauten Maximumtriebwagen eingesetzt. Es gab den sogenannten ZZ-Betrieb, wo nur noch im zweiten Beiwagen ein Schaffner saß. Manfred hatte Glück und bekam einen Sitzplatz auf der linken Seite des Wagens. Und nun zogen sie vorüber, die alten, lieben Orte: Regattatribünen, Funkhaus, Strandbad Grünau, die Bammelecke ... Drüben lagen die Müggelberge, und er sah sich im Faltboot nach Marienlust paddeln. Richtershorn, Schappachstraße, Lübbenauer Weg ...

»Ich steig' schnell mal aus und seh' nach, ob Gerhard schon da ist«, sagte er zu seinem Vater. »Wir wollen noch Speerwerfen heute.«

»Ja, und frag Max mal, ob wir nachher bei ihm in Karolinenhof Karten spielen oder lieber bei uns in Schmöckwitz. Und er soll schon mal die Erdbeerbowle ansetzen.«

Von der Vetschauer Allee bogen sie links ab ins Adlergestell und fuhren schnurgerade durch den Kiefernwald, bis die blaßgelben Gebäude des Reifenwerks die Idylle zerstörten. Hinter den Karnickelbergen, man bloß flachen Höckern, dehnte sich häßlich der Konsum. Ihre Köpfe aber gingen nach links, wo sich hinter den beiden riesigen Birken und der roten Sommerlaube das kleine Häuschen der Oma verbarg.

Sie stiegen aus, und Manfred fürchtete sich plötzlich davor, alles wiederzusehen. Er hätte zu Hause bleiben sollen.

Als er geklingelt hatte, kamen sie alle nach vorn gelaufen: Agnieszka, Lucyna, Leszek, Tante Gerda und zum Schluß seine Schmöckwitzer Oma.

»Jetzt kommt der kollektive Begrüßungsrausch«, sagte Manfred, dessen Sprache sich nach acht Semestern Studium schon ein wenig verändert hatte.

Alle lagen sich in den Armen, und die Augen wurden feucht.

»Daß ich das noch erleben darf!« rief die Schmöckwitzer Oma.

In zweieinhalb Minuten wurden die Gespräche nachgeholt, die sie sonst innerhalb von zweieinhalb Jahren geführt hätten. Daß sich alle gar nicht verändert hätten, daß Gerda gut aussähe, daß die beiden Mädchen aber groß geworden seien, daß Leszek jetzt ganz prima Deutsch spräche.

»Nun kommt mal alle rein«, sagte Tante Gerda.

Manfred zögerte. Alles war anders als früher, roch anders, war mit anderer Farbe gestrichen. Schmöckwitz war noch Schmöckwitz, aber nicht mehr *sein* Schmöckwitz, das war der Unterschied. Und der Manfred Matuschewski der Jahreswende 1963/64 war ein anderer als der jener glücklichen Sommer zwischen 1946 und dem Umzug nach Hannover 1960. Das galt für alle, die nun im kleinen Zimmer seiner Oma saßen, aber sie bemühten sich nach Kräften, so zu tun, als seien sie noch immer dieselben Menschen wie früher.

Da es für Leszek gottgewollt war, daß man um zwölf Uhr zu Mittag aß, hatte man schon auf die Neuköllner gewartet. Und ehe die Geschenke ausgewickelt werden konnten, hatte Tante Gerda schon die *barszcz czerwony*, die Rote-Beete-Suppe serviert. Dann gab es den *ges pieczona*, den Gänsebraten, und für Leszek Piroggen. Da Tante Gerda im Konsum arbeitete, an der Quelle also, hatte sie alles das bekommen, was andere nie oder selten sahen, auch ungarischen Wein. Manfred trank aber lieber wie früher sein Margon-Tafelwasser.

Nach dem Essen gerieten sich die beiden Schwestern gehörig in die Haare, denn Lucyna hatte nach Agnieszkas Ansicht das wesentlich schönere Kleid geschenkt bekommen.

Manfred zog sich den Mantel über und ging in den Wald hinaus. Am Rande der Schneise, die nach Waldidyll führte, fand er die tiefen Kerben in den Kiefernstämmen wieder, die von seinem Diskus stammten. Wo waren die Tage, an denen er hier mit Gerhard, Dirk Kollmannsperger und Balla-Balla Pankalla um den Sieg gerungen hatte ... Nur damals, so schien ihm, war er eins gewesen mit sich und der Welt, glücklich eben, und seitdem nie wieder. Und mußte dennoch weiterleben. Er pinkelte gegen die Eiche, die den Anlauf beim Speerwerfen begrenzt hatte. Wieder auf dem Grundstück, sperrte er den Bootsschuppen auf und streichelte die blaugraue Gummihaut seines Faltbootes.

Dann kamen die anderen aus dem Haus, denn der traditionelle Spaziergang zur Brücke stand an. Jetzt ging es los mit den Gesellschaftsspielen »Bei uns, da ...« und »Das haben wir auch«. Immer wieder fühlte Manfred außen an seiner Brusttasche, ob Ausweis und Passierschein wirklich noch drinsteckten. Wenn er sie verloren hatte, dann ...

Auf der Schmöckwitzer Brücke sah er sehnsüchtig auf den Seddinsee hinunter. Daß es auch im Sommer Passierscheine gab, war nicht zu erwarten. Hinter ihm gab es ein großes Hallo. Else Zastrau, Erna Kühnemund und die liebe Tilly waren aufgetaucht. Erna Kühnemund war früher über Land gezogen und hatte den dicken Bauersfrauen Hüfthalter verkauft. Else Zastrau, viermal verlobt und nie verheiratet, war als Halbjüdin Verfolgte des Naziregimes und hatte immer mit den DDR-Behörden im Clinch gelegen, weil sie auf Pakete und andere Unterstützung aus dem Westen nicht verzichten wollte. Und die liebe Tilly, Tochter eines Oberkellners aus dem *Adlon*, wohnhaft in Lichtenberg, im Ostsektor also, und wahrhaft vornehm, litt unsäglich unter den SED-Barbaren, wie sie die Ulbricht-Leute nannte, fand aber nie die Kraft, in den Westen zu gehen, weil man alte Bäume eben nicht verpflanzte. Ihr Gebiß klappte noch viel lauter als früher.

Nach dem Spaziergang entführte ihn Leszek. »Du kommen mit in meine Werkstatt.«

Damit meinte er die braun gestrichene Holzhütte, die er sich zwischen Komposthaufen, Bootsschuppen und Sommerlaube gebaut hatte, genau in Manfreds früherer Hochsprunggrube. Was hatten sie sich hier für dramatische Gefechte geliefert. Eine richtige Latte hatte es nicht zu kaufen gegeben, und sie waren gezwungen gewesen, über eine Wäscheleine zu springen, die zwischen zwei Speeren aufgehängt war. Manfreds Bestleistung stand bei 1,45 Meter, den Schmöckwitzer Rekord hielt aber Dirk Kollmannsperger mit 1,55 Meter. Bevor Manfred mit der Leichtathletik begonnen hatte, war ihm dieser Platz von der Oma für seinen Zoo zur Verfügung gestellt worden. Da hatte es Freigehege für Elefanten, Nashörner, Löwen, Tiger, Wölfe und Kamele gegeben, Felsen für Bären und Affen und Tümpel für Flamingos, Krokodile und Flußpferde – allesamt aus Blei, aber lebensecht bemalt. Kurzum, Leszeks Hütte stand auf geweihtem – oder andersherum – nun entweihtem Boden und symbolisierte für Manfred Vertreibung und Enteignung.

Aber Manfred lächelte, denn er mochte Leszek ja.

Als sie drinnen waren, zeigte er Manfred den aufgeschraubten Volksempfänger seiner Oma, eine *Goebbelsschnauze.*

»Hiera, diese Birne is sich kaputt.«

Manfred brauchte einige Sekunden, um zu begreifen, daß Leszek eine uralte Siemens-Röhre meinte, Baujahr 1943 vielleicht. »Du, die ist nicht mehr im Handel.«

Doch Leszek ließ nicht locker. »Hiera hast du Zettel. Schreibst du Nummer auf und fragst Händler bei euch. Bringst du mir dann neue Birne mit, wenn ihr kommt Silvester.«

Manfred hielt es für völlig aussichtslos, tat ihm aber um des lieben Friedens willen den Gefallen und steckte den Zettel in die Tasche.

Tante Gerda rief aus dem Haus, es gäbe Kaffee und Kuchen. Der Kaffee kam aus Kuba, und Manfred und seine Eltern hatten beim ersten Schluck das Gefühl, vergiftet zu werden. Tante Gerdas Buttercremetorten aber hätten bei der »Grünen Woche« den ersten Preis bekommen.

Als Manfred das dritte Stück auf seinem Teller hatte, gab es aber einen ziemlichen Eklat. Er hatte seine Cousine Anieszka schon die ganze Zeit geneckt und wollte sie nun abkitzeln.

»Manfred!« rief da seine Mutter. »Wir sind beim Kaffeetrinken! Gib jetzt endlich Ruhe, sonst ...!«

»... wirst du wieder in den roten Schuppen gesperrt«, sagte Tante Gerda lachend.

»Bitte nicht!« flehte Manfred. »Liebes gutes Mammalein, stecke deine Rute ein, ich will auch immer artig sein.«

»Dann laß Anieszka jetzt!«

»Gleich ...«

Als er aber Agnieszka noch einmal in die Hüfte pieksen wollte, schlug sie nach seiner Hand. Die traf sie aber nicht, da er sie reaktionsschnell zurückgezogen hatte, dafür aber knallten ihre Finger auf den Rand seines Kuchentellers, und wie vom Katapult hochgeschleudert flog ihm seine Buttercremetorte in hohem Bogen auf die Schulter. Die gelbrote Masse, süß und fett, klebte nun auf dem dunkelblauen Anzugstoff und sah aus wie die Epaulette auf der Galauniform Friedrichs des Großen.

Alle bogen sich vor Lachen, nur seine Mutter tobte.

»Ich werd' dir nie wieder einen Anzug kaufen!«

Erst als sie beim anschließenden Rommé- wie auch Bimbo-Spiel gewann, beruhigte sie sich wieder. Es wurde dann noch ein sehr gemütlicher Abend, bis sie sich gegen 21 Uhr auf den Heimweg machten.

»Diesmal werden nicht zweieinhalb Jahre vergehen, bis wir uns wiedersehen!« Sie hatten schließlich auch Passierscheine für Silvester.

Es schien alles wunderbar zu laufen, und sie fanden am Bahnhof Baumschulenweg sogar einen Bus, der sie zur Grenze fuhr, doch dann kam der *Schrecken in der Abendstunde*. Die Eltern hatten beim Anstellen mehr Glück gehabt als Manfred und waren schon wieder im Westen. Er wollte ihnen nach der letzten Paßkontrolle (»Machen Sie das rechte Ohr mal frei!«) schnellstmöglichst folgen, da fiel ihm beim Einstecken der Dokumente ein kleiner Zettel auf den Boden: der, den ihm Leszek mitgegeben hatte. Bevor er ihn einstecken konnte, war einer der Grenzschützer schon hinter ihm.

»Zeigen Sie mal her! Was is'n das!?«

Manfred sah keinen Grund zu lügen. »Von meinem Onkel ... Da soll ich ihm 'ne Radioröhre mitbringen. Von Siemens ...«

»Wer ist Ihr Onkel?«

Manfred erzählte, was er von Leszek wußte.

Der Grenzschützer, ein junger Dummkopf aus der sächsischen Provinz, hielt das alles, wie ihm leicht anzusehen war, für ein Märchen. In der Tat: Ein Land-, ein Hilfsarbeiter sollte einen Radioapparat reparieren wollen?

»Kommen Sie bitte mal mit.«

Gelähmt wie das Gnu im Maul des Löwen folgte Manfred dem Uniformträger und wurde in einen hölzernen Verschlag geschoben, nicht größer als ein Toilettenhäuschen. Da saß er nun und büßte für sämtliche Sünden der letzten zwanzig Jahre. Klar, daß sie ihm die Geschichte vom Bastelgenie Leszek nicht glauben und die Notiz für ein Code-Wort halten würden, bestimmt für einen westlichen Geheimdienst.

Die Minuten vergingen. Manfred sah im Geist seine Eltern jenseits der weißen Grenzlinie stehen und auf ihn warten. In der Kälte draußen. Hoffentlich kamen sie auf die Idee, die Polizei einzuschalten oder gleich Leute anzurufen, die ihm helfen konnten. Am besten Rudi Schuchardt und Hans-Gert Kohlhaas von der GSG ... die hatten gute Kontakte zur SPD.

Nach einer Viertelstunde kam ein hoher Offizier, und Manfred war sich sicher, daß er nun zu einem weiteren Verhör in die Stadt verbracht wurde. Doch der Mann sagte nur lakonisch: »Sie können passieren.«

Manfred stürzte aus der Holzbaracke, lief in den Westen hinüber und fiel seinen Eltern um den Hals.

Trotzdem wagten sie es zu Silvester, wieder nach Ostberlin zu fahren. Diesmal trafen sie sich vorher in einer Kneipe am S-Bahnhof Baumschulenweg mit den Blöhmers aus Rahnsdorf, mit Waldemar und Erna. Erna Blöhmer hatte vor dem Krieg mit seiner Mutter zusammen bei der AOK gearbeitet, und die beiden Ehepaare hatten viele Wander- und Paddelausflüge gemacht. Waldemar Blöhmer war von Hause aus Siemens-Feinmechaniker, hatte aber nach 45 umgesattelt und war Berufsschullehrer geworden – im Westen, in der Neuköllner Boddinstraße.

»Und was haben sie mit dir gemacht, als die Mauer ...?«

Waldemar seufzte. »Natürlich in die Produktion gesteckt. Zur Strafe, weil ich meine wertvolle Arbeitskraft nicht zum Aufbau des Sozialismus eingesetzt, sondern die kapitalistischen Kriegstreiber unterstützt hatte. Jetzt darf ich beim RFT Köpenick Schrauben zählen ... In der Materialausgabe steck' ich jetzt.«

»Es hätte schlimmer kommen können.«

Waldemar grinste. »Ich bin an einen Genossen geraten, der von der SPD zur SED übergelaufen ist ... Und da wir 33 beide Seit' an Seit' gegen die Nazis gekämpft haben, konnte er mir beim besten Willen nichts anhängen, wollte er auch gar nicht. Na ja, da wo ich bin, kann ich ganz gut überleben. Trotz des Hungerlohns hier im Paradies der Arbeiter und Bauern.«

»Waldi, pssst!«

»Ich hab' zum Glück meine Bienen und den Honig zum Verkaufen. Da kommen wir ganz gut über die Runden.«

Als sie gegen 17 Uhr in Schmöckwitz eintrafen, war die Bude schon gerammelt voll. »Wer zählt die Völker, nennt die Namen«, rezitierte der Vater. Nicht nur Tante Trudchen war gekommen und hatte Karlchen, ihren Sohn, samt Frau mitgebracht, sondern auch Onkel Berthold und Tante Grete. Da Tante Grete extrem schwerhörig war und mit ihrem Hörgerät nicht zurande kam, mußten alle schreien. Und trotzdem ...

»Na, Tante Grete«, brüllte Manfreds Mutter, »du siehst aber gut aus! ... und noch so glatte Haut.«

»Ja ...« Tante Grete freute sich. »Die Ute ... das ist Manfreds Braut.«

Onkel Karl, klein, dick und gemütlich, der Lieblings-Cousin seiner Mutter, war Absolvent der Hochschule für Ökonomie in Berlin-Karlshorst und so etwas wie Oberbuchhalter beim *Neuen Deutschland*. Als Genosse war er ebenso linientreu wie Onkel Berthold, der als Kommunist zwölf Jahre im KZ gesessen und nach der Befreiung eine große Rolle in der Ostberliner Kommunalpolitik gespielt hatte. Beide hatten nun offenbar den Parteiauftrag, die anwesenden Westler davon zu überzeugen, daß die Mauer eine gute Sache war.

»Wir wissen, daß es Pläne gab, mit der Bundeswehr siegreich durch das Brandenburger Tor in die DDR einzumarschieren, und wir mußten im Interesse der Erhaltung des Friedens diesem Bestreben einen Riegel vorschieben. Denkt daran, wenn man euch einreden will: ›Die Mauer muß weg!‹ ... Diese Mauer hat auch euch das Leben gerettet, denn ohne Mauer hätte es den atomaren Weltkrieg gegeben.« Soweit Onkel Karl.

Onkel Berthold spann den Faden weiter: »Die Sicherung der Grenze der Deutschen Demokratischen Republik dient der Sicherung des Friedens und der Bändigung des deutschen Militarismus. Sie ist also ein Schutzwall und wird wieder verschwinden, wenn die Herrschaft der militärischen Ultras in Westdeutschland und aller Revanchepolitiker beseitigt ist. Allen friedliebenden Menschen stehen aber bis dahin die Grenzen der DDR offen.«

Gerade als der Vater antworten wollte, klingelte es draußen Sturm, und es trafen C & A mit Bettina ein. Beide hatten Schmöckwitz als den Ort bestimmt, wo sie sich mit all ihren DDR-Verwandten, sieben an der Zahl, treffen konnten, darunter ein Pfarrer und ein Student der Theologie.

»Hätten wir das vorher gewußt, hätten wir schnell noch angebaut«, sagte Tante Gerda.

»Eh' Sie das Material dafür bekommen hätten ...« Anetts Verwandte setzten an, über die Versorgungsengpässe in der DDR zu lästern.

»Pssst«, machte Tante Gerda und zeigte auf Onkel Karl und Onkel Berthold.

Bei *Rotkäppchen*-Sekt kam es dann aber doch schnell zur deutsch-deutschen Verbrüderung, und die Stimmung erreichte ihren Höhepunkt, als alle, die etwas längere Haare hatten, die Beatles parodieren wollten.

Nur Manfreds Mutter hielt sich zurück. »Ich denke schon mit Schrecken an die volle S-Bahn nachher, wenn alle Westberliner auf einmal nach Hause wollen.« Um zwei Uhr morgens wurde die Grenze geschlossen.

»Prost Neujahr!«

Als sie alle angestoßen hatten, stürzte Leszek nach draußen, um sein selbstgebasteltes Feuerwerk abzubrennen.

»Alle kommen gucken!« schrie er.

Doch die Sache ging schon los, als er sich noch in seiner Werkstatt befand. Er konnte sich retten, doch die Holzhütte stand sofort in hellen Flammen.

»Daß ich das noch erleben durfte«, meinte Manfred zu seinem Vater, der sinnend neben ihm stand.

Cum laude

Im Sommer 1964 war Manfred im neunten Semester, und langsam wurde es Zeit, an die Diplomarbeit zu denken. Doch er schob es immer wieder vor sich her, zu Stammer oder seinen Assistenten zu gehen und sich ein Thema geben zu lassen. Er hatte zu große Angst vor diesem Augenblick und dem Druck, es in einer ganz bestimmten Zeit schaffen zu müssen. Was ihn aber am meisten hemmte, war die Frage: Was dann? Zurück zu Siemens? Dann lieber noch drei Jahre studieren. Als Schriftführer der GSG hatte er mitunter eine Menge zu tun, und nicht selten rief Rudi Schuchardt noch bei ihm an, wenn die *Berliner Abendschau* schon lief. »Wir müssen dringend ... Komm schnell mal in die Bernburger Straße.«

Kam Manfred mit dem 48er Bus nach Dahlem und sah die Gebäude der Wiso-Fak. auch nur von weitem, so krampften sich sofort Magen und Därme zusammen, und nicht selten kam es zu einer drastischen »Notlandung« unten in den Toiletten, wo das Abwischpapier inzwischen mit dem blauen Aufdruck FU BERLIN versehen war. So mied er die FU, wo immer er konnte. Mit nur einem Schein war auch in diesem Semester sein »Output« ziemlich gering. Immerhin bekam er für sein Referat zum Thema »Zur Geschichte der Bürokratisierung im industriellen Großbetrieb« vom Lehrstuhl Stammer diesmal nicht die Standardnote 2, sondern sogar eine 2+, also »gut und besser«.

»Wenn du dich in jedem Semester um 0,25 Punkte verbesserst«, stellte sein Freund Volker Gellert, der große Esser, fest, »dann bist du in fünf Semestern bei 'ner glatten Eins angelangt.«

In der ersten Hälfte des Jahres 1964 war das Schiff »Manfred« nur so dahingedümpelt. Die Frau fürs Leben schien mit ihm Verstecken spielen zu wollen. Einsam war er trotzdem nicht: Mit den Eltern schaute er viel Fernsehen, und für Sport und Kultur fand sich immer ein Freund.

Am 26. Februar zum Beispiel war es hoch hergegangen. Da war um 22 Uhr 45 im 1. Programm der Kampf um die Weltmeisterschaft im Schwergewicht zu sehen gewesen: Cassius Clay gegen Sonny Liston. Als Liston aufgeben mußte, rannte das »Großmaul« wie von Sinnen durch den Ring und schrie: »I'm the greatest! I'm the greatest!« Sie selber freuten sich am meisten, als »Bubi« Scholz im April durch die Disqualifikation seines Gegners Giulio Rinaldi (Italien) neuer Europameister im Halbschwergewicht geworden war, aber auch darüber, daß Karl Mildenberger im Berliner Sportpalast gegen den Amerikaner McBride hoch nach Punkten gewonnen hatte.

Auch das 53. Berliner Sechstagerennen im Sportpalast war ein großes Ereignis. Zusammen mit dem Vater, Dirk Kollmannsperger und Gerhard Bugsin hatte Manfred am 13. Januar die legendäre Nummer 8 miterlebt, das Paar Bugdahl/Renz, aber auch Rolf Wolfshohl und Hennes Junkermann, die deutschen Helden der Tour de France. Der Startschuß war von Rudi Altig abgefeuert worden, und Otto Kermbach hatte mit seiner Kapelle für die nötige Stimmung gesorgt. »Ab jeht die Fahrt sechs Tage lang bei Pfeifkonzert und Walzerklang. Det is Musike für mein Ohr, ick bin für Stimmung und Humor.« Einer aber war schmerzlich vermißt worden: »Krücke« – mit bürgerlichem Namen: Reinhold Habisch –, das letzte der großen Berliner Originale. Am 9. Januar, zwei Stunden vor seinem 75. Geburtstag, war er gestorben. Nun pfiff keiner mehr den »Sportpalast-Walzer«.

Mit den Eltern ging er brav zur *Grünen Woche* unterm Funkturm, so richtig mit Jagdhornblasen, singender Landjugend und Hengstparade, und in den *Zoo-Palast*, wo Heinz Rühmann und Ruth Leuwerik in *Das Haus in Montevideo* zu sehen waren.

Mit Dirk Kollmannsperger traf er sich weiterhin jeden Dienstag- und Donnerstagabend zum Diskuswerfen, nun nicht mehr im Neuköllner Stadion, sondern auf dem Sportplatz in der Silbersteinstraße. Auch Fußball interessierte sie, zum Beispiel, daß der 1. FC Köln mit 45:15 Punkten der erste Meister in der neu eingeführten Bundesliga war und Hertha BSC mit 24:36 Punkten als 16. fast abgestiegen wäre, nur einen einzigen glücklichen Punkt vor Preußen Münster eingekommen war. Traurig fanden sie, daß Sepp Herberger nach dem Länderspiel gegen Schottland (2:2) als Bundestrainer abgetreten war.

Manfred fuhr öfter zu Moshe Bleibaum nach Charlottenburg und ging mit ihm und Gisela ins Theater. Natürlich sahen sie *Die Verfolgung und Ermordung Jean Paul Marats* von Peter Weiss im Schiller-Theater. Als sie einmal im großen Saal der HdK in der Hardenbergstraße gemeinsam ein Klavierkonzert hörten, kam es zu einem kleinen Skandal. Das lag daran, daß der Freund über den kleinen, etwas verwachsenen Gehilfen lästerte, der dem Pianisten die Noten umblätterte.

»Ich wußte gar nicht, daß sich dein Vater hier noch 'n paar Groschen dazuverdient ...«

»Besser als deiner auf der Toilette unten«, gab Manfred zurück.

»Pssst!« machte es von überall her.

Doch das hinderte sie nicht, weiterzutuscheln und zu kichern. Gisela fing allerdings an, sich unwohl zu fühlen.

»Über Behinderte redet man so nicht.«

»Hier tut man überhaupt nicht reden!« rief der Mann hinter ihnen.

Moshe drehte sich um. »Vor allem, wenn man nicht richtig Deutsch kann.«

»Das müssen ausgerechnet Sie mir sagen!«

»Sie können ja Nachhilfeunterricht bei mir nehmen.«

So ging es noch eine Weile hin und her, bis der Künstler vorne entnervt vom Hocker sprang und schrie, daß er vor solchen Banausen nicht spiele.

»Recht hat er!« krähte sein Umblätterer.

Beschämt und genervt sprang Gisela auf, um aus dem Saal zu stürzen. Die Leute reagierten mit anhaltendem Applaus, und Moshe brauchte eine Woche, um sie wieder versöhnlich zu stimmen, und das gelang ihm auch nur mit einem Brillantring aus dem Hause Hippler. Sein alter Siemens-Freund »Heil Hippler« hatte inzwischen das Elektrohaus verlassen, um als Kompagnon eines Schmuckhändlers Geld zu schaufeln.

Der Sommer 1964 stand indes ganz im Zeichen von Volker Gellert. Als Inhaber eines bundesdeutschen Reisepasses hielt er den Kontakt nach Schmöckwitz aufrecht und wurde oft als Bote eingesetzt. Außerdem führte er die singende Erdmuthe heim. Da Volker Gellert ein verkappter Konservativer war und davon träumte, den Namen Volker Graf von Gellert zu tragen, führte er Erdmuthe in der Dahlemer Dorfkirche standesgemäß zum Altar. Nebenan im Dorfkrug, einem noblen Etablissement, war die Tafel gedeckt. Das war deshalb möglich, weil Erdmuthe inzwischen im Berliner Opernchor anständig Geld verdiente. Der Bräutigam war in Frack und Zylinder erschienen, beides zwar geliehen, aber immerhin, während das süße Kleid der Braut aus einem First-class-Laden in Hannover stammte. Alles war *wie im Fülm*. Auch die Eltern der beiden und alle anderen Gäste waren festlich gekleidet.

Die Orgel spielte, und alles, so fand Manfred, war darauf ausgerichtet, *auf die Tränendrüse zu drücken*.

»Herr, unser Gott«, schwadronierte der Pfarrer, »der Beginn einer Ehe ist auch immer wie eine Reise ins Unbekannte; denn so vertraut man sich als Brautpaar auch geworden ist, so offen bleibt zugleich doch die Zukunft mit all ihren Möglichkeiten, aber auch mit all ihren Versagungen. Wir bitten dich, Herr, unser Gott: Gib du diesem Paar dein sicheres Geleit, damit es sich nicht verirrt auf dem Meer des Lebens und nicht an Klippen und Untiefen scheitert.« Dieses Bild erfreute Volkers Vater, einen strengen Marineoffizier. »Herr, laß diese Eheleute auch in den Stürmen des Lebens nicht daran irre werden, daß du die Macht hast, uns ans rettende Ufer, an sicheres Gestade zu bringen ...«

Manfred hörte nicht mehr hin, zu groß war der Schmerz, selber noch immer nicht ... Und ständig die ätzenden Kommentare seiner Mutter: *Du kannst dir doch nicht alles durch die Rippen schwitzen.*

Da fiel das Licht durch das Kirchenfenster auf das goldblonde und zu einem Pferdeschwanz gebündelte Haar einer jungen Frau, die zwei Reihen vor ihm saß. *Ein Fingerzeig Gottes!* Er kannte sie vom Hörsaal her. Nicht von der Wiso-Fak. in der Garystraße, sondern vom Domizil der Psychologen in der Grunewaldstraße am Botanischen Garten. Volker Gellert hatte des öfteren von und mit ihr gesprochen. Sie hieß Sibylle, und beide waren in Hameln zusammen aufs Gymnasium gegangen.

Sibylle Matuschewski ...

Die Jaworte, den Tausch der Ringe ... Manfred verfolgte alles nur wie aus weiter Ferne und in Trance, denn statt Erdmuthe sah er Sibylle und statt Volker Gellert sich selber vor dem Tisch des Herrn knien. Sie hatte eine Figur und einen solchen Liebreiz, daß er selbst hier in der Kirche eine Erektion bekam.

Sie noch in oder vor der Kirche anzusprechen, schaffte er indessen nicht, denn er war dazu verdammt, die Hochzeit Gellert für die Nachwelt festzuhalten. Von dem hinterlassenen Geld der Kohlenoma hatte sich die Familie Matuschewski eine Schmalfilmkamera gekauft, und er wurde nun ständig gebeten, bei allen alles abzulichten.

Doch beim Festmahl im *Dahlemer Krug* saß er neben Sibylle und machte ziemlich lockere Konversation auf Deibel komm raus.

»Was bedeutet das für einen Menschen, wenn er Erdmuthe heißt ...? Sie als Psychologin ...«

»Eigentlich studiere ich ja Kunstgeschichte ...«

»Oh ...« Manfred fand, daß sie aussah wie die junge Knef in *Die Sünderin*, hinreißend also, und er wurde mutig. »Dann können Sie sicher auch entscheiden, ob ein Bild unzüchtig ist oder nicht ...«

Das war eine Anspielung auf ein Thema, das Berlin seit Wochen bewegte. Das Moabiter Landgericht hatte nämlich zu entscheiden, ob zwei in einer Ku'damm-Galerie ausgestellte großformatigen Gemälde – *Nackter Mann* und *Die große Nacht* – unzüchtig seien. Beide zeigten je eine schemenhafte männliche Figur mit symbolisierend-überdimensionalem Geschlechtsorgan.

Sibylle überlegte keinen Augenblick. »Das muß man von Phallus zu Phallus unterscheiden.«

Manfred zuckte zusammen, verschluckte sich an der Suppe und war sekundenlang um eine Erwiderung verlegen.

»Peinliches Schweigen«, lachte Sibylle.

Manfred schaltete schnell und kam sofort auf Ingmar Bergmans *Das Schweigen* zu sprechen, das er kurz zuvor mit Moshe Bleibaum im *Atelier am Zoo* gesehen hatte. »Kunstwerk oder Pornographie – was sagen Sie ...?«

»Ich sage nur, daß wir so eine Hitze wie am 19. Juli in diesem Jahr nicht wiederkriegen werden.«

»Oh, ich hätte gern noch mit Ihnen über *Fanny Hill* geredet ...« Letzten Sonnabend hatte die Obrigkeit in dreißig Berliner Buchhandlungen alle Exemplare der *Memoiren eines Freudenmädchens* beschlagnahmt. »Was sagt die Psychologin zum Thema ›unzüchtige Schriften‹ ...?«

»Da gab's noch keine Vorlesung drüber.«

»Und Übungen?«

»Haben Sie auch noch ein anderes Thema drauf?«

Für den Rest des Festmahls fanden sie dann doch etwas, für das sie sich beide begeistern konnten: Heinrich Lübkes Wiederwahl zum Bundespräsidenten. Über dessen vermeintlichen Zwergschul-IQ zu lästern, machte immer wieder Freude.

»Steigt der in Afrika aus'm Flugzeug und sagt: ›Guten Tag, liebe Neger.‹«

»Und zur englischen Königin: ›Equal goes it loose – gleich geht's los.‹ Und: ›You are heavy on wire – Sie sind schwer auf Draht.‹«

Nach dem Essen ging es im großen Autokonvoi in die Schlüterstraße, wo Volker und Erdmuthe Gellert eine fast feudale Altberliner Wohnung angemietet hatten – der passende Rahmen für eine große Opernsängerin und ihren Impresario. In dieser Rolle sah und gefiel sich Volker seit langem, und Manfred war da schon ein wenig neidisch. Erdmuthe war, zumal wenn sie als Brautjungfer über die Bühne schwebte und sang, durchaus begehrenswert. »Wir winden dir den Jungfernkranz aus himmelblauer Seide ...« Das Glück des anderen machte ihn stumm.

Vor dem Mietshaus in der Schlüterstraße angekommen, mußte er unten auf der Straße warten, denn Volker Gellert hatte sich gewünscht, daß Manfred ihn mit Erdmuthe filmte, wie er sie oben auf dem Balkon in den Himmel hob.

Dann geschah etwas, das Manfred an den Rand eines Herzschlags brachte. War es der Wein, war es der Übermut ... wie auch immer: Jedenfalls sah es ganz nach einer Katastrophe aus, als Volker Gellert die Braut über der Balkonbrüstung herumschwenkte ...

... und sie plötzlich nicht mehr halten konnte.

Sie krachte auf die Blumenkästen, und ihr Leben hing wirklich am seidenen Faden ... an den Fäden ihres Brautkleides zumindest. Und die hielten, bis Volker Gellert wieder zupacken konnte.

»Du hast mich umbringen wollen!« schrie sie. Das Spektakel war wirklich bühnenreif.

»Ich wär' dir hinterhergesprungen!« rief Volker und sank vor ihr hin.

Das konnte Manfred leider nicht mehr filmen, zu hoch war die Balkonbrüstung in der Schlüterstraße.

Oben in der Wohnung hatte er nur das eine Ziel: immer in der Nähe Sibylles zu sein. Doch sie tat alles, um ihm aus dem Weg zu gehen. Offensichtlich hatte er beim Essen seine Geilheit doch allzu unverhüllt gezeigt. So blieb ihm zunächst nur Holger, Volkers Bruder, mit dem ihn eine große Leidenschaft verband, die für die Straßenbahn. Holger Gellert kam aus Hamburg und pflegte dort Museumsstraßenbahnen. Manfred mußte ihm alles erzählen, was es in Berlin in puncto Straßenbahnen Neues gab.

»Am 31. Juni hat nun auch die gute alte 3 ihre letzten Runden gedreht. Früher ist das mal der ›Große Ring‹ gewesen, nach dem Krieg ist sie fast 38 Kilometer lang gewesen ... Fahrzeit 150 Minuten ... Ich hab' so 'nen entfernten Onkel, den Onkel Klaus, der hat da mal an der Kurbel gestanden ... Alles vorüber und vergessen. Und am 1. Oktober schließen sie auch die Straßenbahndepots in Schöneberg und in der Hutten-, Ecke Wiebestraße.«

Das stimmte sie beide ziemlich traurig, und sie konnten erst wieder lachen, als ein Cousin Erdmuthes Jürgen von Manger parodierte. Dann wurden Rufe laut, Erdmuthe solle doch etwas singen. Die Künstlerin zierte sich lange, betonte immer wieder, daß sie an ihrem Hochzeitstag nicht arbeiten wolle, doch ihre Verehrer bedrängten sie daraufhin nur um so stürmischer. Schließlich ging sie ans Klavier, an dem ihr Mann schon Platz genommen hatte, und glänzte im Berliner Zimmer mit Liedern von Schumann und anderen. Manfred fühlte sich ins Berlin der Kaiserzeit zurückversetzt, in den Salon von *Nesthäkchen*, von *Frau Jenny Treibel* oder der *Familie Buchholz.* Volker Gellert strahlte: Das war für ihn der Inbegriff des gehobenen Lebens.

Nun wurden die Geschenke ausgepackt, und von fast allen hatten sie etwas Nützliches für die junge Ehe bekommen, von der Tranchierschere bis zum Staubsauger. Die meisten, auch Manfred, hatten sich am versilberten WMF-Besteck und Schüsseln und Schalen derselben Firma beteiligt. Originell war eigentlich nur das große Tintenfaß aus dem Jahr 1877, das von Sibylle stammte.

»Von meinem Ururgroßvater, dem Kommerzienrat Schönlein ... Damit ihr euch immer die romantischsten Liebesbriefe schreiben könnt, wenn das Schicksal euch einmal trennen sollte.«

Alle fanden es rührend, daß Sibylle dabei Tränen in den Augen hatte, und Manfred verliebte sich noch viel mehr in sie.

Hinterher ging es fröhlicher zu: Der Schleier wurde abgetanzt, und dann drehte sich Erdmuthe im Kreis herum und ließ ihren Blumenstrauß in die Richtung fliegen, in der die Frauen standen, die noch keinen Mann gefunden hatten. Wer ihn fing, kam ja angeblich als Nächste unter die Haube.

Und die Glückliche war keine andere als ... Sibylle. Manfred war es siedendheiß geworden. Der zweite Wink des

Schicksals schon. Und wie schön würde sich das später den Enkeln erzählen lassen.

Erdmuthe stürzte daraufhin zum Plattenspieler und stellte das Radio auf volle Pulle. »Los, jetzt tanzen alle. Damenwahl!«

Da Manfred noch immer nicht richtig tanzen konnte, versuchte er, aufs Klo zu fliehen, wurde aber von Sibylle abgefangen. *Also doch!* Sie war scharf auf ihn, und er machte aus der Not eine Tugend, das heißt, er kaschierte seine Unfähigkeit, die Füße dem Rhythmus und den vorgegebenen Schritten anzupassen, dadurch, daß er sie an sich preßte, sich aber kaum von der Stelle bewegte. Er erstaunte noch mehr, als sie sich geradezu hingebungsvoll an ihn schmiegte. Er streichelte ihren Rücken, und ihr »Tanz« ging langsam, jedenfalls soweit es die Öffentlichkeit im Hause Gellert halbwegs gestattete, in eine Vorform des Pettings über. Manfred küßte sie und hauchte: »Sibylle ...«

Plötzlich aber brach sie in Tränen aus, und Manfred konnte sie gerade noch, ehe sie zusammenbrach, zu einem Stuhl führen.

»Was ist denn ... ist dir schlecht geworden ... vom Essen vorhin ...«

»Nein, ich kann nicht mehr ...«

»Was nicht mehr?«

»Mit dir zusammen ...«

»Warum denn?«

»Weil ...« Sie schluchzte auf und preßte ihr Gesicht gegen seine silberne Krawatte. »... ich liebe Volker noch immer ... und nun ist für mich ja alles aus ...«

Manfred war, als wäre er vom Balkon gestürzt und unten auf der Schlüterstraße aufgeschlagen.

Mit Sibylle war es also vorbei, ehe es richtig angefangen hatte. Dennoch war das Ganze so schmerzlich für ihn, daß er im weiteren Verlauf der Feier viel Wein in sich hineinschüttete.

O Gott, im Winter 1964/65 befand sich Manfred Matuschewski schon im 10. Semester, und der Druck, endlich sein Diplom zu machen, wurde immer stärker. *Ewiger Student – du, das kommt nicht in Frage.* Nach einer schlafarmen Nacht klopfte er schließlich Anfang Oktober 1964 an die Tür des Sekretariats von Prof. Dr. Otto Stammer und erbat sich einen Termin für ein längeres Gespräch.

»Ich möchte gerne das Thema meiner Diplomarbeit ...« Es kam nur zögernd über seine Lippen, denn eine Diplomarbeit zu schreiben, war für ihn – dem *Manne* bzw. *Manni vom Neuköllner Hinterhof* – noch immer eine undenkbare Sache, zumindest ein gefährlicher Akt von Hochstapelei. Sätze wie »Ein soziales System ist eine Weise der Organisation von Handlungselementen relativ zur Persistenz oder zu geordneten Prozessen des Wandels der Interaktionsmuster einer Mehrzahl von individuellen Akteuren«, geschrieben von Talcott Parsons, verstand er beim besten Willen nicht, und wenn er die FU auch nur von weitem sah, fühlte er sich völlig fehl am Platze. Ein gewisser Trost war nur, daß Volker Gellert in diesem langen Rennen ums Diplom noch weiter zurückhing als er, ihm noch viele Scheine fehlten.

Doch als er Professor Otto Stammer und seinem Assistenten Jürgen Fijalkowski gegenübersaß, faßte er wieder etwas Mut, denn die beiden schienen längst nicht so abgehoben zu sein wie manche ihrer Elitestudenten.

»Was haben Sie sich denn so gedacht?« fragte der Assistent.

Manfred lief rot an und hatte das Gefühl, sein Mund sei plötzlich zugeklebt, jedenfalls nuschelte er das Wort »Industriebürokratie« so heraus, daß Stammer nachfragen mußte.

»Ja, ich will ... Also ... ich war doch ... äh ... bei Siemens Lehrling, Stammhauslehrling. Und da ... da ist mir also aufgefallen, daß die auch ganz schön ... wenn man da Max Webers Kategorien nimmt, also seinen Idealtypus der Bürokratie, daß die Verwaltungen in der Industrie auch ganz schön ...«

»Neu scheint mir das nicht zu sein«, warf Stammer ein. »Otto H. von der Gablentz hat doch bereits 1926 in Schmollers Jahrbuch etwas Grundlegendes über dieses Thema geschrieben ...«

Manfred war den Tränen nahe. Da hatte er drei Seiten Papier mit seinen Ideen vollgeschrieben ... und nun war schon wieder alles aus, bevor es recht begonnen hatte.

Fijalkowski bemerkte seine Blockade und hob beschwörend die Hände. »Nicht gleich verzagen ... 1926 ... Da kann man doch nach vierzig Jahren wunderbar zeigen, wie sich die Verhältnisse geändert haben ... oder aber auch nicht. Und da Herr Matuschewski die Siemens-Welt so genau aus eigener Anschauung kennt, sollten wir uns diese Chance nicht entgehen lassen, Herr Professor.«

Stammer zog an seiner Zigarre und nickte. »Ja, dann machen Sie mal, junger Mann. Wie Sie ja aus meiner Vorlesung wissen werden, haben mich die Nationalsozialisten daran gehindert, sozialdemokratischer Reichstagsabgeordneter zu werden ... Ich mußte abtauchen und mich irgendwie durchs Leben schlagen ... als Leiter eines kleinen mittelständischen Betriebes und als Kellner. Da freut es mich, wenn einer meiner Studenten kommt und die Arbeitswelt aus eigenem Erleben kennt ... Das gibt eine ganz andere Betriebssoziologie, als wenn man nur in den Bibliotheken gesessen und sich alles angelesen hat. Ich bin also gespannt und drücke Ihnen die Daumen.«

Die *Diplomprüfungsordnung für Soziologen* sah zwar vor, daß die Arbeit grundsätzlich nach neun Monaten abzugeben sei, doch so genau nahm das keiner, und Manfred wußte, daß er, wollte er im Januar/Februar 1966 in die mündliche Prüfung gehen, bis Ende September 1965 Zeit haben würde. Da konnte er es langsam angehen lassen. Anderes war zunächst wichtiger für ihn ...

»Immer strebe zum Ganzen / Und kannst du selber kein Ganzes / Werden, als dienendes Glied schließ an ein Ganzes dich an!« Manfred hatte diese Goethe-Sentenz – wenn sie nicht von Schiller stammte, wie manche meinten – so oft auf Abreißkalendern entdeckt, daß er sie ernst zu nehmen begann. Jetzt, im November 1964, hatte er endgültig begriffen, daß er kein Überflieger wie Moshe Bleibaum war. Und stellte man die Frage, wie man als ein so durchschnittlicher Mensch dennoch nach oben kommen konnte, gab es eigentlich nur eine Antwort: Mitglied einer Organisation zu werden, die, wenn man sich ihr mit Haut und Haar verkaufte, einem später alles geben würde, was man ersehnte: viel Geld, viel Macht und viel Prestige. Als vereinzeltes Individuum war man bloß ein kleiner Saftarsch, blaß, mittelmäßig und unbedeutend, aber wenn man als Repräsentant von Siemens, AEG oder Borsig, von Deutscher oder Dresdner Bank, von Gewerkschaft oder Unternehmensverband, von CDU, SPD oder FDP daherkam, dann war man wer. Eine Organisation blies das individuelle Nichts zur Größe auf. So dachte Manfred in seiner Not.

Aber es waren gar nicht mal so sehr diese Überlegungen, die ihn dazu bewogen, in die SPD eintreten zu wollen. Er hatte deren Mitgliedschaft quasi ererbt, waren doch sein Urgroßvater August Quade, der Kunsttischlermeister, sein Großvater Oskar Schattan, der Elektroinstallateur, seine Schmöckwitzer und seine Kohlenoma und schließlich sein Vater wie seine Mutter als SPD-Mitglieder durchs Leben gegangen ... und teilweise auch als solche verfolgt worden.

In der Erwartung, daß man ihn mit Kußhand nehmen würde, war er im Dezember letzten Jahres zur Abteilungsversammlung in das Restaurant *Pape* in der Roseggerstraße geeilt, um sich einen Aufnahmeantrag geben zu lassen. Doch als er ihn beim Abteilungsvorsitzenden Peter Hermanski abgegeben hatte, ließ die SPD ewig nichts von sich hören. Es sollte sich erst später herausstellen, weshalb: Man wußte, daß er von der FU kam, und wollte verhindern, daß der linke Flügel eine zusätzliche Stimme erhielt.

Im Oktober war Manfred indes von den Olympischen Spielen in Tokio in Beschlag genommen und bejubelte die zehn Goldmedaillen der gesamtdeutschen Mannschaft, insbesondere aber die von Willi Holdorf im Zehnkampf und die der Springreiter-Equipe mit Hans Günter Winkler, Hermann Schridde und Kurt Jarasinski.

Schließlich aber redete er mit Hans-Gert Kohlhaas von der GSG und ging dann wieder zur Parteiversammlung, um in der Beitrittssache Dampf zu machen.

»Wenn ich nicht heute abend formell aufgenommen werde, werdet Ihr Ärger kriegen.« Und er nannte ein paar der Namen, die Kohlhaas ihm verraten hatte. »Gewaltigen Ärger.«

»Mit mir auch!« Am anderen Ende des Vereinszimmers hatte sich ein junger Mann erhoben.

Dieser Mensch sah aus wie Heinrich George, wie Emil Jannings, wie einer der frühen brandenburgischen Kurfürsten – mit einem Wort: Er war enorm massig, ein Berg lebendigen Fleisches.

»Du bist der Horst Hastenteufel ...?« fragte Peter Hermanski, der nicht nur Abteilungsvorsitzender, sondern auch Stadtrat war.

»Laut Ausweis ja ...«

Kurzum, Peter Hermanski und seine rechte Führungsriege konnten die Aufnahme der beiden Junggenossen nur noch bis zur nächsten Abteilungsversammlung hinauszögern, und Anfang November 1964 hielt Manfred Matuschewski endlich das ersehnte lindgrüne Mitgliedsbuch in Händen. Eine Mark Eintrittsgebühr war vorher zu zahlen gewesen, und zwei Mark Beitrag kostete die Sache pro Monat. Zu diesen kleinen roten Marken kam pro Quartal eine doppelt so große grüne »Bildungsmarke« für 60 Pfennig hinzu. Auf dem Umschlag war innen das große Bekenntnis des französischen Sozialisten Léon Blum zu lesen:

Unser wahres Ziel ist, den Menschen in der künftigen Gesellschaft nicht nur wertvoller, sondern auch glücklicher zu machen.
In diesem Sinne ist der Sozialismus mehr als eine Lehre der sozialen Entwicklung und der sozialen Konstitution. Er ist eine weltumfassende Lehre, die die Geister und die Herzen durchdringen soll, eine Lehre, die die Lebensform und das Denken umwandeln will, eine Lehre, die die Sitten und die

ganze Welt verändern wird, wenn die Menschheit vom Sozialismus durchdrungen ist.
In diesem Sinne nennen wir unseren Sozialismus human – er ist deshalb nicht weniger revolutionär, sondern mehr.

Das schlug Manfred in den Bann. Allerdings konnte er sich nicht sofort in die Parteiarbeit stürzen, denn *das* familiäre Großereignis dieses Jahres stand ins Haus: der Besuch seiner Schmöckwitzer Oma in Neukölln. Am 9. September hatten die DDR-Behörden verkündet, daß man den Rentnern von nun an Verwandtenreisen in die BRD und nach Westberlin gestatten werde, und letzte Woche hatte die Großmutter mit einer »Depesche«, wie die Telegramme bei ihr hießen, ihre Ankunft angekündigt: »Ankomme 14.11. Sonnenallee 13 Uhr«. Vorher hatte sie ihr geliebtes Schmöckwitz nicht verlassen wollen, wohl in der Annahme, Gerda, Leszek und die Kinder brauchten sie, vielleicht auch aus der Furcht heraus, diese könnten in ihrer Abwesenheit alles »durchschnökern«, die Möbel verrücken und neue Tapeten kleben, die ihr nicht gefielen.

Erwartungsfroh, aber auch ein wenig beklommen ging Manfred am Sonnabend vormittag zum Hertzbergplatz, um in die gute alte 95 zu steigen und zur Grenze zu fahren. Nicht zuletzt durch die Trennung nach dem Mauerbau war die Schmöckwitzer Oma zur Familienheiligen geworden, in ihrer Herzensgüte wie ihrem Entwurf vom einfachen, aber glücklichem Leben idealisiert. Er fürchtete, daß dieses Wunschbild nun zerfiel, wenn man sich Tag für Tag in einer kleinen Wohnung nahe war. Er fürchtete, das Denkmal, auf das er seine Schmöckwitzer Oma gestellt hatte, könnte nun ins Wanken geraten. Darum fuhr er mit gemischten Gefühlen die Sonnenallee hinauf, Richtung Köllnische Heide/Baumschulenweg, entschloß sich aber, nicht zuzulassen, daß die Oma ihren Heiligenschein verlor. Sie hatte ihn in seiner Kindheit und Jugend unendlich reich beschenkt ... und so sollte es bleiben für immer und ewig. Amen.

Die 95 brachte ihn zur Endstation Sonnenallee, Ecke

Schwarzer Weg. Vorher, am Schulenburgpark, wo die 15 endete, hatte er mit Spannung nach Klaus Reinicke Ausschau gehalten, seinem Onkel *über drei Ecken*, der Straßenbahnfahrer auf dieser Linie war und ihn vor Jahren einmal selber an die Kurbel rangelassen hatte, spätabends und hinten nach Mariendorf zu, wo sich die Füchse gute Nacht sagten. Doch keine Spur von Onkel Klaus. Was Manfred sehr bedrückte, war das große Straßenbahnsterben im Westteil der Stadt. In wenigen Jahren sollten alle Linien durch U-Bahnen und Busse ersetzt werden. Die »Stube und Küche«-Wagen der 94 fehlten ihm schon jetzt. Die war am 1. Oktober 1959 eingestellt und durch den Bus A 67 ersetzt worden. Nicht mehr lange, und es gab keine dieser wunderbaren Schilder mehr: *Auf- und Abspringen lebensgefährlich!* Oder drinnen im Wagen: *Wer aussteigen will, melde sich rechtzeitig!*

Es war ein Tag, wie er nicht grauer hätte sein können. Das diffuse Licht verschluckte alle Farben. Wie in einem ausgeblichenen Schwarzweißfilm dehnte sich der Grenzstreifen von der Sonnenallee nordwärts zur Kiefholzstraße, mit Mauer, Zäunen, Drähten, Wachtürmen, Grenzposten, Betonklötzen und Schikanen, spanischen Reitern und geharkten Todesstreifen. Dahinter dehnte sich eine andere Welt mit anderen Werten, Normen und Verhaltensweisen, und er fragte sich immer wieder, wie er wohl fühlen, wie er wohl denken würde, wenn er dort lebte. Ein ganz anderer ... und doch derselbe, wie paßte das zusammen? Er hätte es liebend gerne ausprobiert. Warum hatte man nur dieses eine Leben? Alles war unfaßbar, und Soziologie wie Psychologie schienen nur lächerliche Versuche, das zu erklären, was sich nicht erklären ließ.

Er starrte angestrengt auf die schmale Öffnung, durch die in nichtabreißender Reihe die Rentner in den Westen kamen. Gebeugt von den schweren Gepäckstücken, die sie schleppten, dunkle Schemen, wie geheimnisvolle Wesen von fremden Planeten, Scherenschnitten ähnelnd, so durchquerten sie das Niemandsland. Über ihnen in den Nebelschwaden zogen die Krähen, die Grenzer verhöhnend.

Als Manfred seine Schmöckwitzer Oma entdeckte, war ihm, als träumte er das alles nur. Er wollte ihr spontan entgegenlaufen und sie in die Arme schließen, doch da war der weiße Streifen, und sie hätten ihn festgenommen, vielleicht sogar erschossen, wenn er es getan hätte. So wartete er und wäre so gerne ein Gott gewesen, mächtig genug, dies alles und das, was es stützte, mit einem Donnerschlag hinwegzufegen.

»Manfred, hallo, ich bin es!« Sie winkte ihm zu.

Exakt einen halben Meter hinter der Markierungslinie umarmten sie sich. Die Oma war jetzt 79 Jahre alt und kam ihm so leicht vor wie eine Puppe aus Draht und Pappmaché. Manfred wünschte sie – und sich – in das Jahr 1946 zurück. Es war ein Jammer, daß man im wirklichen Leben nicht die Uhren zurückdrehen konnte.

Die Mutter hätte ja eine Taxe spendiert, doch es war keine in Sicht, und so fuhren sie mit der 95 zum Hertzbergplatz. Im Wohnungskorridor hing ein großes Schild, von Manfred und seinem Vater gemeinsam gemalt: HERZLICH WILLKOMMEN IM WESTEN. Das Wiedersehen ging nicht ohne Tränen ab.

»Seit Juni 61 bist du nicht mehr in Neukölln gewesen.«

»In Gedanken jeden Tag ...«

Sie setzten sich an den neuen eckigen Ausziehtisch im Wohnzimmer, über dem Manfred noch am Vormittag mittels einer »Affenschaukel« die neue Deckenlampe angebracht hatte. *Das hat man jetzt so.* Für seine Mutter waren nicht Zweckmäßigkeit oder eigener Geschmack ausschlaggebend, sondern die Frage, was Gerda Neutig und andere befreundete Familien gerade an Neuerungen eingeführt hatten. Und da war der Leuchter in der Mitte des Raumes halt passé. Entenbraten gab es.

»Eine RIAS-Ente«, sagte Manfred in Anspielung auf Karl-Eduard von Schnitzler, das große Schandmaul des »Schwarzen Kanals«, der immer von solchen Tieren sprach.

»Ich bin für den Frieden«, erwiderte die Schmöckwitzer Oma, ohne sich provozieren zu lassen. Als altes SPD-Mitglied war sie im April 1946 ihrem Vorsitzenden Otto Grotewohl in die SED gefolgt und ließ sich nicht ausreden, daß die DDR der Entwurf des besseren Deutschlands war.

»Hast du denn geweint, als Grotewohl gestorben ist?« fragte Manfred. Das war am 21. September geschehen, und er hatte vorhin, als seine Oma eine »Aufnahme« von sich und Tante Gerda herumgereicht hatte, deutlich das Foto Grotewohls auf ihrem Sofaumbau stehen sehen, oben rechts mit schwarzem Trauerflor geschmückt.

»Ich glaube immer an das Gute im Menschen«, war ihre Antwort.

Auch als Manfreds Vater fragte, warum denn wohl Anfang Oktober 57 Ostberliner durch einen Tunnel aus dem »Arbeiter-und-Bauern-Paradies« geflüchtet seien, ließ sie sich nicht aus der Ruhe bringen.

»Mir tut nur unser junger Soldat leid, der dabei erschossen worden ist. Die arme Mutter, die ihren Sohn verloren hat.«

Beim Nachtisch – Ananas mit Schlagsahne – diskutierten sie über die »10 Gebote für den neuen sozialistischen Menschen«, die die Oma mitgebracht und Manfred geschenkt hatte, und in denen es zum Schluß hieß: »DU SOLLST Solidarität mit den um ihre nationale Befreiung kämpfenden und den ihre nationale Unabhängigkeit verteidigenden Völkern üben.«

»Dann sei man solidarisch mit dem deutschen Volk«, sagte der Vater zu ihr, »wenn wir unsere nationale Selbstbestimmung gegen die Sowjetunion durchsetzen wollen.«

Nach dem Essen legte sich die Oma anderthalb Stunden zu einem »kleinen Nickerchen« auf die Wohnzimmercouch. Danach gab es Kaffee und selbstgebackenen Käsekuchen, und sie fragte, ob es nicht etwas zum Nähen und Flicken für sie gebe. Da hatte sich natürlich ein ganzer Korb voll angesammelt, und bis zum Abendbrot sah man sie dann Strümpfe stopfen, Gummibänder ein- und Knöpfe annähen, Röcke kürzen, den Stoff aus Hosenbeinen »rauslassen« und Reißverschlüsse auswechseln. Bevor es Abendbrot gab, telefonierte sie noch mit sämtlichen Westberliner Verwandten und

Bekannten, um ihre Ankunft zu vermelden und mit ihnen für die kommende Woche Termine auszumachen. Danach sahen sie sich bis zum Schlafengehen die Urlaubsdias der Eltern an: Farchant zum ersten, zweiten und dritten.

»Schön, daß ihr immer wieder nach Parten-Garmischkirchen fahren könnt«, sagte die Schmöckwitzer Oma.

»Mutti, es heißt: Garmisch-Partenkirchen!« rief ihre Tochter.

»Sag' ich doch.«

Mutter und Tochter hatten einen weiteren kleinen Disput, als die Couch im Wohnzimmer als Bett hergerichtet war und das Licht ausgemacht werden sollte.

»Mutti, was willst du denn jetzt in der Nacht noch mit dem Aufwischeimer!? Ich hab' doch heute morgen überall gewischt.«

»Den brauche ich, wenn ich in der Nacht mal muß.«

»Du, wir sind hier nicht in Schmöckwitz ... und du mußt nicht durch den halben Garten laufen, wenn du auf die Toilette willst ... hier sind es nur ein paar Schritte über den Korridor rüber.«

»Ich habe Angst, im Dunkeln zu stürzen.«

Der Vater mischte sich ein. »Margot, laß ihr doch das Vergnügen.«

»Dann leg dir wenigstens Papier unter, sonst frißt der Urin noch Löcher in den Teppich.«

»Sie hat doch keine Salzsäure in der Blase«, sprang Manfred der Oma bei.

Nach weiterem Hin und Her bekam die Schmöckwitzer Oma schließlich den *Puscheimer* bewilligt, setzte sich ihr Nachthäubchen auf und kroch unter die Bettdecke. Als Lektüre hatte ihr Otto Matuschewski listigerweise Wolfgang Leonhards schonungslose Abrechnung mit dem Kommunismus bereitgelegt: *Die Revolution entläßt ihre Kinder*. Manfred fotografierte die Oma mit dem Buch in der Hand.

In der Nacht, es war kurz nach drei, schreckte sie mit einem durchdringenden Schrei alle aus dem Schlaf hoch.

»Mutti, was ist denn!?«

Es war ein Wadenkrampf. Und damit der sich nicht wiederholte, wurde sie am nächsten Morgen gleich nach dem Frühstück von ihrer Tochter in die Badewanne verfrachtet.

»Ich mach' dir noch Kiefernnadelöl rein, dann entspannt sich die Muskulatur.«

»Und denk an den sozialistischen Katechismus«, fügte Manfred hinzu: »DU SOLLST sauber leben.«

Es war das erste Mal seit November 1944, daß seine Oma wieder in einer Badewanne saß. Damals war Tante Gerda in der Ilsenburger Straße ausgebombt worden, und seitdem hatte sich nie wieder eine Gelegenheit zum Baden ergeben. Das hatte zur Folge, daß die Oma nun, als das Wasser wieder abgelassen war, nicht mehr aus der Wanne kam. Margot Matuschewski, der der Arzt gerade erst bescheinigt hatte, daß ihre Bandscheibe »eine einzige Trümmerwüste« sei, schaffte es nicht, ihre Mutter über den Rand zu hieven, so sehr die auch an Gewicht verloren hatte, und die beiden Männer durften aus Schicklichkeitsgründen nicht helfen. So wurde Manfred ausgeschickt, bei den Nachbarn zu klingeln, und er kam schließlich mit Frau Bernhard zurück.

Anschließend mußte die Oma die abgelegten Kleider, Mäntel und Hüte der Mutter anprobieren: was ihr noch paßte und stand.

Vor dem Mittagessen machte sie mit Manfred einen kleinen Spaziergang in die Emser Straße, wo ihre alte Schmöckwitzer Freundin Erna Kühnemund jetzt wohnte. Die hatte die fette Westrente dem schönen Blick auf Zeuthener See und Badestelle vorgezogen.

Danach hatte Manfred einen schweren Kampf zu kämpfen: Sollte er mit Dirk Kollmannsperger ins Olympiastadion gehen, wo Hertha BSC auf den 1. FC Kaiserslautern traf, oder zu Hause mit der Schmöckwitzer Oma Kaffee trinken? Fußball war eine Sucht, aber …

»… du weißt nicht, wie lange du deine Oma noch hast«, mahnte die Mutter.

Also blieb er zu Hause und verfolgte beim Rommèspielen mit halbem Ohr die RIAS-Reportage aus dem Olympiastadion. Hertha BSC führte schon mit 4:0, um dann 5:3 zu siegen. Verteidiger Otto Rehagel schoß allein zwei Tore.

Ab Montag war Manfred voll damit beschäftigt, seine Großmutter auf ihren Reisen zu begleiten. Nachdem sie gefrühstückt hatte – Cracker mit Margarine, Marmelade und Quark und dazu ein Becher mit *Kaba, dem Plantagentrank* –, ging es los: zu Tante Trudchen nach Siemensstadt, zu Tante Eva und ihrer Familie nach Hakenfelde, zu Curt & Anett nach Tegel, zu ihrer Schwester Claire nach Frohnau, zu ihrer Schwägerin Erna nach Kreuzberg, zu Paul und Friedel Schiller nach Charlottenburg … »Mutti, was du so herumschuchteln mußt …« Kein Tag verging, ohne daß sie in der U- oder Straßenbahn saßen. Busse mochte die Oma nicht, und das S-Bahn-Fahren war für Manfreds Eltern noch immer ein Verstoß gegen die heiligen Prinzipien des Westens und wurde deshalb nie bezuschußt. Zum Höhepunkt ihres Besuchs wurde der 20. November, wo sie zu viert im Sportpalast Marika Kilius und Hans-Jürgen Bäumler, Ingrid Wendl, Emmy Puzinger und andere Eiskunstläuferinnen und -läufer bewundern konnten.

»Was Menschengeist so vermag«, sagte die Oma beim Anblick der wundervollen Kostüme.

Am nächsten Tag hieß es schon wieder, Abschied zu nehmen.

»Mutti, du hättest doch noch bleiben können.«

»Nein, Kind, das verstehst du nicht.« Es zog sie mit Macht in ihr Schmöckwitz zurück.

Nach dem Kaffeetrinken sollte Manfred sie per Taxe zur Grenze bringen. Vorher legte er noch zwei Platten auf. Zuerst sangen sie: »Arrivederci, Oma, leb wohl, auf Wiederseh'n! Wer dich einmal sah, der muß dich lieben, viele Dichter haben dich beschrieben …« und dann: »Auf Wiederseh'n«.

Nach der Abreise seiner Großmutter rückte für Manfred die SPD in den Mittelpunkt. Viel wichtiger aber als die Partei selbst war für ihn zunächst die neue Freundschaft mit Horst Hastenteufel, denn das war zweifellos ein interessanter Mann. Er hatte Germanistik studiert, sich jedoch schon zu

Beginn seiner Referendarzeit mit Grausen vom allgemeinen Schuldienst abgewandt, um bis auf weiteres nur noch ein paar bequeme Stunden an einem der Berliner Privatgymnasien zu unterrichten. Nun wurde ihm auch das zu mühsam, und er hatte begonnen, Westernromane zu schreiben und versuchte die nun bei den Heftverlagen an den Mann zu bringen. Martin McBride hieß seine Hauptfigur, ein großer Held. Geld hatte Horst ausreichend, denn seine Frau Monika arbeitete als Telefonistin bei der *Knabberzeug KG* in Tempelhof. Sie war noch dicker als er und schien gerade einem Rubens-Gemälde entstiegen zu sein. Beide waren ausgesprochene Genießer, insbesondere, was Essen und Trinken, aber auch, was die Liebe anging. Als Manfred im Kino sah, wie sich zwei Seelöwen paarten, mußte er sofort an die Hastenteufels denken. Daß das bei diesen Fleischbergen halbwegs funktionierte, erstaunte ihn, doch es mußte ja, denn sie hatten einen kleinen Sohn namens Alexander, der meistenteils bei der Oma war. Vorteilhaft an dieser Freundschaft war für Manfred auch, daß Horst Hastenteufel eine »Ente« besaß, jenen legendären französischen Kleinwagen, der wie selbstgebastelt wirkte. Zwar schleifte das Chassis immer auf Asphalt und Pflaster, wenn sich beide Hastenteufels hineingezwängt hatten, doch wenn nur Manfred mit Horst Hastenteufel fuhr, ging es ganz gut. So wurde der SPD-Genosse fast so eine Art Privatchauffeur für ihn.

»Wo darf es heute hingehen?« fragte Horst ein paar Tage vor Weihnachten, als sie in der Küche saßen und bergeweise Nudeln aßen, die Monika Hastenteufel über die *Knabberzeug KG* wesentlich billiger als im Laden bekam.

»Zum Geburtstag meines Freundes Gerhard bitte.«

»Das ist der mit dem Büromöbelladen, der in der Koblenzer Straße wohnt ...?«

»Ja, genau der.«

Gerhard, Roswitha und der kleine Philip waren von der Muthesius- in die Koblenzer Straße gezogen, als Max und Irma Bugsin ihr Haus auf dem schon vor langer Zeit erworbenen Grundstück in Kladow bezogen hatten.

»Gut«, sagte Horst Hastenteufel, »nach Wilmersdorf also. Dann kann Monika inzwischen in aller Ruhe Alexander baden und ihm die Flasche geben.«

Die Hastenteufels hatten eine Anderthalbzimmerwohnung in der Innstraße mieten können, und zwar im vierten Stock des Quergebäudes. Der Arzt hätte ihnen das Treppensteigen verordnet, meinten sie, doch Manfred wußte, daß ihr Geld nicht gereicht hätte, »vorne raus« zu wohnen. Ein bißchen sah es bei ihnen aus wie bei Zille im »Milljöh«, das heißt, mitten im Wohnzimmer hing die Wäsche auf einer quergespannten Leine, und im Korridor waren die Kohlen gestapelt, aber Monika tröstete sich damit, daß sie in die Villa Borsig ziehen würden, wenn ihr Hotte erst seinen großen Roman geschrieben hätte. Unter dem Titel *Al Capone in Berlin* wollte er das Leben Werner Gladows beschreiben, dessen Bande die Stadt 1948 und 1949 mit ihren Raubmorden in Atem gehalten hatte.

Der Abmarsch zog sich noch ein wenig hin, da Horst Hastenteufel erst noch mit Alexander schmusen mußte, und Manfred griff sich die *Spiegel*-Hefte, die unterm Couchtisch lagen.

Sie hatten eine Serie über *Macht, Mythos und Morde der Mafia* begonnen ... das juckte ihn wenig. Unter dem Gemeindezentrum eines Gotteshauses in Nikolassee hatte die evangelische Kirche den ersten Atombunker West-Berlins anlegen lassen ... schönes Vertrauen in Gottes Kraft, den Atomkrieg zu verhindern. Robert Havemann hatte etwas über den Kommunismus in Deutschland geschrieben: »Der Marxismus leidet an Sklerose« ... Trainer Willi Multhaupt hatte Werder Bremen zum Herbstmeister der Bundesliga gemacht ... nicht schlecht, Herr Specht. Nichts jedoch riß ihn vom Hocker.

Die Werbung störte immer mehr, füllte oft zwei der drei Spalten auf den Seiten des Magazins:

Verbringen Sie einen sorgenfreien Urlaub in den USA: buchen Sie Sheraton Hotels
BALLANTINES Finest Scotch Whiskey

Dieses Bild entstand in 10 Sekunden. Mit der erstaunlichen neuen Polaroid Land Kamera
Wieviel schöner ist das Leben, wenn wir einen Hammer heben! HAMMER Jubelbrand. Der alte Weinbrand für junge Herzen
MAYSER HÜTE ... wie für Sie geschaffen. MAYSER der Hutmacher für die große Welt
Nach Südafrika am schnellsten mit Lufthansa Boeing Jet
Freude schenken mit MOUSON
Wenn es um bessere Oberflächen geht: GLASURIT
BALLE – Rum voller Herz und Feuer
Wie eine Brise von Weite und Meer ... PRESTIGE RASIER LOTION

»Komm, fahren wir ...« Horst Hastenteufel stand in der Tür.

Es wurde wie immer eine sehr ereignisreiche Fahrt, denn die ständig überlastete »Ente« hatte den Hang, im Schnitt alle zehn Kilometer stehenzubleiben. Diesmal war es schon kurz nach dem Start soweit, als sie in die Flughafenstraße eingebogen waren und den Rollberg hochfahren wollten. Obwohl Horst Hastenteufel nichts von Autos verstand, fummelte er eine Weile in den Innereien seines Fahrzeugs herum, und als Manfred es kräftig anschob, sprang es wieder an.

Die ganze Fahrt über dachten sie darüber nach, wie sie ihre SPD-Abteilung elegant kippen und den rechten Peter Hermanski durch einen linken Vorsitzenden ersetzen konnten. Horst Hastenteufel hatte schon zwei Kandidaten ausgeguckt: Norbert Raabe und Gottfried Toss.

»Raabe ist Inspektor im Rathaus und sitzt da im Personalrat, und Toss ist einer der wenigen Selbständigen in der SPD, ein Fotograf. Raabe möchte gerne Stadtrat werden, und das geht nur, wenn er Peter Hermanski verdrängen kann. Dazu muß er ihn zuerst als Abteilungsvorsitzenden absägen, also auf die linke Karte setzen.«

»Du meinst, für Norbert Raabe werden alle die Genossen und Genossinnen stimmen, die von Peter Hermanski nicht schnell genug befördert worden sind und sich nun von einem anderen Stadtrat mehr versprechen ...«

»Genau. Und Toss werden sie schon deshalb wählen, weil der unserer Abteilung durch sein Fotogeschäft eine Menge Gelder zukommen läßt. Das ist einer der Idealisten, wie ihn die Leute lieben.«

»Und was haben wir davon?« fragte Manfred.

»Die Freude, die Rechten geärgert zu haben.«

Zehn Minuten später saß Manfred in der Koblenzer Straße bei der Geburtstagsfeier seines Freundes Gerhard Bugsin inmitten von Männern, die die SPD für den Untergang des Abendlandes hielten und CDU und FDP nach Kräften förderten. Manfred fand das ungeheuer prickelnd, wie sie – nicht ahnend, daß er ein »Genosse« war – über die Sozis herzogen. In der empirischen Soziologie hieß das »verdeckte teilnehmende Beobachtung« und galt als Königsweg der Forschung.

»Na, Manfred, was hältst du denn von Herbert Wehner?« fragte ihn Hartmut Meyerdierks, Inges Mann, Fabrikbesitzer und mehrfacher Millionär.

»Ich hasse dieses Arschloch«, antwortete Manfred ... und das stimmte sogar. Es widerte ihn an, wie dieser gläubige Exkommunist mit Parteifreunden umsprang, die x-mal klüger und ehrbarer waren als er, wie er sie zu bloßen »Parteisoldaten« herabwürdigte. Für ihn war Wehner ein dumpfer Kommißkopp, dem er am liebsten pausenlos in den Hintern getreten hätte.

Es wurde an diesem Abend viel getrunken und gelärmt, und Roswitha hatte alle Mühe, den »kloinen« Philip zum Einschlafen zu bringen. Als es ihr auch nach anderthalb Stunden nicht gelingen wollte, erklärte sich Manfred bereit, sich ans Bett seines »Paten*t*kindes« zu setzen und ihm etwas Schönes vorzulesen.

»Lieb von dir ...« Rosi bedankte sich bei ihm. »Dann kann ich endlich in die Küche gehen und das Abendbrot richten.«

»Richte, auf daß du nicht gerichtet wirst.«

Manfred machte sich an die Arbeit: »Philip, kennst du schon alle Verwandten, Onkel und Tanten ...?«

»Nein ...«

»Na, dann hör mal gut zu: Onkel Alexander geht langsam auseinander ...«

»Was is'n diß: geht auseinander?«

»Er wird langsam immer dicker und dicker.«

»Ach so. Wie Papa.«

»Ja. Onkel Frank ist leider immer krank.«

»Was hat er denn?«

»Bauchschmerzen.«

»Warum hat er denn immer Bauchschmerzen?«

»Weil er abends nicht einschlafen will.«

»Weiter!« Philip beeindruckte das alles nicht.

»Onkel Fritz, das ist ein großer Witz. Tante Ute, das ist 'ne dumme Pute. Tante Ruth, die ist immer zu uns gut. Und Tante ...«

»Irma!« verlangte Philip.

»Ißt immer heiß gekochte Würma.«

»Und Onkel Hartmut ...?«

»Onkel Hartmut, der ...«

Manfred konnte nicht mehr antworten, denn aus der Küche drang ein schriller Schrei, und dann kreischte Roswitha: »Du Schwein! Bleib mir von der Wäsche!«

Gerhard brüllte: »Dich Sau kastrier' ich jetzt!«

Hartmut Meyerdierks lachte nur und lallte immer wieder: »Bleibt ja alles in der Familie.«

Was war geschehen? Roswitha schnitt gerade den Braten, hochkonzentriert und allein auf weiter Flur, als sich ihr Schwager Hartmut leise heranschlich, um sie von hinten zu umarmen und ihr unter den Rock zu fassen. Gerhard war hinzugestürzt, und nun prügelten sich beide nach Art des Wilden Westens. So unterhaltsam das vom Flur aus betrachtet aussehen mochte, es ging wirklich um Leben und Tod, denn der aufgestaute Haß beider war gewaltig ... und in unmittelbarer Nähe lagen Messer herum. Hartmut Meyerdierks hatte ständig gegen Gerhard gehetzt und versucht, dessen Eintritt in die Firma seiner Eltern zu verhindern, und Gerhard hatte den Schwager öfter einen Angeber und Säufer genannt, einen Schandfleck für die ganze Familie. Manfreds Mutter schrie: »Gerhard, mach dich nicht unglücklich!«

Hartmut Meyerdierks war inzwischen zu Boden gegangen, lag mit dem Rücken in der Küchentür, mit dem Lendenwirbel auf der Schwelle, und Gerhard schlug hemmungslos auf ihn ein. »Immer rein in die Fresse!« schrie er, völlig außer Kontrolle geraten.

Alle sahen sie zu, doch keiner griff ein. Schon seit Monaten hatte allgemein der Gedanke in der Luft gelegen, daß es wohl ein Segen für Inge sein würde, wenn Hartmut Meyerdierks endlich ... Und zudem wagte es keiner, Gerhard in den Arm zu fallen. Auch Manfred nicht, denn Gerhard hätte eher ein Messer ergriffen und auf ihn eingestochen, als sich von seinem Schwager abbringen zu lassen. Manfred sah schon die Schlagzeile im *Telegraf*: Büromöbelfabrikant von seinem Schwager erschlagen – Blutiges Ende eines Familienstreites in Wilmersdorf. Er mußte Hartmut Meyerdierks retten, er mußte Gerhard retten. Aber wie? Da fiel sein Blick auf den kleinen roten Feuerlöscher, der über dem Gaszähler hing. Schnell hatte er ihn aus der Halterung gerissen und das Ventil geöffnet. Sekunden später war alles vorbei.

Gerhard rannte ins Bad, und Inge beugte sich hinunter, um ihren Mann zu säubern. Er blutete aus der Nase und aus seiner aufgeschlagenen Lippe. Puls und Atmung waren in Ordnung, so daß man beschloß, keinen Notarzt zu holen. Anfangs war er richtiggehend k. o. gewesen, jetzt aber schien er bei seinen vielen Promille in einen heilsamen Tiefschlaf gefallen zu sein. Außerdem hatte er sich vollgemacht. Seine hellgrüne Hose hatte sich im Schritt tüchtig verfärbt.

Roswitha hatte sich inzwischen von dem Schrecken erholt und sah, Philip auf dem Arm, auf ihren Schwager hinunter. »Soll der nun ewig hier liegenbleiben?«

»Der tritt sich fest«, meinte Gerhard.

»Du könntest dich ja mal bei Manfred bedanken«, mahnte ihn Tante Irma und löste damit eine längere Diskussion darüber aus, ob und inwieweit Gerhard im Recht gewesen war, so resolut für die Ehre seiner Frau einzutreten.

»Er hat ja angefangen, er hat mir in die Hoden getreten, als ich ihn von Rosi weggerissen habe«, verteidigte sich Gerhard. »Bei mir ist das Notwehr gewesen.«

Es wurde beschlossen, Hartmut Meyerdierks nach Hause zu bringen. Sie hoben ihn auf und trugen ihn die Treppe hinunter: Gerhard vorn an den Füßen, Inge an den Schultern und Manfred am Hosenbund. Den anzufassen, pißnaß wie er war, kostete einiges an Überwindung. Unten vor der Haustür riß der Hosenbund, und da ihn die beiden anderen allein nicht halten konnten, fiel Hartmut Meyerdierks in den Schnee.

»Laß ihn liegen«, seufzte Inge, völlig am Ende ihrer Kräfte.

Das Leben an der Seite eines Alkoholikers war die Hölle, Manfred fand es aber dennoch herzlos, so zu reden. »Da erfriert er doch.«

»Hat sich das Problem wenigstens gelöst.«

Inge lief wieder nach oben. Gerhard folgte ihr, um sich die Wohnungsschüssel für ihre Wohnung geben zu lassen. Manfred kniete indessen neben Hartmut Meyerdierks und versuchte, ihn zu wärmen, indem er sich halb auf ihn legte und ihm den Brustkorb rieb.

Da ging oben das Fenster auf. »Das ist ja nun die Höhe! Unzucht hier zu treiben! Ich hol' die Polizei!«

Bevor die Polente kam, war Gerhard wieder zurück. Sie rannten zum Firmen-Mercedes, der auf der anderen Seite vor der Vater-Unser-Kirche stand, und rissen sämtliche Türen auf. Unter erheblichen Anstrengungen konnten sie Hartmut Meyerdierks, der inzwischen steif wie ein Brett geworden war, auf den Rücksitz schieben respektive ziehen. Die Türen zuknallen und Gas geben war eins, und schon bogen sie in die Detmolder Straße ein. Obwohl Gerhard durch die Vorfälle der letzten halben Stunde einigermaßen nüchtern geworden war, hatte er ganz sicher noch immer zuviel Alkohol im Blut. Doch sie schafften es ohne weitere Probleme bis nach Lichterfelde und legten Hartmut Meyerdierks im Ehebett ab.

»Wenn Inge dich geheiratet hätte, wär' das nicht passiert«, sagte Gerhard.

»Weiß man's?«

Weihnachten und Silvester waren vergangen und schnell vergessen. Alles lief so ab wie im letzten Jahr, nur daß sie diesmal am 19. Dezember in Ostberlin gewesen waren. An der FU wurde es für Manfred langsam ernst, denn nach acht Semestern sollte man an sich sein Diplom gemacht haben, und das Wintersemester 1964/65 war ja nun schon sein zehntes. Um nicht dauernd daran erinnert zu werden, hatte er seine Lehrveranstaltungen auf das absolut notwendige Minimum beschränkt: *Stammer*, Interessenverbände in der Bundesrepublik: *Franke*, Sozialpsychologie des Betriebes; *Bendix*, Entwicklung der Sozialstruktur des modernen Industriebetriebes. Auch ließ er es bei einem Schein bewenden, das heißt, er hielt im Oberseminar von Stammer ein Referat zum Thema »Der Bundesverband der Deutschen Industrie« ... und bekam dafür wiederum seine Standardnote »gut und besser«, eine Zwei plus mithin.

Der Januar begann mit dem 80. Geburtstag der Schmöckwitzer Oma, doch da sie für den 12. Januar keine Passierscheine bekamen, blieb ihnen nur, zu schreiben, ein Paket zu schicken und ihre Glückwünsche durch den RIAS übermitteln zu lassen. Zur Feier des Tages waren extra Tante Elisabeth und Onkel Fritz aus New York gekommen. Einen Tag lang waren sie an der Treptower Brücke zu Besuch, um Bericht zu erstatten.

»Uir haben die Tag gut verbracht bei die birthday-Feier von Tante Mary ...«

Die beiden kamen zwar auch aus Neukölln, hatten aber, da sie gleich nach dem Krieg ausgewandert waren, ihre Schwierigkeiten mit der deutschen Aussprache und Grammatik, flochten auch immer wieder englische Worte ein. Tante Elisabeth war die Tochter von Tante Friedel und Onkel Paul, die in der Friedelstraße gewohnt hatten und Ende 1944 bei einem Luftangriff gestorben waren.

»Ziehen sie nach Senzig in ihre Laube raus, um den Luftangriffen zu entgehen ... und da fällt dann die Bombe auf sie drauf ...« Manfreds Mutter hatte immer noch Tränen in den Augen, wenn sie davon erzählte.

»Ja, von meinem Vati gleich der Kopf ab ...«

»Und Tante Friedel ist im Krankenhaus gestorben. Ich seh' sie immer noch vor mir, wie sie sagt: ›Goldenes Papachen, öffne dein Likörschränkchen.‹«

Auch der Vater konnte sich genau an alles erinnern, und Manfred wußte noch, wie sie kurz zuvor mit dem Rad von Schmöckwitz nach Senzig gefahren waren, er vorn auf dem Kindersitz. Das war ihm deswegen in Erinnerung geblieben, weil kurz vor der Schmöckwitzer Brücke einer der »Brotwagen« der Firma Wittler in einer Garage verschwunden war, bevor er ihn so richtig bestaunen konnte.

Onkel Fritz hatte in Neukölln eine kleine Tischlerei gehabt und dann in New York als Fotograf gearbeitet. Nun betrieben die beiden dort ein »Kuechen-Studio«. Manfred amüsierten die Briefe, die Tante Elisabeth schrieb, vor allem wegen der auf ihrer Schreibmaschine fehlenden Ü/ü, Ä/ä und Ö/ö. »Bei uns ist es so schwuel gewesen, dass die Leute nicht in das Kuechen-Studio gekommen sind und wir nicht wieder Ueberstunden machen mussten. Einer Angestellten haben wir naemlich kuendigen muessen, weil sie so ruede mit den Kunden umgesprungen ist. Nun ist es wieder kuehler geworden, und wir ruesten uns zu einer Kreuzfahrt durch die Karibik.«

Von der hatten sie nun bergeweise absolut scheußliche Farbfotos mitgebracht. Beide am Tisch des Kapitäns, beide an der Reling, Fritz im weißen Smoking an der Bar.

»Wenn du Dollars macht, kannst du alles haben«, sagte Onkel Fritz, wobei er Dollar wie Dallar aussprach.

Tante Elisabeth war das, was die Berliner ein *Mannweib* nannten: ein Kopf größer als ihr Mann, resolut, ein *Dragoner*, dunkelhaarig und mit einem feinen schwarzen Bärtchen auf der Oberlippe. Als sie Manfred nach New York einlud – »... aber den Flug mußt du selber zahlen ...« –, reagierte er ausweichend.

Ansonsten gab es diesen Winter im Familienleben wenig Höhepunkte, und Manfred saß viel bei seinem neuen Freund Horst Hastenteufel herum. Der kannte viele Schauspieler,

Uni-Assistenten und andere interessante Leute, mit denen sie sich oft trafen, Rotwein tranken und Skat droschen. Manfred nahm dabei drei Kilo zu, denn nun produzierte auch die *Knabberzeug KG* Kartoffelchips, und Monika Hastenteufel brachte sie in großen Mengen mit nach Hause.

»Was habt ihr denn in der letzten Kreisdelegiertenversammlung an Anträgen eingebracht?« fragte Schulze, ein Schauspieler.

»Keine Politik!« rief man von allen Seiten. Man redete viel lieber über den Film *Dr. med. Hiob Praetorius*, den Kurt Hoffmann mit Heinz Rühmann und Liselotte Pulver gedreht hatte. Fast alle hatten ihn gesehen, ebenso *Topkapi*, den gewaltigsten Gangstercoup dieses Jahrhunderts, wie Monika Hastenteufel fand, mit Melina Mercouri, Peter Ustinov und Maximilian Schell.

»Eßt mal Kartoffelchips!«

»Da kann man richtig süchtig nach werden«, sagte Manfred und holte sich, während er bis 44 reizte, noch eine Handvoll aus der Schale.

Ende 1964 hatte die Firma Bahlsen die ersten Kartoffelchips auf den Markt gebracht. *Kathi*, leicht gesalzen, kostete pro 50-Gramm-Tüte fünfzig Pfennig, und *Peppi*, mit Paprika gewürzt, war zehn Pfennig teurer. Anfangs sprach man von »gerösteten Kartoffelscheiben«.

»Seien Sie anspruchsvoll!« rief Schulze. »Mit OMO können Sie es.«

»Nächste Woche spielen sie den *Schut* mit Lex Barker.«

»Aus deutschen Landen frisch auf den Tisch!«

»Karl May muß man *lesen*.«

Viele Abende verbrachten sie auch in ihrer SPD-Abteilung. In der *Sturmecke* tagte man jetzt, Treptower, Ecke Harzer Straße, und beide fanden, daß das arg an die »Sturmabteilung« der Nazis erinnerte, Röhms SA.

Ihre Verschwörung gegen Peter Hermanski, den alten Abteilungsleiter, hatte Fortschritte gemacht, und nun war der Abend gekommen, an dem die Entscheidung fallen sollte. Um 19 Uhr 30 sollte es losgehen, und Horst Hastenteufel war schon seit anderthalb Stunden dabei, mit seiner Ente alle jene fuß- wie entschlußschwachen Genossinnen und Genossen zur *Sturmecke* zu karren, die – aller Wahrscheinlichkeit nach – gegen den allmächtigen Herrn Stadtrat stimmen würden, teils aus politischer Überzeugung, teils aus Rache, weil er sie bei Beförderungen im Rathaus übergangen hatte. Natürlich war Peter Hermanski clever genug, auch seine Parteigänger ins Lokal zu holen, sogar vom Krankenbett weg, zum Beispiel Friedrich Pfeiffer, ihren »Leichenbeisitzer«, der sich bei der Beerdigung eines verdienten Genossen auf dem Luisenstädtischen Friedhof eine schwere Bronchitis zugezogen hatte.

Jede Fraktion hatte ihren Parteigängern Listen zukommen lassen, auf denen die Personen benannt waren, die man zu wählen hatte. Manfred Matuschewski war von den Linken als Abteilungsschriftführer und als Kreisdelegierter nominiert worden, Horst Hastenteufel als Kassierer. Das war ein Posten, der bei der berühmten Ochsentour nach oben unverzichtbar war und dazu den Vorteil hatte, daß man alle 150–200 Genossinnen und Genossen einer Abteilung persönlich kennenlernte, denn abkassiert wurde monatlich beim Hausbesuch. Treppauf, treppab, die Klingel drücken, die Klinken putzen. Nur wer sich da bewährte, durfte später auf die höheren Weihen hoffen, das heißt, Landesparteitagsdelegierter, Mitglied des Abgeordnetenhauses oder Stadtrat werden. Es sei denn, man war der Protegé eines der Großmuftis des Berliner Landesverbandes. Insgesamt konnte man in dieser Partei – wie sicherlich auch in jeder anderen – nur etwas werden, wenn man sich als Stimmvieh nützlich machte, das wiederkäute, was andere vorgedacht hatten, und das Loblied auf diejenigen sang, die schon weiter oben waren, auf daß sie einen in ihre Seilschaft holten und zu lichten Höhen führten.

Zu dieser Art Schleimer gehörte Bodo Baumhauer, ein kleinwüchsiger, blasser Sozialamtsangestellter, der zu Peter Hermanskis Männern zählte.

»Genossinnen und Genossen!« rief er. »Ich bitte euch, für Peter Hermanski zu stimmen, weil er nicht nur im Bezirksamt seine Leute bestens führen tut, sondern auch am besten weiß, wie er unsere Ansichten in der KDV durchsetzen kann, weil ... ein brillanter Debattenredner ist er.«

»Genosse Baumhüter, hast du mal nachgezählt, wie oft Peter Hermanski in der letzten Kreisdelegiertenversammlung ans Rednerpult getreten ist ...?« fragte Horst Hastenteufel.

»Baumhauer!« rief Baumhauer. »Fünfmal.«

Jetzt kam Manfreds Einsatz. »Ja, aber viermal als Sprecher der Mandatsprüfungskommission, in ganz anderer Eigenschaft also, und nur einmal in der Sachdebatte, wo es um die Interessen unserer Abteilung ging. Norbert Raabe hingegen hat dreimal unsere Belange vertreten. Wenn das der Genosse Baumbacher bitte berücksichtigen würde.«

»Baumhauer!« rief Baumhauer.

»Das ist doch ein übles Spiel, was ihr da treibt!« rief Sieglinde Esser, die schönste Witwe der Abteilung. »Ihr müßt doch auch mal sehen, was Peter Hermanski sachlich geleistet hat. Was er alles getan hat, um die älteren Bürger Neuköllns an ihrem Lebensabend zu betreuen und zu versorgen.«

»Ja, ich will nur mal die Altentagesstätten nennen!« sprang ihr Bodo Baumhauer bei.

»Der Genosse Baumhauser steht nicht auf der Rednerliste«, sagte Horst Hastenteufel.

»Baumhauer!« schrie Baumhauer.

»Hier im Protokoll der letzten Versammlung steht aber Bauchhauer ... Unsinn: Baumhauser statt Baumhauer.«

»Das ist richtig«, stellten alle miteinander fest. »Was stimmt denn nun?«

»Baumhauer stimmt. Hier habt ihr meinen Personalausweis.« Er lief durch das ganze lange Vereinszimmer der *Sturmecke* und hielt allen seinen Personalausweis vor die Nase. »Die denken wohl: Ach, wie gut, daß niemand weiß, daß ich Rumpelstilzchen heiß. Ich weiß aber, wie ich heiße.«

»Aber nur, wenn du vorher in deinen Ausweis siehst.«

Die Genossen lachten sich scheckig, und damit hatten Horst Hastenteufel und Manfred ihr Ziel erreicht, denn die Neutralen in der Abteilung dachten nun auch, daß es mit Peter Hermanski nicht weit her sein konnte, wenn er einen

Deppen wie diesen Bodo Baumhauer in seiner Seilschaft hatte. Und viele der älteren Genossen hatten schon lange das Gefühl, es gehe in der modernen SPD nicht um die Inhalte, sondern nur um Karrieren. Deswegen klatschten sie jetzt ebenso Beifall wie die Studenten, als Manfred eine Laudatio auf Norbert Raabe hielt.

»Ich bin für ihn, weil er in die SPD eingetreten ist, als er schon Karriere im Rathaus gemacht hat ... und nicht, um durch sie eine zu machen. Und er sitzt nicht da wie ein Don der Mafia und hilft den Leuten nur, um später ihre Stimmen zu kassieren.«

Aus dieser Bemerkung entwickelte sich eine Rangelei zwischen Manfred und Bodo Baumhauer, das heißt, Peter Hermanskis Gefolgsmann verlor die Selbstbeherrschung und versuchte auf Manfred einzuschlagen, doch der bekam seinen Unterarm zu packen und konnte ihn an der Wand fixieren.

»Wie früher bei den Kommunisten!« schrie Sieglinde Esser. »Das sind doch beide Kommunisten, Horst Hastenteufel und Manfred Matuschewski.«

Das nun wiederum nutzten Norbert Raabe und Gottfried Toss, um sich als zwei Männer zu profilieren, die ausgleichend wirken und die beiden Flügel integrieren konnten.

»Bei mir als Abteilungsleiter wären solche Szenen undenkbar!« rief Norbert Raabe. »So etwas muß man schon im Vorfeld zu verhindern wissen.«

»Ja, wir beide werden alle, die mitmachen wollen, einbinden in die Parteiarbeit«, betonte Gottfried Toss. »Und wenn wir schlagen, dann schlagen wir die CDU ... in der Wahl ... und nicht unsere eigenen Genossen im Vereinslokal.«

Nachdem der Beifall abgeklungen war, nahm Norbert Raabe den Faden wieder auf. »Du, Manfred, entschuldigst dich jetzt bei Bodo dafür, daß du ihn mit dem Verdrehen seines Namens lächerlich gemacht, und du, Bodo, bei Manfred dafür, daß du auf ihn eingeschlagen hast. Ihr gebt euch jetzt die Hand und trinkt einen miteinander. Das sind sich zwei Sozialdemokraten schuldig!«

So wurde es gemacht, und bei der anschließenden Wahl

bekam die Abteilung einen neuen Vorstand mit Norbert Raabe und Gottfried Toss an der Spitze. Auch Manfred und Horst Hastenteufel erhielten die Posten, die sie gewollt hatten.

Peter Hermanski verließ wütend das Lokal, und Manfred saß noch bis in den frühen Morgen bei Horst Hastenteufel, mampfte Kartoffelchips und diskutierte mit dem Freund über Gott und die Welt, vor allem aber über die alte Tante SPD.

»Die SDP ist ein Karnickelzüchterverein«, urteilte Horst Hastenteufel.

»Man muß es als sportliche Veranstaltung betrachten«, fand Manfred. »Und heute haben wir gewonnen. Auf unseren Sieg!«

Im Sommer 1965 arbeitete Manfred wie ein Besessener. In aller Herrgottsfrühe fuhr er zur FU-Bibliothek nach Dahlem raus und saß den ganzen Tag im Lesesaal, um zu exzerpieren, was bislang zum Thema Industriebürokratie geschrieben und gedacht worden war. Mit seinem dicken Füller beschrieb er einen karierten Block nach dem anderen. Und wenn er einen neuen Gedanken gefunden hatte, war er glücklich wie ein Steinzeitjäger über einen erfolgreichen Beutezug. Die Jagd nach neuen Erkenntnissen war es, die ihn zum ersten Mal seit Beginn des Studiums mit Freuden den Campus betreten ließ. Bergeweise kopierte er Artikel aus Fachzeitschriften und sammelte alle Taschenbücher aus der Betriebswirtschaftslehre und der Psychologie, die irgend etwas mit dem Thema Menschen in einer Großorganisation zu tun hatten. Er war wie im Rausch.

Im Zentrum seines Denkens stand Max Weber. Dessen Hauptwerk *Wirtschaft und Gesellschaft* hatte er sich als zweibändige Studienausgabe, mausgrau gebunden, für 32 Mark gekauft. Im dritten Kapitel des ersten Halbbandes standen unter den Paragraphen 3 und 4 – Legale Herrschaft: Reiner Typus mittels bureaukratischen Verwaltungsstabes – die entscheidenden Passagen: »Der Typus des rationalen legalen Verwaltungsstabes ist universaler Anwendung fähig und *er* ist das im Alltag *Wichtige.* Denn Herrschaft ist im *Alltag* primär: *Verwaltung.*« Im zweiten Halbband gab es als Ergänzung im neunten Kapital einen Abschnitt über »Wesen, Voraussetzungen und Entfaltung der bürokratischen Herrschaft«. Die »quantitativ größten historischen Beispiele eines einigermaßen deutlich entwickelten Bürokratismus« waren für Max Weber nicht nur Ägypten in der Zeit des neuen Reichs, die römisch-katholische Kirche oder das alte China, sondern auch »der moderne kapitalistische Großbetrieb, je größer und komplizierter er ist, desto mehr«. Dies nun anhand der Firma Siemens nachzuweisen, bereitete Manfred eine diebische Freude.

Er arbeitete in dieser Zeit so viel, daß die Mutter ihn immer wieder warnte: »Übernimm dich nicht.« Was nicht hieß, daß sie nun irgendwie stolz auf ihn gewesen wäre, denn noch immer hätte sie es viel lieber gesehen, wenn er bei der AOK in die Lehre gegangen und später »Dienststellenleiter in der 12a« geworden wäre. Dies war für sie das Maß aller Dinge, und daran gemessen war und blieb er ein Versager. Doch er hatte inzwischen gelernt, damit zu leben.

Eine ganz besonders hohe Hürde war zu nehmen: die Klausur in Betriebswirtschaftslehre. Aber da half ihm Moshe Bleibaum, und er schaffte den Schein mit der Note 2,7.

Daß er bei all dem nicht durchdrehte, lag an den vielen Unterbrechungen. Teils verfluchte er sie, teils nahm er sie als kurzen Erholungsurlaub dankbar hin.

Am 1. Mai stand er mit Horst Hastenteufel auf dem Platz der Republik, um in »einer machtvollen Kundgebung« für die Freiheit Westberlins zu demonstrieren. Man hatte allen Grund dazu. Am 7. April war der Bundestag nach sechsjähriger Pause wieder einmal zu einer Plenarsitzung nach Berlin gekommen, und während Bundestagspräsident Eugen Gerstenmaier energisch gegen die Schikanen der Sowjetunion und der DDR protestiert hatte, waren sowjetische Düsenjäger im Tiefflug über die Kongreßhalle hinweggerast. Später hatten sie mehrmals die Schallmauer durchbrochen und waren im Sturzflug auf den Ku'damm zugerast. Der Überschallknall hatte viele Fensterscheiben zerplatzen lassen, und etliche Westberliner waren mit schockartigen Zuständen in die Krankenhäuser eingeliefert worden, unter anderem Tante Trudchen. Die war gerade auf dem Weg zur Post gewesen, um ihrem Sohn, seines Zeichens strammes SED-Mitglied, ein vom Munde abgespartes Paket mit Kaffee und Schokolade aus dem Westen zu schicken.

Trotz aller Solidarität konnten Manfred und Horst Hastenteufel nicht umhin, über Heinrich Lübke zu lästern, als der den denkwürdigen Ausspruch tat: »Frankreich ist unser Nachbar ... und Frankreich wird immer unser Nachbar bleiben ...« Nach der Kundgebung wurden sie von der Menge Richtung Lützowplatz geschwemmt und nutzten gleich die Gelegenheit zu einem ersten Rundgang durch das eben eröffnete Europa-Center.

In der Familie gab es nichts Neues. »Ich freu' mich, daß die Welt rund ist und ich nicht runterfalle«, sagte der Vater. So bescheiden der Wohlstand der Matuschewskis auch sein mochte, gemessen an den dreißiger Jahren ging es ihnen gold. »Schön, daß man nicht mehr mit jedem Pfennig rechnen muß«, fand die Mutter. Und Anfang Juni ging es wie in jedem Jahr wieder einmal nach Farchant, kurz vor Garmisch-Partenkirchen gelegen, und sie schwärmten jetzt schon jeden Tag von den Genüssen, die sie dort im Loisach-Tal erwarteten. So auch am 27. Mai, dem Himmelfahrtstag, als sie vor dem Fernseher saßen und mit großen Augen den Berlin-Besuch von Königin Elisabeth II. verfolgten.

»Ich seh' mich schon den Philosophenweg entlanggehen«, sagte der Vater freudig, »mit Blick ins Tal und auf den Kramer hinüber.«

»Ich möchte einmal bei der Königin eingeladen sein ...« Selig schloß die Mutter die Augen, um sich dies so richtig vorzustellen.

»Die macht beim Kacken auch nur die Knie krumm«, bemerkte der Vater.

Manfred wußte nicht so recht, was er denken sollte. Einerseits war er erklärter Antimonarchist, andererseits aber war er als Westberliner bereit, allen zu Füßen zu sinken, die die Stadt vor den Kommunisten retten halfen.

Der Höhepunkt des Tages nahte. Auf dem Bildschirm sahen sie, wie Königin Elisabeth und ihr Gemahl, Prinz Philip, auf dem Flugplatz Tempelhof in die Maschine stiegen und Richtung Hermannstraße abhoben. Da rannten sie auf den Balkon und sahen wenig später das königliche Flugzeug direkt über der Treptower Straße.

»Das ist ein Gefühl ...« Die Mutter hatte Tränen in den Augen.

Die hatte Manfred wenig später auch. Teils aus Trauer, teils aus Freude. Traurig war, daß das Sportgericht des DFB Hertha BSC wegen falscher Angaben bei der Aufnahme in die Bundesliga aus selbiger geworfen hatte, schön aber, daß man Tasmania 1900 an Herthas Stelle spielen lassen wollte.

»Wir Neuköllner in der Bundesliga!« Der Vater umarmte ihn. »Stell dir das mal vor. Ihr Völker der Welt, schaut auf diesen Bezirk!«

Auch Manfred war ganz aus dem Häuschen. Zwar hatte er früher beim 1. FC Neukölln gespielt, aber sein Herz hatte schon immer für Tas geschlagen.

»Wenn Werder Bremen deutscher Meister werden kann, dann Tas schon lange.«

Das Endspiel um den Europacup der Pokalsieger sah er allerdings bei Horst Hastenteufel zu Hause. Dessen Frau hatte wiederum massenhaft Kartoffelchips aus ihrer Firma mitgebracht, so daß die Postille ihrer SPD-Abteilung, die sie während der Fernsehübertragung zusammenfalteten und in Kuverts steckten, viele Fettflecke abbekam. Als Schriftführer hatte Manfred eine ganze Menge zu tun. Das 0:2 von München 1860 gegen West Ham United wurmte sie nicht sonderlich. Im übrigen trösteten sie sich mit *Schultheiß Pils*.

Gerade hatten sie den Brief an Bodo Baumhauer als versandbereit zur Seite gelegt, da klingelte es ... und als Monika Hastenteufel öffnete, stand zu ihrem Schreck eben dieser Bodo Baumhauer draußen vor der Tür.

»Hallo ...« Manfred hatte sich als erster gefaßt. »Kommst du, dir deine Post selber abzuholen und die anderen Umschläge gleich mitzunehmen ... Schön ...« Ansonsten mußte er mit dem ganzen Stapel zum Postamt in der Karl-Marx-Straße laufen und es in einem ziemlich umständlichen Verfahren als Massendrucksache verschicken.

»Nein ...« Bodo Baumhauer bemühte sich um ein Grinsen, das er für besonders diabolisch hielt. »Ich möchte euch nur beglückwünschen ...«

»Wozu?« fragte Horst Hastenteufel. »Bist du endlich aus der SPD ausgetreten?«

»Nein. Aber einer von euch ist gerade ausgetreten worden.«

»Wie ...?«

»Gerade ist der Staatsschutz dagewesen und hat einen von euren Konsorten verhaftet: Gottfried Toss. Der hat jahrelang für die DDR spioniert.«

Freude, schöner Götterfunken ... Manfred und Horst ahnten, daß bei der nächsten Wahl der Sieger wieder Peter Hermanski heißen würde.

Am Montag darauf hatte Manfred Matuschewski schwer zu schuften. Denn immer wenn Not am Manne war, rief die Firma Bugsin an. »Es sind mal wieder Büromöbel zu tragen.« Da bekam er acht Mark die Stunde und hatte sich im harten Wettbewerb mit den Lieferwagen-Profis zu bewähren, Männern vom Typ: »Wo steht'n hier det Klavier ...?« Entweder sie waren Kraftpakete mit mächtigen Bierbäuchen und eisenharten Muskeln oder aber schmale Handtücher von ungeheurer Zähigkeit. Der Student Manfred war ihnen zwar suspekt, doch da sie seine Beziehungen zur Familie Bugsin kannten, hielten sie sich zurück, wenn es darum ging, ihn dumm aussehen zu lassen. Dennoch war es ein harter Job. Einmal waren stundenlang Stühle in die Pädagogische Hochschule in Lankwitz zu schleppen gewesen, dann wieder Regale in die TU. Da er in seiner großen Zeit bei den Neuköllner Sportfreunden viel mit Gewichten trainiert hatte, kam er aber ganz gut über die Runden. Nur einmal gab es ein ziemliches Malheur.

»Den Schreibtisch hier ins Chefzimmer!« wies ihn der Vorarbeiter an. »Und nimm dir ’n Gurt.« Sie standen vor dem Europa-Center, und es ging darum, die Leihmöbel für den Berlinale-Chef ins neue Hochhaus zu tragen.

»Mann!« Manfred hatte nie geglaubt, daß ein einzelner Schreibtisch so viel wiegen konnte.

»Det is volle Eiche«, belehrte ihn Hobrecht, der an der anderen Ecke angesetzt hatte.

Da sein Partner um einiges größer war als er, drohte der Riesenschreibtisch immer zu Manfreds Seite hin abzukippen. Mit aller Kraft stemmte er sich dagegen. Doch drei Meter vor dem Chefzimmer ging es nicht mehr. Seine Arme klappten ganz einfach weg, und der Schreibtisch bohrte sich wie ein Rammbock in die Rigipswand.

Manfred wurde nach Hause geschickt, und Tante Irma – Irma Bugsin, die Chefin des Büromöbelhauses – hatte sich noch eine Weile mit ihrer Versicherung herumzuschlagen.

Sein Freund Gerhard vermittelte dabei, und so lud ihn Manfred zur großen Dampferfahrt ein, mit der die GSG auch in diesem Sommer wieder Studenten werben wollte.

»Bring doch Roswitha gleich mit ... Morgens steigen wir dann in Kladow aus und sind gleich bei deinen Eltern draußen.«

Nach ihrer Vertreibung aus Karolinenhof im Osten der Stadt, 1961 nach dem Mauerbau, hatten sich die Bugsins dort auf Pachtland eine Laube gekauft und später ein ockerfarbenes Okal-Haus errichten lassen.

Der Dampfer wartete Jungfernheide gegenüber dem Landgericht, und Manfred saß am Steg, um die Eintrittskarten zu verkaufen, dabei assistiert von Volker Gellert. Was er sich von dieser Veranstaltung erhoffte, war allerdings weder der finanzielle Gewinn der GSG noch ihr Wachsen, Blühen und Gedeihen, sondern *die Frau fürs Leben*. Vielleicht fand er sie heute hier an Bord. *Hoffen und Harren macht manchen zum Narren*. Sagte seine Mutter immer, und sie schien absolut recht zu behalten, denn es kamen schon die wunderbarsten Bräute an Bord, aber die waren entweder nicht solo oder aber nicht interessiert an ihm. Und als man nach einer Rundfahrt durch die Nordberliner Gewässer in Schildhorn anlegte, um die Nacht durchzutanzen, da war er gänzlich chancenlos. Er saß einsam an der Reling und sah zu den Sternen hinauf.

Wenn er Freddy gewesen wäre, hätte er garantiert vom Schmerz um die verlorene Liebe gesungen, die große Liebe, die niemals wiederkam. Als Soziologe und Intellektueller hätte er über diese Sentimentalitäten erhaben sein müssen, über Kitsch und Volksverdummung, doch als der Manni vom Neuköllner Hinterhof, da klang ihm Freddys Lied im Ohr: »... kein Gruß, / kein Herz, / kein Kuß, / kein Scherz, / alles liegt so weit, so weit. / Viele Jahre schwere Fron, / harte Arbeit, karger Lohn, / tagaus, / tagein, / kein Glück, / kein Heim, alles liegt so weit, so weit. / Hört mich an ihr gold'nen Sterne ...«

Hans-Gert Kohlhaas tanzte an ihm vorüber, fett, mit einer dicken Brille, lispelnd, aber mit einer Frau im Arm, die Manfred anbetungswürdig fand, so schön war sie. Auch andere Männer, über die sein Vater gesagt hätte, daß sie *dick, dumm und gefräßig* wären und nichts anderes könnten als *dicke Stullen essen und große Haufen kacken*, schlenderten mit Mädchen übers Deck, die er jederzeit genommen und jubelnd heimgeführt hätte. Warum klappte es bei denen, nur nicht bei ihm. Keine von seinen Auserwählten hatte ihn für länger haben, geschweige denn heiraten wollen. Eine spitze Bemerkung seiner Mutter fiel ihm ein: *Die fragen mich schon alle, ob du vielleicht schwul bist.*

Am besten, er ließ sich kastrieren. »... kein Gruß, / kein Herz, / kein Kuß, / kein Scherz, / alles liegt so weit, so weit ...«

Volker Gellert stand plötzlich neben ihm. »Na, mal wieder solo?«

»Das verleiht dem Leben wahre Größe. Und Erdmuthe ... die singt heute ...?«

»Ja. Ich geh' mal zu Sibylle ... die ist vorhin an der Stößenseebrücke zugestiegen.«

Manfred stand auf und suchte seinen alten Freund Gerhard, der allein an der Bar stand und auf Roswitha aufpaßte, die nahebei auf einer Bank saß und schlief.

»Die kann ich zu keinem Geschäftsessen mitnehmen ... um elf Uhr ist die eingeschlafen. Die Kunden sind da natürlich beleidigt. Prost.«

Manfred ließ sich einen Whiskey geben und stieß mit Gerhard an. »Auf Karolinenhof, auf Schmöckwitz ... als wir noch keine solche Sorgen hatten ...«

Sie tranken viel in dieser Nacht, und als der GSG-Dampfer am Sonntag morgen um sechs wieder Tegeler Weg / Jungfernheide anlegte, waren sie es, die schliefen, während Roswitha inzwischen putzmunter war und beide von Volker Gellert in eine Taxe laden ließ.

»In die Ausnüchterungszelle?« fragte der Fahrer.

»Nein, nach Kladow zu meinen Schwiegereltern.«

Gegen elf Uhr riß sie das Radio aus dem Schlaf. Roy Black sang *Ganz in Weiß*, dann kam Drafi Deutscher mit *Marmor, Stein und Eisen bricht*.

»... und ich breche, wenn jetzt Heintje kommt«, murmelte Manfred.

Sie stellten sich unter die kalte Dusche, um wieder halbwegs nüchtern zu werden, und freuten sich, daß Tante Irma Rollmöpse im Kühlschrank hatte. Der starke Kaffee half ihnen weiter auf. Dennoch sah Manfred noch sehr blaß um die Nase aus, als seine Eltern einliefen.

»Wenn du so weitermachst, wirst du nie mit deiner Diplomarbeit fertig werden«, rügte seine Mutter.

Gehorsam und mit leichter Verbeugung schwenkte Manfred das Buch, das er mitgenommen hatte. »Hier: Blau and Scott, *Formal Organizations* ... Da fang' ich gleich drin zu lesen an, verehrte Frau Mutter.«

»Erst wird der Rasen gemäht«, rief Max Bugsin.

Dies war die allwöchentliche Unterwerfungsgeste, die er seinem Sohn abverlangte. Was blieb Gerhard anderes, als sich in sein Schicksal zu fügen. Manfred half ihm beim Kantenschneiden und Harken. Nachdem dies erledigt war, gab Max grünes Licht zum Badengehen. Auch Roswitha und

»der Kloine«, Patenkind Philip also, kamen mit. Nur Tante Irma blieb im Garten. Sie liebte die Stille der Natur und haßte das laute Gewühl unten an der Havel.

Auf dem Weg ans Wasser gab es viel zu erzählen. Als sie am Gößweinsteiner Gang angekommen waren, schaute Max Bugsin traurig drein. »Nun ist Walterchen auch tot.«

»Ja«, kam das Echo aus allen Mündern: »Walterchen, der Seelentröster, der Mann mit dem goldenen Herzen.«

Wer kannte nicht *Walterchens Ballhaus* in der Bülowstraße und dessen Inhaber und Maître de plaisir. Max erzählte, daß er an dessen früherem Standort in der Rosenthaler Straße derjenigen seiner vielen Freundinnen begegnet war, die ihm gedroht hatte, aus dem Fenster zu springen, wenn er nicht länger mit ihr gehen würde.

»Und weißt du, was ich da zu der gesagt habe?«

»Nein«, antworteten alle, obwohl ihnen Max diese Geschichte mindestens zehnmal im Jahr erzählte ... und zwar seit 1932.

»Ich hab' gesagt: ›Spring doch, wenn du dich damit verbessern kannst.‹«

Roswitha fand das herzlos und meinte, Charles Aznavour hätte sich da ganz anders verhalten. Für dessen Berliner Auftritt in der Philharmonie hatten sie sich schon eine Karte gekauft.

Gerhard schwärmte indessen von einem schwedischen Film, von *Lieber John*.

»Mann, du, alles spielt da im Bett!«

Unten an der Havel angekommen, fanden sie noch ein freies Plätzchen und ließen sich auf einer mitgebrachten Decke nieder. Man hatte einen schönen Blick rechts auf die Pfaueninsel und über den ganzen Wannsee hinweg auf das Strandbad drüben in der Ferne, und dennoch stimmten alle Gerhard zu, als er sagte: »So schön wie früher in Karolinenhof isses hier doch nicht.«

Max und Gerhard schwammen weit hinaus. Sie redeten übers Geschäft, selbst als sie die Fahrrinne erreicht hatten und an einer der Bojen hingen, um sich auszuruhen.

»Du, Vati, sollten wir wegen der Schreibtische für das Bezirksamt Spandau nicht noch mal bei Dyes anrufen?«

»Nein, ich hab' doch schon mit König und Neurath gesprochen.«

»Und was sagt Mutti dazu?«

»Mutti will erst noch mal mit Meyerdierks sprechen.«

»Auch das noch.«

Manfred, der ein schlechter Schwimmer war, saß am Strand und spielte mit Philip, seinem Patenkind, Hafenbauen. Der »Kloine« war inzwischen fast drei Jahre alt und freute sich über die kleinen Schiffchen, die Onkel Otto ihm aus Kiefernborke schnitzte. Während Manfreds Vater also strahlte, blickte seine Mutter mißmutig zu ihm hinunter.

»Warum haben *wir* kein Enkelkind ...?« Es war ebenso eine Frage an das Schicksal wie an ihren Sohn.

Manfred flehte seinen Schöpfer an, ihm den Gleichmut eines grasenden Rindes zu verleihen. Aber wahrscheinlich hätte er ihr doch eine patzige Antwort gegeben, wenn sein Vater nicht mit einer ihm versehentlich herausgerutschten Bemerkung den Blitzableiter gespielt hätte.

»Wer nicht wagt, der nicht gewinnt, wer nicht fickt, bekommt kein Kind.«

»Otto!« schrie sie da. »Man muß sich ja schämen mit dir.«

Erst jetzt drehten sich die anderen Badegäste nach ihnen um.

»Dem Reinen ist alles rein«, bemerkte der Vater. »Darüber regen sich die Leute auf, wenn aber woanders Tausende verhungern oder abgeschlachtet werden, da kräht kein Hahn nach.«

»Jetzt fängst du auch schon so an wie der Junge.«

Manfred lachte. »Der Stamm steht nie weit weg vom fallenden Apfel – wie schon Peng Ei Weg sagte, der große chinesische Denker der Ming-Dynastie.«

Sie blieben noch ein Weilchen am Havelufer liegen, während Roswitha zurück mußte, um für alle das Mittagessen zu kochen. Manfred hatte Mitleid mit ihr.

»Soll ich dir beim Kartoffelschälen helfen?«

»Nein, ich mach' das schon.« Sie hatte sich, seit sie nach Berlin gekommen war, ihre ganz spezielle Rolle zugelegt: Roswitha, die stille Dulderin.

Als sie zurück ins Haus an der Sakrower Landstraße kamen, war neuer Besuch eingetroffen, und zwar Max' Cousin Bernhard Großkreutz. Er handelte mit Autozubehör und war ein Neureicher, wie sie ihn im Kabarett immer zeigten, eine unfreiwillige Parodie. Im maßgeschneiderten dunklen Anzug, das schwarze Haar mit viel Pomade festgeklebt, war er in Manfreds Augen die mißglückte Kreuzung eines Londoner Bankers mit einem Gangster aus Chicago. Er hieß bei ihnen immer nur Bernie Großkotz. Unlängst hatte er seine Frau verlassen und sich eine Jüngere geangelt, Linda, eine Tänzerin vom Fernsehballett, wie er behauptete.

»Helga ist mir zu bieder gewesen, die hat ja alle Kunden verschreckt.«

»Dafür ist Linda mit jedem Kunden ins Bett gegangen«, murmelte Tante Irma, die die Neue gar nicht mochte.

Großkreutz hörte es nicht. Er küßte Linda und sah sich fragend um. »Was meint ihr denn, wo ich die kennengelernt habe?«

»Im Puff in der Giesebrechtstraße ...«, hörte Manfred Tante Irma im Hintergrund, ebenso zitternd wie hoffend, daß Großkreutz und seine Neue es ebenfalls mitkriegten. Doch sie saßen zu weit weg, und außerdem rumpelte vorn auf der Straße gerade der 35er Bus vorbei.

»In Tokio!« rief Bernie Großkreutz und lief zu seinem Mercedes hinaus, um die Geschenke für Max und Irma aus dem Kofferraum zu holen. Sie bekam, wie nicht anders zu erwarten, einen Kimono, das Mitbringsel für Max aber war die große Überraschung.

»Eine Windel ...«, sagte der, als er das Papier aufgerissen hatte.

»Ja«, war der Kommentar seines Freundes Otto. »Wenn man alt wird, beginnt's bei uns langsam unten zu tröpfeln.«

»Inkontinenz nennt man das.« Manfreds Mutter wußte dies vom Krankenkassenschalter her.

»Nein«, belehrte sie Großkreutz von oben herab. »Das ist ein *mawashi*.«

»Ich jeden Molgen ma waschi«, lachte Max. »Mit kaltem Wassel, immel vol dem Flühstück. Danke fül den japanischen Waschlappen.«

»Ein *mawashi* ist kein japanischer Waschlappen, sondern ein Ringergürtel … beim Sumo-Ringen. Wenn sie den Ring betreten, den *dohyo*, haben sie den umgelegt. Die *sekitori*, das sind die Ringer in der höchsten Klasse, die haben alle farbige *mawashi* aus Seide. Max, wieviel wiegst du jetzt …?«

»124 Kilo.«

»Für einen Sumo-Ringer immer noch ein bißchen wenig, aber wir machen dich zum *ozeki*, und du trittst jetzt gegen uns an.«

Max, der schon vor dem Krieg gern zum Berufsringen in den Sportpalast gegangen war und auch jetzt kein Catcher-Turnier versäumte, ließ sich nicht lange bitten, ins Bad zu gehen und den Lendengürtel anzulegen.

Sein Cousin führte ihm dann die Sumo-Rituale vor, stampfte auf den Boden, um die Erdgeister milde zu stimmen, und warf zur Reinigung in hohem Bogen Salz auf den Boden. Da sowohl Gerhard als auch Großkreutz unter Hinweis auf angebliche Rückenschäden kniffen und Otto Matuschewski mit seiner steifen Hüfte als Gegner eh nicht in Frage kam, blieb nur Manfred übrig. Der brachte zwar gerade mal 81 Kilo auf die Waage und hatte auch keinen *mawashi* zum Umbinden, vertraute aber auf seine Schnelligkeit aus früheren Jahren.

Großkreutz war aufgedreht, zog mit dem Hacken einen Kreis von knapp fünf Metern Durchmesser in den Rasen und rief: »Das ist der Ring, der dohyo. Und hier an den beiden Linien, da müßt ihr euch aufstellen und kämpfen.«

Als Manfred Max Bugsin vor sich in der Hocke sah, bekam er es mit der Angst zu tun: dieser Fleischberg …! Wenn er unter den zu liegen kam, war er platt wie eine Bulette.

Bernhard Großkreutz erklärte ihnen den Ablauf des Kampfes, dann gab er das Kommando: »*Jikan ippai* – es ist Zeit! Los!«

Max Bugsin stürzte sich auf Manfred, um ihn zu packen, zum Swimmingpool zu tragen und dort hineinplumpsen zu lassen. Doch Manfred wich blitzschnell zur Seite aus, so daß sein Gegner an ihm vorbeischoß. Mit einer Reflexbewegung drückte er noch dessen Kopf zu Boden. Max stolperte über den ausgerollten Gartenschlauch, ruderte dabei wild mit den Armen und schlug seiner Schwiegertochter, die gerade aus der Küche kam, die Schüssel mit den Salzkartoffeln aus der Hand. Die fielen mehrheitlich in das Schwimmbecken, die Schüssel zerschellte am Rand.

»Manfred – Sieger durch *hataki komi*!« entschied Großkreutz.

»Hilf mal lieber Max aus'm Koma«, witzelte Otto Matuschewski.

Roswitha weinte, ihr »Kloiner« umklammerte schreiend ihre Beine, Tante Irma flüchtete ins Haus. Max rappelte sich mühsam wieder auf, riß sich den *mawashi* vom Körper und warf ihn seinem Cousin an den Kopf. Der griff sich daraufhin seine Neue und verließ fluchtartig das Anwesen.

»Kleingeister!« schrie er.

»Großkotz!« schrien sie zurück.

Der Mercedes wurde so heftig gestartet, daß ihnen die Kieselsteine um die Beine flogen.

»Was essen wir nun?« fragte Gerhard.

»Habt ihr keine Nudeln im Haus?« fragte Manfreds Mutter. Und da man welche hatte, gab es Nudeln zum Kaßler.

Nach dem Essen stieg Tante Eva aus dem Bus und störte alle bei der Mittagsruhe.

»Manfred!« rief sie schon am Zaun. »Du mußt schnell zu Curt und Anett kommen, die haben ja die neue Wohnung in der Cautiusstraße bekommen, gleich neben mir, und werden mit dem Tapezieren alleine nicht fertig. Immer fällt ihnen die Tapete von der Wand.«

Manfred machte sich auf den Weg. Mit dem A 35 ging es nach Spandau und von dort mit der Straßenbahn, der 54, nach Hakenfelde hinaus. Ein Verbundtriebwagen vom Typ TM 36 kam vorüber, und Manfred hatte das Glück, daß niemand auf dem hinteren Fahrersitz Platz genommen hatte. Schnell war er oben, und auch der giftige Kommentar einer älteren Dame – »Bist du nicht schon zu alt dazu?« – konnte ihn nicht abschrecken.

Ganz so dramatisch, wie Tante Eva es beschrieben hatte, ging es bei C & A gottlob nicht zu, aber seine Hilfe war trotzdem willkommen. So brachte er auch das gesamte nächste Wochenende in Hakenfelde zu, um mit Dieter Dettmers zusammen die neue Wohnung in Schuß zu bringen. Um in Tegel Miete zu sparen, waren sie schon umgezogen, ehe alle Zimmer renoviert worden waren, und so sah es in der Cautiusstraße halb wie im Flüchtlings-, halb wie im Möbellager aus. Die Situation komplizierte sich, als es Sonnabend nacht kurz vor 23 Uhr noch klingelte.

»Das wird Dieter sein«, vermutete Anett. Der war kurz zuvor gegangen und schien etwas vergessen zu haben.

»Oder meine Mutter ...« Curt war blaß geworden. Tante Eva, seine Mutter, wohnte ein paar Häuser weiter und neigte dazu, immer wieder »mal kurz« vorbeizuschauen, wobei sie unter »kurz« ein bis zwei Stunden verstand. Zeit genug, mit schrecklich netten Bemerkungen für Stimmung zu sorgen.

»Nein«, widersprach Anett, »die würde sich doch leise anschleichen, um zu hören, was über sie gesprochen wird.«

Manfred ging ans Fenster und zog den Vorhang ein wenig zur Seite. »Da steht eine jüngere Frau, dick und mit einem großen Koffer.«

»Zeig mal ...« Anett schob ihn zur Seite. »Gott, das ist ja Tatjana!«

»Wer ist Tatjana?«

»Meine alte Schulfreundin bei uns aus'm Dorf.«

Curt grinste. »Na, Manfred, wär' das nicht 'ne Braut für dich ...?«

»Die haßt alle Männer!« rief Anett, schon im Hinunterlaufen.

Curt lachte. »Wie hätten es unsere Großmütter ausgedrückt, Martha und Marie: ›Tatjana hat entsagt.‹ Sie will nach Bayern gehen und Nonne werden.«

Als sie dann bei Rotwein und Kerzenschein zusammensaßen, bestätigte Tatjana diese Auskunft. Manfred dachte, daß sie bei ihrer Figur als Kugelstoßerin die besseren Chancen und mehr Spaß haben würde.

»Dann werd' ich mal ...« Er stand auf, um vorn an der Streitstraße noch die letzte Straßenbahn, die 75, zu erreichen, die etwa 0 Uhr 35 kam und bis zum Amtsgericht Charlottenburg fuhr. Von da ab mußte man weitersehen.

»Bleibst du nicht über Nacht?« fragte Anett.

»Ich kann doch Tatjana nicht das Sofa wegnehmen.«

»Wir pumpen dir die Luftmatratze auf.«

»Nein, nein ...« Manfred verzog sich in den Korridor.

»Manfred, Tatjana tut dir nichts.«

»Laßt mich bitte nach Hause.«

»Du wolltest doch morgen früh noch die Gardinenstangen anmachen ...« Anett verstellte ihm den Weg.

»Na, schön ...« In Charlottenburg auf einen Nachtbus zu warten, war auch nicht gerade das Vergnügen pur. Ehe er da in Neukölln war, ging schon die Sonne auf.

Dann aber war es ihm furchtbar peinlich, als sie das Licht ausgemacht hatten und sich Tatjana ihr Nachthemd überzog. Er wagte es kaum, sich auf seiner Matratze umzudrehen, um sie in ihren keuschen Gefühlen nicht zu verletzen.

»Ich hoffe, du liegst bequem?« fragte sie.

»Ja ...«

»Ich nicht ...«

Curt registrierte am nächsten Morgen amüsiert, daß die Luftmatratze an zwei Stellen Flecken aufwies.

»Habe nun, ach! Soziologie, / BWL und die Psychologie, / Und leider auch Ökonomie / Durchaus studiert, mit heißem Bemühn. / Da steh' ich nun, ich armer Tor! / Und bin so klug als wie zuvor ...« Bog Manfred sich Fausts Monolog ein wenig zurecht, so brachte er seinen Seelenzustand im Herbst 1965 auf den Punkt. Auch der Satz, den der Schüler, der Student spricht: »Mir wird von alledem so dumm, / Als ging' mir ein Mühlrad im Kopf herum.«

Voller Verzweiflung versuchte Manfred, das nachzuholen, was er, immer Minimalist und mit tausenderlei anderen Dingen im Kopf, in fünf Jahren Studium versäumt hatte. *Augen zu und durch!* Bis zu 81 Stunden in der Woche lernte er und führte ganz genau Buch über jede Lerneinheit. Der Fächerkanon war gewaltig: Allgemeine Soziologie, Betriebssoziologie, empirische Soziologie, Psychologie, Betriebswirtschaftslehre, Volkswirtschaftslehre. Wobei in den letzten drei Fächern laut § 10 der Prüfungsordnung neben der mündlichen Prüfung am Ende des Wintersemester 65/66 vorab und zusätzlich noch »schriftliche Arbeiten unter Aufsicht« zu schreiben waren, Klausuren also.

Das schaffst du nie.

Gib auf, bevor du dich blamierst.

Hat doch alles keinen Sinn, und ob du nun Diplomsoziologe bist oder nicht...

Laß es sein und geh wieder zu Siemens.

Das ist doch alles 'ne Nummer zu groß für dich.

Dagegen, gegen Resignation wie Depression, war ständig anzukämpfen, und je mehr er lernte, desto eher war ihm danach, mit Sokrates auszurufen: »Ich weiß nur, daß ich nichts weiß.«

Die Mutter warf ihm vor, an seinem Elend selber schuld zu sein: »Wärst du damals zur AOK gegangen, dann ...« Sein Vater versuchte ihn mit dem Hinweis zu trösten, daß auch die anderen nur mit Wasser kochten.

Immerhin konnte er seine Diplomarbeit rechtzeitig abschließen. Er ließ sie in der Behindertenwerkstätte des Oskar-Helene-Heims schön dunkelblau binden und gab sie am 23. September im Prüfungsamt ab. Vielleicht bescherten sie ihm noch eine Vier dafür.

Vier Tage zuvor hatten die Westdeutschen den neuen Bundestag gewählt – die Berliner durften ja noch immer nicht –, und die CDU/CSU unter Bundeskanzler Ludwig Erhard war mit 47,6 Prozent der große Gewinner. In der Familie Matuschewski hieß Erhard nur »Frau Braun«, weil er einer alten Freundin der Schmöckwitzer Oma zum Verwechseln ähnlich sah, der Bäckermeistersfrau, mit der sie 43 öfter zusammen im Luftschutzbunker gesessen hatten, dem Hochbunker im Wald zwischen Schmöckwitz und Karolinenhof.

Am 3. Oktober, einem Sonntag, sah Manfred alle seine Konkurrenten beim großen Fackelzug für Professor Otto Stammer, der an diesem Tage 65 Jahre alt wurde. Am U-Bahnhof Breitenbachplatz traf man sich, und von dort ging es in langer Schlange zur Markobrunner Straße, wo der Mann wohnte, den sie als Soziologen ebenso verehrten wie als Menschen. Wie das Leben so spielte: Manfred wurde hin- und hergeschoben, und als Otto Stammer schließlich nach unten kam, um allen in einer ergriffenen Rede zu danken, da stand Manfred in der ersten Reihe und genau vor ihm. Immer wieder sahen sich beide in die Augen.

»Damit hast du deine Prüfung schon bestanden«, meinte Volker Gellert hinterher.

Manfred lernte und lernte und lernte. Sogar die Silvesternacht verbrachte er allein zu Hause, nur auf seine Bücher konzentriert. Nichts anderes gab es mehr für ihn, und er verfiel nun wirklich in das, was bei Max Weber »innerweltliche Askese« hieß. Auch als die Schmöckwitzer Oma Ende September zum Besuch nach Neukölln gekommen war, verringerte er sein Pensum nicht und bat Volker Gellert und Horst Hastenteufel, sie nach Frohnau, Hakenfelde und Siemensstadt zu fahren.

Vieles versäumte er in dieser Zeit. Etwa am 17. September den großen Auftritt der *Rolling Stones* in der Waldbühne, bei dem die jugendlichen Fans Sitzbänke und S-Bahn-Züge zertrümmerten, Polizisten und Zivilisten zusammenschlugen und die Berliner Krankenhäuser füllten. Gerhard und Roswitha waren Gott sei Dank mit dem Schrecken davongekommen. Er war auch nicht dabei, als Tasmania in der Bundesliga Spiel auf Spiel verlor. Beim ersten Spiel, dem 2:0 gegen den Karlsruher SC, hatte er im Olympiastadion noch freudetrunken die Arme hochgerissen. Nicht einmal den Film *Casanova '70* mit Marcello Mastroianni und den schönsten Frauen Europas gönnte er sich, denn der Anblick von

Virna Lisi, Michèle Mercier und Marisa Mell hätte ihn nachher vor dem Einschlafen zuviel Substanz gekostet. Sublimieren war jetzt alles. Auch als der Astronaut John Glenn in Tempelhof seine Gemini-Kapsel präsentierte, war Manfred nicht dabei. Zum Glück auch nicht, als Mitte Oktober in der Weserstraße eine Filiale der Berliner Volksbank überfallen wurde. Der Täter schoß zweimal in die Decke und flüchtete mit einer Beute von 106 000 Mark. Das Fluchtfahrzeug wurde später Weser-, Ecke Fuldastraße verlassen aufgefunden. Seine andere große Sensation hatte Neukölln in diesen Tagen, als bekannt wurde, daß Walter Günther, der langjährige Chefarzt des Neuköllner Krankenhauses, gar kein Mediziner war und nie studiert hatte. Auf internationalen Kongressen hatte er vorgetragen und viel Beifall bekommen, in Fachzeitschriften Artikel veröffentlicht und die Briefe dankbarer Patienten zu Hause gestapelt.

Das einzige, was sich Manfred gönnte, war ab und an ein wenig Fernsehen. So die *Rudi-Carell-Show*, *Dr. Murkes gesammeltes Schweigen* nach dem Text von Heinrich Böll und *... vor 20 Jahren war alles vorbei*, wie das neue Programm der Berliner *Stachelschweine* überschrieben war. Oft waren die Serien seine bevorzugte Entspannung. Etwa *77 Sunset Strip*, *Kommissar Maigret*, *Geheimauftrag für John Drake*, *Gestatten, mein Name ist Cox!*, *Familie Feuerstein*, *Hafenpolizei* und *Der Forellenhof*.

Jeden Morgen stand er gleich nach seinen Eltern auf und begann schon um halb sieben zu büffeln. Unendlich viel war nachzuholen, doch langsam sah er Land. Und als er dann die Klausuren in den ungeliebten Nebenfächern schreiben mußte, da gehörte er nicht zu denen, die nur leere Blätter abzugeben hatten.

In der zweiten Dezemberwoche sprach er bei allen vor, von denen er sich mündlich prüfen lassen wollte. Das nahm einem die Angst, und wenn man Glück hatte, ließen sich die Themen, über die man sprechen wollte, auch ein wenig abgrenzen. Nur mit Prof. Otto Stammer (Betriebssoziologie) hatte Manfred schon face-to-face gesprochen, alle anderen aber kannte er lediglich vom Hörsaal her, also aus gehöriger Distanz: Prof. Ludwig von Friedeburg (Allgemeine Soziologie), Prof. Renate Mayntz (Empirische Soziologie), Prof. Andreas Paulsen (Volkswirtschaftslehre) und Prof. Hans Hörmann (Psychologie).

Zu Hause angekommen, stellte er die Fotos seiner Prüfer – aus dem *FU-Spiegel* oder anderswo herausgerissen – vor sich auf den Tisch und simulierte Dialoge.

»Was versteht man unter Löschung?« hörte er Hörmann fragen.

Manfred antwortete mit fester Stimme. »Unter Löschung – englisch: *extinction* – versteht man eine Reihe von Techniken, die eine bedingte Reaktion auszulöschen vermögen. Meistens wird Löschung dadurch erreicht, daß der konditionelle Reiz wiederholt dargeboten wird, ohne daß ihm der nichtkonditionelle, verstärkende, folgt.«

Und mit Hörmann sollte es auch losgehen. Am 5. Januar 1966, einem Mittwoch, hatte Manfred pünktlich um 11 Uhr in der Garystraße zu erscheinen. Als er sich diesen Termin notiert hatte, war er fast fröhlich nach Hause gefahren: Gott, das war ja noch so ewig hin. Nun aber war dieser Tag wider Erwarten gekommen ...

Manfred hatte gut geschlafen. Aus seiner Zeit als Leichtathlet wußte er, wie man, trotz der Angst vor dem großen Wettkampf am nächsten Morgen schnell einschlafen konnte: indem man seine Gedanken stoppte und an etwas Schönes dachte. Manfred war in Gedanken mit der 86 von Grünau nach Schmöckwitz gefahren und hatte dann mit seinem *Rebell* die Müggelberge umrundet. Auf dem Seddinsee war er eingeschlafen ...

Jetzt, wo der Wecker geklingelt hatte, wünschte er sich nur das eine: daß alles schon vorbei wäre. Gott, was müßte das für ein wunderbarer Tag sein, wenn er vormittags um elf mit Dirk Kollmannsperger Billard oder mit Horst Hastenteufel Skat spielen könnten ... und nicht Hörmann gegenübersaß und sich blamierte. Panik kam auf. Doch er fing sich wieder, indem er sich sagte, alles Menschenmögliche getan zu haben.

Wenn man gut trainiert hatte und dann verlor, brauchte man sich keine Vorwürfe zu machen. *Tut mir leid, aber ich hab' alles gegeben ...*

Seine Eltern waren fast aufgeregter als er selber. Als sie zum Dienst gingen, legte ihm sein Vater den Arm um die Schulter.

»Mach's gut, mein Junge. Und denk daran: Das ist der Väter Traum, der sich durch dich erfüllt. Du bist seit vielen hundert Jahren der erste aus unserer Familie, der die Chance hat, Akademiker zu werden.«

Die Mutter sah es nicht so familienhistorisch. »Mach mir keine Schande, du!«

Manfred hörte auch die nächsten Sätze, ohne daß sie sie ausgesprochen hatte: *Was sollen denn die anderen von uns denken. Wozu hab' ich mich eigentlich für dich abgerackert? Du hast doch genug Zeit zum Lernen gehabt.*

Er frühstückte in aller Ruhe, las den *Telegraf* und zog sich anschließend so an, wie es Brauch und ungeschriebene Vorschrift war: schwarzer Anzug, weißes Hemd und silberne Krawatte. Als er sich so vor dem Spiegel sah, stürzte die Angst wie eine Lawine auf ihn herab und begrub ihn unter sich. Er sah sich vor Hörmann sitzen, hinter sich grinsende jüngere Kommilitonen, und hörte sich furchtbar stottern. Nichts wußte er mehr, verstand nicht einmal die Frage. Mit heftigen Bauchschmerzen lief er auf die Toilette. Durchfall. Wenn das nachher während der Prüfung auch passierte, dann ...

Er setzte sich aufs Sofa, legte den *Bolero* auf und heizte sich auf. Schließlich ballte er die Fäuste und schrie: »Ich werde es schaffen!« Nun war ihm, als säße er in einem startenden Flugzeug. Alles kam, wie es kommen mußte, nichts ließ sich mehr aufhalten. Wie ein Roboter fuhr er nach Dahlem raus, erst mit dem 4er, dann mit dem 48er Bus.

An der Wiso-Fakultät wartete Moshe Bleibaum, um ihm Mut zu machen. Der Freund hatte schon vor zwei Semestern sein Studium mit Glanz beendet, durfte sich nun Diplomkaufmann nennen und war stolzer Assistent am betriebswirtschaftlichen Lehrstuhl von Wysocki, wo man sich in der Hauptsache mit Steuern befaßte.

»Wenn du mit cum laude bestehst, fahr' ich im Sommer mit dir nach Prag ... sonst nicht.«

»Abgemacht.«

»Denk daran: Du hast so viele jüdische Gene im Blut, daß du gar nicht durchfallen kannst.«

Manfred grinste. »Aber zu wenig für ein magna oder gar summa cum laude, so wie du ...«

Auch Volker Gellert kam herbeigeeilt. »Zur letzten Ölung«, wie er es nannte. Hatte Moshe viel eher das Ziel erreicht als Manfred, so hinkte Volker nun schon mehr als zwei Semester hinterher, denn bei Professor Lieber kam er mit seiner Diplomarbeit über Georg Simmel nicht recht voran ... und außerdem war er immerzu damit beschäftigt, für Erdmuthe Verträge abzuschließen.

Manfred ging auf die Toilette, um sich zu konzentrieren. Die Freunde redeten zu viel und lästerten über Hörmann, und er lief Gefahr, die Prüfung für einen großen Scherz zu halten. Dabei galt doch nun: Sein oder Nichtsein. Fiel er durch, fing er bei Siemens nicht weit oben, sondern ziemlich unten an, noch hinter den Stammhauslehrlingen, die nicht studiert hatten.

Sie standen im Erdgeschoß und warteten. Ununterbrochen gingen Studenten in die Bibliotheksräume oder kamen wieder heraus, als wäre dies der normalste Tag der Welt. Manfred wartete auf seine Hinrichtung ... und die eilten jetzt zur Mensa, um dort Mittag zu essen. Er haßte und beneidete sie gleichermaßen. Er hätte in diesem Augenblick zehn Jahre seines Lebens gegeben, wenn man ihm gestattet hätte, jetzt zu Hause auf dem Sofa zu liegen und sein Lieblingsbuch zu lesen, *Die Heiden von Kummerow*. Freiwillig setzte er sich der Tortur dieser Prüfung sicher nicht aus, aber wer zwang ihn denn, hier zu sein ... doch nur er selber. *Du mußt doch einen Beruf haben!*

»Die Herren Boldt, Gräbner, Matuschewski und Zimmerling bitte ...« Ein Assistent stand in der Tür des kleinen Hörsaals im Parterre. Mit den drei Kandidaten strömten an die dreißig Studenten in den Raum. Es war eine der ersten Prüfungen, und man wollte sehen, was einen selbst erwarten würde. Die spürte Manfred nun alle im Rücken, und er konnte sicher sein, daß es sich in Windeseile herumsprechen würde, wenn er hanebüchenen Unsinn erzählte.

Der Prüfer saß allein hinter einer Barriere zweier Tische und schien ebenso müde wie von Langeweile betäubt. Manfred konnte sich vorstellen, wie auch er viel lieber zu Hause auf dem Sofa gelegen und gelesen hätte. Es gab soviel Neues in der Forschung ... und er mußte sich dieser Prüfung widmen, die ihm sichtlich zum Hals raushing.

Seine drei Mitstreiter hatte Manfred nie zuvor gesehen. Auch Soziologie war inzwischen zum Massenfach geworden. So wie sie aussahen, mußten sie lange vor ihm mit dem Studium begonnen haben. Konnte auch sein, daß sie schon irgendwo arbeiteten und nur nebenbei studierten. Jedenfalls, und das ließ ihn erleichtert aufatmen, wirkten sie nicht wie hochbegabte Vorzeigestudenten.

Sie wurden kurz begrüßt, dann kamen die ersten Fragen. Und obwohl Hörmann ein sanfter Mensch war, erschienen Manfred seine Worte wie Schüsse in der Stille.

»Herr Boldt ... Können Sie mit dem Begriff Umstrukturierung etwas anfangen?«

»Umstrukturierung ...?«

»Ja ... Es hat etwas mit Lernpsychologie zu tun.«

»Mit Lernpsychologie ...?«

»Ja.«

»Ich hatte mehr an Wahrnehmung gedacht ...«

»Herr Gräbner ... Wahrnehmung ist ...?«

»... englisch *perception.*«

»Ja, und inhaltlich ...«

»Wenn ich etwas sehe ...«

»Ich sehe da mehr als Sie. Herr Matuschewski, die Definition von Wahrnehmung ist ...?«

Manfred rasselte nun das herunter, was er auswendig gelernt und zu Hause dem Foto Hörmanns schon öfter erzählt hatte: »Wahrnehmung ist die allgemeine und umfassende Bezeichnung für den Prozeß des Gewinnens von Informationen aus Umwelt- und Körperreizen ... einschließlich der damit verbundenen emotionalen Prozesse und der durch Erfahrung und Denken erfolgenden Modifikationen.«

»Gut, ja ...« Hörmann strahlte. »Und was hat es nun mit dieser Umstrukturierung auf sich ...?«

»Da kann ich mich nur dem anschließen, was Herr Boldt schon gesagt hat.«

»Der hat nichts gesagt.«

»Ach so ...«

Die Zuhörer brachen in lautes Gelächter aus und verstummten erst auf Hörmanns lautes Zischen hin.

»Dann will ich Ihnen eine kleine Hilfestellung geben«, fuhr der Prüfer fort. »Sagt Ihnen der Name Köhler etwas ...?«

»Ja ...« Gisela Köhler, dachte Manfred, Super-Leichtathletin der DDR, Weltrekordlerin über die 80-Meter-Hürden. Er hatte Mühe, dies zu unterdrücken. »Nein ... doch: Wolfgang Köhler.«

»Na, bitte. Und ...? Denken Sie an Teneriffa ...«

Nun geriet Manfred doch mächtig ins Schwimmen. »Hat er da Urlaub gemacht ...?«

Wieder amüsierten sich die hinteren Reihen, und Hörmann mußte sie erneut ermahnen. »Wie die Affen ... hätte Wolfgang Köhler auf Teneriffa gedacht.«

»Ach so ...« Jetzt war bei Manfred endlich der Groschen gefallen. »Köhler beschreibt das Problemlösen bei Affen, die er während seiner Gefangenschaft auf Teneriffa beobachtet hat ... Als Deutscher ist er da interniert gewesen. Oben an der Decke hängt eine Banane, an die die Affen nicht herankommen. Um das zu schaffen, stellen sie Kisten übereinander ...«

»Und das nennt Köhler dann ›Umstrukturierung‹ ...?«

Manfred kam das zu simpel vor, und er zögerte mit einem lauten Ja, sondern murmelte etwas, das Ja und Nein bedeuten konnte.

»Ja«, sagte Hörmann und machte sich Notizen.

So ging das eine ganze Stunde lang, und als die vier Kandidaten nach längerer Beratungspause wieder in den Saal gerufen wurden, um ihre Note zu erfahren, war sich Manfred sicher, gerade mal ein »ausreichend« bekommen zu haben.

Doch dann sagte Hörmann unmißverständlich: »Matuschewski ... Zwei.«

Ähnlich erging es ihm zwei Tage später bei Stammer in Betriebssoziologie: Er hatte das Gefühl, nichts richtig auf den Punkt gebracht zu haben, doch wiederum wurde er mit einer Zwei belohnt.

Manfred begann zu ahnen, was das Dilemma seines Lebens war: Die anderen sahen ihn viel positiver als er sich selber. Seine Mutter hatte ihm immer nur eines vermittelt: Du bist klein, und nur wenn du klein und unscheinbar bist, kannst du überleben. Und tief in sich drin glaubte er das auch.

Nachdem es zu Beginn des Jahres kaum geschneit hatte und auf dem Teufelsberg, nun weitgehend fertig aufgeschüttet und bepflanzt, Schneekanonen für die weiße Pracht zu sorgen hatten, war Mitte Januar ungewöhnlich viel Schnee gefallen. Auf den Berliner Straßen herrschten katastrophale Zustände. Zum Glück fand Manfreds nächste mündliche Prüfung erst am 31. Januar statt. Vorher aber war der 60. Geburtstag seines Vaters zu feiern. An einem 24. Januar war nicht nur Friedrich der Große zur Welt gekommen, sondern auch Otto Matuschewski.

Für Manfred war es nicht nur ein freudiger Tag. Das lag nicht zuletzt daran, daß sie nun auch die 75 nach Hakenfelde eingestellt hatten, die Straßenbahn, mit der er so oft zu Tante Eva und später zu Curt und Anett gefahren war. Er reagierte wie ein Kind, dem sein Lieblingsspielzeug weggenommen wurde – indem er die Verantwortlichen wüst beschimpfte und indem er in Traurigkeit verfiel. Nichts blieb mehr so, wie es war, alles änderte sich, die Welt seiner Kindheit und Jugend versank ... Das Leben ging weiter ... auch ohne ihn, auch ohne seine Nächsten ... aber es würde, so schien es ihm, viel, viel ärmer sein, wenn sie alle nicht mehr wären.

Vor diesem Geburtstag hatte es lange Diskussionen gegeben.

Sollte man verreisen und allem Trubel aus dem Weg gehen, oder sollte man ein Lokal anmieten und »groß« feiern? Der Vater hatte den ersten Plan befürwortet, die Mutter den zweiten, und so war es zu dem Kompromiß gekommen, zu Hause zu bleiben und nur die engsten Freunde und Verwandten einzuladen. Das waren nicht viele: Tante Trudchen, Bugsins und Neutigs. Bei Liebetruths überlegte man ein Weilchen, aber es wären zu viele gewesen, und außerdem wollte man bei denen in Halensee Fasching feiern, so richtig mit Pappnase, keckem Hütchen, Pfannkuchen und *Mainz wie es singt und lacht* im Fernsehen. Der Vater war ganz wild auf Margrit Sponheimer und Ernst Neger, den Dachdecker.

»Otto, was wünschst du dir denn?«

»Eine Eisenbahn, TT, von Rokal.«

»Das ist doch was für Kinder.«

»Wenn ich pensioniert bin, will ich mir eine große Anlage bauen. Dann kann ich endlich mal nach Herzenslust einen fahren lassen ... einen Zug.«

Am Geburtstagmorgen schnarchte er ungemein kraftvoll, und als Manfred und seine Mutter die Platte mit den Schaumburger Märchensängern aufgelegt hatten und lautstark *Wir freuen uns, daß du geboren bist und hast Geburtstag heut'* mitsangen, fühlte er sich nicht im geringsten angesprochen.

Die Mutter rüttelte ihn an den Schultern. »Otto, aufwachen. Du wirst sechzig heute.«

Er fuhr hoch, und sie küßten ihn ab.

»Herzlichen Glückwunsch, lieber Mann ...«

»Ich bin nicht Liebermann, da verwechseln Sie was, meine Dame.«

»... und alles Gute, vor allem Gesundheit ... was du dir selber so wünschst.«

Manfred gratulierte seinem Vater mit dessen Standardspruch: »Wachse, blühe und gedeihe!« Dann sang er: »Blüh im Glanze deines Glückes ...«

»Danke, danke ...« Der Vater rappelte sich hoch, zog seinen Bademantel über und ging mit ins Wohnzimmer, wo schon die beiden großen weißen Kerzen mit der 6 und der 0 angezündet worden waren und die aufgehäuften Geschenke beschienen.

»Meine Eisenbahn!« Das Geburtstagskind stürzte sich auf das Paket. »Schienen! Eine T 3, ein Oldtimer.« Er umarmte seine beiden Lieben und machte sich sofort daran, einen Kreis zu bauen und die kleine Lok fahren zu lassen.

»O selig, ein Kind noch zu sein«, merkte Margot Matuschewski an.

»Als ich sechs geworden bin, da bestand mein Geschenk darin, daß ich eine Tracht Prügel weniger bekommen habe als sonst«, erinnerte sich der Vater.

Am Nachmittag kam Tante Trudchen, die ihm eine Flasche Weißwein schenkte, und am frühen Abend trafen Bugsins und Neutigs ein. Sie hatten alle zusammengelegt, um ihm ein Fernglas zu schenken.

»Damit du von Farchant aus immer sehen kannst, was auf der Zugspitze oben los ist.«

»Nun kommt mal Abendbrot essen«, mahnte Margot Matuschewski. »Sonst wird es nachher wieder so spät.«

»Kaßler und Nudelsalat!« rief Herbert Neutig. »Das ist aber eine Überraschung.«

Allen schmeckte es, nur Gerda Neutig stocherte im Essen herum, als sei sie Baktereologin und hätte ein Riesenvirus zu finden.

Nach dem Abendbrot wurden bei Wein, Cognac und Kartoffelchips mehrere hundert Dias von den Farchant-Reisen der letzten beiden Jahre gezeigt, wobei sich alle mit witzigen Kommentaren zu überbieten suchten.

»Otto vor der Partnachklamm.«

»Ich bin auch ohne Partnach klamm.«

»Da ist Herbert ... Er hilft unseren Wirtsleuten, die Kartoffeln reinzutragen ... der da mit dem Sack auf dem Rücken.«

»Wenn ich meinen Sack auf'm Rücken hätte, würde ich mich im Panoptikum ausstellen lassen und Geld dafür kassieren.«

Da es ein Montag war und am nächsten Tag alle arbeiten mußten, machte man sich schon um elf Uhr wieder auf den

Heimweg. Manfred und seine Mutter wuschen noch ab, dann war auch dieser Geburtstag Geschichte.

Eine Woche später hatte Manfred die nächste Prüfung: Volkswirtschaftslehre. Da saß er um 18 Uhr mit Professor Paulsen bei Dämmerlicht ganz allein in dessen Büro. Paulsens vier kleine gelb-braune Bände aus der »Sammlung Göschen«, die *Allgemeinen Volkswirtschaftslehre I–IV*, hatte Manfred überall herumgeschleppt, und sie waren so zerfleddert, daß er manche Kapitel nicht mehr richtig lesen konnte. Und da er in VWL kaum etwas verstand, hatte er die Formeln und Erkenntnisse mit wilder Verbissenheit auswendig zu lernen versucht, denn von Paulsen hieß es, daß er häufig unter Magenschmerzen leiden würde und dann sehr gefährlich sein konnte.

Doch bei Manfred schien er nur eines im Sinn zu haben: dem Kandidaten auch eine Zwei zu geben, wie seine Kollegen Hörmann und Stammer.

»Herr Matuschewski ... reden wir über die drei Produktionsfaktoren ... das sind?«

Manfred hatte es sofort vor Augen: Band II, § 1. »In der wirtschaftswissenschaftlichen Systematik heißt Produktion die Tätigkeit von Unternehmungen: Sie beschaffen und kombinieren die Leistungen von Produktionsfaktoren zur Erstellung absatzfähiger Produkte. In lehrgeschichtlicher Tradition werden die Produktionsfaktoren in drei Gruppen gegliedert: Arbeit, Boden und Kapital.«

Paulsen nickte und erwog offenbar, es bei dieser Stichprobe zu belassen, entschloß sich dann aber zu einer zweiten Frage: »Was verstehen wir unter ›Lohnfondstheorien‹?«

Wieder machte es bei Manfred klick: § 2. Lohnfondstheorie. »Das meint, daß die Höhe der Nachfrage bestimmt und begrenzt wird durch den Bestand an Mitteln, die zur Subsistenz der Arbeiter zur Verfügung stehen ... beziehungsweise ihnen als Vorschuß auf ihr Produkt ausgezahlt werden können.«

»Richtig ...« Paulsen überlegte einen Augenblick. »Hm ... Eine Eins werde ich Ihnen nicht geben können ... Aber wenn Sie mit einer Zwei zufrieden sind, dann können wir uns beide nach Hause begeben ...«

Die Prüfung am nächsten Tag lief wieder ganz anders ab, als nämlich Ludwig von Friedeburg in der »Allgemeinen Soziologie« vor großem Publikum selbst brillieren wollte und seine vier Kandidaten in schwierigste Theoriediskussionen verstrickte. Das alles mochte Manfred nicht, und er sah ziemlich blaß aus, schien unaufhaltsam einer Vier entgegenzusteuern.

»Herr Matuschewski, sagen Sie einmal ... Wo finden wir denn die Rollentheorie, wie sie bei Ralf Dahrendorf steht, schon viel früher formuliert ...?«

»Bei Max Weber!« Das kam ohne jedes Nachdenken, wie ein Reflex, denn bei der Vorbereitung hatten die Assistenten ihnen eingeschärft, daß diese Antwort nie falsch sein konnte.

»Ich dachte da eher an Talcott Parsons ... an die Komplementarität der Rollen ...«

Manfred, der während der Entstehung seiner Diplomarbeit viel bei Max Weber nachgelesen hatte, erinnerte sich deutlich, was in *Wirtschaft und Gesellschaft* geschrieben stand und trug es auch so vor: »Soziales Handeln – einschließlich des Unterlassens oder Duldens – kann orientiert werden am vergangenen, gegenwärtigen oder für künftig erwarteten Verhalten anderer ... Die ›anderen‹ können Einzelne und Bekannte oder unbestimmt Viele und ganz Unbekannte sein ...«

»Das soll bei Max Weber stehen?«

»Ja, und das ist doch weithin kongruent mit dem, was Dahrendorf sagt: ›Soziale Rollen sind Bündel von Erwartungen, die sich an den Inhaber einer sozialen Position richten.‹«

»Das ja, aber bei Weber steht es anders, als Sie es formuliert haben.«

»Doch, das steht da so.«

»Nein.«

»Doch.«

Die Zuhörer hielten den Atem an. Das war ungeheuerlich, was hier geschah, und allen war klar, daß Manfred Matuschewski die mündliche Prüfung nicht bestehen würde.

Da ergriff der Assistent, der bis jetzt schweigend das Protokoll geführt hatte, Partei für Manfred. »Ich glaube, Herr Professor, daß der Kandidat im Recht ist.«

Ludwig von Friedeburg verzog das Gesicht und zeigte auf das Regal hinter sich. »Sehen Sie mal nach ...«

Es war sehr still, als Wolfgang Schluchter, der Assistent, sich den ersten Halbband griff. Er kannte sich bei Weber bestens aus und brauchte nicht lange zu suchen. »Es steht im ersten Kapitel, zweiter Absatz, ganz oben ... da, wo Weber den Begriff des sozialen Handelns erläutert ...« Und dann las er genau das vor, was Manfred zuvor gesagt hatte.

Manfred schloß die Augen, denn damit war klar, daß er durchfallen würde. Wie alle, die in Friedeburgs Arbeitszimmer saßen, war er sich sicher, daß der Soziologieprofessor, Träger eines großen Namens, nun zurückschlagen und ihn fertigmachen würde, Fragen stellte, die er nie und nimmer beantworten konnte.

Doch Ludwig von Friedeburg lachte nur. »Gratuliere, mein Lieber. Bis jetzt war das ja wenig glanzvoll, was Sie hier abgeliefert haben, aber nun, Herr Matuschewski, da Sie mich mit einem Schmetterball besiegt haben, da ...«

So kam Manfred zu seiner vierten Zwei und war bei der letzten Prüfung – »Empirische Soziologie« bei Renate Mayntz-Trier – so gefestigt, daß er nur ein ganz klein wenig zitterte, als er ihr gegenübersaß.

»Sie waren ja Lehrling bei Siemens ... Könnte man Lehrlinge als Sozialforscher einsetzen, um beispielsweise die Konflikte in einer Arbeitsgruppe zu erforschen?«

»Um systematisch zu beobachten, bräuchten sie natürlich ein Kategorienschema ... wie zum Beispiel das von Bales. Würde ich mit meinem Bogen in der Gruppe sitzen, gleichzeitig aber auch mitarbeiten, dann wäre das offene teilnehmende Beobachtung. Ich könnte mich zwar in die anderen hineinversetzen, weil ich dasselbe mache wie sie, würde aber ihr Handeln doch irgendwie verändern ... und zwar sicher in Richtung sozial erwünschter Verhaltensweisen, das heißt, in meiner Gegenwart würden sie eher solidarisch sein.«

Er lief zu so großer Form auf, daß Frau Mayntz ihn nach der Prüfung fragte, ob er nicht als Assistent bei ihr arbeiten wolle.

Das war wie eine Goldmedaille, und am liebsten wäre er ihr um den Hals gefallen.

Sie war es auch, die ihm wenig später während einer kleinen Feierstunde seine Urkunde aushändigte.

FREIE UNIVERSITÄT BERLIN
WIRTSCHAFTS- UND SOZIALWISSENSCHAFTLICHE FAKULTÄT

DIPLOM

Herr Manfred Matuschewski
geboren am 1. 2. 1938 in Berlin
hat am 4. Februar 1966 die Diplomprüfung für

SOZIOLOGEN

gemäß der Prüfungsordnung vom 1. Juli 1956
mit dem Gesamturteil cum laude (gut) bestanden

Auf Grund dieser Prüfung wird der akademische Grad
eines

DIPLOMSOZIOLOGEN

verliehen.

Berlin, den 7. Februar 1966

Der Vorsitzende der Kommission
für soziologische Diplomprüfungen
R. Trier

Am Sonnabend danach stieg die große Feier, und alle Freunde und Verwandte Manfreds hatten sich in der kleinen Wohnung an der Treptower Brücke versammelt: Tante Trudchen, Curt und Anett, Moshe Bleibaum und Gisela, Volker Gellert und Erdmuthe, Horst Hastenteufel und Monika, Gerhard und Roswitha, Onkel Max und Tante Irma. Nach Schmöckwitz hatte man ein Telegramm geschickt, und alsbald kam von seiner Oma eine Depesche zurück: »Herzlichen Glückwunsch, mein lieber Junge. Daß ich das noch erleben durfte.«

Sein Vater und seine Mutter umarmten ihn und schenkten ihm einen zweiwöchigen Erholungsurlaub in Farchant.

»Nun bin ich doch noch stolz auf dich«, gestand seine Mutter.

»Champagner!« rief sein Vater.

Ich wär' ja so gern noch geblieben

Nach sieben Jahren saß Manfred wieder im Gebäude der Siemens-Hauptverwaltung an der Nonnendammallee. Diesmal aber nicht als kleiner und geduckt dahinschleichender Stammhauslehrling, sondern als diplomierter Soziologe. Seine Professorin arbeitete an einer Veröffentlichung über Ideologie und Bewußtsein deutscher Ingenieure seit Beginn der Kaiserzeit, und zu diesem Thema hatte die Siemens-Werksbibliothek besonders viel zu bieten. Wie schon bei seiner Diplomarbeit hatte er viel Freude am Suchen und Finden, am Exzerpieren und Markieren, und sogar das viele Fotokopieren nahm er klaglos hin.

Manfred saß allein im großen Lesesaal und blätterte in der Angestelltenanalyse Fritz Croners. In diesem Augenblick flatterte Sophie durch den Raum, im hellgelben Chiffonkleid ein kapriziöser Schmetterling. Seit sie ihn hier entdeckt hatte, erschien sie mehrmals am Tag, um für ihren Chef Bücher auszuleihen, und ihr Chef war kein anderer als Arnold Frantz, Manfreds Ausbildungsleiter aus früheren Zeiten, der dröge Kommißkopp mit den vielen Warzen im Gesicht. *Frantz heißt die Kanaille.* Manfred registrierte mit Entzücken, daß sie offenbar nur seinetwegen kam, denn daß Frantz, dieser Dumpfmeier, jemals ein Buch lesen würde, war unwahrscheinlich. Jetzt – als Diplomsoziologe, FU-Assistent und Doktorand – schien er für Frauen wie Sophie ein begehrter Heiratskandidat zu sein. Als er mit ihr zu flirten begann, merkte er bald, wie offen die Türen waren, die er einrennen wollte.

»Das ist ja wie im Film hier ... dauernd kommt die Diva ... Was drehen wir denn heute?«

Erstaunt hielt sie neben ihm, und das schwingende Chiffongewebe ihres Kleides liebkoste seine Hand. »Woher wissen Sie ...?«

»Was weiß ich ...?«

»Daß ich alles liebe, was mit Film zu tun hat ...«

»Das sieht man Ihnen doch an. Sie gehören vor die Kamera und nicht hierher in die Siemens-Kaserne.«

»Im *Wirtshaus im Spessart* hab' ich als Statistin mitgespielt.«

»Bei mir wären Sie die Hauptdarstellerin, und ich würde einen ganzen Stadtteil nach Ihnen benennen – Charlottenburg – und Sie in einem Schloß wohnen lassen: meine Königin im Schloß Sophie-Charlottenburg.«

Das reichte, um ihr eine Verabredung für den Abend schmackhaft zu machen, natürlich zum Kinobesuch. Manfred ahnte, was danach kommen würde, und verließ in der Mittagspause das Firmengebäude, um in den Straßen von Siemensstadt nach einer Drogerie zu suchen und sich eine Packung Kondome zu kaufen. Das war ihm furchtbar peinlich, und so mußte es eine Drogerie sein, wo ein Mann hinterm Ladentisch stand, bei einer Verkäuferin hätte er seinen Wunsch nie auszusprechen gewagt. Und als er endlich einen Drogisten gefunden hatte, kaufte er, bevor er den Namen »London« murmelte, zuvor noch Rasierwasser, Nivea-Creme und Tempotaschentücher.

»Bitte sehr, der Herr ...« Der Drogist, ein kahlköpfiger Pykniker, holte die bordeauxrote Packung schweratmend aus einer verborgenen Schublade.

Ausgerechnet in diesem Moment kam Tante Trudchen hinter einem Vorhang hervor. Sie hatte dort an der elektrischen Rolle ihre Wäsche geglättet. Manfred wurde puterrot, und blitzschnell schob er die Kondome unter die Tempotaschentücher.

»Was machst du denn hier?« fragte Tante Trudchen.

»Ich hab' bei Siemens zu tun und bin schnell mal einkaufen ... Wegen meines Schnupfens ...«

Der Drogist grinste anbiedernd. »Damit er heute nacht keinen Schnupfen bekommt.«

Manfred verfluchte ihn in alle Ewigkeit, zum Glück schien aber Tante Trudchen nichts zu merken. Wahrscheinlich hielt sie für Heftpflaster, was er da krampfhaft vor ihren Augen zu verbergen versuchte. Er rief sich ins Gedächtnis, daß er mittlerweile 28 Jahre alt war.

Er trug ihr noch die Wäsche nach Hause und war sehr gerührt, als sie ihm ihre Flasche Malzbier anbot. Bei ihrer kleinen Rente konnte sie sich pro Woche nur eine leisten. Nach einem Leben voller Arbeit.

»Nein, danke, du, ich ...«

Wieder in der Bibliothek, ließ ihn der Gedanke an Sophie nicht mehr los, und er machte sich auf, um sie zu besuchen. Gott, wie sie da an ihrer Schreibmaschine saß ... wirklich wie im Film ... er hätte sich glatt auf sie stürzen können. Doch als er vor ihr hinknien wollte, stand Frantz in der Tür.

»Ah, der Herr Bleibaum!« rief der Ausbildungsleiter, ohne Jackett und mächtig jovial. »Hab' ich Sie doch sofort wiedererkannt. Zur Firma zurückgekommen, wie?«

Manfred klärte ihn auf. »Moshe Bleibaum ist mein Freund.«

»Von dem hätten Sie sich mal eine Scheibe abschneiden können. Sie waren ja eher bei den Fußkranken in Ihrer Lehrzeit bei uns ... So, Soziologe sind Sie. Na, da besteht ja bei Siemens kein Interesse dran an Soziologen.«

Manfred bedauerte, daß man sich nicht mehr nach Altväterart duellierte. Und gerade, als er sich mit Frantz wenigstens auf ein Wortgefecht einlassen wollte, wurde der von einer Untergebenen in ein Klassenzimmer gerufen.

»Schnell, Herr Frantz, ein Betrugsversuch ... Herr Aumann läßt Sie rufen.«

»Kommen Sie, Fräulein Schade ...« Frantz stürzte aus dem Büro, Sophie im Schlepptau.

Manfred stand da. Nebenan im Chefzimmer, so bemerkte er, hing Frantz' Jackett über einer Stuhllehne. Das war der große Augenblick der Rache. Schnell hatte er zwei Kondome aus der Packung gefingert und sie in Frantz' Jackett plaziert. So geschickt, daß sie erst seine Frau finden würde, wenn sie das Kleidungsstück zur Reinigung brachte.

Um 18 Uhr traf er sich mit Sophie. Im *Studio* am Kurfürstendamm genossen sie den *Alexis Sorbas* und, weil es so schön war, wollten sie gleich kommenden Sonnabend *Des Teufels General* in der Adria-Filmbühne sehen. Sie war ein Plappermäulchen, das alles, was es auf der Leinwand gab, zu kommentieren wußte.

»Gucken Sie mal, was die Griechen da für komische Hosen anhaben ... Ich bin noch nie in Griechenland gewesen ... Da möcht' ich auch mal mittanzen ... Wie heißt der noch mal, der den Roman geschrieben hat: Nikos Kazandings ...?«

So ging es die ganze Vorstellung über, und als Manfred dann in ihrer kleinen Wohnung in der Buolstraße in Siemensstadt bei der legendären Tasse Kaffee saß, lief sie zu Hochform auf.

»Ich hab' Ihnen ja noch gar nicht gestanden, wer meine große Liebe ist ...«

»Ich weiß es«, sagte Manfred lachend. »Ich ...«

Sie schüttelte unwirsch den Kopf. »Nein: Horst Buchholz. Seit ich ihn in den *Halbstarken* gesehen habe, als Zwölfjährige, bin ich völlig weg von ihm. Alle seine Filme hab' ich gesehen: *Die Bekenntnisse des Hochstaplers Felix Krull*, *Monpti*, *Endstation Liebe*, *Das Totenschiff* – da war ich sogar bei den Dreharbeiten dabei ...«

Ihr Wohn- und Schlafzimmer war mit Filmplakaten tapeziert und mit allen möglichen und unmöglichen Devotionalien ihres Horst-Buchholz-Kultes vollgestopft, von Jacketts bis zu Socken und Unterhosen. Als sie dann mit Manfred schlief und die Augen dabei schloß, wußte er, daß er hier nur als Hottes Stellvertreter engagiert war, was ihn allerdings keineswegs störte, ganz im Gegenteil.

Ihre Affäre war leider schon Mitte der darauffolgenden Woche zu Ende, als nämlich Sophie durch einfache Rechenexempel dahinterkam, daß die beiden Kondome im Jackett ihres Chefs wohl von Manfred stammten. Frantz' Ehefrau hatte die beiden Lümmeltüten schnell gefunden und einen Riesenaufstand gemacht, und der Ausbildungsleiter – für mehrere Nächte in ein Hotel ausquartiert – hatte ruhelos umhergeschnüffelt, um den Übeltäter zu fassen. Aus Mitleid wie aus Loyalität hatte Sophie ihrem Chef den entscheidenen Fingerzeig gegeben. Von da an mußte Manfred seine Ingenieursstudien in den unwirtlichen Räumen der TU-Bibliothek weiterführen.

»Mit so einem hinterhältigen Menschen wie dir will ich nichts mehr zu tun haben«, rief Sophie und gab ihm den Laufpaß.

Ansonsten gab es in Manfreds ersten Monaten als Assistent nur einige wenige unalltägliche Ereignisse. So war er dabei, als Sabrina, Liebetruths Jüngste, eingeschult wurde, und wurde zum dritten Male Patenonkel, als Anett ihr zweites Kind bekam, den Markus. Und daß Ende Februar die U-Bahn nach Alt-Marienfelde verlängert wurde, beschäftigte ihn ebenso wie Borussia Dortmunds Europacupsieg mit 2:1 gegen den FC Liverpool. Davon erfuhr er, als sie ihn in den Räumen des »Ringes Politischer Jugend« am Kurfürstendamm zum Schatzmeister der GSG wiedergewählt hatten. Welche abgrundtiefe Enttäuschung dagegen, als die Neuköllner Tas-Mannschaft, Tasmania 1900, mit schmachvollen 8:60 Punkten wieder aus der Fußball-Bundesliga abgestiegen war. München 1860 als neuer deutscher Meister hatte 50:18 Punkte auf dem Konto.

Zu Hause wurde viel über Jürgen Bartsch geredet, den 19jährigen »Kirmesmörder«, der seit 1962 vier kleine Jungen mißbraucht und dann ermordet hatte.

»Gleich Kopf ab!« rief Gerda Neutig.

»Niemand hat das Recht zu töten«, meinte Manfred, »auch der Staat nicht ... sonst wären wir ja auch nicht besser als der Mörder.«

»Willst du damit sagen, daß wir Mörder sind!?« fragte Herbert Neutig mit gefährlicher Schärfe in der Stimme.

»In diesem Falle: ja.«

»Das kommt alles von der FU her. Von unseren Geldern studieren, und dann ...«

Viele Westberliner fingen langsam an, sich über das zu ärgern, was da draußen auf dem Dahlemer Campus vor sich ging. Etwa, daß die Studenten, die Knut Nevermann zum ersten AStA-Vorsitzenden gewählt hatten, immer lauter gegen die befristete Zulassung und die Zwangsexmatrikulation an der Juristischen und der Medizinischen Fakultät protestierten und den Professoren vorwarfen, die studentische Selbstverwaltung kaputtzumachen.

»Und das mit euren Vietnam-Protesten, das ist doch auch 'ne Sauerei!« Gerda Neutig war mit ihrer Kritik an der Berliner Studentenschaft noch nicht fertig.

Ihr Mann zögerte nicht, ihr beizupflichten. »Wer gegen die Amerikaner protestiert, der arbeitet doch den Kommunisten in die Hände.«

»Geht doch gleich alle rüber!« riefen die anderen drei Erwachsenen wie im Chor.

Das Klima in den Familien wurde, wie Manfred auch anderweitig registrierte, zunehmend rauher. Die biedermeierliche Idylle, in der sie seit seiner Einsegnung gelebt hatten, schien Vergangenheit zu sein. Nichts mehr mit *Wir sind doch alle een Kiek und een Ei*. Was eben noch als bürgerliche Behaglichkeit galt, wurde von den Studenten nun als existentielle Leere angeprangert. Dies geschah auch in Peter Schamonis Film *Schonzeit für Füchse*, den Manfred mit Moshe Bleibaum zusammen während der Berlinale sah.

Aber noch war der Studentenprotest nur ein leichtes Grummeln, und das Leben schien so weiterzugehen wie bisher.

Ansonsten bestimmte die Fußballweltmeisterschaft in England das Leben. »König Fußball regiert«, hieß es im *Telegraf* vom 13. Juli 1966. »Leere Straßen. Veranstalter, Kinos und Gastwirte haben Kummer. Wie ein Platzregen wirkt die feierliche Erkennungsmelodie der Fußballweltmeisterschaft. Straßen und Plätze fegt sie leer ...« Die deutsche Nationalmannschaft hatte in ihrem Auftaktspiel in Sheffield die Schweiz mit 5:0 besiegt.

Manfred quälte sich wieder einmal mit der Frage herum, ob er denn in den Sommerferien wirklich verreisen sollte – und wenn ja: wohin? – oder nicht doch besser beraten war, an seiner Dissertation zu arbeiten. Sie war eine Weiterentwicklung seiner Diplomarbeit, trug den Arbeitstitel »Der Industriebetrieb als grundsätzlich bürokratische Organisation« und war von Otto Stammer, dem Doktorvater, im Mai mit einem freundlichen »Ja, so könnte es gehen« abgesegnet worden.

Er entschied sich gegen eine Reise und für das wissenschaftliche Malochen. Da kam Moshe Bleibaum mit der Idee, doch zu zweit nach Prag zu fahren. Er würde über *Helios,* das auf den Ostblock spezialisierte Reisebüro in der Uhlandstraße, und Čedok in Prag alles vorbereiten.

»Wenn's nur halb so schön wird wie damals in Griechenland ...«

Mit diesem Argument war Manfred schnell überredet. »Klar, ich komm' mit.«

So saßen sie am 18. Juli, einem Montag, in Moshe Bleibaums hellgrauem Käfer und fuhren als Transitreisende durch die DDR, Richtung Zinnwald, dem Grenzübergang. Moshe neigte dazu, sein Billiggefährt für einen Porsche zu halten. Als sie auf der Höhe Dresdens waren, geriet er in Versuchung, von der Transitstrecke abzuweichen.

»Den Zwinger, die Brühlsche Terrasse ... das alles einmal sehen.«

»Wenn die ›Organe‹ uns kriegen, landen wir im Knast.«

Moshe sah es ein, zumal er einen erheblichen Packen günstig, aber verbotenerweise am Bahnhof Zoo getauschter tschechischer Kronen im Wagen versteckt hatte.

»Wo denn eigentlich?« fragte Manfred, als sie zehn Minuten vor Zinnwald waren.

»Sag' ich dir nicht ...«

»Warum nicht?«

»Damit du das Versteck nicht verrätst, wenn sie dich foltern.«

Ihre Ängste vor den Grenzkontrollen waren immens, doch die DDR-Leute schenkten ihnen kaum Beachtung. Dann aber, auf der tschechischen Seite, wurden sie auf einen Parkplatz gewunken und nach einem barschen »Warten Sie hier!« scheinbar vergessen. Eine Stunde verging, eine zweite ...

Manfred stand der Angstschweiß auf der Stirn. »Kannst du die Kronen nicht schnell noch ...?«

»Pssst! Wenn die mithören ...« Moshe flüsterte ihm zu, daß es doch auffallen würde, wenn er hier unter den Augen der Grenzer anfing, den Wagen auseinanderzunehmen.

Manfred fühlte sich auf seinem Beifahrersitz wie auf einem elektrischen Stuhl. Nur daß man hier nicht in Sekundenschnelle hingerichtet wurde, sondern ganz langsam. Als Moshe aussteigen wollte, um wegen des langen Wartens Protest einzulegen, wurde er in den Wagen zurückgescheucht. Sie versuchten es mit Galgenhumor.

»Gisela wird das eingefädelt haben«, spekulierte Manfred. »Um dich endlich loszuwerden.«

Nach einer weiteren halben Stunde kam ein tschechischer Uniformträger und ließ sie mit einem flüchtigen Blick in die Papiere und ein paar freundlichen Worten ohne Schwierigkeiten ins Land.

Sie fuhren nach Theresienstadt, wo Moshes Großeltern ermordet worden waren. Für Manfred war es nicht leicht, den Freund hier zu begleiten. Als Deutscher war er irgendwie mitschuldig, natürlich, aber er war selber »Vierteljude«, mit einer Mutter, die die Nazis gemaßregelt hatten. Er hielt es für das Beste zu schweigen. Zugleich aber begriff er, warum die

Intellektuellen das Deutschsein so haßten, vom deutschen Schlager bis zum deutschen Essen: Indem sie alles Deutsche ablehnten, versuchten sie, dem Vorwurf der Kollektivschuld zu entgehen. Das war aber keine Position der Stärke, sondern pure Schwäche, die Schwäche, nicht mit der Wahrheit leben zu können ... und die lautete, daß man als Deutscher wegen Auschwitz wohl für lange Zeit schuldig sein würde.

Erst als sie Prag erreicht hatten, kehrten sie zum Alltäglichen zurück, denn da gab es gewaltigen Ärger. Ihren Reiseunterlagen war ganz eindeutig zu entnehmen, daß das Reisebüro Čedok für sie im Hotel *Flora* in der Vinohradská 121 ein Doppelzimmer reserviert hatte, doch als sie dort eintrafen, wußte man von nichts, war auch nicht willens, ihre Gutscheine entgegenzunehmen und ihnen ein Zimmer zu geben. Sie kochten vor Wut und machten sich zum örtlichen Čedok-Büro auf, doch als sie dort vorsprachen, verstand sie anfangs niemand, auch ihr Englisch nicht, und als sie sich dann bis zum Unterchef vorgekämpft hatten, wurde ihnen anhand vieler Aktenordner nachgewiesen, daß hier in Prag niemals eine Buchung angekommen sei.

»Bedauere sehr, die Herren ...«

»Und nun ...?« fragte Manfred den Čedok-Mann. »Haben Sie ein anderes Zimmer für uns?«

»Tut mir leid die Herren, Prag ist ausgebucht.«

Was blieb ihnen, als sich wieder in den Käfer zu setzen und alle Hotels abzuklappern, die am Wegesrand lagen beziehungsweise in Manfreds Polyglott-Reiseführer aufgeführt waren. Das blieb eine Stunde lang vergeblich.

»Und das mir!« rief Moshe aus.

»Wir hätten ihnen sagen sollen, daß du in zwanzig Jahren Bundesfinanzminister sein wirst«, brummte Manfred. »Beim nächsten Hotel drückst du dem Mann an der Rezeption fünfzig Mark in die Hand ...«

»Spinnst du?«

»Meinetwegen auch nur zwanzig.«

»Das ist ein sozialistisches Land ... die sind doch alle unbestechlich hier.« Moshe hatte ernsthafte Bedenken. »Und womöglich kommt noch einer von der Staatssicherheit und nimmt mich mit ...»

»Dann laß uns knobeln.«

Das taten sie, und Manfred siegte, denn seine geschlossen vorgestreckten Finger zeigten »Papier«, während Moshe sich durch Krümmung von Daumen und Zeigefinger zu einem »Brunnen« entschlossen hatte.

»Papier deckt den Brunnen ab.«

Moshe Bleibaum fügte sich in sein Schicksal und trat gefaßt an den Tresen, als sie die Moldau überquert und durch einen längeren Tunnel das Hotel *Belvedere* an der Obránku Míru erreicht hatten.

»Schönen guten Tag, wir kommen aus der Bundesrepublik Deutschland und hätten gerne ein Doppelzimmer für eine Woche.«

»Ah, ein Ehepaar ...« Der Tscheche grinste. »Aber tut mir leid, wir haben nichts mehr frei.«

Moshe zeigte auf das riesige Gästebuch, das aufgeschlagen vor ihm lag. »Da ist doch aber noch einiges leer ...«

»Woran sehen Sie das, mein Herr?«

»An den freien Stellen. Da, zum Beispiel: das Zimmer 87.«

»Das ist längst belegt von einer amerikanischen Gruppe. Wollte ich nur den Bleistift sparen, habe ich keinen mehr gehabt.«

»Na, dann nehmen Sie das hier für einen neuen Bleistift.« Und mit weltmännischer Geste schob er dem Tschechen den Zwanzigmarkschein zu.

Der ließ ihn sofort unter seiner Kladde verschwinden und strahlte nun wie der Schwejk im Film. »Das ist sehr freundlich von Ihnen. Nun kann ich Sie ja eintragen für das Zimmer 87.«

Es war ein schönes Zimmer, und die Nummer war in derselben Schrifttype gehalten wie beim *Polizeirevier 87*, einer beliebten Fernsehserie nach den Romanen von Ed McBain. Sie waren so erledigt, daß sie sich nur noch schnell vor dem Hotel die Beine vertraten, die Eroberung der Stadt aber auf den kommenden Tag verschoben.

Am nächsten Morgen standen sie früh auf und fuhren gleich nach dem Frühstück mit der Straßenbahn zur Karlsbrücke. Als sie die Statue des heiligen Johann von Nepomuk und die anderen Skulpturen gebührend bewundert hatten, beugten sie sich über das Geländer und sahen auf den Fluß hinunter, wobei Moshe wie immer laut und prahlend von den verschiedenen Aufnahmen der Smetanaschen *Moldau* berichtete, die er zu Hause im Plattenschrank hatte.

»Friedrich Smetana, tschechisch: Bedřich ... Oper *Die verkaufte Braut* ... Starke Musik! Dazu *Mein Vaterland*, symphonische Dichtungen, Lieder ... Geboren 1825 ...«

»Das ist ein Irrtum, wenn die Herren deutsche Wissenschaftler gestatten ... Ist er geboren worden schon ein Jahr früher.«

Der Mann, der Moshe Bleibaum korrigiert hatte, war ihnen schon vorher aufgefallen. Nicht so sehr wegen seines zerschlissenen schwarzen Anzugs und seiner hageren, gebeugten Gestalt, die an einen Kellner erinnerte, der in einem Nobelrestaurant mit Kaviar begonnen hatte und nun, durch zu viel Alkohol und Frauen abgewrackt, im Bahnhofsrestaurant Würstchen mit Brot und Senf servierte. Der Mann war ihnen vielmehr aufgefallen, weil er den Inhalt einer großen Tüte aus braungrauem Papier teils selber aß, teils an die Fische verfütterte. Aß er den Tieren etwa das spezielle Fischfutter weg, ihm vielleicht von seiner tierlieben Frau mit auf den Weg gegeben?

Moshe musterte den Tschechen, der zwei Köpfe größer war als er. »Woher wissen Sie das?«

»Gestatten ...« Der Mann verbeugte sich formvollendet. »Ich heiße Ladislav und bin studierter Kunsthistoriker.«

Sie mußten schmunzeln, denn in Anbetracht seines äußeren Erscheinungsbildes hätten sie eher auf Stadtstreicher und Parkbank getippt.

»Wundern Sie sich nur«, sagte Ladislav mit schmerzlichem Lächeln. »Die Herren da oben haben mich rausgeworfen überall ...« Er zeigte in Richtung Hradschin, wo die Kommunisten regierten. »Ich denke anders als sie.«

Es stellte sich heraus, daß Ladislav sein Leben als illegaler Fremdenführer fristete und jeden Tag an der Karlsbrücke auf westliche Touristen wartete. »Ich zeige Ihnen alles, was Prag zu bieten hat.«

Moshe warf einen langen Blick zu Manfred hinüber: Wie schaffen wir uns den bloß wieder vom Hals? Zum einen hatte er Angst um das schöne Geld, das sie Ladislav zu zahlen haben würden, und zum anderen fühlte er sich in seiner Ehre gekränkt, denn mehr als er konnte eigentlich keiner über die Prager Kunstwerke wissen. Manfred hingegen hatte Spaß an Menschen wie Ladislav und sah es außerdem als Pflicht jedes Westlers an, einem Opfer der Kommunisten zu helfen, davon abgesehen, daß man dessen Gegner stärken mußte. Was ihn zögern ließ, war die Befürchtung, mit der tschechischen Staatssicherheit aneinanderzugeraten. Vielleicht war Ladislav einer ihrer Agenten, der sie in eine Falle locken sollte. Vielleicht wollte der KGB sie mit Hilfe des tschechischen Brudervolkes zu Perspektivagenten machen. Das Muster war ja einfach genug, wie er aus vielen Thrillern wußte: Man verwickelte sie beide in einen schweren Verkehrsunfall, ließ einen Einheimischen den Toten spielen und stellte sie dann vor die Alternative Knast oder Ostspion.

»Na dann ...« Moshe winkte Ladislav zu und ging weiter in Richtung Kreuzherrenplatz.

Manfred folgte ihm. »Bis morgen ... Vielleicht sehen wir uns hier wieder auf der Brücke ...«

Doch so schnell ließ sich Ladislav nicht abschütteln. »Man sieht nur die Hälfte von Prag, wenn man geht ohne einheimischen Führer. Alle laufen an der Salvatorkirche vorbei, ich aber führe sie hinein. Sie ist von den Jesuiten errichtet worden ... Kommen Sie ...«

Drinnen in der Kirche hatte er sie dann vollends für sich eingenommen, als er wie ein Priester predigte und dabei am Ende statt »Erde zu Erde« »Pulver zu Pulver« sagte.

»Zu Back- oder Schießpulver?« fragte Manfred, und sie amüsierten sich köstlich bei dem Gedanken, wozu ein Mensch nach seiner Einäscherung noch alles nützlich sein könnte.

So wurde Ladislav ihr Prager Reiseführer. Es lebte sich im übrigen nicht schlecht hier, da man auf dem schwarzen Devisenmarkt für eine Mark 7 bis 8 Kronen bekam – doppelt soviel wie im legalen Tauschhandel. Und so konnten sie in Prag, wo die Preise ohnehin lächerlich niedrig waren, mit ihren deutschen Assistentengehältern wie die Fürsten leben. Und natürlich speiste man nun im vornehmsten Restaurant zwischen Altstädter Ring und Pulverturm zu Mittag. Noch nie hatte Manfred so gut gegessen. Vom Aperitif über die Schildkrötensuppe bis zum Kaviar ließen sie alles auffahren, was es gab, und es kostete nicht viel mehr als ihr Mensaessen.

Nur Ladislav schien es nicht so recht zu schmecken. »Für ein paar Devisen verkaufen die roten Herren unser Land«, murmelte er.

Für Manfred bekam das Ganze nun auch einen schalen Nachgeschmack, Moshe aber sah es anders. »Ohne die westlichen Devisen würde doch gar nichts mehr gehen. Wir sind doch quasi die Retter der ČSSR.«

»Des Kommunismus, der Westberlin kassieren will«, hielt ihm der Tscheche vor.

»Vergiß mal für ein Tag dein Fischfutter und laß es dir schmecken.«

Ladislav tat das auch nach Kräften.

So führte Ladislav sie Tag für Tag durch Prag und zeigte ihnen alles, was wichtig war: den Hradschin, den Veitsdom, das Prämonstratenstift Strahov, die Loretokirche und das Judenviertel mit der Altneusynagoge.

Für diesen Besuch hatte sich Moshe extra sein Originalkäppi mitgebracht, während Manfred und Ladislav ihre Köpfe mit zwei Baskenmützen bedeckten, die man ihnen in einem nahen Restaurant für ein paar Kronen geborgt hatte.

Im Vorraum der Synagoge geschah das, was Moshe Bleibaum schon lange befürchtet hatte: Mehrere Glaubensbrüder erkannten ihn als einen der Ihren. »Kein Wunder, seh' ich doch so aus, wie sich alle vorstellen, daß Juden aussehen ... Paß mal auf, wie die alle schnorren. Der Schnorrer, der gehört bei uns zur Kultur.«

Die meisten sprachen nicht so gut Deutsch wie Ladislav, doch es reichte, um Moshe ihr ganzes Elend zu schildern.

»Meine Zahnschmerzen sind unerträglich. Haben Sie was für mich?«

»Meine Kopfschmerzen bringen mich um!«

Moshe wurde seine gesamten Aspirin- wie Kronenvorräte in Minutenschnelle los und hatte sich danach ein Dutzend Adressen aufzuschreiben, um etwas zu schicken, wenn er nach Berlin zurückgekehrt war.

Als sie die Synagoge abgehakt hatten, mußte dringend Geld gewechselt werden. Zwar standen überall Händler herum, doch sie trauten ihnen nicht, denn es ging das Gerücht, daß einige verkleidete Staatsschützer waren. Und einfach in die nächste Bank zu marschieren und ganz legal zu tauschen, ging Moshe gegen den Strich. »Ich hab' nicht jahrelang Wirtschaft studiert, um hier mein Geld zu verschenken.«

Da beugte sich Ladislav flüsternd zu ihm herab. »Gib mir zweihundert Mark ... ich kriege bei einem Freund Kurs eins zu acht.«

»Nein ...« Moshe blickte kopfschüttelnd zu Manfred hinüber.

»Wir wollen dich nicht in Gefahr bringen«, sagte Manfred.

Ladislav grinste. »Ich pass' schon auf mich auf. Jeder hundert Mark. Seid ihr doch meine Freunde, müßt ihr mir trauen.«

Dagegen ließ sich nichts einwenden. Manfred zog einen blauen Schein aus dem Brustbeutel unter dem Hemd hervor, und Moshe blieb nichts weiter übrig, als ebenfalls einen Blauen zu zücken. Ladislav nahm das Geld und verschwand in Richtung Moldau. Dabei ging er so auffällig in Deckung, daß ihn auch ein Polizist im ersten Ausbildungsjahr sofort erkannt hätte.

»Den werden wir nie mehr wiedersehen«, prophezeite Moshe Bleibaum.

»Zweihundert Mark für einen solchen Fremdenführer ist doch ein fairer Preis«, sagte Manfred lachend.

Trotzdem warteten sie. Fünf Minuten, zehn Minuten. Moshe hielt inzwischen einen kleinen Vortrag über Tycho

Brahe, den berühmten dänischen Astronomen, der in der Teynkirche unter einer roten Marmorplatte begraben worden war.

»Er blieb zwar Anhänger des geozentrischen Weltsystems, hinterließ aber Kepler Aufzeichnungen über genaue Positionen des Mars, aus denen dieser die Gesetze der Planetenbewegungen ableiten konnte.«

»Ich wäre glücklicher über eine Möglichkeit, meinen Harn ableiten zu können«, brummte Manfred.

»Wir müssen hier auf Ladislav warten.«

Sie stritten sich gerade über die kulinarische Tauglichkeit von Prager Schinken, da stand Ladislav plötzlich vor ihnen und strahlte übers ganze unrasierte Gesicht. »Warum bin ich so spät, ihr Herren Assistenten, weil ich wunderbare Farben gesehen habe, mit denen ich wieder malen könnte. Übrigens: Hier sind eure Kronen ...« Er schob Moshe ein ganzes Bündel davon zu. »Wollt ihr diese Farben mal sehen ...?«

Moshe durchschaute ihn jedoch und winkte ab. »Morgen, Ladislav, morgen. Zeig uns erst mal den Hradschin ...«

Das Thema der Künstlerfarben, die es in einer Art Intershop für Dollars oder D-Mark zu kaufen gab, sollte zwei Tage später wieder aktuell werden. Und das hing mit Emil Zatopek zusammen, dem dreifachen Olympiasieger von Helsinki, dem neuen Nurmi, der neuen Läuferlegende. Er, so hatte es Ladislav auf einem Plakat gelesen und Manfred übersetzt, sollte als Ehrengast bei einem großen Leichtathletiksportfest die Preise überreichen. Sein Name hatte einen so großen Klang, daß es Manfred sogar schaffte, Moshe Bleibaum, der wie Winston Churchill jede Leibesübung haßte, ins Stadion zu locken. Zatopek war dann auch für Manfred der Höhepunkt seines Prag-Besuchs, doch als sie nach Ende der Veranstaltung zum Parkplatz gingen, um mit Moshes Käfer zurückzufahren, wies dieser am linken Kotflügel eine große Beule auf.

Zärtlicher, als er je seine Braut gestreichelt hatte, fuhren Moshes Finger über das lädierte Blech. »Ach, mein armer Kleiner ... Wer war der Schurke, der dich angebufft hat!?«

Es stellte sich heraus, daß es ein Redakteur einer Tageszeitung gewesen war: Seine Visitenkarte steckte hinter einem Scheibenwischer. Sie wollten gleich hinfahren, konnten aber die angegebene Straße auf der Prag-Karte ihres Reiseführers nicht finden. Auch die Einheimischen, die sie nach dem Weg fragten, winkten alle ab. Blieb ihnen nur Ladislav, den sie am nächsten Morgen pünktlich um zehn an der Karlsbrücke wiedertrafen. Als er die Adresse las, wich er zurück wie der Teufel beim Anblick des Kreuzes.

»Schrecklich!«

»Schrecklich wäre nur, wenn ich kein Geld von meiner Versicherung wiederkriege«, erwiderte Moshe.

»Laß es«, riet ihm Manfred. »Die im Osten zahlen doch sowieso keine westlichen Devisen für deine Beule.«

»Die werden zahlen!« Dafür brauchte er aber eine Schilderung des Unfallherganges durch den Verursacher ... und der saß offenbar, wenn sie Ladislavs hysterische Reaktion richtig deuteten, in einer Trutzburg der Kommunistischen Partei. »Ladislav, bei unserer heiligen Freundschaft, bring mich dahin.«

»Nein.«

»Ladislav, denk an deine Farben«, lachte Manfred.

»Bitte, die Herren ...« Und obwohl er ganz offenbar eine Verhaftung fürchtete, führte er sie bis an das Portal des gesuchten Gebäudes. »Mit hinein aber kriegt ihr mich nicht.«

»Wenn wir in einer Stunde nicht zurück sind, ruf da an.«

Moshe gab ihm die Telefonnummer eines der Juden, die ihn an der Altneusynagoge nach Zahnschmerztabletten gefragt hatten. Ladislav versprach es und zog sich hinter die nächste Straßenecke zurück. Mit einigem Herzklopfen, die Visitenkarte des Redakteurs Dr. Tomaš Dalibor wie einen Schutzschild in der Hand, gingen sie auf die beiden Wachtposten zu ... und durften ohne weiteres passieren. Dr. Dalibors Sekretärin brühte ihnen sogar echten kubanischen Kaffee, eine hohe Ehre, und mit verschwörerischem Blick holte sie ihre wertvollste Lektüre aus der Schublade: einen drei Wochen alten *stern* aus Hamburg. Als der Redakteur dann aus einer Sitzung geholt worden war, gab es keine Schwierigkeiten ... und einige Wochen später sollte Moshe Bleibaum den Schaden von der tschechischen Versicherung auch wirklich ersetzt bekommen.

Als sie Ladislav wiedersahen und ihm erzählten, wie gut ihre Verhandlungen mit Dr. Dalibor gelaufen waren, blieb er skeptisch. »Man soll denen trotzdem nicht trauen ... Sie wittern den Umschwung. Wenn er aber kommen wird, dann holen sie russische Panzer ins Land und deutsche Soldaten ...«

Man diskutierte dies nicht länger, sondern fuhr zum *Kelch*, dem *U Kalicha*, Schwejks Restaurant, um den Erfolg zu feiern.

Danach bekam Ladislav seine Farben, und sie vermuteten, daß er sie auf dem tschechischen Markt weiterverkaufte, um Geld für Lebensmittel zu bekommen, denn selber schien er nicht zu malen.

Dann nahte der Tag des Abschieds. Sie wollten über Karlstein, Budweis, Brünn und Wien wieder nach Hause zurück, und Ladislav war morgens ins Hotel gekommen, um noch einmal mit ihnen beim Frühstück zusammenzusitzen. Auch als sie ins Auto stiegen, wich er nicht von ihrer Seite.

»Ich komme noch mit bis zur Stadtgrenze raus. Setzt mich da ab, wo die Straßenbahn ihre letzte Wendeschleife hat.«

Dieses Angebot rührte sie. Als sie sich dann zum Abschied umarmt hatten, holte er seine Papiertüte mit dem Fischfutter aus der Jackentasche und sah sie mit seinen großen schwarzen Augen an.

»Ich brauche viele Farben ... es soll ein großes Bild werden. Mit euch beiden in der Mitte drin.«

Da machten sie beide ihren letzten Hundertmarkschein locker und steckten ihn Ladislav in die Tasche.

»Bureaucratic administration is one form of rational administration, but not the only one. The existence of a professionalized labor force – a group of skilled craftsmen enjoying continuity of occupational status in a labor market rather than in an organization – provides an alternative to bureaucratic organization as a means of rational administration.«

Frau Mayntz, Manfreds Chefin, hatte diesen Satz aus dem Buch *Formal Organizations* von Blau & Scott laut und in einem derart vollendeten Englisch vorgelesen, daß Manfred meinte, die FU Berlin wäre nach Oxford oder Cambridge verlagert worden. Und dennoch hatte er den Inhalt kaum verstanden ... Seine Englischkenntnisse lagen nur knapp über dem Niveau einer 10. Klasse, was an dem lausig schlechten Unterricht an seiner alten Schule ebenso liegen mochte wie an fehlenden Möglichkeiten von Gehirn und Zunge. Deshalb war es ein schwerer Schlag, als seine Arbeitgeberin ihn nun fragte, ob er es sich zutraue, diesen und andere Texte zu übersetzen, inhaltlich richtig wie sprachrhythmisch elegant.

»Ins Deutsche?« Manfred war ziemlich bestürzt.

»Dachten Sie, ins Italienische?«

»Nein, aber ...« Manfred schwitzte Blut und Wasser, denn es stand viel auf dem Spiel. Erklärte er ihr, mit diesem Auftrag total überfordert zu sein, verlor er möglicherweise seinen Assistentenjob, trat er als der geborene Übersetzer auf, würde er sich ein Jahr und mehr schrecklich zu quälen haben und hätte keine Zeit mehr, seine Doktorarbeit weiterzuführen.

»Nun, Herr Matuschewski, ich will meinen Reader ›Bürokratische Organisation‹ Anfang 1968 fertig haben und würde mich freuen, wenn Sie mir bei der Auswahl der Texte und den Übersetzungen behilflich sein würden, trotzdem Sie ja mit Ihrer Dissertation viel zu tun haben werden ...«

»Obwohl, ja ...« Manfred zuckte zusammen und wäre, weil ihm diese kleine sprachliche Korrektur rausgerutscht war, am liebsten im Boden versunken. Aber in allen Büchern von Renate Mayntz, die in den Bibliotheken standen, hatten die Studenten dieses falsche »trotzdem« mit dicken Stiften korrigiert, und es hatte sich ihm ganz einfach ins Gedächtnis eingebrannt. Schnell sprach Manfred weiter: »Aber trotzdem mache ich das natürlich sehr gerne, denn zwischen den Texten, die ich übersetzen soll, und dem Thema meiner Dissertation bestehen ja keinerlei Überschneidungen.«

»Wie?« Sie sah ihn ungläubig an.

»... tausenderlei Überschneidungen.« Jedes Gespräch mit ihr verwirrte ihn. Das lag daran, daß er sie zutiefst verehrte und sein Arbeitsverhältnis mitunter in eine Hollywood-Schnulze münden sah: berühmte Soziologieprofessorin verliebt sich in armen Neuköllner Studenten – Heirat in der Kaiser-Wilhelm-Gedächtniskirche.

Verbissen rang er von nun an mit einer Materie, die nicht die seine war. Fiel es ihm bei seinem geringen Wortschatz schon schwer, überhaupt zu verstehen, was die angelsächsischen Autoren – Amerikaner wie Engländer – wohl gemeint haben könnten, so scheiterte er immer wieder daran, ihre komplexen Gedanken in lesbares Deutsch zu bringen. Was sie in ihrer Sprache in einem glatten Satz ausdrücken konnten, bedurfte im Deutschen vieler Verschachtelungen und wirkte furchtbar ungelenk. Manchmal brauchte er stundenlang, um für einen amerikanischen Ausdruck die passende deutsche Wendung zu finden, so zum Beispiel bei »brown nosing«.

Sein Wörterbuch half ihm da wenig; zwischen *brown butter* und *brown paper* klaffte eine Lücke. Auch Volker Gellert und Horst Hastenteufel wußten die Übersetzung nicht, rieten ihm aber, beim Amerika-Haus um Auskunft zu bitten. Manfred suchte sich die Nummer heraus und probierte es.

»I have a question. What means ›brown nosing‹, please ...?«

Aufgelegt.

Dasselbe passierte ihm, als er beim amerikanischen Hauptquartier in Dahlem anrief, nur daß man ihn dort noch ein wenig beschimpfte, sofern er den Slang richtig deutete.

Seine Chefin konnte er aus den bekannten Gründen nicht fragen, und so irrte er ein paar Tage lang durch die Bibliotheken, ohne aber fündig zu werden Ein Gastprofessor aus Boston half ihm schließlich weiter.

»O my goodness!« rief der Mann aus Massachusetts. »Was habt ihr Deutschen wenig Phantasie. ›Brown nosing‹ ... denk doch mal nach: Was heißt nosing?«

»In der Baukunst: Ausladung, Nase, Kante.«

»Und: Was muß geschehen, damit die Nase braun wird, wie holt man sich eine braune Nase ...?«

»Indem man Nazi wird. Aber das ergibt in meinem Text keinen Sinn.«

»Geh! ›Brown nosing‹ heißt nichts weiter als ›Arschkriecherei‹, sich eine braune Nase holen, indem man einem anderen hinten reinkriecht.«

Dankend, wenn auch tief beschämt wegen seiner Unfähigkeit, verließ Manfred das Gastprofessorenzimmer. Doch seine ganze Mühe war umsonst gewesen, denn Frau Mayntz strich ihm später die *Arschkriecherei* mit einem dicken Kugelschreiber wieder aus dem Text und ersetzte es durch *Radfahren.*

»Ihr Wort ist mir zu vulgär für einen wissenschaftlichen Text«, sagte sie.

Zum ersten Mal wagte Manfred es, ihr zu widersprechen. »Vom Autor ist es aber als wörtliches Zitat eines Arbeiters genau so gemeint.«

»Wir übersetzen sinngemäß, nicht wörtlich.«

Am meisten fürchtete Manfred den Moment, wo einer der amerikanischen Soziologen, die er zu übersetzen hatte, nach Berlin kommen und Frau Mayntz ihn bitten würde, den Gast durch die Stadt zu führen. Spätestens dann wäre er als skrupelloser Hochstapler entlarvt gewesen, denn konnte er sich beim Übersetzen zu Hause alle Zeit der Welt lassen, um in seinem Wörterbuch zu blättern und die Formulierungen zurechtzudrechseln, so hätte er in diesem Falle nur Hundertstelsekunden zur Verfügung ... und das mußte ja ins Auge gehen.

Schon Anfang September schien alles auffliegen zu wollen, denn vom 3. bis zum 12. September sollte der Weltkongreß der Soziologen in Evian tagen, am Genfer See, und Manfreds Chefin fragte ihn, ob er da nicht mitfahren wolle, die FU hätte einen ganzen Bus gechartert. Was blieb ihm anderes, als begeistert zu nicken.

Die Fahrt nach Genf wurde wider Erwarten ganz unterhaltsam, zumal Volker Gellert mitgekommen war. Sie logierten in einem riesigen Gründerzeithotel, das für den Abbruch vorgesehen war und seit Monaten keine Gäste mehr beherbergt hatte. Von dort aus ging es jeden Morgen hinüber nach Frankreich. Während der Tagung brauchte man sich kein Bein auszureißen, man hatte auch einmal Zeit, mit einem der alten Dampfer über den Genfer See nach Lausanne oder nach Montreaux zu fahren. Nur bei den Referaten im großen Saal des Kongreßzentrums hatte Manfred auf der Hut zu sein. Um mit Frau Mayntz hinterher angemessen diskutieren zu können, mußte er alles, was da gesagt wurde, sehr genau verfolgen, analysieren und speichern. Das ging aber nur, wenn er sich den Kopfhörer überstülpte und der deutschen Übersetzung lauschte. Tat er das aber, so sah es die Chefin ... und er war damit als jemand entlarvt, der nicht genügend Englisch verstand. So versuchte er, die Notizen mitzulesen, die sich Volker Gellert neben ihm machte. Aber er schien seinem Schicksal nicht entgehen zu können, denn am Nachmittag des zweiten Tages sagte ihm Frau Mayntz, sie hätte mit D. S. Pugh gesprochen, einem Engländer, dessen Texte er zu übersetzen hatte, und der hätte um 16 Uhr eine halbe Stunde Zeit für ihn, um ihm Tips für seine Doktorarbeit zu geben.

»Herzlichen Dank, ja ...«

Manfred dachte, daß das Ende des Assistenten Matuschewski nahe war, und setzte sich still weinend ans Ufer des Lac Léman.

»Hast du was ...?« Volker Gellert hatte ihn entdeckt.

»Ja, und ob ich was habe ...« Manfred schilderte ihm die Bredouille, in der er steckte.

Volker Gellert lachte. »Laß mich doch gehen und als Manfred Matuschewski auftreten. Ich bin ein Sprachgenie, und der Pugh kennt dich doch nicht.«

So geschah es ... und Manfred behielt seine Stelle, hatte allerdings auch weiterhin zu Hause zu sitzen und sich herumzuquälen. Das Übersetzen isolierte ihn von den Kolleginnen und Kollegen, denn im Institut in der Babelsberger Straße ging es in diesen Zeiten viel zu turbulent zu, als daß er dort die nötige Ruhe gefunden hätte. Außerdem wäre denen sehr schnell aufgefallen, daß er bereits bei so einfachen Begriffen wie »support« im Wörterbuch nachschlagen mußte, und schon sein total abgegriffenes Langenscheidt-Schulwörterbuch wäre sehr verräterisch gewesen.

Neben der Arbeit für Frau Mayntz gab es in diesen Zeiten wenig, was ihn sonderlich berührt hätte. Des öfteren wurde er wieder mit seinem Namensvetter verwechselt, dem Läufer Manfred Matuschewski aus der DDR, nachdem der bei den Leichtathletik-Europameisterschaften in Budapest erneut über die 800 Meter triumphiert hatte. Seine eigene Zeit als Leichtathlet schien Manfred Ewigkeiten zurückzuliegen, ebenso die Reise nach Capri, die er von seinen Eltern zum Abitur geschenkt bekommen hatte. An die Capri-Fischer wurden sie gerade jetzt wieder erinnert, da Gerhard Winkler, der Komponist, 60 wurde. Als in der *Berliner Abendschau* ein Bericht darüber gesendet wurde, sangen sie wie zu Manfreds Einsegnung: »Wenn bei Capri die rote Sonne im Meer versinkt und vom Himmel die bleiche Sichel des Mondes blinkt, zieh'n die Fischer mit ihren Booten aufs Meer hinaus, und sie legen im weiten Bogen die Netze aus ...«

»Du hast doch wirklich eine schöne Jugend gehabt«, sagte die Mutter und bekam feuchte Augen. »Und jetzt freuen wir uns auf unsere Schwiegertochter und die Enkelkinder.«

Das war ein Hieb, der immer saß.

Mit seinen unpolitischen Freunden Gerhard Bugsin und Dirk Kollmannsperger freute er sich darüber, daß Rudi Altig auf dem Nürburgring Straßenweltmeister der Radprofis geworden war und sich Karl Mildenberger bei seiner Niederlage gegen Cassius Clay wacker geschlagen hatte. Und mit seinen politischen Freunden Horst Hastenteufel und Volker Gellert wie auch seinem Vater regte er sich immer wieder auf: über die Ultrarechten in der SPD und die Ultralinken an der FU. Es empörte sie, daß man die Nazi-Kriegsverbrecher Speer und Schirach aus dem Spandauer Gefängnis entlassen hatte und die NPD bei der Landtagswahl in Hessen auf 7,9 Prozent gekommen war. Heftig diskutiert wurde auch der Rücktritt Ludwig Erhards als Bundeskanzler.

»Die arme Frau Braun«, lästerte Manfred.

»Nur über die Große Koalition kann die SPD an die Macht kommen!« jubelte Volker Gellert. »Dieser Kiesinger ist doch auf Dauer viel zu schwach, paßt mal auf: Bald ist unser Willy Bundeskanzler.«

Willy Brandt, ihr Idol, war zur Zeit Außenminister in Bonn, und der neue Regierende Bürgermeister im Schöneberger Rathaus hieß Heinrich Albertz, ein Expfarrer.

»Ein widerlicher Pfaffe«, empörte sich Horst Hastenteufel. »Ich trete noch aus der SPD aus und geh' in die Kommune von Teufel und Langhans.«

Statt dessen aber streiften sie lieber durch die neue Schlemmerabteilung bei Karstadt am Hermannplatz. *Ran an die Buletten! Preiswert sein ... das kann KARSTADT Hermannplatz.*

Ansonsten ging das Jahr 1966 im selben Rhythmus zu Ende wie das Jahr 1965. Am 29. Oktober kam die Schmöckwitzer Oma wieder für drei Wochen nach Westberlin, und Manfred genoß es, nun für sie Zeit zu haben und nicht wie im Jahr zuvor an eine Prüfung denken zu müssen.

Alles war wie früher, und abends vor dem Fernseher schlossen Manfred und seine Mutter Wetten ab, wer denn wohl am ehesten einschlafen würde: »Vati oder Oma?« Sogar bei der *Raumpatrouille*, den phantastischen Abenteuern des Raumschiffes Orion, schafften sie es nicht, bis zum Ende wachzubleiben. Auch bei *Simon Templar* und *Mit Schirm, Charme und Melone* schnarchten sie im Duett und um die Wette.

Wieder hatte die Großmutter den unwiderstehlichen Drang, *alles abzuklappern*, wie der Vater das nannte, und Manfred mußte sie abermals zu Tante Trudchen nach Siemensstadt, zu Tante Eva sowie Curt und Anett nach Hakenfelde und zu Tante Claire nach Frohnau begleiten. Dort wurde er dann auch zur großen Faschingsfeier eingeladen: Sonnabend, den 28. Januar, 19 Uhr, mit Kostümzwang.

Vorher war nicht nur das Weihnachtsfest zu überstehen, sondern auch die Silvesterfeier: Da kraxelte er eine Stunde vor dem Jahreswechsel mit Volker Gellert und Erdmuthe den Teufelsberg hinauf, um bei Rotwein und Pfannkuchen das Feuerwerksspektakel über Berlin im Panoramablick zu erleben. Erdmuthe hatte zuerst nicht mitkommen wollen, weil sie im fünften Monat schwanger war.

Bald darauf aber gab es, wenn er mit seinen Eltern zusammensaß, nur noch ein Thema: den Fasching in Frohnau und die Frage »Als was soll ich da bloß gehen?«

Der Vater wurde sehr schnell drastisch. »Nimm 'n Haufen Kacke in den Mund und geh als Arsch!«

»Otto!« rief die Mutter. »Wenn die Nachbarn das hören.«

Manfred paßte das alles nicht. »Am liebsten würde ich als Leiche gehen, blaß geschminkt, mit Vatis Nachthemd an.«

»Na, da wirst du bei Gisela keine Chancen haben.«

Mit dieser Gisela war nicht etwa Moshe Bleibaums Braut gemeint, sondern die kapriziöse Ärztinnentochter, der er im Sommer 1954 zum ersten Mal begegnet war. In seiner Phantasie eroberte er sie schon jeden Abend beim Einschlafen. Mal im Heizungskeller der Frohnauer Villa, mal in Tante Lolos Bett.

Vor diesem Hintergrund verwarf er auch den Einfall seines Vaters, doch als *Darmol*-Mann zu gehen, mit dem bekannten Abführmittel im Darm und dem Kerzenhalter in der Hand auf dem Weg zum Klo. »Ich borg' dir auch meine langen Unterhosen dafür.«

»Geh doch als Mönch«, schlug die Mutter vor. »Da kannst du mein altes braunes Kleid als Kutte tragen.«

Wieder lehnte Manfred ab. In diesem Aufzug würde ihn Gisela eher für einen Transvestiten halten. Nein, ihr Traumprinz wollte er sein. Und als ihm dieser Gedanke durch den Kopf ging, fiel sein Blick zufällig auf eine Pralinenschachtel der Firma Sarotti mit dem Mohren darauf.

»Ich geh' als Sarotti-Mohr!«

Die Mutter fand das in Ordnung und eilte am nächsten Abend nach der Arbeit zu Hertie, um die nötigen Stoffe zu kaufen. Dann nähte sie viele Stunde lang an seinem Kostüm. Wallend und schreiend bunt wurde es, ein Prachtstück, von dem alle glaubten, daß es in Frohnau den ersten Preis bekommen würde.

Mit klopfendem Herzen fuhr Manfred am 28. Januar mit Bahn und Bus gen Norden, natürlich in Zivil, Kostüm und schwarzbraune Mohrenmaske in einer Reisetasche dabei.

An der Kellertür wurde er von Tante Claire, verkleidet als »Bollemeechen«, in Empfang genommen. Die jüngere Schwester der Schmöckwitzer Oma hatte zur Einstimmung schon vom Champagner gekostet und sang pausenlos: »Wenn die Pennebacken in die Ecken kacken und die Bollemeechen uff die Treppen seechen, dann is Frühling in Berlin, dann is Frühling in Berlin.«

Manfred bekam seine Instruktionen. »Maske auf, keiner darf sich oben zu erkennen geben. Nach einer Stunde ist Demaskierung. Du bist der letzte, beeil dich mal.«

»Ist die Gisela auch da?«

»Ja ...«

Manfred ging klopfenden Herzens nach oben. Dort war alles phantasievoll geschmückt, und wie bei einer Vernissage, aber absolut lautlos, zog der Strom der Gäste von Bild zu Bild, von Schrank zu Schrank. Manfred wurde kurz beäugt, mehr nicht. Onkel Kurt erkannte er gleich, der ging als Nonne aus der *Klosterfrau-Melissengeist*-Werbung, und Tante Lolo, massig wie eh und je, hatte sich als Biene Maja verkleidet, leicht mutiert. Doch wo war Gisela?

Manfred suchte eine Weile, dann trat ihm plötzlich der Schweiß auf die Stirn. Es gab nämlich noch einen Sarotti-Mohren ... und von Größe und Figur her konnte das nur Gisela sein. Wenn das kein Wink des Schicksals war ...

Von nun an scharwenzelte er unablässig um Gisela herum und balzte von Minute zu Minute heftiger. Das führte auch zu einer gewissen anatomischen Veränderung seiner geschlechtsspezifischen Extremitäten. Als er kurz vor der allgemeinen Demaskierung Punkt 20 Uhr auf die Toilette ging, geschah es: In seiner Aufregung übersah er einen der langen blauen Frackschöße seines Kostüms, fühlte auch nicht mehr die feuchte Wärme an seinen Schenkeln, denn es wurde kräftig an die Tür gebummert und geschrien: »Rauskommen, jetzt geht's los!« Er stürzte hinaus.

»Gisela und Manfred!« rief Tante Lolo. »Welch schönes Paar ... unsere zwei Sarotti-Mohren!«

»Bloß ... daß der eine vollgepinkelt ist und der andere nicht«, stellte Gisela fest.

Manfred sah tief beschämt an sich herab und lief in den Keller, um sich umzuziehen. Keiner kam herunter, um ihn zu trösten. Da nahm er seine Sachen und schlich sich davon.

So mußte er weiterhin allein, mit seinen Eltern oder in ausschließlich männlicher Begleitung ins Kino gehen. Im Marmorhaus gab es *Wer hat Angst vor Virginia Woolf?* und im Europa-Center *Die Bibel*, der Hit aber war *Doktor Schiwago* im *Royal-Palast*. Mit Liebetruths und Thomas, seinem Patenkind, besuchten sie den Zirkus Sarrasani, dessen Zelte am Lützowplatz standen. Bei alledem kam er sich reichlich verloren vor.

An der FU ging es indessen immer turbulenter zu. Im letzten Dezember hatte der SDS, der Sozialistische Deutsche Studentenbund, zum Protest gegen die Vietnampolitik der USA aufgerufen, und nicht nur der christdemokratische RCDS empörte sich darüber, sondern auch Manfreds Mutter.

»Grober Undank ist das!« schimpfte sie. »Die Amerikaner haben uns schließlich vor den Kommunisten gerettet.«

»Trotzdem kann man sie wegen des Krieges in Vietnam kritisieren, wenn der ungerecht ist.« Seit Februar 1965 bombardierten die Amerikaner Vietnam, und Manfred mußte daran denken, wie er selbst in einem Luftschutzkeller gesessen hatte und kurz vor Kriegsende in Groß Pankow von Tieffliegern beschossen worden war.

»Ich war schon immer gegen alle Radikalinskis«, knurrte sein Vater.

»Für den Frieden und für die weltweite Abrüstung kann man nicht radikal genug sein«, erklärte Manfred.

»Das klingt ja ganz wie bei denen im Osten ... dann geh doch rüber, wenn's dir hier nicht paßt!« pöbelte Herbert Neutig beim Kaffeetrinken. »Arm in Arm mit diesem Dutschke!«

Mit Rudi Dutschke hatte Manfred schon im Sommer 66 bei Dietrich Goldschmidt im selben Hörsaal gesessen und ihn in den Pausen beobachtet, wie er in den Rosenbeeten zwischen Wiso- und juristischer Fakultät mit seinem Gretchen gesessen und geturtelt hatte, auffällig mit seiner heiseren Savonarola-Stimme. Der nun war der Kopf der studentischen Protestbewegung geworden, der APO, der Außerparlamentarischen Opposition.

»Die einzige Apo, die ich liebe, ist die Apo ...theke«, witzelte Moshe Bleibaum. Ihm war alles, was die Ruhe der Systeme störte, zutiefst zuwider, gefährdete es doch seine Pläne, möglichst schnell Dr. rer. pol., Privatdozent und BWL-Professor zu werden.

Manfred hingegen war innerlich tief gespalten. Einerseits begrüßte er jede Art Umwälzung, andererseits hatte er große Angst vor ihr. Nächtelang diskutierten sie darüber.

»Ich habe so meine Zweifel, daß die neue Ordnung wirklich besser ist als die alte«, sagte Manfred.

»Die alte stinkt.« Horst Hastenteufel stopfte sich eine Handvoll Kartoffelchips in den Mund. »Die alten Autoritäten engen mich ein und zwingen mir ihre Muster auf.«

»Und die neuen?« fragte Manfred und erinnerte ihn an die Eiferer, die in den Seminarräumen immer nachhaltiger den Ton angaben und nichts anderes mehr gelten ließen als ihre reine Lehre. »Was jetzt kommt, wird ebenso inzüchtig sein wie das, was gewesen ist. Und nach oben kommen wieder nur diejenigen, die die richtigen Lieder singen. Sie werden die reine Lehre dazu benutzen, Karriere zu machen. Und ich ...?«

»Freischwebende Intelligenz ist für mich nur die, die am Galgen baumelt«, meinte Horst Hastenteufel. »Sei doch froh, daß es deine Leute sind, die jetzt im Kreislauf der Eliten nach oben gespült werden.«

»Scheiß was auf alle Eliten!«

»Du bist ja bloß so zornig, weil du nicht dazugehörst.«

Manfred stampfte mit dem Fuß auf. »Soll ich Stammers Büro anzünden oder Frau Mayntz mit Eiern bewerfen? Sie haben nie etwas anderes getan, als mich voranzubringen.«

»Ja, auf dem Weg zu einer Existenz, die das herrschende System stabilisieren hilft: ein Ja zur Ausbeutung der Arbeiter und kleinen Angestellten, ein Ja zur Entfremdung der Massen von sich selbst, ein Ja zum amerikanischen Imperialismus ... und, und, und ...«

»Okay, ich komm' ja mit zu deinen Demonstrationen ...«

Am 24. Januar, dem Geburtstag seines Vaters, versammelten sie sich in der TU, um gegen die Anhebung der Studiengebühren auf 160 Mark zu protestieren, und drei Tage später standen sie mit 1 500 anderen Studentinnen und Studenten in der Vorhalle des Henry-Ford-Baus, um sich die Kehlen wundzuschreien. Staatsanwaltschaft und Polizei hatten die Mitgliederlisten des SDS konfisziert, um die Verfasser jenes Flugblattes ausfindig zu machen, in dem Teile der FU-Professorenschaft als »professorale Fachidioten« bezeichnet worden waren. Eigentlich waren Manfred die ganzen SDS-Aktivisten, seit er sich mit einigen von ihnen in der GSG regelrecht geprügelt hatte, fürchterlich zuwider, doch jetzt gab es nur noch eines: die Solidarität gegen alles, was zum Establishment gehörte.

Am darauffolgenden Sonnabend ging es zum ersten Mal auf die Straße. Vom Olivaer Platz liefen sie den Kurfürstendamm in Richtung Gedächtniskirche hinunter, wo sich auch Hans-Magnus Enzensberger und Wolfgang Neuss zur Kundgebung eingefunden hatten. Günter Grass trug ein Plakat mit der Aufschrift *Tausche Grundgesetz gegen Bibel*, was weder Manfred noch Horst Hastenteufel so richtig verstanden.

»Geht's denen wirklich um die Sache ... oder nicht in der Hauptsache um sich selber ...?« Das war Manfreds große Frage.

»Man muß auch dieses in seiner Wechselwirkung sehen«, war die Antwort des politischen Freundes.

Manfred war bei alldem sehr unwohl. Dazu erzogen, *immer schön artig zu sein*, kam er sich bei dieser Demonstration höchst *unbotmäßig* vor, wie ein Verbrecher. Es war etwas Böses und Verbotenes, was er hier tat. Die alte und traumatische Angst vor der Erziehungsanstalt schoß wieder in ihm hoch, nur daß diesmal an deren Stelle das Gefängnis stand. Irgendwann kam sicherlich die Polizei, um sie einzukesseln und geschlossen abzuführen.

Manfred betrachtete die Gesichter der Berliner, die am Straßenrand standen, und es überkam ihn die Angst, zusammengeschlagen zu werden. Der Haß überwog. Die Stimmung war mächtig aufgeheizt, und daß die Polizisten sie beschützen würden, schien ihm sehr unwahrscheinlich zu sein. In den Zeitungen stand, daß die Studentendemonstrationen das Stadtbild verunzieren würden. Heinrich Albertz nannte sie einen »bedauerlichen Vorgang«. Manfred spuckte auf Horst Hastenteufels Bildschirm, als er das in der *Abendschau* sah und hörte. Den Kopf des Expfarrers verfehlte er knapp. Monika Hastenteufel verbannte Manfred daraufhin aus ihrem Wohnzimmer.

Trotz dieser sittlichen wie staatsbürgerlichen Verfehlung durfte er am 12. März aktiv für die freiheitlich-demokratische Grundordnung eintreten ... und zwar als Wahlleiter in einem Lokal am Wildenbruchplatz. Vorher im Rathaus sorgsam eingewiesen, waltete er den ganzen Sonntag über hingebungsvoll seines hohen Amtes. Etliche Lehrerinnen und Lehrer waren ihm zur ordnungsgemäßen Abwicklung zugeteilt worden, und er hatte seine helle Freude daran, sie immer wieder zu scheuchen. Die Wahlberechtigung war anhand von Listen, Scheinen und Ausweisen zu prüfen, auf die Benutzung der Kabine zu achten und der Schlitz der Urne für den verschlossenen Umschlag erst freizugeben, wenn bis dahin alles glattgegangen war. Ein Polizist stand vor der Tür und bewachte sie und die Demokratie.

An den Bäumen und Laternen draußen hingen nicht mehr viele Wahlplakate, denn Ende Februar hatte der Orkan »Valencia« in der Stadt gewütet. Dabei hatten sich die Aktivisten in Manfreds SPD-Abteilung vorher so große Mühe gegeben, die Plakate auf die Stelltafeln zu kleben und dort aufzustellen, wo das Gesetz es vorgesehen hatte. Jede Partei hatte sich an die Ortsangaben zu halten, die vorher in einem Plan genau festgehalten worden waren: Baum vor Hausnummer Sonnenallee 144 – SPD, Laterne vor Hausnummer Sonnenallee 144 – CDU. Für Manfred war es eine schizophrene Situation: Einerseits haßte er diesen Heinrich Albertz wegen seiner unqualifizierten Hetze gegen die Berliner Studentenschaft, andererseits klebte er Plakate, um seinen Wahlsieg zu sichern.

»Willst du ohne Schlips ein Wahllokal leiten?« fragte seine Mutter am frühen Sonntag morgen.

»Ja, wieso nicht? Meinst du, das verfälscht das Wahlergebnis zugunsten der SEW?«

»So geht man einfach nicht!«

Offensichtlich war sie Opfer der Kampagne gegen den »Krawatten-Muffel« geworden. *Trag nicht die von gestern!*

Manfred fügte sich um des lieben Friedens willen, und vielleicht diente die Krawatte ja wirklich der Festigung der deutschen Demokratie.

Ansonsten lief sein Einsatz ohne Schwierigkeiten ab. Streß gab es erst kurz vor dem Mittagessen und dann wieder um 15 Uhr, als die Leute gleich massenweise ihre Kreuzchen machen wollten, und nur dreimal an diesem Tag bekam er ernsthaft Probleme.

Eine Frau von über achtzig Jahren schrie plötzlich auf. »Ich will nicht ins Gefängnis, nein, nein, bitte nicht!«

Manfred lief zu dem Tisch, wo die Kollegin mit der Liste saß. »Was ist denn passiert ...?«

Die alte Dame schluchzte herzzerreißend. »Was sollen meine Kinder von mir denken ... diese Schande.«

Die Schriftführerin erklärte ihm, was geschehen war. »Frau Eckert hat gestern ihren Ausweis verloren, und ohne den kann ich ihr keine Stimmzettel geben.«

»Aber Frau Eckert, das ist doch nicht so schlimm ... Wer nicht wählt, kommt nicht ins Gefängnis, wir haben doch keine Wahlpflicht wie in Belgien beispielsweise.«

Frau Eckert strahlte. Manfred wurde nun aber von einem SEW-Mitglied, das alles kontrollierte, in die Pflicht genommen. »Sorgen Sie bitte dafür, daß Frau Eckert zur Meldestelle gebracht wird, um dort einen behelfsmäßigen Personalausweis in Empfang zu nehmen, der ihr die Teilnahme an der Wahl gestattet.«

»Danke sehr, mein Herr, danke.«

Manfred mußte nun mühsam herumtelefonieren, bis das alles geregelt war. Noch mehr Arbeit hatte er mit einem stadtbekannten Fußballfunktionär, der am Tresen stand und allen Männern, die SPD wählen würden, ein Bier versprach.

»Wahlwerbung ist hier nicht gestattet, Herr ...«

Da ging der Wirt dazwischen. »Das ist doch hier sowieso 'n Zusatzgeschäft für mich. Und wenn ich nicht mal 'n paar Bier verkaufen kann, dann mach' ich den Laden eben zu. Außerdem kriegt jeder 'n Bier von mir, der CDU gewählt hat, dann gleicht sich det wieda aus.«

»So geht das nicht ...« Manfred verfluchte seine Bereitschaft, sich freiwillig und ohne jeden Pfennig Lohn diesen Ärger aufgehalst zu haben. So blaffte er los: »Sie wissen wohl nicht, wie die Rechtslage ist: Wenn das nicht aufhört hier, dann ...« sieht es schlecht aus mit Ihrer Schankkonzession, sagten seine Blicke, zumindest für heute. Ob er sie ihm wirklich hätte entziehen lassen können, wußte er nicht, aber es half.

Den letzten und dritten Streit gab es kurz vor Schließung des Wahllokals um 18 Uhr, als ein Alkoholiker aus einer der Laubenkolonien an der Heidelberger Straße erschien und seinen Personalausweis vorlegte, aber nicht im Wählerverzeichnis zu finden war. Sofort begann er zu krakeelen.

»Ick bin wohl keen Mensch für euch, wa!? Nur weil ick inne Laube wohne, bin ick schon ausradiert, wa!? Kann ick ma ja jleich vor de U-Bahn werfen, wa! Und so'n halber Hahn wie du, mein Junge, du willst hier det Sagen ham, det ick nich lache.«

Manfred hätte den Mann auch wählen lassen, aber seine Beisitzer weigerten sich, da mitzumachen, und so war er gezwungen, im Rathaus anzurufen. Es gab einiges Hin und Her, und als die Entscheidung gefallen war – ja, der Mann dürfe wählen –, war es schon 18 Uhr 01, und sie konnten ihn jetzt an sich nicht mehr wählen lassen. Er hatte seinen

Stimmzettel schon ausgefüllt, die Lehrerin an der Urne aber war nicht bereit, ihren Aktendeckel beiseite zu nehmen.

»Läßte mich nun endlich an deinen Schlitz ran, ick will det Ding rinstecken!« schrie der Mann aus der Laube, und die gut drei Dutzend Neuköllner Bürger, die das Ritual der Auszählung live verfolgen wollten, brüllten vor Lachen.

Einer der Lehrer kam seiner Kollegin zur Hilfe. »Ich werde Sie anzeigen wegen Beleidigung.«

»Und ick Ihnen wegen Wahlfälschung. Mach den Schlitz frei, Mädchen!«

Manfred schwitzte Blut und Wasser, entriß dem Mann den Umschlag und stieß ihn gleichzeitig aus dem Hinterzimmer. Er polterte gegen die Theke, wo ihn der inzwischen herbeigeeilte Polizeibeamte festhielt und auf die Straße brachte.

»Ick bring euch alle in die Urne, ihr Schweine!« schrie er noch.

Manfred nutzte nun seine Amtsautorität und warf den Umschlag trotz einiger Proteste in die Urne. »Es war nicht seine Schuld, daß er nicht vor 18 Uhr fertiggewesen ist, halten Sie das bitte fest im Protokoll.« Als jetzt alle vor ihm kuschten, war das ein schönes Gefühl.

Um ihm bei der Auszählung zur Seite zu stehen, waren der Vater und Horst Hastenteufel zum Wildenbruchplatz gekommen, und dennoch war Manfred bald einem Kreislaufkollaps nahe, da er jeden Wahlzettel selber in die Hand nehmen und die angekreuzte Liste laut ansagen mußte, und das ging dann eine Stunde lang nur so: »Eins, eins, eins, eins, eins, eins, zwei, eins, eins, eins, eins, eins, zwei, eins, eins, eins, eins ...« Bald hallte es nur noch hohl in seinem Schädel, und ihm wurde so schwindlig, daß sie eine Pause einlegen mußten.

Endlich war es geschafft. Er setzte sein »Manfred Matuschewski« unter alle Dokumente, ließ sie vom bereitstehenden Boten ins Rathaus bringen und gab die Ergebnisse per Telefon zur Zentrale durch.

Zu Hause fiel er ächzend ins Bett, hörte aber mit Freude, daß die SPD, die Liste 1, in ganz Berlin-West mit 56,9 Prozent der große Sieger war und die CDU es nur auf 32,9 Prozent gebracht hatte.

Für ein paar Wochen herrschte an der politischen Front einigermaßen Ruhe, und sie hatten Zeit, ins Kino zu gehen, wo der nächste James-Bond-Film zu bewundern war: *Goldfinger* mit Sean Connery und Gert Fröbe. Heinz Rühmann war gerade 65 geworden, und Manfred sah in einer Matinee zum ersten Mal die *Feuerzangenbowle*. Sehnsucht nach der Albert-Schweitzer-Schule kam in ihm auf. Er fand es pervers, aber ...

Ostern war in diesem Jahr Ende März, und am Karfreitag sahen sie alle drei im *Adria* in Steglitz *Königliche Hoheit*, die große Thomas-Mann-Verfilmung mit Ruth Leuwerik und Dieter Borsche.

Die Feiertage über saß er an den Übersetzungen und an seiner Doktorarbeit. Gerade aber hatte er sich so richtig in seine Arbeit vertieft, da wurde er schon wieder vom Schreibtisch weggerissen, denn nach Ostern gab es viel zu demonstrieren. Der anfängliche Anlaß – die Gebührenerhöhungen an den Hochschulen und Albertz' provozierende Aussage, der AStA der FU habe keinen politischen Auftrag – war fast vergessen, als sie am 5. April vor dem Charlottenburger Schloß, wo der Senatsempfang für den US-Vizepräsidenten Hubert Humphrey stattfinden sollte, lautstark gegen den Vietnamkrieg protestierten. Schließlich flogen Steine und Flaschen gegen den Fahrzeugkonvoi.

»Das finde ich nun weniger schön«, sagte Manfred.

»Klar«, erwiderte Horst Hastenteufel, der neben ihm stand. »Gemessen daran, daß sie in Vietnam Bomben auf Frauen und Kinder werfen, ist das schon ein gewaltiges Verbrechen.«

Manfred hielt die Autorität der Studentenbewegung nicht für unzweifelhaft. Weil er sie mittlerweile alle aus der Nähe kannte, wußte er, daß die Studentenführer auch nur Menschen waren. Ein Leitwert steuerte sie alle, und der hieß ICH. Hauptsache, man stand im Mittelpunkt, und alles drehte sich um einen selbst. Die Revolution war für sie bloß eine Art Karriereleiter. So schien es ihm zumindest, und er hatte deshalb wenig Lust, sich vor ihren Karren spannen zu lassen.

Am 19. April waren sie beim Sit-in dabei, als gegen die repressiven Maßnahmen des FU-Senats Front zu machen war. Horst Hastenteufel wurde von Polizisten aus dem Saal getragen. Manfred hatte sich schon vorher verabschiedet, weil er noch eine wichtige Fotokopie zu Frau Mayntz in ihre Wohnung in der Knesebeckstraße zu bringen hatte.

Es war ein hochherrschaftlicher Eingang, und er kam gerade noch vor 20 Uhr hinein, bevor der Hauswart die Tür abschloß. Nervös und mit klopfendem Herzen stieg er die breite Treppe hinauf. Trat er seiner Chefin gegenüber, fühlte er sich immer wie ein kleiner Leutnant, der bei der Königin Luise zur Audienz erschien. Mit Schweißperlen auf der Stirn und rotem Kopf klingelte er.

Als sie die Tür öffnete, stand hinter ihr im Flur ein Mann, den Manfred nie zuvor gesehen hatte, ihr Ehemann war es nicht.

»This is Joseph Bensman«, sagte Frau Mayntz.

Das ist das Ende, schoß es Manfred durch den Kopf. Die lang befürchtete Katastrophe brach nun über ihn herein, denn dieser Bensman hatte mit einem gewissen Gerver zusammen eine vielbeachtete Arbeit veröffentlicht, die Manfred für den großen Mayntz-Reader übersetzen sollte: »Crime and Punishment in the Factory: The Function of Deviancy in Maintaining the Social System«.

Manfred dachte nur an schnelle Flucht und stammelte: »I must go quickly again away, because my car stand before the house here in the ... in the ... Parkverbotszone ...«

Seine Professorin, die ihn eben noch als vorzüglichen Übersetzer angepriesen hatte, war schockiert, zumal auch seine Aussprache grausam war. Sie schickte ihn schnellstens wieder fort. Am nächsten Morgen fragte sie ihn, ob er nicht ihre Meinung teilen würde, daß die Menschen sehr unterschiedlich begabt seien.

»Ja ...«

»Und Ihre Stärken, Herr Matuschewski, liegen ganz augenscheinlich nicht auf dem Gebiet der fremden Sprachen. Haben Sie also herzlichen Dank für Ihre Vorarbeiten, sie werden den beiden professionellen Übersetzern, die ich engagieren will, sehr von Nutzen sein.«

Manfred lächelte. Wenn er beim Sport etwas gelernt hatte, dann die Kunst, mit Anstand zu verlieren. »Wenn Sie meinen Vertrag gekündigt haben, kann ich mich voll meiner Doktorarbeit widmen ... und so hat denn auch dies sein Gutes ...« Damit stand er auf.

»Nein, nein, warten Sie: Ich hab' anderes zu tun für Sie.« Sie erklärte ihm, daß sie für eines der nächsten Semester eine Lehrveranstaltung über den Vergleich industrieller Organisationsformen in Ost und West plane. »... und da fände ich es schön, wenn Sie ein wenig vorarbeiten könnten. Versuchen Sie, eine kleinere Firma in Westberlin zu finden, wo wir uns dann mal umsehen können.«

»Ja, danke, natürlich ...«

Manfred schob einen total überladenen Kinderwagen über den Rand des Rollfeldes und suchte den Frachtschalter der PAN AM in Tempelhof. Wer ihn sah, blieb stehen und lachte, denn in dem Wagen befand sich kein Kind, sondern der sperrige Hausrat seines Freundes Volker Gellert. Der hatte, nun auch mit dem Diplom in der Tasche, gänzlich unerwartet eine Stelle als Entwicklungshelfer im Iran gefunden und war mitsamt Erdmuthe und René, seinem vor kurzem geborenen Sohn, Hals über Kopf nach Teheran abgerauscht. »Manfred, kannst du dann bitte den Rest aus der Wohnung holen und zum Flugplatz bringen.« – »Ja, klar, da mach dir mal keine Sorgen drum.«

Nun verfluchte er seine Hilfsbereitschaft. Wie 45 auf der Flucht sah das aus. Kissen und Koffer lagen in seinem Kinderwagen beziehungsweise: quollen daraus hervor, ebenso ein Wäscheständer, eine Haushaltsleiter, Töpfe und Pfannen, Schlittschuhe, eine Schreibtischlampe, eine Toilettenbürste mit Ständer, ein großer jüdischer Kerzenhalter, ein Salatbesteck und noch diverse andere Sachen. Die Krönung war Renés Nachtopf, der oben festgebunden war. Natürlich wollte man die Sachen so nicht transportieren, und Manfred schaffte es schließlich nur, das Gepäck aufzugeben, indem er einen netten Boden-Steward mit vielen Worten erweichte.

Völlig geschafft fiel Manfred eine Stunde später bei Hastenteufels in den Sessel. Wieder einmal hatten sie ihn als Babysitter eingeplant. »Natürlich komm' ich«, hatte er gesagt.

»Wie können wir das nur wiedergutmachen?« fragte ihn Monika, Kartoffelchips kauend.

Manfred überlegte nicht lange. »Indem du bei deinem Chef ein gutes Wort für mich einlegst.«

»Wieso – willst du anfangen bei uns?«

»Nein, das nicht, aber ...« Manfred erklärte ihr den Auftrag, den er von seiner Chefin bekommen hatte.

»Weiß ich nicht, ob er sich gerne in die Karten gucken läßt, aber ich werd' mein Bestes geben ...«

Doch die Sache mit der *Knabberzeug KG* geriet erst einmal in Vergessenheit, denn der Kampf der Studenten gegen das Establishment eskalierte immer schneller. Mit Konrad Adenauer, der am 19. April gestorben und sechs Tage später feierlich beigesetzt worden war, schien man die alte Ordnung zu Grabe getragen zu haben. Ende Mai gab es vor der FU Pfiffe und Buhrufe, als Heinrich Lübke, der Bundespräsident, zum 125jährigen Jubiläum des preußischen Ordens »Pour le mérite« nach Berlin gekommen war.

»Pfui!« schrien Manfred und Horst Hastenteufel, während sie von den Polizisten zurückgedrängt wurden. Denen saßen die Schlagstöcke immer sehr locker.

Am Abend riet Ernst Lemmer, der Berlin-Beauftragte des Bundeskanzlers, ihnen allen, doch lieber im Osten zu studieren, und Heinrich Albertz sagte im Fernsehen: »Ich habe mich für diese jungen Menschen geschämt.«

»Und ich schäme mich für ein solches Arschloch von Bürgermeister!« brach es aus Manfred hervor.

»Das ist ja der blanke Haß!« Sein Vater war entsetzt.

»Auf eurer Seite, ja!«

»Zieh doch aus, wenn's dir nicht paßt!«

Am Freitag abend aber schloß er seinen Sohn wieder in die Arme. Das war der 2. Juni, der Tag, an dem der Kriminalobermeister Karl Heinz Kurras den Studenten Benno Ohnesorg erschoß. Vorher hatte Professor Dr. Werner Stein, Senator für Wissenschaft und Kunst, eine Protestaktion des FU-Konvents verboten und der Akademische Senat dem SDS die Förderungswürdigkeit aberkannt. Dann war der Schah gekommen ...

Manfred und Horst Hastenteufel hatten sowohl vor dem Schöneberger Rathaus wie auch später vor der Deutschen Oper nur am Rande dabeigestanden, weit weg vom Zentrum des Orkans.

»Ich tauge nur zum Schlachtenbummler«, sagte Manfred. »Nicht zum Helden.«

Trotzdem gerieten sie in Gefahr, als sie vor der Oper in der Bismarckstraße auf die Ehrengäste warteten. Von 800 Demonstranten wurde später gesprochen. Scharen unbeteiligter Zuschauer kamen hinzu. Wie schon vor dem Rathaus ließ die Berliner Polizei erst mal die »Jubelperser« in Aktion treten, Angehörige des persischen Geheimdienstes, die mit Latten und Totschlägern auf die Studenten hinter den Barrieren eindroschen.

»Schah, Schah, Scharlatan!« schrien die Demonstranten, und Eier, Tomaten und Tüten mit Puddingpulver flogen auf die Straße, als die Ehrengäste kurz vor 20 Uhr vorfuhren.

Als sie endlich in der Oper waren, hätte der Polizeipräsident Erich Duensing eigentlich Entwarnung geben können, doch nun kam bei ihm das zum Vorschein, was Horst Hastenteufel als »faschistoide Grundstimmung im Sinne Wilhelm Reichs« bezeichnete: Ohne die gesetzlich vorgeschriebene Vorwarnung gab er per Lautsprecher den Befehl: »Knüppel frei! Räumen!« Die Mehrzahl der Polizeibeamten tat dies mit archaischer Lust, die wenigen Kollegen, die besonnen blieben und sie stoppen wollten, hatte keine Chance gegen das »gesunde Volksempfinden«. Als dann noch einer in den Lautsprecher brüllte, einer der Kameraden sei erstochen worden, was gar nicht stimmte, gab es kein Halten mehr. In

Gruppen pflügten die Polizisten durch die wehrlose Menge, griffen sich einzelne Demonstranten heraus und schlugen sie zusammen. Panik brach aus. Manfred und Horst Hastenteufel wurde wie von einer gewaltigen Woge erfaßt und nach hinten gegen die Häuserwände gedrückt.

»Weg hier, wir werden zerquetscht!« schrie Manfred.

Todesangst erfüllte ihn. Wie damals im April 1945, als ihn Tiefflieger beschossen hatten, damals in Groß Pankow. Jetzt ist alles aus! Neben ihm rissen drei Polizisten Horst Hastenteufel zu Boden, traten und schlugen ihn. Manfred wollte ihm helfen, bekam aber mit dem Schlagstock einen solchen Hieb auf die rechte Schulter, daß sie vorübergehend gelähmt war. Andere Studenten rissen ihn mit, weg von seinem Freund. Er hatte nur eine Chance, wenn es ihm gelang, in eine der Nebenstraßen zu fliehen. Wo war die Krumme Straße ...? Er kannte die Gegend ganz gut, weil er früher hier des öfteren beim Staffellauf Potsdam–Berlin gestanden und auf den TuS- oder NSF-Kameraden gewartet hatte. Da links mußte sie sein. Irgendwie hatte er die Vorstellung, in einen Hausflur zu laufen, die Treppen hinaufzuhasten, irgendwo zu klingeln und um Hilfe zu bitten.

Er hatte Glück und wurde mit den anderen in eine schmale Straße gedrängt. Körper an Körper hasteten sie Richtung Zillestraße. Da fiel auf einem der Hinterhöfe ein Schuß. Ein Student war erschossen worden, eben Benno Ohnesorg. Das wußte in diesem Augenblick noch keiner, doch man ahnte es. Manfred spurtete mit letzter Kraft. Das jahrelange Training rettete ihn; er schaffte es, am Richard-Wagner-Platz in einen Bus zu springen und Richtung Norden zu entkommen.

»Ich sage ausdrücklich und mit Nachdruck, daß ich das Verhalten der Polizei billige«, erklärte Heinrich Albertz, der Regierende Bürgermeister aus der SPD und eingeschworene Seelsorger der evangelischen Kirche.

Und diesmal spuckte nicht nur Manfred gegen den Bildschirm, sondern auch sein Vater. »Dich heuchlerischen Pfaffen soll der Teufel holen!«

Manfred war mit einer Prellung und einem Bluterguß davongekommen, Horst Hastenteufel mit einer Gehirnerschütterung und einigen gebrochenen Rippen.

Es folgten Trauerkundgebungen und Vorlesungsstreiks, und so kam Manfred erst Ende Juni dazu, in die Tempelhofer Oberlandstraße zur *Knabberzeug KG* zu fahren, um mit dem Firmenchef über die Möglichkeit einer kleinen organisationssoziologischen Studie zu verhandeln. Monika Hastenteufel hatte ihn beim Pförtner angemeldet, und so war diese Prozedur schnell erledigt.

»Zimmer 124. Melden Sie sich bitte bei der Chefsekretärin.«

Manfred ging ein wenig müde durch den Verwaltungstrakt, denn die Erinnerung an seine Siemens-Zeit legte sich schwer auf ihn. Und wenn seine Assistentenzeit vorüber war, landete er für den Rest seines Lebens in einem Bürogebäude wie diesem, wenn dann auch als »der Herr Dr.«. *Immer strebe zum Ganzen / Und kannst du selber kein Ganzes / Werden, als dienendes Glied schließ an ein Ganzes dich an!*

In diesen düsteren Gedanken gefangen, klopfte er an die Tür, die die Nummer 124 trug.

»Ja, bitte ...« kam undeutlich die Stimme einer Sekretärin von drinnen.

Manfred drückte die Tür nach innen ... und erstarrte.

Wer da saß, war niemand anderes als Renate Zerndt.

Es war September geworden, und Manfred hockte an einem Montag vormittag zu Hause, um an seiner Doktorarbeit zu schreiben. Wenn nur nicht andauernd das Telefon geklingelt hätte.

Zuerst war es Horst Hastenteufel, der ihm schnell eine frohe Botschaft übermitteln wollte. »Du, ich hab' eben im RIAS gehört, daß Heinrich Albertz zurückgetreten ist. Klaus Schütz soll neuer Regierender werden.«

»Hurra!«

Der nächste Anrufer war Dirk Kollmannsperger, der nach Beendigung seines Studiums – Mathe und Physik – nach Konstanz gegangen war, um dort, bei der AEG, Computer zu bauen.

»Ich bin nächste Woche in Berlin und will dich unbedingt sehen.«

»Soll ich uns ein Hotelzimmer buchen? *Kempinski* oder *Schloßhotel Gerhus*?«

»Beides. Zwischendurch könnten wir dann 'ne Partie Tennis spielen und mal wieder zu Hertha gehen.«

»Ach Gott ...« Seit Hertha BSC aus der Bundesliga rausgeflogen war und sich Tasmania so fürchterlich blamiert hatte, war Fußball in Berlin kein großes Thema mehr. Was man im Fernsehen sah, wie zum Beispiel das 1:0 von Bayern München gegen die Glasgow Rangers im Europapokal der Pokalsieger, ließ jedoch keinerlei Unzufriedenheit aufkommen.

Kaum hatte er aufgelegt, klingelte der schwarze Apparat, der im Schlafzimmer der Eltern stand, zum dritten Mal an diesem Vormittag. Diesmal war es Curt mit der Frage, ob Manfred am Wochenende beim Umzug helfen könne. C & A hatten sich zusammen mit einer Freundin ein Haus in Hermsdorf gekauft. »Keine Laus auf der Naht, aber 'ne hochherrschaftliche Villa im Grünen«, hatte es überall geheißen. Manfred bewunderte den Mut der beiden ebenso wie ihre finanziellen Zauberkunststückchen.

»Ja, klar, ich komme.«

Gerade hatte er sich wieder an seine Schreibmaschine gesetzt, noch immer die *Gabriele* von Triumph, um den Einfluß der Umweltpotentiale auf die Industrieverwaltung zu beschreiben, da meldete sich sein alter Schulfreund Peter Stier, eigentlich: Bimbo, aus seinem Postamt in Jülich, um ihm den neuesten schweinischen Witz zu erzählen. Bimbo hatte ständig Langeweile, und das Telefonieren war für ihn kostenlos.

Danach schwor sich Manfred, nicht mehr ans Telefon zu gehen, tat es dann aber doch wieder, weil er hoffte, Renate würde sich melden. Und richtig, sie war es.

»Du, ganz kurz: Ich bin hier am Bahnhof Zoo in der Passierscheinstelle, und die sagen, daß ich zu meiner Oma nach Ostberlin ins Krankenhaus kann. Und jetzt kommt's ...«

»Wenn's kommt, sollte man aufpassen ...«

»Hör doch mal auf mit deinen Sprüchen! Sie sagen, daß mein Verlobter mit rüber darf.«

»Dein Verlobter ...? Hast du jetzt einen? Den mußt du mir mal vorstellen ...«

»Mensch, ich hab's eilig! Soll ich dich nun eintragen ... oder nicht?«

»Besser, du trägst mich ein, als daß du mir ewig nachträgst, daß du mich nicht eintragen durftest ...«

So saßen sie am Sonnabend vormittag in der S-Bahn, um zum Grenzübergang Bahnhof Friedrichstraße zu fahren. Seit sie sich in der *Knabberzeug KG* wiedergetroffen hatten, waren drei Monate vergangen, eine Zeit »voller Glück und Seligkeit«, wie sein Vater zu spotten beliebte. Alles war so leicht und selbstverständlich gewesen, war gekommen, wie es hatte kommen müssen. *Wir zwei sind füreinander bestimmt.* Die Tatsache, daß sie sich nach fast zehn Jahren auf eine so kuriose Weise wiedergetroffen hatten, schien nur dieses eine bedeuten zu können.

»Endlich hab' ich eine Schwiegertochter!« Die Mutter war ihm um den Hals gefallen. »Und die Leute reden nicht mehr über uns.«

Auch der Vater hatte sich gefreut, dann aber eine Bemerkung gemacht, die Manfred hinterher in Renates Bett ein wenig hemmte. »Ich wußte doch, daß die Söhne sich immer Frauen suchen, die ihrer Mutter ähnlich sind. Renate sieht wirklich so aus wie deine Mutti, als sie Ende zwanzig war.«

Wie auch immer, Renate wurde von seinen Eltern mit offenen Armen aufgenommen, während er es umgekehrt ein wenig schwerer hatte, denn Renates Mutter, zur Zeit Verkäuferin bei Karstadt am Hermannplatz, war Mitglied einer Sekte, wetterte gegen alle Fleischeslust und hätte ihre Tochter viel lieber keusch und gottesfürchtig auf einer Kirchenbank gesehen als mit Manfred im Bett und auf dem Tennisplatz. Von Herrn Zerndt sprach man nicht mehr. Tennis war Renates großes Hobby, und da ihre Firma, mit Kartoffelchips zu großen Gewinnen gekommen, über einen eigenen Platz verfügte, ließ sich das auch finanzieren. Manfred konnte inzwischen ganz ordentlich aufschlagen und schmettern, so daß sie zusammen im Mixed schon den Knabberzeug-Pokal gewonnen hatten.

Was seine Schwiegereltern betraf, war Manfred ziemlich enttäuscht. Er hatte immer von einem Schwiegervater geträumt, der etwas Besonderes war: Professor, Stadtrat oder Firmenleiter ... und ihm ein wenig helfen konnte, auf der Karriereleiter nach oben zu klettern. Und nun war seiner a) nur Lagerarbeiter (?) und b) irgendwo im Süden des Landes verschollen. Von der Schwiegermutter ganz zu schweigen. Keine Ärztin oder Oberstudiendirektorin, sondern eine schrullige Frau am unteren Ende der sozialen Stufenleiter ... und noch dazu von religiösem Wahn geplagt. Für eine Verkäuferin und Putzfrau war sie viel zu gebildet. Was war sie wirklich?

»Meine Eltern haben die Übersiedlung aus der DDR nie ganz verkraftet«, erklärte Renate.

Während ihrer gemeinsamen Zeit in der Albert-Schweitzer-Schule hatte Manfred nie mitbekommen, daß Renate aus dem Osten kam, aus Pankow.

Als Westberliner hatte man auch im Jahre 6 nach dem Mauerbau ein schlechtes Gefühl, wenn man mit der S-Bahn fuhr, doch mit einem Passierschein in der Tasche durfte man.

Sie waren am Bahnhof Zoo eingestiegen, weil Manfred seiner Chefin noch ein paar Bücher in die Knesebeckstraße zu bringen hatte.

Renate sah ihn an. »Du hast mir noch gar nicht erzählt, wie es letzten Montag beim Abschied von deiner großen Liebe gewesen ist ...«

Manfred zuckte zusammen, denn bei »großer Liebe« mußte er automatisch an Bea denken, und allzu schnell und aufgesetzt rief er: »Meine große Liebe bist du.« Er küßte Renate und erzählte ihr dann ausführlich von der Abschiedsfahrt der 55, der letzten Straßenbahn in Westberlin. »Viele hatten Tränen in den Augen, und Onkel Klaus, der Straßenbahnschaffner in unserer Familie, war ganz niedergeschlagen.« Am Tag davor hatte er sich im Betriebshof in der Königin-

Elisabeth-Straße am Souvenirstand für 15 Mark einen Schnellwechsler gekauft. »Ein Leben ohne Straßenbahn ist nur noch halb soviel wert ...«

Renate tröstete ihn. »In Ostberlin gibt's ja noch welche.«

Während sich die S-Bahn hinterm Bahnhof Bellevue über die Spree hinwegschlängelte, besprachen sie das Kinoprogramm vom Wochenende und überlegten, was sie sich morgen ansehen sollten. Renate plädierte, weil sich letztens *Erotik am Abgrund* in der *Bonbonniere* schon als außerordentlich anregend erwiesen hatte, für die *Freie Liebe* in der *Kurbel*, *Der Preis einer Nacht* wieder in der *Bonbonniere* oder *Liebe 1–1 000*, das andere Werk der »nordischen Sexwelle«, das man im *Delphi* sehen konnte: Sekt und Sexorgie, Striptease, kein Limit, alles erlaubt. Manfred wäre lieber zu den *Stachelschweinen* gegangen, wo man sich eindeutig auf die Seite der Studenten schlug, vielleicht auch zu Dieter Hallervorden, zu Hochhuths *Soldaten* in die Freie Volksbühne oder zu Udo Jürgens in die Philharmonie, fand aber mit seinen Vorschlägen wenig Gegenliebe. Schließlich einigte man sich auf James Bond, das heißt Sean Connery in *Man lebt nur zweimal*.

»Und liebt nur einmal«, sagte Manfred und faßte Renate unter ihren gelben Minirock ... und das mitten in der S-Bahn. »Stück für Stück kommt man sich näher. STÜCK 1826 WEINBRAND.«

»Frohen Herzens genießen – HB.« Renate war Raucherin.

»Gesundheit mit dem Löffel essen – JOGHURT – auch mit Früchten.« Sie hatten ihrer Oma welchen mitgenommen.

»Der Wunsch der Braut ... Möbel von HÖFFNER.« Renate küßte ihn.

Manfred wechselte schnell das Thema und zeigte auf die große Brache des Potsdamer Platzes, wo man gerade den Grundstein zur Staatsbibliothek gelegt hatte. »Da wird dann meine Dissertation auch mal drinstehen.« Ein Stuttgarter Verlag hatte schon sein Interesse bekundet, sie zu veröffentlichen.

Sie redeten noch über die »Flower-Welle«, denn überall im

Westen liefen die Blumenkinder herum. Dann kam der bange Augenblick, wo der Zug auf Höhe der Charité in den Ostsektor fuhr, in die DDR, ins Ausland, ins Lager des Feindes. Und wenn sie herausbekamen, daß Renate und er sich eigentlich noch gar nicht verlobt hatten, dann …

Friedrichstraße. Sie waren schon auf dem Territorium der DDR, durften aber als Westberliner noch ungehindert in die andere S-Bahn umsteigen, die Nord-Süd-Bahn unten, oder aber zur U-Bahn überwechseln, der Transitstrecke von Tegel nach Alt-Mariendorf. Wer aber nach Ostberlin hinüberwollte, hatte durch neonhelle Gänge und Gewölbe zu gehen, durch ein Labyrinth, das an ein Versuchslabor erinnerte, an Psychiatrie und Krankenhaus, an Schlachthof und Gefängnis. Schilder mit fürchterlich unästhetischen Buchstaben wiesen den Weg: *Einreise in die Hauptstadt der DDR … für Bürger der BRD, für Westberliner, für Ausländer, für Diplomaten, für rückkehrende Rentner.* Grenzposten standen mit stierem Blick, wie in Sandstein gehauen, an den Pforten. Die Schlangen waren lang, und stand man endlich in einem der Käfige, konnte man noch lange nicht aufatmen. Ausweis und Passierschein waren durch einen schmalen Schlitz zu schieben. Tief unten in seinem Verschlag saß ein blasser Jüngling und prüfte die Dokumente mit äußerster Sorgfalt, abgeschirmt von einem Brett. Schließlich sah er auf. »Das rechte Ohr bitte einmal frei machen.« Mehr Kommunikation war ihm offenbar verboten. Manfred entblößte sein Ohr und durfte passieren. Wo war Renate abgeblieben? Sie litt erheblich unter der Angst, man würde sie gleich nach dem Grenzübertritt festhalten und ihr mitteilen, daß sie als geborene Ostberlinerin in die DDR gehörte, sich also auf der Stelle beim VEB Soundso zu melden habe, um fortan aktiv am Aufbau des Sozialismus mitzuwirken, wie sich das gehöre. »Schließlich sind Sie bis zu Ihrem dreizehnten Lebensjahr in der DDR aufgewachsen und schulden unserem Arbeiter-und-Bauern-Staat somit noch vieles.«

Eine gewisse Logik wäre dem nicht abzusprechen gewesen. Doch Renate war schon durch und wartete. Beim

Zahlen des Mindestumtauschs, des »Eintrittsgeldes«, sahen sie sich wieder. Folgte noch die Zollkontrolle, vorgenommen von einer verbissenen Frau, einem Typ, für den sein Vater den Begriff *Flintenweib* vorrätig hatte. Renate mußte ihre Tampons vorzeigen, und zwischen Manfreds Tempotaschentüchern wurden Ostgeldscheine vermutet. Das alles mußte man schweigend über sich ergehen lassen, denn ein leichtfertiges Wort konnte stundenlanges Wartenmüssen nach sich ziehen. Endlich hatten sie es geschafft. Draußen vor dem Bahnhof Friedrichstraße konnte es passieren, daß ihnen ein Stasi-Schnüffler folgte. Doch sie waren zu stolz, um sich umzusehen.

Mit der 11 fuhren sie hoch zum St.-Hedwig-Krankenhaus, und Manfred genoß es, wieder in einer Straßenbahn zu sitzen. Die Schaukelei im Reko-Wagen war herrlich, obwohl Renate anmerkte, daß sie, wäre sie schwanger, bei dieser Fahrt ihr Kind bestimmt verloren hätte.

Das Krankenhaus ... Manfred erinnerte sich, wie er im Sommer 1948, als sein Vater nach der Entlassung aus der Kriegsgefangenschaft hier eingeliefert worden war, in der Tür eines großes Saals gestanden hatte, um aus der Schar von dreißig todkranken und furchtbar ausgemergelten Männern den richtigen herauszufinden. Seine Mutter hatte ihm einen kleinen Schubs gegeben: »Geh, such deinen Vati!« Und noch eine andere Erinnerung tauchte auf: wie er seine Kohlenoma bis zu ihrem Tode jahrelang im Bethanien-Krankenhaus besucht hatte. Renates Großmutter sah ihr zum Verwechseln ähnlich.

Sie blieben nicht lange, es war zu schrecklich. Mit der Straßenbahn ging es zum Bahnhof Alexanderplatz und dann mit der S-Bahn nach Grünau hinaus.

»Umsteigen in die 86 nach Schmöckwitz.« Er nahm Renate an die Hand. Darauf freute er sich seit mindestens fünfzehn Jahren: endlich mit einer Freundin rauszufahren. Nun war es soweit. *Wer warten kann, zu dem kommt alles.* Manchmal stimmten auch Kalendersprüche.

Seine Verwandten fielen aus allen Wolken, als sie am Gartentor klingelten. Das Telegramm, das sie abgeschickt hatten, sollte erst zwei Tage später eintreffen.

»Mädel!« Die Schmöckwitzer Oma umarmte Renate. »Daß ich das noch erleben durfte ... Mein Junge mit seiner Braut.« Nun versank Manfred in ihren Kittelschürzen.

Seine Cousinen kamen angelaufen und staunten, und Tante Gerda wurde aus dem Konsum geholt, wo sie noch an ihrer Abrechnung gesessen hatte.

»Hab' ich's doch gesagt, daß du mal eine heiraten wirst, die wie deine Tante Gerda aussieht!« Sie holte eine Flasche *Schloß Reinhardsbrunn* aus ihrer Vorratskammer hinten im roten Schuppen, eine Sonderabfüllung aus der VEB Rotkäppchen Sektkellerei Freiburg/U. »Die trinken wir jetzt auf das junge Glück. Leszek ist noch im Reifenwerk, der kommt erst später. Aber guckt mal, was er hier gebaut hat: eine Hollywoodschaukel. Da könnt ihr euch dann nachher reinsetzen und schmusen.«

Der Korken flog in die Luft, und sie goß ein. Auch Lucyna und Agnieszka waren mittlerweile alt genug, um mitzutrinken.

»Auf unser neues Familienmitglied! Die Renate, die paßt zu uns, die ist so natürlich wie wir. Auf unsere beiden Verlobten, auf eine schöne Zeit bis zur Hochzeit. Prost!«

»Prost!«

Manfred sah Renate an, ob sie ansetzte, Tante Gerda zu sagen, daß man ja noch gar nicht ... Nein. Alle hatten es eilig, das Mittagessen auf den Tisch zu bringen.

Manfred und Renate brauchten nicht zu helfen und setzten sich in Leszeks Schaukel. Er legte seinen Arm um sie.

»Du, Rena, ist dir etwas aufgefallen ...?«

»Nein ...«

»Doch ... Daß wir beide als Verlobte gelten ...«

»... und offiziell gar keine sind.«

»Ja ... Aber, weißt du ...« Manfred wurde es siedendheiß.

»Nein ...« Sie half ihm nicht.

»Du weißt doch, daß ich hier in Schmöckwitz von allem geträumt habe, auch von dir ... Und es gibt keinen besseren

Ort für mich als das Grundstück hier, um dir ... Also ... ich hab' Verlobungsringe gekauft und dachte ...« Er holte sie aus der Hosentasche. »Gefallen sie dir ...?«

Sie nahm die Ringe und musterte sie. Halb waren sie aus Gold und halb aus Platin. Innen war das Datum eingraviert: 7. 10. 1967. Dazu wechselseitig die Namen.

»Steck mir meinen an ...«

»Und du mir bitte meinen ...«

Sie taten es, und es wurde eine so lange und stürmische Umarmung, daß erst seine Cousinen kommen und laut »Halbzeit!« rufen mußten, um sie wieder zur Besinnung zu bringen.

Im § 2 Nr. 2 der Promotionsordnung hieß es drohend: »Es wird vorausgesetzt, daß der Kandidat in den der mündlichen Prüfung vorausgehenden Semestern ein vertiefendes Studium durchführt und sich insbesondere an den Seminaren in seinen Prüfungsfächern beteiligt.« Das hieß für Manfred, daß er sich im Sommersemester 1968 viel öfter im Hörsaal aufhalten mußte, als ihm lieb sein konnte. Im Studienbuch wurde fein säuberlich vermerkt: *Stammer*, Oberseminar: Ausgewählte Probleme der politischen Soziologie I; *Arndt*, Volkswirtschaftstheorie I; *Bellinger*, Seminar für Allgem. Betriebswirtschaftslehre; *Engelsing*, Deutsche Wirtschaftsgeschichte im Überblick. Nahm man noch die Psychologie hinzu, so verwendete er bestenfalls fünf Prozent seiner Energie auf die Soziologie als solche, was er für hirnrissig hielt, doch wer *Dr. rer. pol.* werden wollte, der mußte da halt durch.

Für die Liebe blieb jetzt wenig Zeit, denn schon Mitte September war seine Dissertation gebunden abzuliefern, und Renate saß jeden Abend an der Schreibmaschine, um sie ins reine zu tippt. Sanken sie dann ins Bett, waren sie zu erschöpft, um »Gute Nacht« zu murmeln, geschweige denn das zu tun, was er sich in seinen einsamen Nächten immer so phantasievoll ausgemalt hatte. Nach ihrer Schmöckwitzer Verlobung hatten sie natürlich eine eigene Wohnung ins Auge gefaßt, doch sich jetzt schon teuer einzurichten schien

Renate *rausgeschmissenes Geld* zu sein, weil abzusehen war, daß Manfred nach seiner Promotion in Berlin keine Arbeit finden würde. Außerdem hatten sie kaum Geld für Möbel und dergleichen, und ihr bißchen Erspartes war für den Käfer draufgegangen, den sie Moshe Bleibaum abgekauft hatten, nachdem es Renate gelungen war, im zweiten Anlauf ihren Führerschein zu machen. Manfred haßte Autos und hatte sich geschworen, nie eines zu haben. Und mit einem Führerschein hätte er dauernd den Chauffeur für seine Eltern spielen müssen. Also machte er keinen. Er fand es aber schön, sich von seiner Verlobten chauffieren zu lassen.

Nach Lage der Dinge war es also das Klügste gewesen, sich irgendwo ein möbliertes Zimmer zu suchen, und da hatten sie insofern Glück gehabt, als eine von Renates Kolleginnen gerade auf der Suche nach solventen Untermietern war. Nach ihrer Scheidung saß sie in der Charlottenburger Goethestraße allein in einer viel zu großen Wohnung. »Ich geb' euch mein Berliner Zimmer, da habt ihr euer eigenes kleines Reich.«

Manfred fiel der Abschied von seinen Eltern und der Treptower Brücke nicht leicht. Vierzehn Jahre lang hatte er in seinem kleinen Zimmer gehaust, gearbeitet, geträumt, geliebt und gelitten. Und daß er seinen Vater und seine Mutter nun nicht mehr täglich sehen sollte, war ein schmerzlicher Schnitt.

Er versuchte, es herunterzuspielen. »Wir können ja telefonieren, und ich komm' öfter mal vorbei. Mein Zimmer soll ja auch noch so bleiben, wie es ist.«

Trotzdem ... In diesen Tagen wurde ihm klar, daß man, brach man zu neuen Ufern auf, immer auch eine Menge verlor. Der Alltag mit Renate war nicht nur Zärtlichkeit und Liebe, sondern immer auch Kleinkrieg um Rechte und Pflichten. Wer holte wann was ein, wer machte wann was sauber? Was zählte mehr: den Mülleimer runterzubringen – man wohnte vier Treppen hoch – oder Staub zu saugen? Was war wichtiger: Kartoffeln zu schälen oder eine neue Deckenlampe anzubringen? Sollte Renate am Sonntag kochen – »Kann ich denn keinen Tag mal so richtig ausspannen!?« –, oder sollte man lieber essen gehen, obwohl Manfred das ewige Herumsitzen beim Italiener zunehmend nervte. Schön, sie rauften sich immer wieder zusammen, und unter dem Strich war es wohl doch eine glückliche Zeit, die sie beide als Untermieter in der Goethestraße verbrachten, unweit des Savignyplatzes und des Kurfürstendamms.

An den Universitäten herrschten noch immer starke Turbulenzen. Im Februar hatte an der TU der »Internationale Vietnam-Kongreß« stattgefunden, und anschließend waren 10 000 Studenten demonstrierend durch die Innenstadt gezogen, Manfred unter ihnen, obwohl der Senat das Demonstrieren streng verboten hatte. Die schwersten Straßenschlachten gab es, nachdem ein Rechtsradikaler Rudi Dutschke auf dem Kurfürstendamm niedergeschossen hatte. Das war am 11. April gewesen, und anschließend eskalierte der Kampf gegen die Blätter des Springer-Verlages, denen man die Schuld an dem Attentat gab, hatten sie doch vorher nach Kräften gegen APO und Neue Linke gehetzt. Eine Fahrzeughalle wurde angezündet, die Auslieferung der Zeitungen durch Blockaden verhindert. Da war Manfred nicht mehr dabei: Renate hatte ihn daheim eingeschlossen. »Ich will nicht, daß du dich unglücklich machst.« Erst hatte er getobt, dann war er ganz froh gewesen. Auch vor und nach der Verabschiedung der Notstandsgesetze am 30. Mai hatte es Proteste und Krawalle gegeben, und er hatte wieder vor der Frage gestanden: Mitmachen und Zeit verlieren ... oder zu Hause bleiben und an der Doktorarbeit schreiben.

Auch seine Hochzeit kam ihm sozusagen dazwischen. An sich hatten sie so schnell nicht heiraten wollen. »Erst wenn ein Kind da ist und Manfred eine sichere Stelle hat.« So hatten sie es immer wieder verlauten lassen, doch dann war alles ganz anders gekommen. Zuerst hatte sie aus Schmöckwitz die Nachricht erreicht, Manfreds Oma habe Brustkrebs und sei in der Charité operiert worden, dann war sein Vater eines Abends von einem Nachbarn blutend vor dem Haus gefunden worden. Von einer Betriebsfeier kommend, wo man einiges über den Durst getrunken hatte, war er über den

Kantstein gestürzt und hatte sich mit seiner Brille die Augenbraue aufgeschnitten. Es schien nicht weiter schlimm zu sein, doch am nächsten Tag hatte der Arzt einen leichten Schlaganfall diagnostiziert. »Beim nächsten, Frau Matuschewski, kann es sein, daß Ihr Mann stirbt ...«

Da hatte seine Mutter in der Goethestraße angerufen. »Ihr solltet bald mal heiraten, damit Oma und Vati das noch erleben.«

»Ja ...«

Manfred hatte nachgegeben, obwohl er sich vor der Eheschließung fürchtete. Sie war etwas so Endgültiges. *Bis daß der Tod Euch scheidet* ... Andererseits schmeichelte es ihm ungemein und hob ihn, wenn er sagen konnte: »Meine Frau ...« Wenn eine so hübsche, intelligente und lebenstüchtige Frau wie Renate ihn zum Manne nahm, dann war das doch so, als hätte er einen hochdotierten Preis gewonnen. Seht her, wenn die mich nimmt, dann bin ich doch wer!

Kaum hatten sie den Entschluß gefaßt, ging das Hickhack schon los.

»Wenn schon, dann will ich groß heiraten«, sagte Manfred, »und alle Freunde und Verwandten einladen.«

»Was meinst du, wie ich den ganzen Trubel hasse«, widersprach ihm Renate. »Das Geld zum Fenster rauswerfen.«

»Keine Braut ganz in weiß ...?« Manfred war enttäuscht.

»Und dann noch mit geschlossenem Jungfernkranz!« höhnte sie.

»Ich möchte auch gerne, daß wir uns kirchlich trauen lassen.« Ein bißchen gläubig war Manfred auch als linker Soziologe geblieben.

»Dann will meine Mutter, daß wir das bei ihr im Tempel tun ... aber ich will mit der ›Gemeinschaft der Bußfertigen‹ nichts mehr zu tun haben. Die haben mich zwanzig Jahre meines Leben gequält.«

Manfred gab zähneknirschend nach. »Na schön. Feiern wir bei meinen Eltern zu Hause mit unseren Verwandten und meinen engsten Freunden: Moshe Bleibaum, Dirk Kollmannsperger und Horst Hastenteufel, dazu Bimbo aus Jülich.«

»Bist du verrückt!« Jetzt zählte sie alle ihre Freundinnen und Verwandten auf und kam mit seinem Anhang zusammen auf fast fünfzig Leute.

Nach zwei Wochen hatten sie sich dann geeinigt: nur Standesamt und nur im kleinsten Kreis, das hieß: mit ihrer Mutter und seinen Eltern plus der Schmöckwitzer Oma, in der Wohnung von Charlotte Zerndt in der Altenbraker Straße in Neukölln. Die Trauzeugen wurden per Los bestimmt: Curt und Anett.

Manfreds Traumhochzeit fand also im Hinterhaus drei Treppen hoch statt, und das Festessen bestand aus selbstgeschmierten Stullen mit Fleischwurst und Käseecken. Der Wein wurde aus Biergläsern getrunken. Renates Mutter saß schmollend in der Ecke, weil sie für ihre Tochter längst einen Diakon ihrer Sekte ausgeguckt hatte und nun, da ihr Plan gescheitert war, den Zorn des Herrn fürchtete, und seine Eltern waren, nahm man das als Maßstab, was sie im Kino sahen, auch in vielem etwas enttäuscht. *Mit seiner Frau und seinen Schwiegereltern kann man ja kaum Staat machen ... oder?*

Manfred flüsterte Anett zu, er habe schon Beerdigungen erlebt, wo es fröhlicher zugegangen sei. Daraufhin setzte sich seine »angeheiratete Cousine um drei Ecken« ganz erheblich unter Alkohol und versuchte, den Abend zu retten, indem sie die Femme fatale zu spielen begann.

»Das wäre eine Frau für ihn gewesen«, hörte Manfred seine Mutter sagen.

Nur seine Schmöckwitzer Oma strahlte. Sie hatte die einzigartige Gabe, in den Menschen immer nur das Gute und im Leben immer nur das Positive zu sehen. Glück war für sie die Summe des Unglücks, dem man entgangen war, und so brachte sie es mit einem ihrer liebsten Sätze auch heute wieder auf den Punkt: »Daß ich das noch erleben durfte ...! Mein kleiner Manfred ist heute stolzer Bräutigam und hat mit seiner Renate eine so liebenswerte und patente Frau gefunden. Bevor ich zu euch gefahren bin, meine lieben Kinder, habe ich noch einmal bei August Bebel nachgelesen, in seinem Buch *Die Frau und der Sozialismus*. Und da steht ...«

Sie holte einen Zettel aus ihrem Handtäschchen. »›Die Ehe soll eine Verbindung sein, die zwei Menschen aus gegenseitiger Liebe eingehen, um ihren Naturzweck zu erreichen.‹ Und neulich habe ich in meinem Almanach ein Zitat des spanischen Dichters García Lorca gefunden: ›Die Ehe birgt starken Zauber ... Sie ist nicht so, wie man sie von außen sieht. Sie ist von Geheimnissen erfüllt.‹ So wünsche ich euch, Manfred und Renate, eine Zeit voller süßer Geheimnisse und mindestens zwei kleine Erdenbürger, die euch und uns allen ähnlich sein mögen. Auf euer Wohl!«

Den Champagner hatten seine Eltern spendiert, und nun wurde angestoßen.

»Gerda, wir denken an dich!« rief die Oma aus alter Gewohnheit.

Nun wurden Platten aufgelegt, und Anett geriet bei *I'm the Tiger* ziemlich in Ekstase.

Das Brautpaar mußte tanzen, und da Manfred diese Kunst nun gar nicht beherrschte, geriet dies zur größten Lachnummer des Abends.

Die Stimmung war nun besser als erwartet, doch das große Hochgefühl wollte sich bei ihm noch immer nicht so richtig einstellen. Fast erschien ihm das Ganze so leer wie eine Kreisdelegiertenversammlung seiner Partei. Kein Rausch, kein: »Verweile doch, du bist so schön ...« Wenn er ehrlich war, fühlte er sich eher unglücklich als glücklich. Jetzt gab es nichts mehr, auf das sich voller Sehnsucht warten ließ. Und auch die Hochzeitsnacht, na ja ... Vielleicht kam der ersehnte Rausch dann bei der Hochzeitsreise. Am nächsten Tag sollte es nach Sylt gehen.

Die Schmöckwitzer Oma stand auf. »Ich möchte doch mit meinem großen Jungen noch einmal Walzer tanzen.«

Als er sie umfaßte, kam sie ihm so zerbrechlich vor, daß er seine Tränen nicht mehr zurückhalten konnte.

Manfred saß im Flugzeug nach Bremen. Es war eine Vickers Vicount der BEA, eine viermotorige Turboprop-Maschine, und er starrte ängstlich auf die Tragfläche neben sich hinter den Scheiben. Es war die linke, und die war vor kurzem bei einer Maschine dieses Typs mitten über der australischen Wüste urplötzlich abgebrochen ... Er verkrampfte sich derart, daß er sich an einem harten Brötchen einen Zahn ausbiß. Er reiste nach Bremen, um sich vorzustellen, und das fing ja gut an. Frau Mayntz hatte ihm die Sache vermittelt. »Daß Sie in der Wissenschaft bleiben wollen und sich da wohl fühlen werden, erscheint mir ja sehr ungewiß.« Womit sie recht hatte. Er haßte den Wissenschaftsbetrieb mit der pausenlosen Blufferei, dem esoterischen Geschnattere und der eitlen Selbstdarstellung vieler seiner Kolleginnen und Kollegen.

Er griff zur Zeitung, um seine Flugangst besser in den Griff zu kriegen. Nur nicht daran denken, daß ... Im *Gloria-Palast* gab es Walt Disneys *Dschungelbuch*. Manfred hatte es nicht gesehen, er mochte keine Zeichentrickfilme. Auch in das Musical *Anatevka*, das gerade im *Theater des Westens* angelaufen war, hätten ihn keine zehn Pferde gekriegt. Es war auch ohne ihn voll genug ... Sogar mittags herrschten jetzt in Berlin 10 Grad minus und darunter. Hoffentlich hatte man die Maschine in Tempelhof richtig enteist ... Die Germanistikstudenten hatten ihr Seminar besetzt und waren in den Streik getreten. In der Wiso-Fak. hatten die Studenten die Eingänge verbarrikadiert, und bei den Juristen war es zu Prügeleien gekommen. In der City hatte es wieder schwere Tumulte gegeben, wobei im KaDeWe fast alle Schaufensterscheiben zertrümmert worden waren. Studenten und APO-Anhänger waren vor der SPD-Zentrale im Wedding aufmarschiert, und Jungsozialisten hatten ihre Parteibücher auf der Fahrbahn draußen verbrannt. Der RCDS hatte alle Professoren und Studenten an der FU aufgefordert, den Lehrbetrieb fortzusetzen. Die Assistenten saßen zwischen allen Stühlen, und Manfred freute sich darauf, in Bremen einmal in Ruhe und Frieden arbeiten zu können. Er war auf der Flucht aus Berlin.

Um einen guten Eindruck zu hinterlassen, lernte er noch schnell alles auswendig, was man über Bremen wissen mußte: gegründet 780 vom Priester Willehad im Auftrage Karls des

Großen. 1968 – Freigabe der Autobahn Bremen–Ruhrgebiet (Hansalinie). Baubeginn des Container-Terminals in Bremerhaven. Zieht sich 40 Kilometer an der Weser entlang. 605 000 Einwohner. Bürgermeister: Hans Koschnick.

Dieses Wissen war ihm im Gespräch mit Senatsdirektor Kupfer sehr nützlich, und schon nach einer halben Stunde bekam er die Zusage, gleich nach Abschluß seiner Promotion als wissenschaftlicher Mitarbeiter im neu geschaffenen AmfVi (Amt für Verwaltungsinnovation) zu beginnen. »... wenn die anderen Mitglieder der Arbeitsgruppe Sie akzeptieren. Die warten schon darauf, Sie zu testen ...«

Der Test bestand darin, seine Trinkfestigkeit zu prüfen und zu sehen, ob er der akademische Schöngeist war, den man nicht hätte haben wollen. Nach zwei Stunden lallten sie alle einträchtig und freuten sich, daß er zum 1. September nach Bremen kommen wollte.

Als Manfred die Gangway nach oben stieg, um wieder nach Berlin zu fliegen, war er so betrunken, daß er drei Stufen auf einmal nehmen wollte. Die Stewardeß hoch über ihm im Eingang der Maschine hatte ihn schon auf dem Kieker. Er wußte von Bea, daß die Stewardessen nicht nur da oben standen, um den Passagieren freundlich »Guten Tag« zu sagen, sondern auch die Aufgabe hatten, alkoholisierte Personen auszusortieren. Er riß sich zusammen und schaffte es, ungehindert zu seinem Sitz zu kommen. Es wurde ein ungemein stürmischer Flug, und eine Achterbahn war nichts dagegen, doch er genoß, *duhn* wie er war, das Auf und Ab mit innerem Jauchzen. Herrlich.

Wieder in Tempelhof, fiel ihm ein, daß er sich in diesem Zustand kaum bei Renate sehen lassen konnte. Also setzte er sich auf eine Bank und wartete anderthalb Stunden, bis er annehmen konnte, einigermaßen ausgenüchtert zu sein.

Renate freute sich mit ihm, daß es in Bremen so gut geklappt hatte, doch er merkte sofort, daß etwas nicht stimmte.

»Ist was passiert ...?«

»Ja, deine Schmöckwitzer Oma ist ins Krankenhaus gekommen ... Krebs überall ... Es steht schlecht um sie ...«

Es war ein Härtefall, und schon wenig später hatte er die Passierscheine für sie beide und seine Eltern.

An einem bitterkalten, aber sonnigen Wintertag fuhren sie mit der S-Bahn nach Friedrichshagen hinaus, wo seine Oma im St.-Antonius-Krankenhaus lag, direkt am Ufer des Müggelsees. Eine Straßenbahn war nicht in Sicht, und so liefen sie die Bölschestraße hinunter. Es roch hier anders als in Westberlin, nach Ofenheizung und Desinfektionsmitteln, »irgendwie so ...«, und vor allem fehlten die vertrauten Läden und Reklametafeln. Die Fassaden sahen allesamt so aus, als wäre der Krieg eben erst zu Ende gegangen, und die Jacken und Mäntel, die die Menschen trugen, waren erdfarben, durchweg synthetisch braun und grau, »irgendwie scheußlich ...«, Tarnfarben, wie der Vater fand. Dazu das fremdartige Geld, die andersartigen Pässe. Er stand am Ufer des Müggelsees ... und war mitten im Ausland, eben *aus dem Land*. Auch das Krankenhaus schien ihm – verglichen mit dem »Rudolf Virchow« im Wedding, wo man gerade Gerhard Bugsins Sohn an den Augen operiert hatte – mehr ein Feldlazarett als eine moderne Klinik zu sein. Doch alles hier wirkte harmonisch, war beneidenswerte Biedermeierzeit, noch richtig deutsch und nicht so amerikanisch, italienisch und französisch wie im Westen drüben.

Tante Gerda und Leszek kamen ihnen entgegen, als sie gerade nach dem Zimmer fragen wollten, in dem Marie Schattan lag, die Schmöckwitzer Oma.

»Schön, daß ihr so schnell gekommen seit«, begrüßte sie Tante Gerda. »Mutti geht es schlecht.«

Manfred sah sie nur von der Tür aus, denn die Ärzte machten gerade Visite. »Kommen Sie in einer Viertelstunde wieder.«

Die anderen – seine Eltern, Renate, Leszek und Tante Gerda – setzten sich auf eine Bank im Flur, Manfred aber hielt es nicht in den kahlen, dunkelgrün gestrichenen Gängen, er ging zum Müggelsee hinunter. Der war völlig zugefroren, und es tummelten sich so viele Menschen bunt und fröhlich auf dem Eis, daß er an Breughels Winterbilder denken mußte. Er ging so weit auf den See hinaus, daß er die Stelle erreichte, die sie beim Paddeln gekreuzt haben mußten, bei ihrer großen Umfahrt um die Müggelberge herum: von Schmöckwitz aus über den Langen See beziehungsweise die Dahme, an Köpenick vorbei zur Müggelspree und über Müggelsee, Gosener Graben und Seddinsee wieder nach Schmöckwitz zurück, an die 33 Kilometer. Meistens mit Gerhard zusammen, aber auch mit anderen Freunden. Damals, im früheren Leben, *fifteen years ago* ... Er wußte schon damals, daß dies das Paradies gewesen war, als sie von Schmöckwitz per Boot ihre kleine Welt erobert hatten, und wenn seine Oma nun starb, dann stand endgültig fest, daß dieses Paradies für immer Vergangenheit war. In ein paar Tagen wurde er 31 Jahre alt und konnte nicht anders, als erwachsen zu werden. Es war wie ein Fluch.

Als er dann mit den anderen am Bett seiner Großmutter stand, erkannte sie schon keinen mehr. Oder doch, denn sie schlug noch einmal die Augen auf und sang mit leiser Stimme: »Ich wär' ja so gern noch geblieben, aber der Wagen, der rollt ...«

Es kam der Juli 1969. Die XIX. Internationalen Filmfestspiele waren eröffnet worden, und in Neukölln hatte ein Serienbrandstifter die Dachpappenfabrik an der Saale-, Ecke Wipperstraße heimgesucht. Dann kam Bundespräsident Gustav Heinemann zu Besuch in die Frontstadt, und Manfreds Vater winkte ihm begeistert zu. Die U-Bahn wurde bis zum Rathaus Steglitz verlängert. An der Wirtschafts- und Sozialwissenschaftlichen Fakultät der FU hatten sich die Studenten mehrheitlich für einen neuen Streik entschieden.

Nichts hielt Manfred mehr in Westberlin. Weg von hier, raus. Wenn er sich nicht endlich abnabelte vom Gewesenen, stand er nur immer neben sich und versäumte das Leben. Eine Wohnung in Bremen war schon gefunden, draußen in Osterholz, fast auf den Wiesen nach Fischerhude hin. Nun mußte er nur noch das Rigorosum bestehen, den mündlichen Teil der Doktorprüfung. Seine Dissertation war von beiden Gutachtern mit einer Eins bewertet worden.

Doch schon in der ersten Runde – Psychologie bei Hörmann – schien alles aus zu sein.

»Herr Matuschewski ... Was sagt Ihnen denn der Name Ebbinghaus.«

Anzüge, Kleidung. Manfred konnte ein Grinsen gerade noch unterdrücken. »Ja, das muß was mit Erinnern und Vergessen zu tun haben ...«

»Richtig. Aber was ...«

»Das scheine ich vergessen zu haben ...«

»Vielleicht erinnern Sie sich daran, wenn ich Ihnen jetzt zurufe: BOL, HAR, ZUP ...«

Die Szene wurde grotesk. Saß er im neuen Stück von Ionescu?

»BOL, HAR, ZUP. Das müßte Ihnen doch auf der Stelle etwas sagen ...«

»Nein ...« Alles war wie weggeblasen.

»Hermann Ebbinghaus ... Silben als ideale Reize für ...?«

»... Rätsel.«

»Mein Gott!«

Besonders peinlich war das Ganze, weil Frau Mayntz, seine Chefin, bei dieser Prüfung die Beisitzerinnenrolle übernommen hatte. Sich vor ihr so zu blamieren, war die Hölle für ihn, und so kam es zum völligen Blackout. Nichts wußte er über die Gedächtnisexperimente mit Hilfe sinnloser Silben zu berichten.

Der Psychologe stöhnte auf. »Na schön, lassen wir das ... Wie sieht es denn aus mit ... mit ... äh: Solomon Asch ...?«

Der Gefreite Asch ... 08/15 ... Joachim Fuchsberger. Andere Assoziationen wollten sich nicht einstellen, so sehr er in den letzten Winkeln seines Gedächtnisses suchte. Alles hatte er gelernt, nur das nicht, wonach Hörmann ihn in dieser Prüfung fragte.

»Nichts mit den klassischen Experimenten zur Konformität?«

»Nein ...« Schon klang Manfred das, was alle Doktoranden in ihren Alpträumen immer wieder hörten, in den Ohren: *Es ist wohl besser, Sie kommen im nächsten Semester noch einmal wieder.* Doch Hörmann schien ein Menschenfreund zu sein. Vielleicht war es auch so, daß er den Assistenten der Kollegin Mayntz nicht so eiskalt abservieren wollte. Jedenfalls gab er Manfred eine letzte Chance.

»Weil wir gerade von Konformität gesprochen haben … Wie ist es denn mit Milgram, Stanley Milgram …?«

Da wußte Manfred Bescheid und konnte das berühmte Experiment vom blinden Gehorsam ausführlich schildern.

»Gehorsam gegenüber Autoritäten ist eine Form von Konformität, und Stanley Milgram hat in seinen Laboruntersuchungen herausgefunden, welche Rolle soziale Faktoren dabei spielen. Seine experimentelle Anordnung sieht einen ›Schüler‹ und einen ›Lehrer‹ vor, die Versuchsperson. Beide sind durch eine Wand getrennt. Jedesmal nun, wenn der ›Schüler‹ einen Fehler macht, soll ihm der ›Lehrer‹ auf Geheiß des Versuchsleiters, der Autorität, einen Elektroschock versetzen … zur Strafe. Bei 300 Volt beginnt der ›Schüler‹ – in Wahrheit ein eingeweihter Mitarbeiter – vor Schmerzen zu schreien. Und trotzdem haben einige der Versuchspersonen weitergemacht, wenn die Autorität dies wollte. Im einzelnen war das so, daß …«

Dieser Vortrag gelang ihm so gut, daß Hörmann es verantworten konnte, ihm insgesamt noch eine Vier zu geben. Damit war Manfred zwar gerettet, doch mit einer Traumnote war es nun vorbei, so sehr er bei den nächsten Prüfungen auch glänzte: bei Frau Mayntz, bei Stammer und bei Bellinger, das war die Betriebswirtschaftslehre. Und trotzdem hing sein Bestehen am seidenen Faden, denn die letzte Runde hatte er bei Helmut Arndt zu absolvieren, in Volkswirtschaftslehre. Sie saßen in dessen Büro, nur der Protokollant, der Professor und er …

»Herr Matuschewski, Macht in der Wirtschaft … Was bedeutet das?«

Es war Manfreds Lieblingsthema, und er legte los: »Entfällt die Annahme, daß alle Wirtschaftssubjekte gleichermaßen ökonomisch frei sind, so kann die Leistung als Ausleseprinzip durch die Macht verdrängt werden. Anstelle des Tüchtigeren setzt sich jetzt der Mächtigere durch. Dabei kann die Macht – muß aber nicht – finanziell begründet sein. Wer mehr flüssige Mittel hat, der …«

Er war gerade so richtig in Fahrt gekommen, da geschah es: Die Studenten protestierten draußen gegen die Verschiebung aller Klausuren auf den Beginn des Wintersemesters, wie es die Fakultätsvertretung gerade beschlossen hatte, und ein paar besonders forsche Kämpfer hatten alle Türen, die zu ihrem Flur führten, abgeschlossen und dann eine der dicken Drahtglasscheiben mit der gußeisernen Spitze eines Feuerwehrschlauches durchstoßen. »Wasser Marsch!« hieß es nun, und der Flur mit den Büros der Wirtschaftsprofessoren wurde systematisch unter Wasser gesetzt. Es dauerte nicht lange, da strömte es auch unter ihrer Tür hindurch ins Zimmer.

»Da müssen wir wohl aufhören«, sagte der Protokollant und schob seine Papiere zusammen.

»Nein!« rief Arndt. »Hier wird nicht kapituliert.«

»Ich stelle mich jedenfalls nicht mit Schuhen und Strümpfen ins Wasser«, maulte der Protokollant, ein in Ehren ergrauter akademischer Rat.

»Die ziehen wir aus und stellen sie auf den Tisch …«

Das taten sie wirklich, und so bestand Manfred seine letzte akademische Prüfung mit einer glatten Eins.

Bald trafen Polizei und Feuerwehr ein, und Renate konnte ihm schon trockenen Fußes entgegeneilen.

»Gratuliere, Herr Doktor!«

In ihrem Käfer ging es zum Festessen ins *Schweizer Haus* im Grunewald. Zum ersten Mal seit langem war Manfred wieder so, als ob er schwebte. Bei seinen Eltern an der Treptower Brücke warteten schon die Freunde und Verwandten: Dirk Kollmannsperger, Moshe Bleibaum und Horst Hastenteufel mit ihren Frauen, Gerhard Bugsin mit Max und Tante Irma, dazu noch Tante Trudchen und seine Schwiegermutter.

Sein Doktor wie auch sein Abschied von Berlin sollten in einem gefeiert werden. Seine Eltern hatten drei Flaschen Champagner spendiert, Renate und Monika Hastenteufel hatten bergeweise Kartoffelchips aus ihrer Firma mitgebracht.

Am nächsten Tag ging es nach Bremen. Für ihre wenigen Sachen und Möbelstücke reichte ein kleiner Umzugswagen. Renate hatte für die DDR-Grenzkontrolleure alle Bücher Manfreds mit Autor, Titel und Erscheinungsort mit Schreibmaschine auf einer Liste festhalten müssen. Trotzdem mußte die Fuhre beim Transit durch die DDR vom Umziehenden begleitet werden, und so fuhr Renate mit Horst Hastenteufel im VW hinter dem Möbelwagen her. Manfred selber hatte an diesem Tag in Hamburg einen wichtigen Vortrag über die »Neuen Trends in der Organisationssoziologie« zu halten und vom Veranstalter ein Flugticket geschickt bekommen. Anschließend wollte er mit der Bahn nach Bremen fahren und noch vor Renate und dem Freund in der neuen Wohnung sein.

Er hatte alle gebeten, nicht zum Flughafen zu kommen. »*Ein* Abschied ist genug.« Er wollte allein sein mit sich und seinen Gefühlen.

Noch gab es seinen geliebten *Telegraf*, obwohl alle munkelten, daß er am Eingehen war. Vielleicht war es das letzte Mal in seinem Leben, daß er sich einen kaufen und lesen konnte. Die U-Bahn-Baustelle in Charlottenburg-Nord war voller Wasser gelaufen ... Die U-Bahn würde ihm in Bremen sicher fehlen, dafür gab es dort Straßenbahnen. Hertha BSC hatte auch das zweite Heimspiel gewonnen, 2:1 gegen Alemannia Aachen, und ein Leser reimte dazu: »Hertha hat den Sieg geschafft, / aber nur mit letzter Kraft. / Wenn ick ooch nur Laie bin: / Mehr Musike muß schon sin!«

Der Flug nach Bremen wurde aufgerufen. Er warf seine Zeitung nicht weg, sondern steckte sie ein. Die Beine wurde ihm schwer, als er zur Paßkontrolle ging. Wie zu seiner Hinrichtung. Gleich fiel das Fallbeil, und alles war aus. Für immer.

Die Maschine hob ab und strich über den St.-Thomas-Friedhof, ehe sie an Höhe gewann. Es ging über die vertrauten Straßen hinweg, die wie Cañons in den Neuköllner Häuserfels geschnitten waren. Linker Hand sah er seine alte Schule.

»Matuschewski, in welcher Form kommt Siliciumdioxyd – SiO_2 – in der Natur im allgemeinen vor?«

»???«

Die Treptower Brücke konnte er nicht sehen, er wußte aber, daß seine Eltern auf dem Balkon standen, um zu ihm hinaufzuwinken. Und sicherlich hatte sein Vater das Kalenderblatt in der Hand, das er am vorigen Morgen in der Post abgerissen hatte: *Was vergangen ist, kehrt nicht wieder; aber, ging es leuchtend nieder, leuchtet's lange noch zurück.*

Da war die Ossastraße ... Gerade hielt der Bauer vor der Nr. 39 und sprang, seine Glocke schwingend, vom Bock herunter.

»Brennholz für Kartoffelschalen!«

Und er sah sich, den kleinen Manfred Matuschewski, wie er über den Hof gelaufen kam, den weißen Emaille-Eimer in der Hand.

Horst Bosetzky

Capri und Kartoffelpuffer

Roman

Band 13992

Manfred Matuschewski spielt Fußball und Tischtennis, hört gern Schlager, doch seine schulischen Leistungen in einem Berliner Gymnasium sind verheerend. Manfred ist ein rebellischer Jugendlicher, er träumt von Reisen in ferne Länder, um dem grauen Schulalltag zu entkommen. Den Konfirmandenunterricht läßt er nur widerwillig über sich ergehen, aber die Konfirmation, bei der er Brieftasche, Armbanduhr und Füllfederhalter geschenkt bekommt, wird zu einem wahren Fest. Er besucht die Tanzstunde, lernt die ersten Mädchen kennen, aber sein großer Schwarm, die junge Caterina Valente bleibt für ihn unerreichbar. Doch zunächst einmal steuert das Leben des jungen Manfred unausweichlich auf realistischere Ziele zu. Denn nur wenn er sein Abitur besteht, winkt als Belohnung die Erfüllung seines größten Traums.

Fischer Taschenbuch Verlag

fi 3010 / 2

Horst Bosetzky

Der letzte Askanier

Roman

Band 13963

Im Jahre 1348 taucht in der Mark Brandenburg ein Mann auf, der sich als der totgeglaubte Markgraf Waldemar, der rechtmäßige Erbe der Mark, ausgibt. Allerdings war Waldemar achtundzwanzig Jahre zuvor feierlich beigesetzt worden, und damit war das Geschlecht der Askanier erloschen. Wie ein Lauffeuer verbreitet sich die Nachricht, und jeder weiß zu dieser wundersamen Geschichte etwas beizusteuern. Gehört dieser Mann, der von sich behauptet, er komme als Pilger aus Jerusalem zurück, tatsächlich zum angestammten Fürstenhaus, oder ist er ein Scharlatan, eine Figur im Spiel der europäischen Mächte? Dem späteren Kaiser Karl IV. kommt er im Kampf um die Herrschaft jedenfalls sehr gelegen. Mit Hilfe eines »historischen Kommissars« entwickelt Horst Bosetzky seine eigene Theorie zu diesem bis heute ungelösten Fall europäischer Geschichte.

Fischer Taschenbuch Verlag

fi 1530 / 7

Leonie Ossowski

Die große Flatter

Roman

Band 2474

Was aus der Siedlung kommt, sagen die Leute, das kann ja nichts Gutes sein. Und deshalb geht auch soviel schief, deshalb möchte jeder gern abhauen, die große Flatter machen. Das möchten auch Schocker und Richy, die beiden Jungen aus den in Baracken zusammengepferchten, zerrütteten Familien in der menschenunwürdigen Berliner Obdachlosensiedlung, aber alles geht eben schief. Ihre Ausbruchsversuche scheitern ebenso wie die Erfüllung ihrer Sehnsucht nach Liebe und menschlicher Wärme. Am vorläufigen Ende steht die Kriminalität und das Gefängnis und Richys tränentrotzige Wut: »Eines Tages werde ich alle fertigmachen.« Nur für Schocker zeigt sich ein Funken von Hoffnung.

Fischer Taschenbuch Verlag

fi 1558 / 4

Thomas Brussig

Helden wie wir

Roman

Band 13331

Die deutsche Geschichte muß umgeschrieben werden: Klaus Uhltzscht war es, der die Berliner Mauer zum Einsturz gebracht hat! Dabei ist Klaus eigentlich ein Versager par exellence. Als Sohn eines Stasi-Spitzels und einer Hygieneinspektorin wächst er zwischen Jogginghosen und Dr. Schnabels Aufklärungsbuch auf, bleibt im Sportunterricht auf ewig ein Flachschwimmer. Auch sein großer Traum, als Topagent bei der Stasi zu arbeiten, erfüllt sich leider nicht. Dafür aber wird er, der inzwischen eine Perversionskartei erfunden hat, zum persönlichen Blutspender Erich Honeckers. Jetzt, da auch noch die Mauer durch – man höre und staune – seinen Penis fiel, packt Klaus aus und erzählt von seinem ruhmreichen Leben. Keiner hat bislang frecher und unverkrampfter den kleinbürgerlichen Mief des Ostens gelüftet als Brussig. Ein Lesevergnügen allererster Ordnung!

Fischer Taschenbuch Verlag

fi 2223 / 3

Robert Gernhardt

Lichte Gedichte

Band 14108

›*Lichte Gedichte*‹ widmet sich in neun Abteilungen den ewigen Themen aller Dichtung ebenso wie sehr zeitgenössischen, ja privaten Sujets. Von der Liebe, der Person, der Natur und der Kunst ist anfangs die Rede, mit Tod und Erkrankung schließt die Sammlung, wobei ›Herz in Not‹, das »Tagebuch eines Eingriffs in einhundert Eintragungen«, wider Erwarten für ein gutes Ende und dafür sorgt, daß das Versprechen »licht« nicht zu einem schlichten »lich« verkümmert. Der für Gernhardt typische Spagat zwischen ungenierter Komik und dezidierter Ernsthaftigkeit hat in seinen Gedichten eine neue Qualität erreicht: Der dunkle Grund der Erdenschwere kommt ständig zur Sprache und verwandelt sich ebenso beständig vor unser aller Augen in Helligkeit und Schnelligkeit.

Fischer Taschenbuch Verlag

fi 240 / 10

Horst Bosetzky

Capri und Kartoffelpuffer

Roman

520 Seiten. Gebunden.

Manfred Matuschewski, den der Leser bereits aus dem Erfolgsroman *Brennholz für Kartoffelschalen* kennt, verlebt seine Gymnasialzeit in Berlin zwischen 1951 und 1957. Ganz Kind seiner Zeit, verkörpert er die Kultur der »Halbstarken«, gerät mit Eltern und Schule in Konflikt, träumt von Mädchen und Motorrädern und vom fernen Capri. Wieder gelingt Horst Bosetzky ein authentisches und lebendiges Bild einer Epoche, diesmal dem Deutschland der 50er Jahre zwischen Wirtschaftswunder und Italiensehnsucht.

»Der Leser erfährt Geschichte so, wie sie damals erlebt wurde … eine unterhaltsame Lektüre über eine wichtige, uns schon seltsam ferne Zeit.«

Fuldaer Zeitung

Argon

Horst Bosetzky

Quetschkartoffeln und Karriere

Roman

502 Seiten. Gebunden.

Manfred Matuschewski hat es nach Bremen verschlagen. Dort hat der in der Zwischenzeit promovierte Soziologe als wissenschaftlicher Mitarbeiter einen Job im Amt für Verwaltungsinnovation (AmfVi) bekommen der Umzug von Berlin nach Bremen fiel ihm schwer, denn »er hat so Heimweh nach dem Kurfürstendamm ...«
Auch in seinem neuen Job bleibt sich Manfred treu: er will zwar ganz nach oben, verabscheut es aber, sich den Mächtigen als Erfüllungsgehilfe anzudienen. Er untersucht die Sitten und Gebräuche in Ämtern und Behörden und verfaßt darüber Abhandlungen. Der Erfolg läßt nicht lange auf sich warten – er bekommt Lehraufträge, wird Hochschuldozent. Seine Universitätskarriere führt ihn schließlich wieder in seine geliebte Heimatstadt, doch zieht er nicht nach Neukölln, den Bezirk der kleinen Leute, sondern ins bürgerliche Wilmersdorf.
Der Junge vom Neuköllner Hinterhof ist endgültig auf dem Weg nach oben.

Argon